lonely planet

NOUVELLE-ZÉLANDE

ÉDITION ÉCRITE ET ACTUALISÉE PAR

Brett Atkinson, Sarah Bennett,
Peter Dragicevich, Charles Rawlings-Way, Lee Slater

L'itinéraire Lonely Planet

Découvrez l'itinéraire néo-zélandais rêvé de Lonely Planet, qui offre un tour d'horizon des lieux incontournables du pays.

Pour d'autres suggestions de circuits, consultez notre chapitre Itinéraires *(p. 26); pour une exploration plus thématique, reportez-vous au chapitre* Envie de... *(p. 20).*

De gauche à droite : randonneuse sur le Routeburn Track (p. 279) ; observation des baleines à Kaikoura (p. 218) ; Urupukapuka Island, Bay of Islands (p. 71)

1re semaine

De Christchurch à Te Anau

❶ Voyez renaître **Christchurch** après les séismes de 2010 et 2011.

🚗 1 heure 30 ou 🚌 1 heure 45

❷ Réalisez une excursion à **Akaroa** pour découvrir son passé colonial et sa faune.

🚗 3 heures 30 ou 🚌 4 heures 30

❸ De Christchurch, traversez les Alpes du Sud jusqu'à **Greymouth**.

🚗 2 heures 30 ou 🚌 4 heures

❹ Descendez la côte ouest pour rejoindre l'impressionnant **Franz Josef Glacier**.

🚗 4 heures 30 ou 🚌 8 heures

❺ Gagnez **Queenstown**, ses vues spectaculaires et ses sports extrêmes.

🚗 2 heures ou 🚌 3 heures

❻ Ralliez **Te Anau** et le Milford Sound, un fjord somptueux.

🚗 7 heures 30, ou 🚗 2 heures, puis ✈ 45 minutes

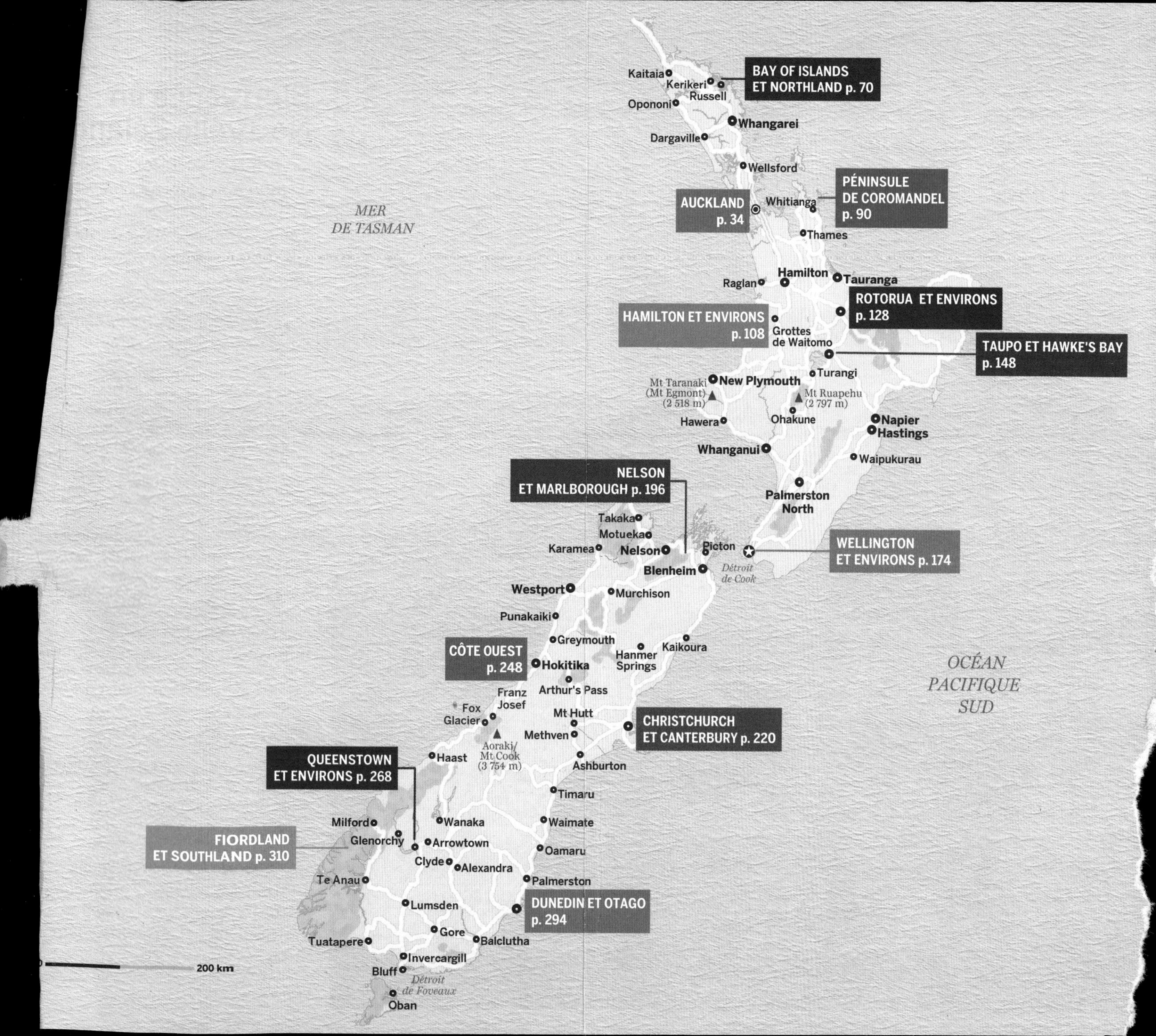

BAY OF ISLANDS ET NORTHLAND p. 70

Kaitaia
Kerikeri
Russell
Opononi
Whangarei
Dargaville
Wellsford

AUCKLAND p. 34

PÉNINSULE DE COROMANDEL p. 90

Whitianga
Thames

MER DE TASMAN

Raglan
Hamilton
Tauranga

ROTORUA ET ENVIRONS p. 128

HAMILTON ET ENVIRONS p. 108

Grottes de Waitomo

TAUPO ET HAWKE'S BAY p. 148

Turangi
Mt Taranaki (Mt Egmont) (2 518 m)
New Plymouth
Mt Ruapehu (2 797 m)
Ohakune
Hawera
Napier
Hastings
Whanganui
Waipukurau

NELSON ET MARLBOROUGH p. 196

Palmerston North
Takaka
Motueka
Karamea
Nelson
Picton

WELLINGTON ET ENVIRONS p. 174

Blenheim
Détroit de Cook
Westport
Murchison
Punakaiki
Greymouth
Kaikoura
Hanmer Springs

CÔTE OUEST p. 248

Hokitika
Arthur's Pass

OCÉAN PACIFIQUE SUD

Franz Josef
Fox Glacier
Mt Hutt
Methven

CHRISTCHURCH ET CANTERBURY p. 220

Aoraki/Mt Cook (3 754 m)

QUEENSTOWN ET ENVIRONS p. 268

Haast
Ashburton
Timaru
Milford
Wanaka
Waimate
Glenorchy
Arrowtown

FIORDLAND ET SOUTHLAND p. 310

Oamaru
Clyde
Alexandra
Te Anau
Palmerston

DUNEDIN ET OTAGO p. 294

Lumsden
Gore
Tuatapere
Balclutha
Invercargill
Bluff
Détroit de Foveaux
Oban

0 200 km

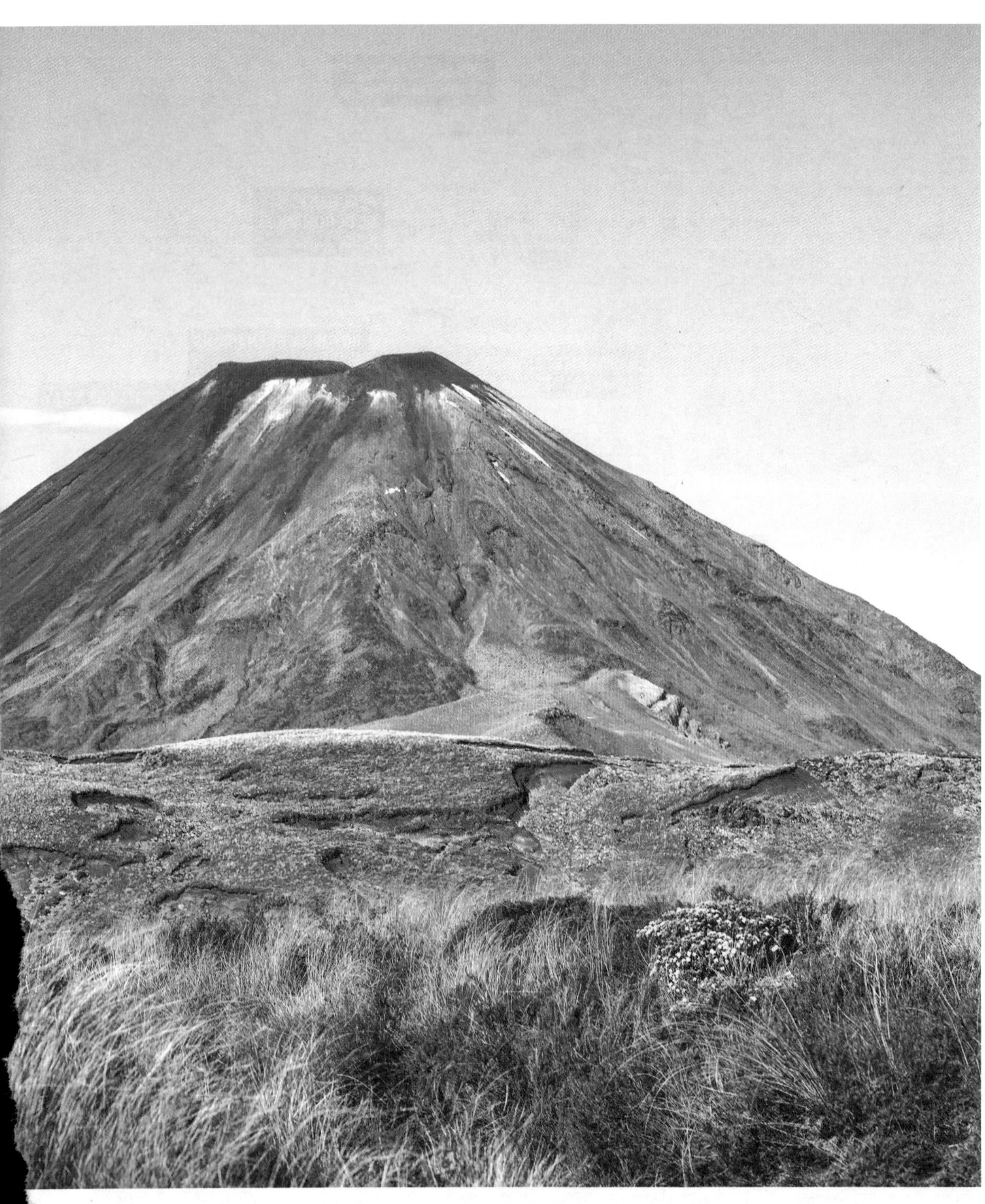

Bienvenue
Nouvelle-Z

En ces temps troublés s
environnemental et géop
la Nouvelle-Zélande offre
d'un périple tout à la fois
convivial et dépaysant. Pe
paisible et ouvert, le pays r
d'évasion privilégié pour les
en quête de paysages specta
d'aventure et de bonne chère.

Les forêts, montagnes, lacs, plag
fjords font de ce territoire de l'hé
Sud l'une des meilleures destinati
de "tramping" (randonnée) de la p
Vous pourrez vous attaquer à l'un d
9 "Great Walks", dont le fameux Milf
Track, et vous promener pendant de
heures le long du rivage, glisser sur l'
en pirogue ou rouler à VTT au milieu
d'une nature grandiose mais accessible.

Après l'effort, le réconfort prend la forme
d'une offre culinaire remarquable, influencée
par le Pacifique et l'Asie, avec des m
fermiers, d'excellents vins locaux
et de goûteuses bières artisanales.

La découverte de la culture maorie c
aussi un élément essentiel de tout
en Nouvelle-Zélande, qu'il s'agisse d
(festins), des *waiata* (chants tradit
du farouche *haka* (danse guerrière
ou des courses de *waka* (pirogues

Pour couronner le tout, l'accueil c
et la décontraction des habitants
ne manqueront pas de vous sédu

Un lieu d'évasion privil
pour les voyageurs en q
de paysages spectacula
d'aventure et de bonne

Mt Ngauruhoe (p. 152)
BREATHING IMAGES/GETTY IMAGES ©

2e semaine

De Te Anau à Wellington

7 De Te Anau, ralliez **Dunedin** et la **péninsule d'Otago**.

3 heures 30 ou 4 heures 45

8 Remontez à Queenstown, puis rendez-vous à **Christchurch**.

4 heures 30 ou 6 heures

9 Remontez la côte est pour observer les baleines au large de **Kaikoura**.

3 heures 45 ou 5 heures

10 Direction **Nelson** et la région de **Marlborough** pour visiter les vignobles de Blenheim, et faire du kayak ou de la randonnée dans l'**Abel Tasman National Park**.

1 heure 45, puis 3 heures, ou 35 minutes

11 Embarquez à **Picton** pour l'île du Nord, où **Wellington** recèle d'excellents musées et micro-brasseries.

5 heures 30 ou 10 heures

Pour prolonger

De Wellington à la Bay of Islands

12 Mettez le cap au nord vers **Taupo**, en incluant une journée de randonnée le long du **Tongariro Alpine Crossing**.

45 minutes ou 1 heure

13 De Taupo, poursuivez jusqu'à **Rotorua**, haut lieu d'activité géothermique et de culture maorie.

1 heure 30 ou 2 heures

14 Hamilton, sur les berges du fleuve Waikato, fait une bonne base pour visiter les **grottes de Waitomo** et **Hobbiton**.

2 heures ou 4 heures

15 De Hamilton, continuez jusqu'à **Hahei** et **Cathedral Cove**.

3 heures ou 4 heures 30

16 Ralliez **Auckland**, à l'atmosphère cosmopolite, et **Waiheke Island**.

3 heures ou 4 heures 15

17 Terminez votre périple par des balades en mer dans la **Bay of Islands**.

Sommaire

Avant le départ

Aoraki/Mt Cook (p. 230)

Avant le départ
13 expériences incontournables

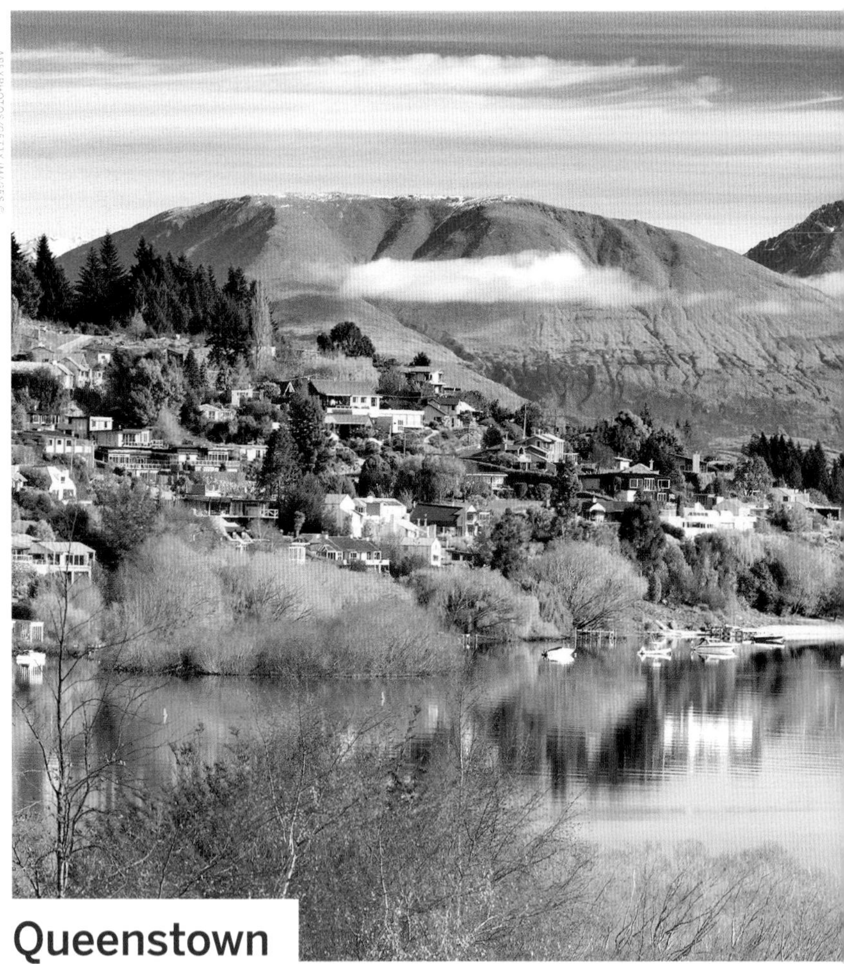

Queenstown

Aventure, paysages exceptionnels et grands crus

Queenstown (p. 269) a beau être connue comme le berceau du saut à l'élastique, le haut lieu des sports extrêmes en Nouvelle-Zélande a bien davantage à offrir. Avec, en arrière-plan, les contours accidentés du massif des Remarkables (p. 289), les voyageurs passent leurs journées à skier, à faire de la randonnée ou du VTT. Le soir, ils se retrouvent dans des restaurants cosmopolites, puis dans certains des meilleurs bars du pays. Le lendemain, ils varient les plaisirs (deltaplane, kayak, rafting) ou optent pour un rythme plus paisible en visitant Arrowtown (p. 280) ou Glenorchy (p. 277).

DOUG PEARSON/GETTY IMAGES ©

1

DOUGLAS PEEBLES/GETTY IMAGES ©

MATTEO COLOMBO/GETTY IMAGES ©

Marlborough

Soleil, mer, vin et baleines

Après avoir comparé les mérites du sauvignon blanc de Marlborough (p. 200) et de la bière artisanale de Nelson (p. 206) à base de houblon local, rendez-vous dans l'Abel Tasman National Park (p. 202) voisin pour partir en randonnée, faire du kayak ou vous baigner. Quant à Kaikoura (p. 218), c'est la destination côtière privilégiée pour aller à la rencontre des baleines, des otaries à fourrure de Nouvelle-Zélande et de la faune aviaire.

2

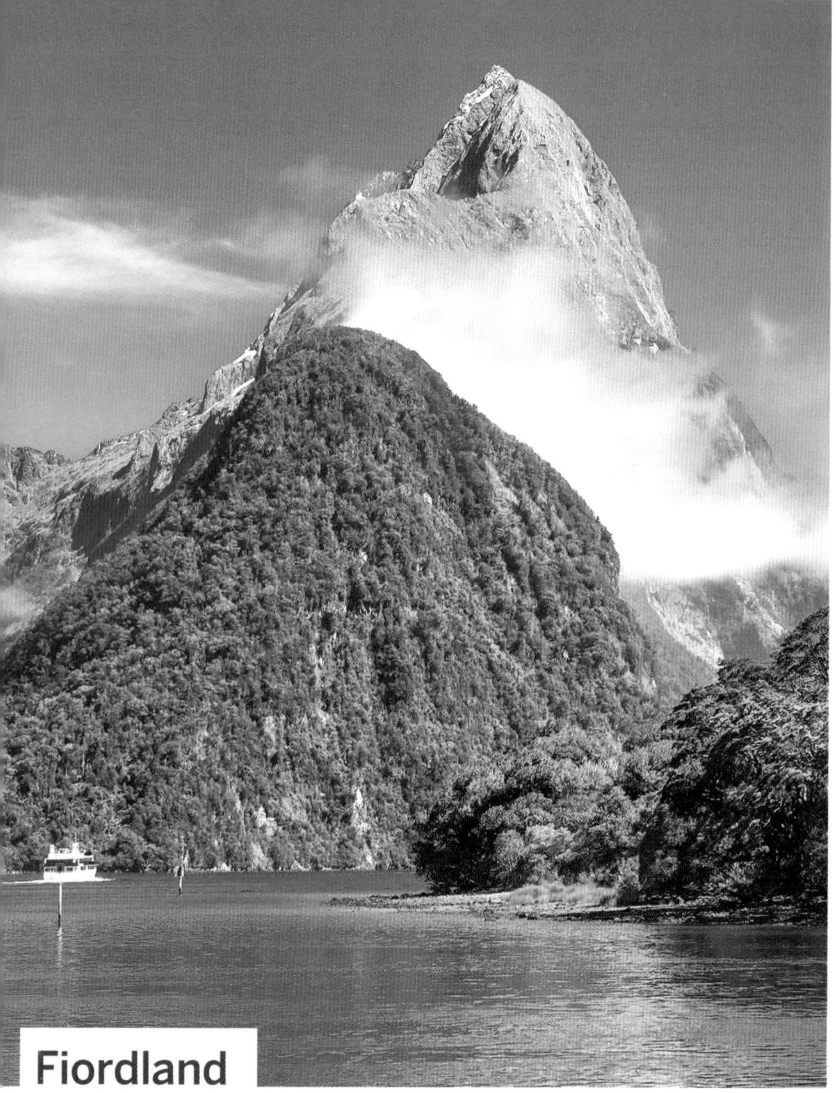

FILIP FUKA/SHUTTERSTOCK ©

Fiordland

3

Montagnes majestueuses, fjords et lacs

Vous découvrirez peut-être le Milford Sound (p. 316) par une journée ensoleillée. Avec ses cascades, ses falaises verdoyantes et ses nappes d'eau bleu cobalt, le plus célèbre fjord du pays est alors un joyau naturel. Il est toutefois plus probable que la silhouette du Mitre Peak vous apparaisse à travers la brume et sous le crachin. Vous pouvez vous y rendre en suivant le Milford Track, avant d'explorer en kayak les rives du Doubtful Sound (p. 322) plus au sud. Milford Sound

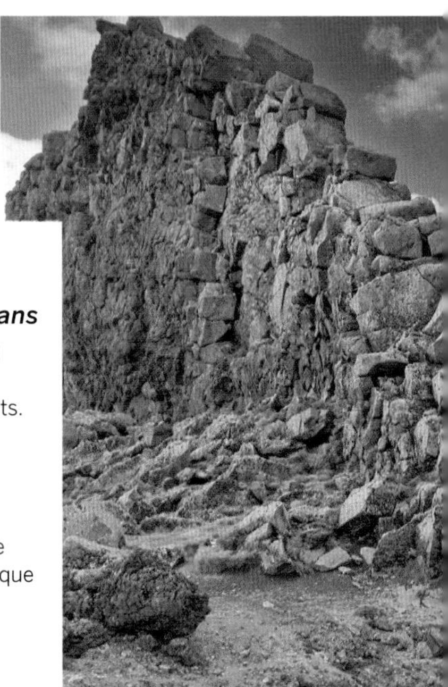

4

Taupo et environs

Activités de plein air sur fond de volcans

Au centre de l'île du Nord, le Tongariro National Park (p. 152) affiche un étrange paysage de désert alpin ponctué de trois volcans fumants. Le Tongariro Alpine Crossing (p. 154), qui contourne la base de deux de ces montagnes, offre un panorama de cratères et de lacs aux couleurs éclatantes. Près de la ville de Taupo (p. 160), au bord de l'eau, la zone géothermique de Wairakei (p. 156) témoigne du passé volcanique de la région. Le cœur accidenté de l'île du Nord vaut essentiellement pour la pêche à la truite, les croisières lacustres et la pratique du VTT.

Meads Wall, Tongariro National Park

Bay of Islands

Littoral splendide et berceau historique

Ravissantes anses aux eaux turquoise, dauphins batifolant devant la proue des bateaux, bancs d'orques pleines de grâce : ce sont souvent ces images qui poussent le voyageur à choisir la Nouvelle-Zélande pour destination, et c'est exactement ce qu'il trouve dans la Bay of Islands (p. 71). Entre deux excursions en mer, découvrez l'histoire coloniale et maorie à Russell (p. 80) et à Waitangi (p. 74), sans oublier de vous régaler à Kerikeri.

Stone Store (p. 78) et Mission House (p. 79), Kerikeri

6

Auckland

Métropole multiculturelle et baies somptueuses

Les deux baies qui l'étreignent et ses volcans font d'Auckland (p. 35) une métropole atypique. Ses belles plages, ses proches vignobles et sa vie sociale dynamique, où gastronomie, bars et scène musicale ont la part belle, la désignent comme l'une des villes les plus agréables à vivre du monde. Les fêtes culturelles sont célébrées avec enthousiasme dans cette cité marquée par la diversité ethnique. Non loin, Waiheke Island (p. 42) a les faveurs des citadins pour son art de vivre, son vin et ses plages, tandis que la côte ouest (p. 46) de la région abrite des plages sauvages et boisées où pratiquer le surf.

7

Péninsule de Coromandel

Plages de rêve et mer bleu cobalt

Destination favorite des habitants d'Auckland depuis des décennies, la péninsule de Coromandel (p. 91) abrite des plages superbes et des criques cachées, souvent égayées l'été par les fleurs rouges des pohutukawas. Rendez-vous à Hahei (p. 94) pour nager sous l'arche de pierre de Cathedral Cove, creusez votre propre Jacuzzi à Hot Water Beach, et revivez l'époque des mines d'or dans les villes historiques de Coromandel (p. 120) et de Waihi (p. 98). À gauche : Cathedral Cove ; à droite : Hot Water Beach

PICHUGIN DMITRY/SHUTTERSTOCK ©

PETER UNGER/GETTY IMAGES ©

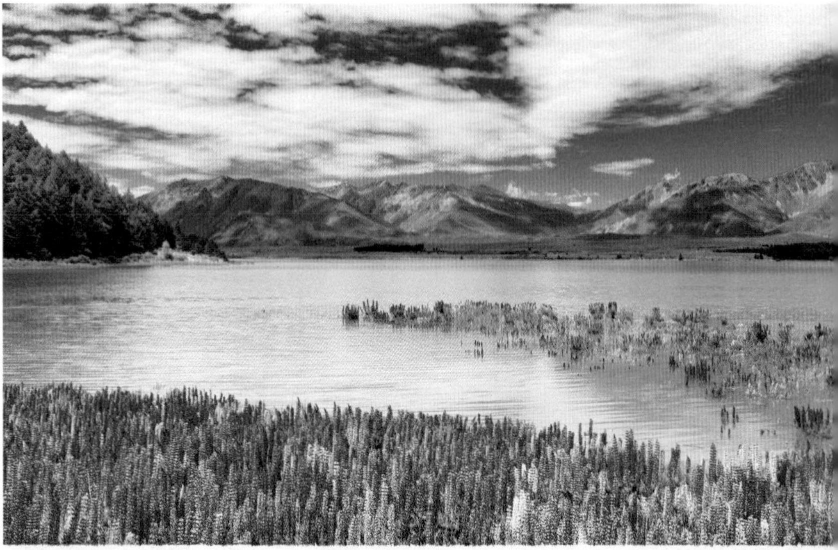

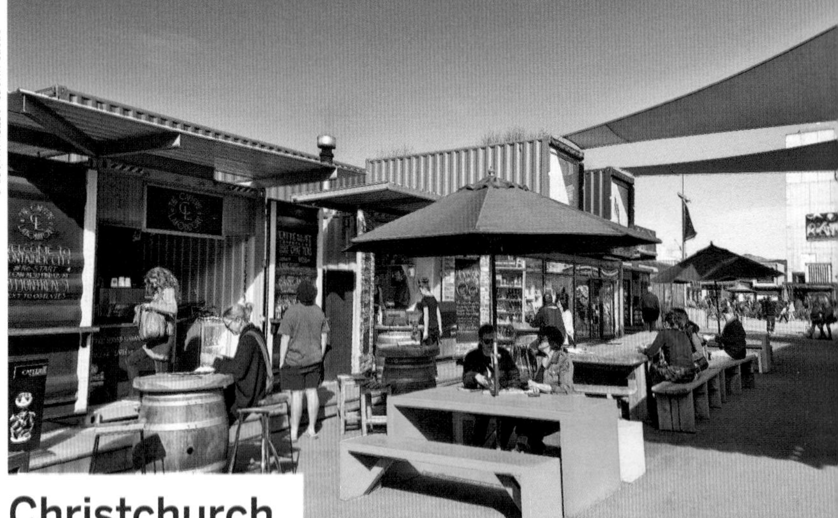

Christchurch

Ville dynamique et hauts sommets

Après les tremblements de terre de 2010 et 2011, Christchurch (p. 221) renaît grâce à la solidarité et la créativité de sa population. Sur la péninsule de Banks (p. 226), le port d'Akaroa possède un patrimoine colonial français et une intéressante faune marine. Au sud-ouest de Christchurch, le lac Tekapo (p. 228) est la porte d'accès au Mackenzie Country et à l'Aoraki/Mt Cook (p. 230), point culminant du pays. En haut : lac Tekapo ; en bas : Re:START Mall, Christchurch

8

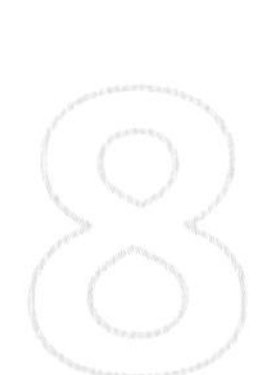

TIM GRAHAM/GETTY IMAGES ©

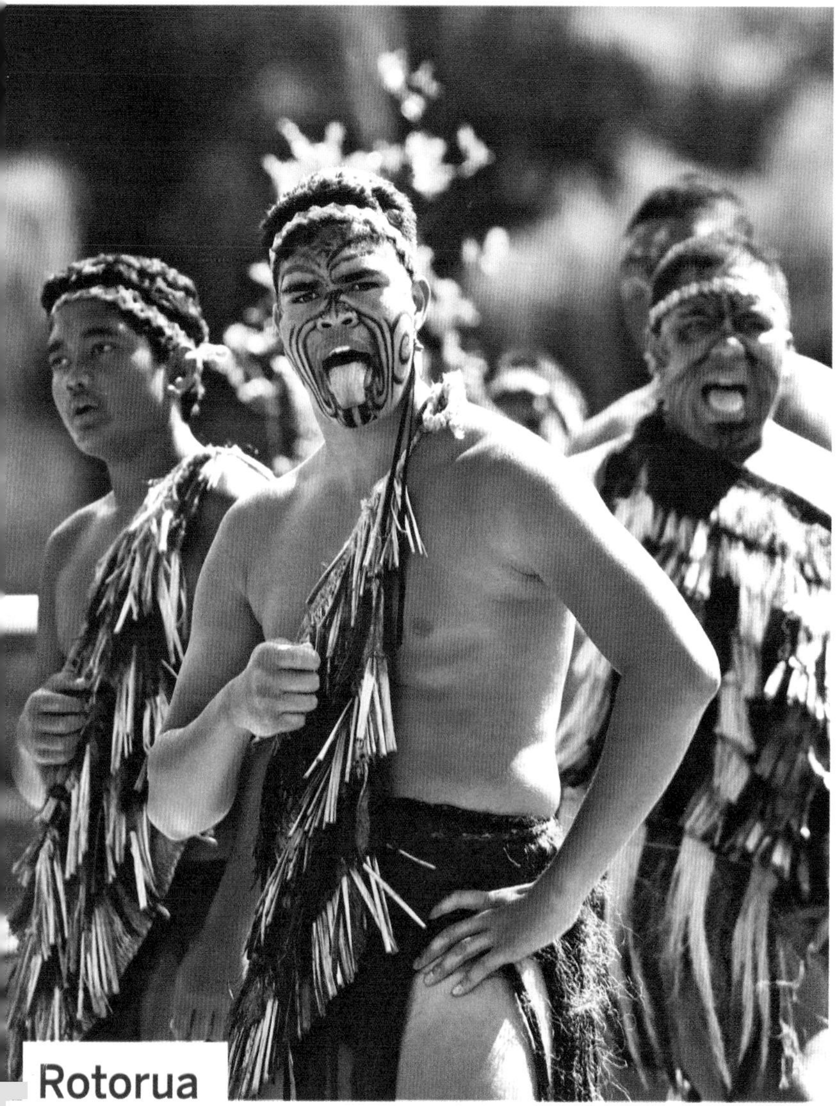

Rotorua

Phénomènes géothermiques et culture maorie

Les geysers et les bassins de boue ou d'eau thermale en ébullition constituent la principale attraction touristique de la région. Rotorua (p. 129) reste par ailleurs un fief de la culture maorie – prenez le temps de participer à un *hangi* ou à un concert traditionnel. Vous pouvez également vous adonner à des activités telles que traversée en tyrolienne, rafting et VTT. Mais rien ne vaut une marche tranquille à travers la splendide forêt de séquoias de Whakarewarewa (p. 134).

9

DHOXAX/SHUTTERSTOCK ©

Wellington

Bars et restaurants ultra-tendance en bord de mer

10

Classée "petite capitale la plus cool du monde" par nos soins en 2011, Wellington (p. 175) tient bien son rang. Réputée pour le dynamisme de sa scène artistique et musicale, ses excellents cafés et un nombre plus important de restaurants par habitant qu'à New York, la ville accueille désormais aussi des micro-brasseries. Te Papa Tongarewa (p. 178), le brillant musée national, donne à voir tout ce qui fait l'identité de la Nouvelle-Zélande.

DAVID WALL PHOTO/GETTY IMAGES ©

Otago

Promenades à vélo à la découverte d'anciennes cités aurifères

Immergez-vous dans la Nouvelle-Zélande coloniale en visitant des villes datant de la ruée vers l'or, comme Alexandra et Clyde, et en parcourant à vélo l'itinéraire historique de l'Otago Central Rail Trail (p. 302), qui reliait autrefois Dunedin, sur la côté, à l'intérieur des terres. Côté nature, rejoignez la péninsule d'Otago (p. 298) pour observer sa riche faune marine.

OLIVER STREWE/GETTY IMAGES ©

Grottes de Waitomo

Formations géologiques et décors de cinéma

Ne ratez pas Waitomo (p. 112), étonnant labyrinthe de grottes, de gorges et de rivières souterraines trouant le calcaire au nord du King Country. Le rafting dans la pénombre des cavernes constitue l'activité la plus prisée, mais il est également possible de visiter des grottes scintillantes de vers luisants, descendre sous terre en rappel, et admirer des forêts de stalactites et de stalagmites.

BO TORNVIG/GETTY IMAGES ©

Côte ouest

13

Glaciers impressionnants et littoral sauvage

Entre la mer de Tasman et les Alpes du Sud, la côte ouest (p. 249) revêt des airs de bout du monde. Elle séduit par son aspect sauvage, la richesse de sa faune et des sites naturels incontournables comme les Pancake Rocks de Punakaiki (p. 260), ou les glaciers Franz-Josef (p. 252) et Fox (p. 256). La bourgade endormie de Hokitika (p. 264) évoque le souvenir de la ruée vers l'or et ouvre sur un arrière-pays spectaculaire. Fox Glacier

Avant le départ

Ce qu'il faut savoir

Quand partir

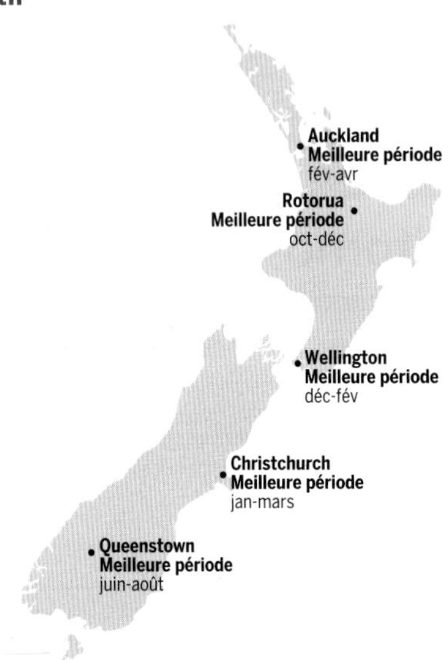

Haute saison (déc-fév)

- Durant l'été austral, plages bondées, festivals et manifestations sportives.
- Augmentation du prix de l'hébergement dans les grandes villes.
- Dans les stations de ski, haute saison en juin-août.

Mi-saison (mars et avr, sep-nov)

- Période idéale : beau temps, affluence réduite, période scolaire et océan (plutôt) chaud.
- Longues soirées accompagnées de vins et de bières artisanales du cru.

Basse saison (mai-août)

- Idéal pour skier dans les Alpes du Sud.
- Peu de monde, tarifs attractifs pour l'hébergement.
- Climat doux dans les cités balnéaires à demi endormies.

Monnaie

Dollar néo-zélandais ($).

Langues

Anglais, maori et langue des signes néo-zélandaise.

Visa

Nécessaire pour un séjour de plus de 3 mois pour les ressortissants français, suisses, belges et canadiens. Voir www.immigration.govt.nz.

Argent

Nombreux DAB dans les villes et les principales agglomérations. Cartes bancaires acceptées dans la plupart des hôtels et restaurants.

Portable

Les téléphones européens fonctionnent en Nouvelle-Zélande. Renseignez-vous auprès de votre opérateur pour les coûts d'itinérance ou achetez une carte SIM locale.

Heure locale

GMT + 12 heures.

Budget quotidien

Petits budgets moins de 150 $

- Lit en dortoir ou camping : 25-38 $/nuit
- Plat dans un restaurant bon marché : moins de 15 $
- Forfait bus Naked Bus ou InterCity : 5 trajets à partir de 15 $

Catégorie moyenne de 150 à 250 $

- Chambre double en hôtel/motel : 120-200 $
- Plat dans un restaurant de catégorie moyenne : 15-32 $
- Location de voiture : à partir de 30 $/jour

Catégorie supérieure plus de 250 $

- Chambre double en hôtel haut de gamme : à partir de 200 $
- Repas complet dans un restaurant chic : 80 $
- Vol intérieur d'Auckland à Christchurch : à partir de 100 $

Sites Internet

100% Pure New Zealand (www.newzealand.com/nouvelle-zelande). Site officiel du tourisme néo-zélandais, avec une carte du réseau de 80 centres d'information, ou i-SITEs, qui émaille le pays.
Department of Conservation (DOC ; www.doc.govt.nz). Renseignements sur les parcs et campings fournis par les antennes du DOC réparties dans le pays.
Lonely Planet (www.lonelyplanet.fr). Informations et forum de voyageurs, etc.
Destination New Zealand (www.destination-nz.com). Renseignements utiles.
Te Ara (www.teara.govt.nz). Encyclopédie en ligne de la Nouvelle-Zélande.

Heures d'ouverture

Ces horaires standards sont susceptibles de varier selon la saison. La plupart des lieux ferment pour Noël et le Vendredi saint.

Banques 9h30-16h30 lun-ven, et 9h-12h sam pour certaines agences en ville
Boutiques et services 9h-17h30 lun-ven, et 9h-12h30 ou 17h sam
Bureaux de poste 8h30-17h lun-ven, et 9h30-13h sam pour les bureaux importants
Cafés 7h-16h
Pubs et bars 12h-tard
Restaurants 12h-14h30 et 18h30-21h
Supermarchés 8h-19h ou 21h (ou plus tard) en ville

À l'arrivée

Aéroport international d'Auckland (p. 365). Les bus Airbus Express rejoignent le centre-ville toutes les 10 à 30 minutes, 24h/24. Des services de navette porte à porte fonctionnent 24h/24. Un taxi jusqu'au centre-ville coûte 75-90 $ (45 minutes).
Aéroport de Wellington (p. 365). Les bus Airport Flyer rejoignent le centre-ville toutes les 10 à 20 minutes, de 6h30 à 21h30. Des services de navette porte à porte fonctionnent 24h/24. Un taxi jusqu'au centre-ville coûte environ 30 $ (20 minutes).
Aéroport de Christchurch (p. 365). La ligne de métro Purple Line dessert régulièrement Christchurch de 6h45 à 23h. Des services de navette porte à porte fonctionnent 24h/24. Un taxi jusqu'au centre-ville coûte environ 50 $ (20 minutes).

Comment circuler

Dans ce pays tout en longueur, se rendre d'un point à un autre prend du temps.
Voiture Pour voyager à son rythme, découvrir des secteurs isolés et explorer des régions dépourvues de transports publics. Agences de location dans les grandes villes.
Bus Liaisons fiables et fréquentes (généralement moins chères que l'avion).
Avion Vols intérieurs fréquents, rapides et abordables.
Train Services sûrs et réguliers (mais ni rapides ni économiques) sur certaines lignes des deux îles.

Pour plus d'informations, consulter le **Carnet pratique** (p. 352) 

Avant le départ

Envie de...

DANITA DELIMONT/GETTY IMAGES ©

Villes

Auckland Quelque chose de Seattle, la pluie en moins et la culture vivante des îles du Pacifique en plus. (p. 35)

Wellington Tout ce que l'on peut attendre d'une capitale, regroupé dans un centre compact. (p. 186)

Christchurch Un centre urbain dynamique en pleine renaissance après deux séismes récents. (p. 232)

Hamilton Une ville étudiante qui mérite le détour pour ses bars, restaurants et musées. (p. 120)

Queenstown Atmosphère décontractée et internationale en bord de lac. (p. 282)

Dunedin L'Édimbourg du Sud allie beauté du littoral, animation estudiantine et quiétude rurale. (p. 304)

Activités de plein air

Queenstown Sautez dans le vide avec le Shotover Canyon Swing ou le Nevis Bungy. (p. 273)

Ohakune Old Coach Road Le plus beau parcours de VTT du pays. (p. 166)

Waitomo Descendez en rafting une rivière souterraine. (p. 112)

Auckland Bravez le vertige du haut de la Sky Tower. (p. 54)

Côte ouest Sorties de rafting incluant un trajet en hélicoptère. (p. 255)

Otago Central Rail Trail Découvrez à VTT les anciennes cités aurifères. (p. 302)

Tongariro Alpine Crossing Lancez-vous à l'assaut des sommets de cette randonnée alpine. (p. 154)

Histoire

Waitangi Treaty Grounds Lieu de signature du traité controversé de Waitangi entre les chefs maoris et les représentants de la couronne britannique. (p. 74)

Rotorua Museum Excellent musée traitant des tribus Te Arawa et de l'éruption cataclysmique du volcan Tarawera en 1886. (p. 140)

Te Papa Le musée national de la Nouvelle-Zélande, à Wellington, retrace l'histoire biculturelle du pays. (p. 178)

Auckland Museum Excellentes galeries consacrées à la culture des îles du Pacifique, dans l'Auckland Domain. (p. 40)

Waihi Le fascinant patrimoine historique des mines d'or. (p. 98)

Culture maorie

Rotorua Spectacle de *haka* (danse guerrière) et *hangi*, festin maori. (p. 129)
Maori Made Boutique de Rotorua spécialisée dans les vêtements et les articles de maison maoris contemporains. (p. 143)
Hokitika *Pounamu* (jade), os et *paua* (coquillage) sculptés traditionnels. (p. 264)
Toi Hauāuru Studio Sculptures, arts plastiques et *ta moko* (tatouage) modernes à Raglan. (p. 118)
Te Wharewaka o Pōneke Waka Tours Découvertes culturelles et excursion de 2 heures en *waka* (pirogue). (p. 190)

Pubs et brasseries

Wellington Direction le Garage Project et le Fork & Brewer pour goûter la bière artisanale de la ville. (p. 181)
Queenstown Seule ville de Nouvelle-Zélande où les bars sont très fréquentés même le lundi. (p. 288)
Auckland Excellents petits bars comme Mo's, Golden Dawn et Freida Margolis. (p. 64)
Nelson Haut lieu de la culture du houblon, avec tout un circuit de microbrasseries et de tavernes. (p. 215)
Pomeroy's Old Brewery Inn De loin le meilleur pub de Christchurch. (p. 240)

Gastronomie

Auckland Capitale culinaire, riche de nouvelles tables, enclaves ethniques et *food trucks*. (p. 59)
Vignobles du centre de l'Otago Le top de la cuisine et des vins dans un paysage somptueux. (p. 274)
Christchurch Floraison de restaurants et de bars dans le sud du CBD. (p. 238)
Côte ouest Petite friture en beignets à arroser d'une pinte de bière dans un pub rural.

À gauche : gorge de Kawarau, près de Queenstown (p. 272) ; à droite : petite friture

Avant le départ

Agenda

Janvier

World Buskers Festival

Durant 10 jours, jongleurs, musiciens, marionnettistes, mimes et danseurs se produisent partout dans Christchurch (www.worldbuskersfestival.com). Assistez aux spectacles en jouant des coudes parmi la foule et laissez une obole aux artistes.

Février

Waitangi Day

Le 6 février 1840, les Maoris et la couronne britannique signaient le traité de Waitangi (www.nzhistory.net.nz). Cette date est désormais un jour férié dans tout le pays. À Waitangi, l'événement est célébré par des visites guidées, des concerts, des marchés de rue et des animations familiales.

Marlborough Wine & Food Festival

Cette fête du vin, la plus importante et la meilleure du pays (www.wine-marlborough-festival.co.nz), permet de déguster les crus de près de 50 domaines de la région de Marlborough, accompagnés de bonne chère et de divertissements. Elle a généralement lieu un samedi en début de mois.

New Zealand Festival

Chaque année paire, en février-mars, Wellington met à l'honneur le théâtre, la danse, la musique, l'écriture et les arts plastiques pendant un mois, avec la participation de nombreux artistes étrangers (www.festival.co.nz).

Fringe NZ

Musique, théâtre, comédie, danse et arts visuels se donnent rendez-vous à Wellington (www.fringe.co.nz), dans un genre moins consensuel qu'au New Zealand Festival. Spectacles expérimentaux, un rien déjantés et souvent controversés.

Ci-dessus : *poi* (danse traditionnelle) lors du Waitangi Day (fête nationale)

CHAMELEONSEYE/SHUTTERSTOCK ©

☆ Hamilton Gardens Arts Festival

Durant les deux dernières semaines de février, le cadre verdoyant et parfumé des Hamilton Gardens accueille concerts, pièces de théâtre, spectacles de danse et projections de films en plein air (www.hgaf.co.nz).

Splore

Ce festival d'été avant-gardiste (www.splore.net) se tient à ciel ouvert dans le Tapapakanga Regional Park, sur la côte à 70 km au sud-est d'Auckland. Au programme : concerts de musique contemporaine, performances artistiques, arts visuels, baignade et *pohutukawa* (le fameux "arbre de Noël" de Nouvelle-Zélande)... Crème solaire, chapeau et bouteille d'eau de rigueur.

Mars

Wildfoods Festival

Cet événement décalé organisé à Hokitika offre l'occasion de goûter une "nourriture sauvage", avec au menu des vers ou des testicules de lièvre. La bière néo-zélandaise de qualité y coule à flots.

★ Les grands rendez-vous

Waitangi Day

Wildfoods Festival

Pasifika Festival

Beervana (p. 24)

World of WearableArt Show (p. 24)

Pasifika Festival

Avec près de 140 000 Maoris et de nombreux habitants originaires des îles Tonga, Samoa et Cook, de Niué, des îles Fidji et d'autres terres insulaires du Pacifique Sud, Auckland accueille la plus importante communauté polynésienne du monde. Toutes ces cultures se rassemblent avec ferveur lors de cette célébration annuelle (www.aucklandnz.com/pasifika).

Ci-dessus : Hamilton Gardens, siège du Hamilton Gardens Arts Festival

✩ Auckland City Limits
Vaguement inspiré du festival City Limits d'Austin, aux États-Unis, ce nouveau rendez-vous international de rock indé (www.aucklandcitylimits.com) investit pendant une journée quatre scènes dans le Western Springs Stadium.

Mai

✩ New Zealand International Comedy Festival
Trois semaines de rire avec des comiques anglo-saxons se produisant à Auckland, Wellington et dans d'autres centres régionaux (www.comedyfestival.co.nz).

Juin

Matariki
Le Nouvel An maori est célébré avec l'apparition de Matariki en mai et la nouvelle lune de juin : cérémonies du souvenir, programmes éducatifs, concerts, films, fêtes traditionnelles et plantation d'arbres sont organisés pendant trois jours, principalement dans les régions d'Auckland et du Northland (www.teara.govt.nz/en/matariki-maori-new-year).

Juillet

Queenstown Winter Festival
Ce festival hivernal (www.winterfestival.co.nz), né en 1975, attire aujourd'hui près de 45 000 fondus de neige pour 10 jours de fête ponctués de feux d'artifice, de concerts de jazz, de défilés dans les rues, de spectacles comiques, d'un bal masqué et de nombreuses activités autour de la neige. Débute parfois fin juin.

Août

✩ Bay of Islands Jazz & Blues Festival
On pourrait croire que la Bay of Islands n'a d'autre activité à proposer que de se dorer au soleil sur le pont d'un voilier. Et pourtant, au cœur de l'hiver, avec ce petit festival de jazz et de blues (www.jazz-blues.co.nz), la région offre un tout autre visage.

Beervana
Quand il gèle dehors, rien ne vaut la fête de la bière artisanale de Wellington (www.beervana.co.nz), qui témoigne de l'essor des microbrasseries néo-zélandaises.

Septembre

World of WearableArt Show
Cet événement insolite aux étonnantes créations vestimentaires se tient durant deux semaines à Wellington (www.worldofwearableart.com). Les pièces sont ensuite exposées au World of WearableArt & Classic Cars Museum (p. 208) à Nelson, où les Cadillacs côtoient les corsets... Déborde parfois sur le mois d'octobre.

Octobre

Kaikoura Seafest
Kaikoura a bâti sa réputation culinaire sur la langouste et autres crustacés réunis lors de cette "fête de la mer" (www.seafest.co.nz). L'occasion de se régaler, mais aussi de boire et de danser sans compter.

Nelson Arts Festival
L'ensoleillement de Nelson ne doit pas faire oublier sa bonne scène artistique. Ce festival de deux semaines est l'occasion de la découvrir (www.nelsonartsfestival.co.nz).

Avant le départ

En avant-goût

DMITRI OGLEZNEV/SHUTTERSTOCK ©

Livres

Les Luminaires (Buchet-Chastel, 2014), d'Eleanor Catton. La ruée vers l'or des années 1860 en Nouvelle-Zélande. Prix Booker 2013.

Mister Pip (Le Livre de Poche, 2011), de Lloyd Jones. La lecture des *Grandes Espérances* de Charles Dickens captive l'île minière de Bougainville. Prix Booker 2007.

Un ange à ma table (Arcanes/Joëlle Losfeld, 2011). L'autobiographie de Janet Frame, en 3 volumes.

La Garden Party (Folio, 2002), de Katherine Mansfield. Un recueil de nouvelles (publié en 1922) de l'une des plus célèbres écrivaines du pays.

Hobbiton (p. 116), Matamata

Films

Boy (2010), de Taika Waititi. Récit d'apprentissage d'un garçon maori. La plus grosse recette pour un film néo-zélandais.

Paï : l'élue d'un peuple nouveau (2002), de Niki Caro. Le conflit entre tradition et modernité dans une communauté maorie de la côte ouest.

Le Seigneur des Anneaux (2001-2003). La célèbre trilogie de Peter Jackson. Vint ensuite *Le Hobbit*...

L'Âme des guerriers (1994), de Lee Tamahori. Une famille marquée par la violence renoue avec les traditions maories.

La Leçon de piano (1993), de Jane Campion. La passion amoureuse, dans les années 1850, d'une femme muette qui s'exprime avec son piano.

Musique

Royals (2013). Tube international de Lorde, jeune chanteuse de 16 ans.

Somebody That I Used To Know (2011). Kimbra, originaire de Hamilton, accompagne Gotye.

Not Many (Scribe, 2003). Hip-hop kiwi.

Home Again (1997). Par le groupe Shihad, roi de la guitare rock dans le pays.

Anchor Me (1994). L'amour et le désir selon The MuttonBirds.

Don't Dream it's Over (1986). Mélancolie à l'état pur par le groupe Crowded House.

Slice of Heaven (1986). Tube de David Dobbyn, avec le groupe Herbs.

Pink Frost (1984). Grand succès de The Chills évoquant le Sud.

Avant le départ

Une semaine

Cap au sud

Débutant par la dynamique Christchurch, ce circuit traverse les Alpes du Sud, descend jusqu'aux glaciers de la côte ouest, rejoint la ville cosmopolite de Queenstown, pour finir en apothéose par les merveilles naturelles du Fiordland.

3 Franz Josef Glacier (p. 252)
Découvrez la gigantesque rivière de glace depuis un vol en hélicoptère époustouflant, puis partez pour une randonnée guidée de 3 heures.
4 heures 30 jusqu'à Queenstown

4 Queenstown (p. 282)
Un paysage spectaculaire, entre lac et montagnes, des sports extrêmes, d'excellents bars et restaurants, et une superbe région viticole à proximité.
2 heures jusqu'à Te Anau

5 Te Anau (p. 324)
Partez en randonnée dans les paysages reculés du Fiordland, puis naviguez sur le Milford Sound ou le Doubtful Sound.
3 heures 30 jusqu'à Dunedin

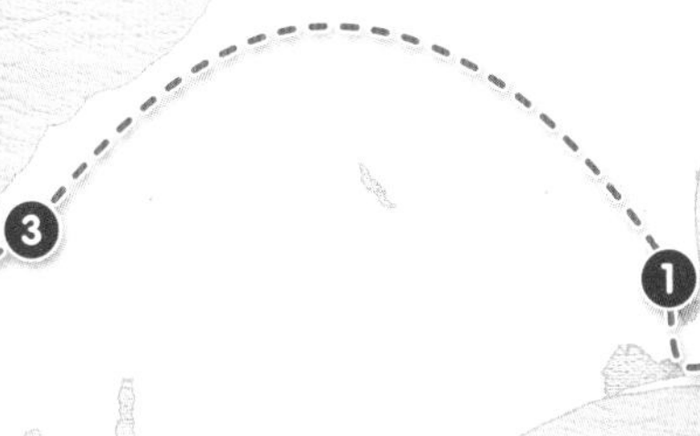

1 Christchurch (p. 232)

Après les puissants séismes de 2010 et 2011, un vent de créativité guide la renaissance de la deuxième ville du pays.

1 heure 30 jusqu'à Akaroa

2 Akaroa (p. 242)

De belles possibilités d'observation de la faune (avec le plus petit dauphin de Nouvelle-Zélande) et de remarquables vestiges coloniaux français dans une ville charmante.

5 heures jusqu'au Franz Josef Glacier

6 Dunedin (p. 304)

Côté ville, découvrez Dunedin, centre historique et universitaire de la belle région de l'Otago ; côté nature, explorez la péninsule d'Otago toute proche, un paradis sauvage peuplé de phoques, d'albatros et de manchots.

À GAUCHE : VICHIEB1/SHUTTERSTOCK ©; CI-CONTRE : DANITA DELIMONT/GETTY IMAGES ©

Avant le départ
10 jours

Périple nordique

Aux plaisirs urbains d'Auckland, de Hamilton et de Wellington, le cœur volcanique de l'île du Nord offre des alternatives sportives : VTT à Rotorua, randonnée près de Taupo ou descente en rappel dans les grottes de Waitomo.

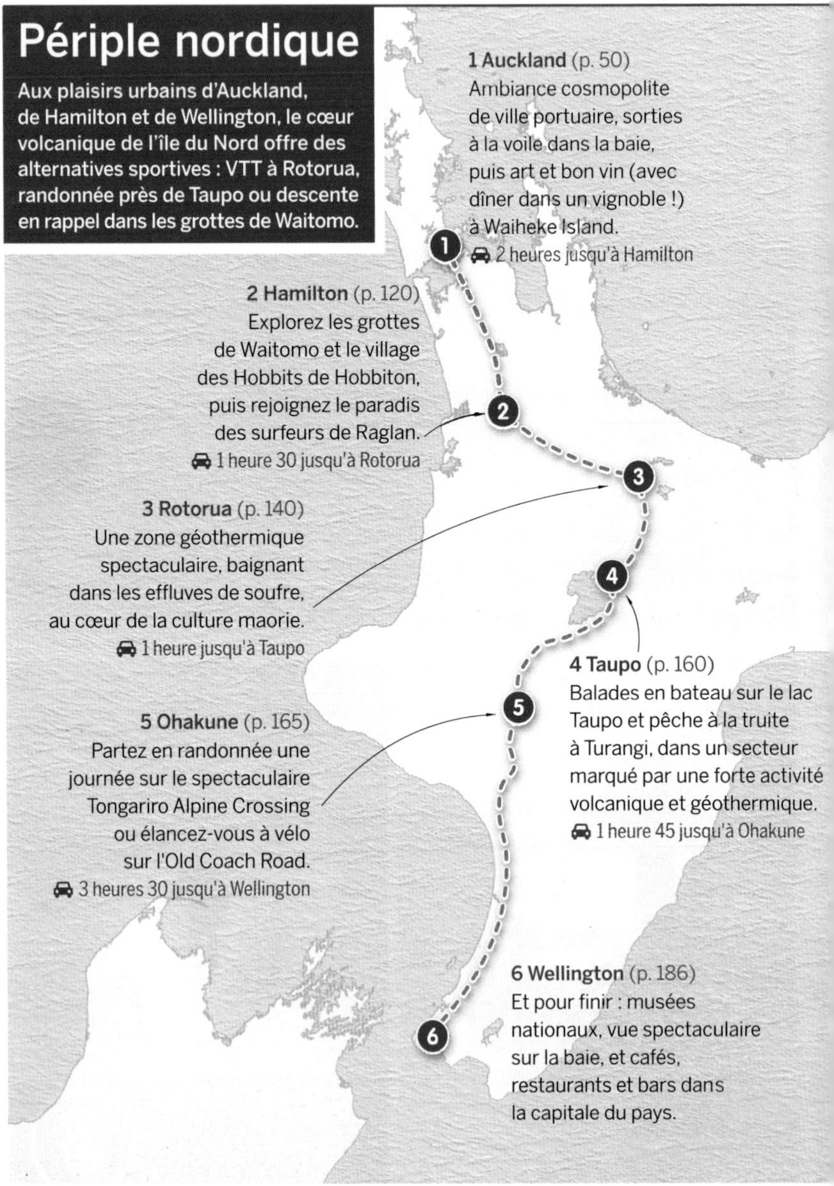

1 Auckland (p. 50)
Ambiance cosmopolite de ville portuaire, sorties à la voile dans la baie, puis art et bon vin (avec dîner dans un vignoble !) à Waiheke Island.
🚗 2 heures jusqu'à Hamilton

2 Hamilton (p. 120)
Explorez les grottes de Waitomo et le village des Hobbits de Hobbiton, puis rejoignez le paradis des surfeurs de Raglan.
🚗 1 heure 30 jusqu'à Rotorua

3 Rotorua (p. 140)
Une zone géothermique spectaculaire, baignant dans les effluves de soufre, au cœur de la culture maorie.
🚗 1 heure jusqu'à Taupo

4 Taupo (p. 160)
Balades en bateau sur le lac Taupo et pêche à la truite à Turangi, dans un secteur marqué par une forte activité volcanique et géothermique.
🚗 1 heure 45 jusqu'à Ohakune

5 Ohakune (p. 165)
Partez en randonnée une journée sur le spectaculaire Tongariro Alpine Crossing ou élancez-vous à vélo sur l'Old Coach Road.
🚗 3 heures 30 jusqu'à Wellington

6 Wellington (p. 186)
Et pour finir : musées nationaux, vue spectaculaire sur la baie, et cafés, restaurants et bars dans la capitale du pays.

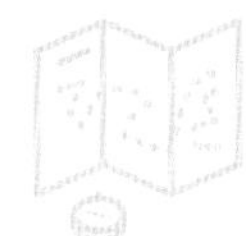

1

EN HAUT : HELIHEAD/SHUTTERSTOCK ©, EN BAS À GAUCHE : OLIVER STREWE/GETTY IMAGES ©, EN BAS À DROITE : FRANS LEMMENS/GETTY IMAGES ©

Avant le départ

10 jours

Ville et mer

D'Auckland, ralliez au nord la Bay of Islands et ses îles splendides, puis empruntez les routes sinueuses de la péninsule de Coromandel à la découverte de plages cachées et de mines d'or surgies du passé.

2 Paihia (p. 83)
Au cœur de la spectaculaire Bay of Islands, plongez dans l'histoire biculturelle de la Nouvelle-Zélande aux Waitangi Treaty Grounds.
3 heures 15 jusqu'à Auckland

4 Coromandel Town (p. 102) Porte d'accès à la beauté déchiquetée de l'extrême nord de Coromandel, cette ville historique témoigne de son passé aurifère.
45 minutes jusqu'à Whitianga

1 Auckland (p. 50)
Découvrez les plages de la côte ouest comme Muriwai et Piha (prisées des surfeurs) et les meilleurs vignobles de la région.
3 heures 15 jusqu'à Paihia

5 Whitianga (p. 104)
Une courte excursion sur une portion de côte époustouflante.
1 heure 45 jusqu'à Waihi

3 Auckland (p. 50)
Passez la nuit à Auckland avant de rejoindre les routes côtières de la péninsule de Coromandel.
3 heures 15 jusqu'à Coromandel Town

6 Waihi (p. 98)
Admirez la spectaculaire crique de Cathedral Cove à Hahei, plongez dans un bassin naturel à Hot Water Beach, puis visitez l'immense mine de Martha à Waihi.

6

Avant le départ

Voyager en famille

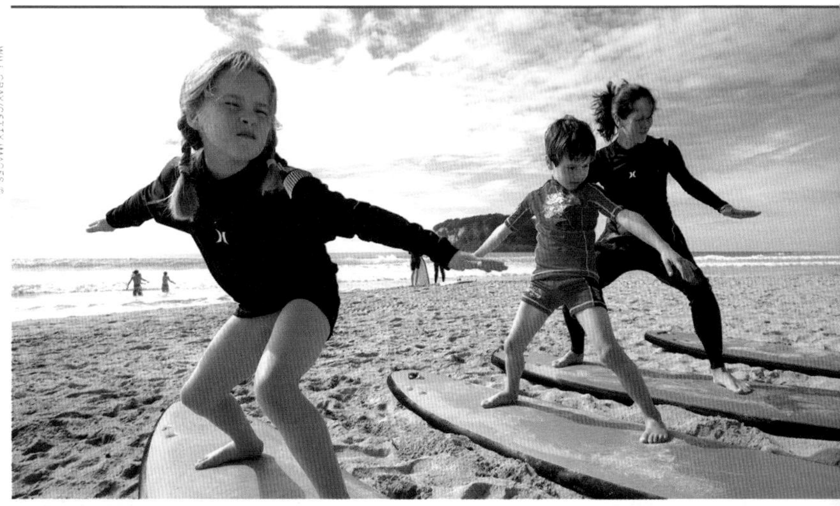

WILL GRAY/GETTY IMAGES ©

La Nouvelle-Zélande avec des enfants

Sûre, abordable et tempérée, offrant quantité de terrains de jeux et d'activités destinées aux enfants, cette destination se prête parfaitement à un voyage en famille.

Se préparer

Le guide *Voyager avec ses enfants* de Lonely Planet constitue une source d'information utile. De même, les sites suivants :

- www.kidspot.co.nz
- www.kidsnewzealand.com
- www.kidsfriendlytravel.com

Quand partir

Meilleure période, l'été rime toutefois avec haute saison et vacances scolaires. L'hébergement coûte cher et les grandes chambres familiales doivent être réservées. Nous recommandons donc la saison intermédiaire – mars et avril (sauf Pâques), et novembre –, quand le temps est encore agréable et l'activité touristique moins intense.

À savoir

Droits d'entrée et réductions Les enfants et les familles bénéficient souvent de tarifs réduits sur l'hébergement, les circuits organisés, les attractions et les transports.

Allaiter et changer bébé Réaliser ces opérations en public ne choque généralement pas les Néo-zélandais. La plupart des villes disposent de lieux aménagés à cet effet.

Baby-sitting Consultez le site www.rockmybaby.co.nz, ou bien les rubriques "babysitters" et "childcare centres" des Pages Jaunes (www.yellow.co.nz).

Quoi emporter Le temps pouvant se montrer changeant même l'été, prévoyez plusieurs couches de vêtements, dont des hauts à manches longues et des vestes.

Protection solaire En Nouvelle-Zélande, la forte intensité des UV peut provoquer des coups de soleil, y compris par temps couvert. Prévoyez

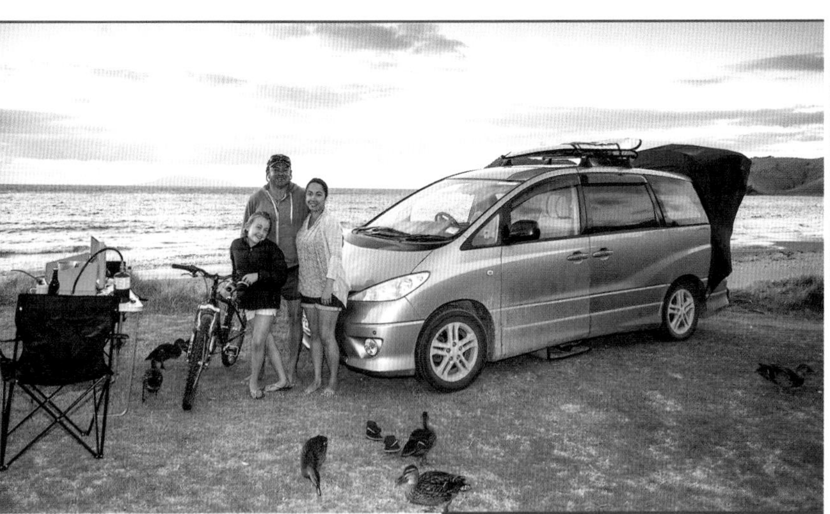

pour votre progéniture vêtements longs, chapeaux ou casquettes, lunettes de soleil et écran total.

Trajets À cause des routes étroites et sinueuses, souvent en terrain montagneux ou vallonné, les trajets sont plus longs qu'il n'y paraît sur la carte. En revanche, les lieux où faire halte pour aller aux toilettes, grignoter et se dégourdir les jambes ne manquent pas.

Se restaurer

Les petits sont les bienvenus dans les cafés et les salles à manger des pubs. Nombre d'établissements familiaux proposent des chaises hautes. Courants, les menus enfants n'offrent toutefois qu'un choix médiocre.

Comment circuler

Louer un camping-car constitue une option avantageuse et permet davantage de souplesse. Il existe en outre dans tout le pays des parcs de vacances pourvus d'aires de jeux et d'équipements pour les enfants.

★ Le top des destinations familiales

Bay of Islands (p. 71)

Rotorua (p. 129)

Grottes de Waitomo (p. 112)

Péninsule de Coromandel (p. 91)

Queenstown (p. 269)

Si vous avez besoin d'un siège bébé, assurez-vous que la compagnie de location peut vous en fournir un de la taille requise. Certains prestataires peuvent légalement exiger que vous le fixiez vous-même.

À gauche : école de surf, péninsule de Coromandel ; à droite : camping à la pointe nord de Coromandel (p. 100)

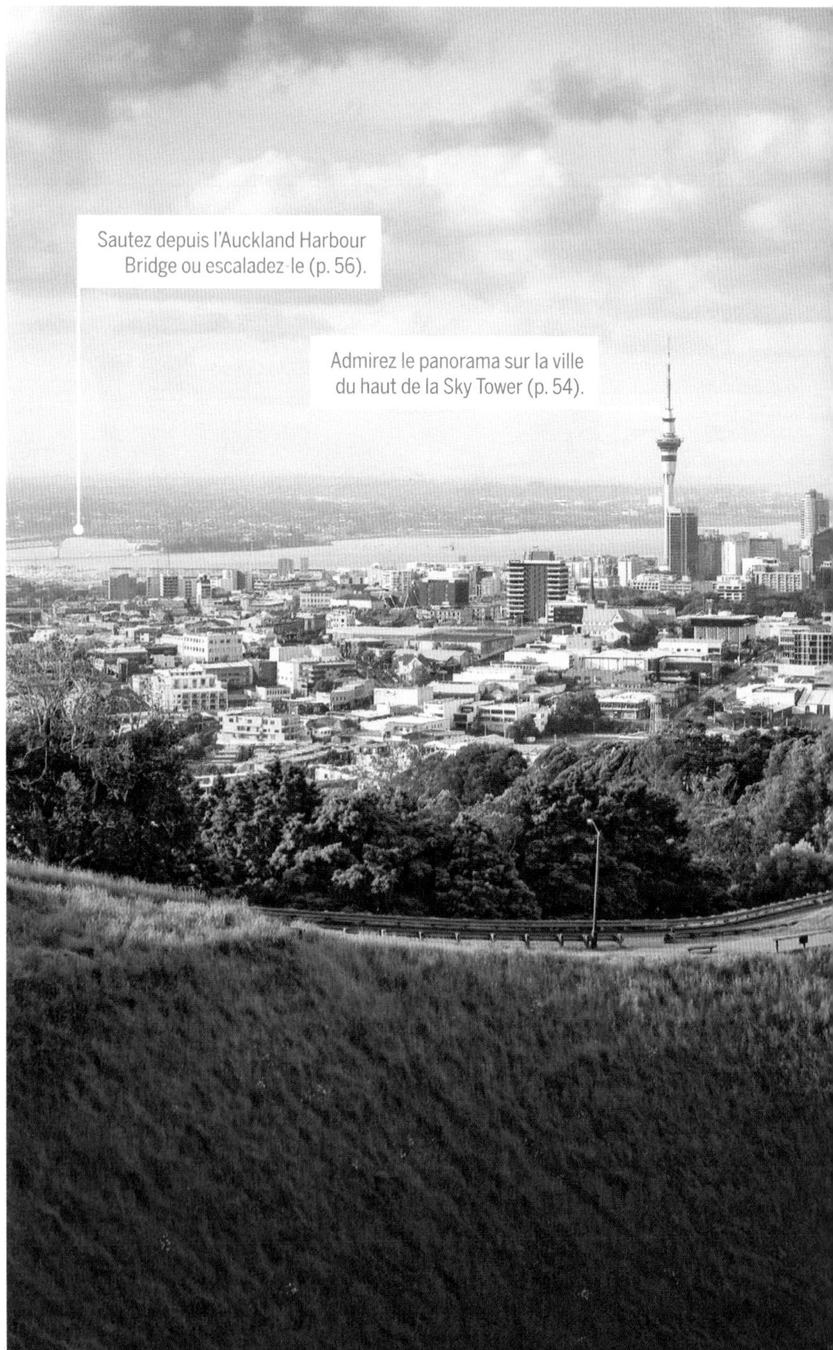
Sautez depuis l'Auckland Harbour Bridge ou escaladez-le (p. 56).
Admirez le panorama sur la ville du haut de la Sky Tower (p. 54).

AUCKLAND

Faites une excursion à la voile ou en kayak dans le Waitemata Harbour (p. 56-57).

Gravissez le volcan Mt Eden pour profiter de la vue sur la baie (p. 54).

Dans ce chapitre

Auckland

La ville la plus internationale de Nouvelle-Zélande s'étend de part et d'autre de l'isthme étroit séparant les baies de Manukau et de Waitemata. Qu'on se trouve sur les plages du sinueux Tamaki Drive, à bord des ferries qui desservent les îles du golfe de Hauraki ou à Waiheke Island, destination privilégiée des habitants pour ses vignobles, ses galeries et ses plages, l'océan est partout. Sans oublier les plages de surf boisées, facilement accessibles, qui se déploient à l'ouest.

En 2 jours

Petit-déjeunez au **Best Ugly Bagels** (p. 59), dans le City Works, avant de visiter l'**Auckland Museum** (p. 40), en particulier les galeries consacrées à la culture maorie et aux îles du Pacifique. L'après-midi, faites un tour de voilier dans le golfe de Hauraki avec **Explore** (p. 56), puis dînez comme l'habitant dans le **Wynyard Quarter** ou le quartier tendance de **Ponsonby**. Le lendemain, accordez-vous le frisson du **SkyWalk** (p. 56) ou du **SkyJump** (p. 56).

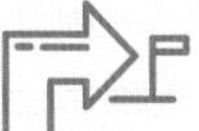

En 4 jours

Une fois couvert l'itinéraire précédent, rendez-vous en voiture ou en circuit organisé sur les **plages de la côte ouest** (p. 46) d'Auckland. Au programme : paysages sauvages, domaines vinicoles et colonie de fous de Bassan du Takapu Refuge à **Muriwai** (p. 46). Le quatrième jour, prenez le ferry pour **Waiheke Island** (p. 42), où vous attendent plages et vignobles, et passez si possible la nuit sur cette île paisible du golfe de Hauraki.

DOUBLE PAGE SUIVANTE, DANS LE SENS HORAIRE À PARTIR DU HAUT À GAUCHE : YUBO/GETTY IMAGES © ; OXFORD SCIENTIFIC/GETTY IMAGES © ; JOSE ANTONIO MACIEL/GETTY IMAGES © ; DENIZUNLUSU GETTY IMAGES © ; GLYN THOMAS TRAVEL/ALAMY STOCK PHOTO ©

Auckland Harbour Bridge

Comment s'y rendre

Aéroport international d'Auckland À 21 km au sud de la ville, il assure des vols intérieurs et dessert l'Australie, l'Asie, le Pacifique, l'Amérique du Nord et l'Amérique du Sud.

172 Quay Street Des bus et navettes ralliant diverses destinations de l'île du Nord partent en face du Ferry Building.

Gare ferroviaire d'Auckland Strand Terminus du train *Northern Explorer* qui relie Auckland à Wellington *via* Hamilton, Otorohanga et le Tongariro National Park.

Au programme

Auckland Anniversary Day Regatta. La "City of Sails" ("Ville des voiles") accueille cette régate le lundi le plus proche du 29 janvier.

Music in Parks (www.musicinparks.co.nz). Série de concerts gratuits dans les parcs en été.

Silo Cinema & Markets (www.silopark.co.nz ; ⏲déc-Pâques). Aux classiques du cinéma, projetés en plein air le vendredi soir, s'ajoutent des *food trucks*, stands d'artisanat et DJ, également présents les après-midi de week-end.

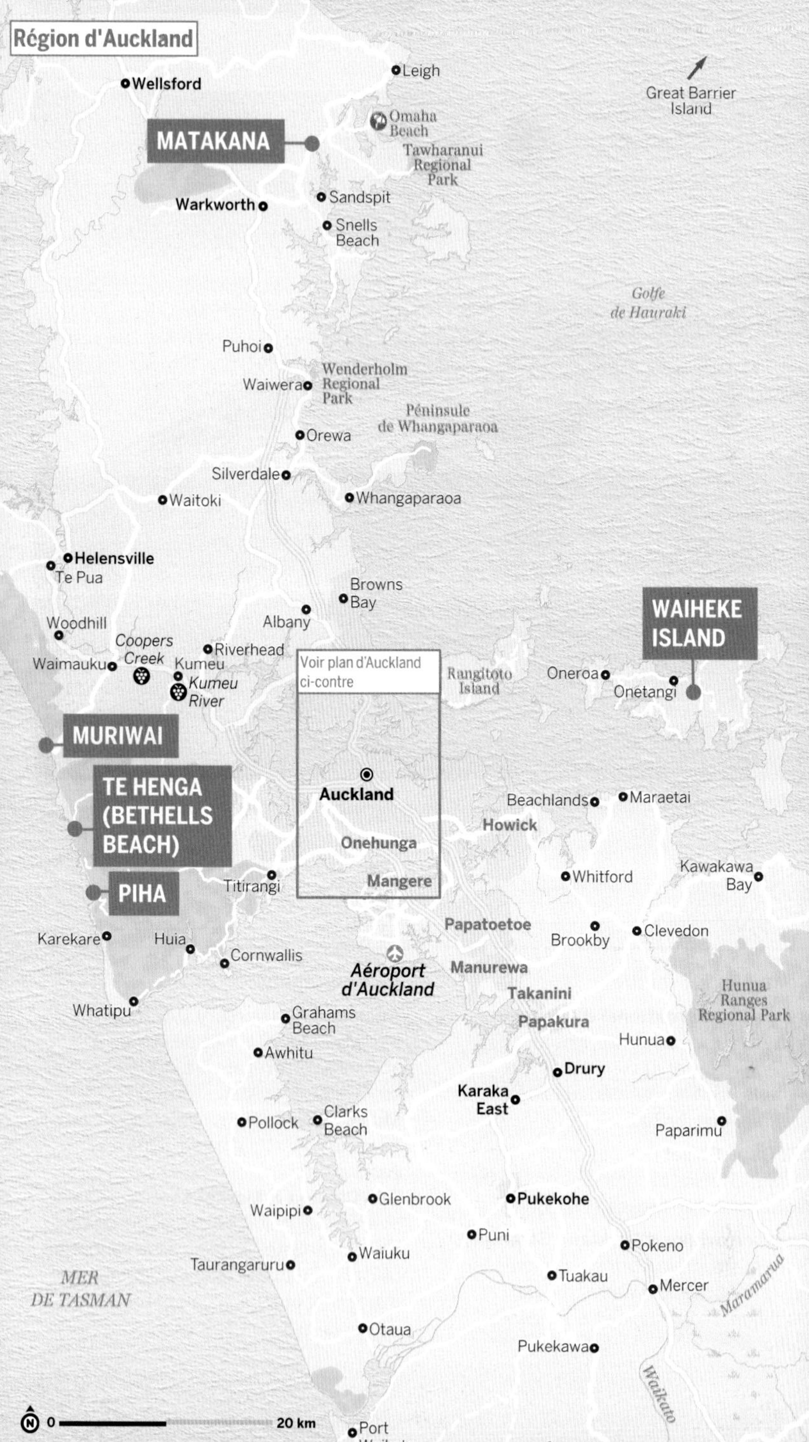
Région d'Auckland
Wellsford
Leigh
Great Barrier Island
MATAKANA
Omaha Beach
Tawharanui Regional Park
Warkworth
Sandspit
Snells Beach
Golfe de Hauraki
Puhoi
Waiwera
Wenderholm Regional Park
Péninsule de Whangaparaoa
Orewa
Silverdale
Waitoki
Whangaparaoa
Helensville
Te Pua
Browns Bay
Albany
WAIHEKE ISLAND
Woodhill
Coopers Creek
Riverhead
Waimauku
Kumeu
Kumeu River
Voir plan d'Auckland ci-contre
Rangitoto Island
Oneroa
Onetangi
MURIWAI
TE HENGA (BETHELLS BEACH)
Auckland
Beachlands
Maraetai
Howick
Onehunga
PIHA
Titirangi
Mangere
Whitford
Kawakawa Bay
Papatoetoe
Brookby
Clevedon
Karekare
Huia
Cornwallis
Aéroport d'Auckland
Manurewa
Hunua Ranges Regional Park
Takanini
Whatipu
Grahams Beach
Papakura
Hunua
Awhitu
Drury
Karaka East
Pollock
Clarks Beach
Paparimu
Glenbrook
Pukekohe
Waipipi
Puni
Pokeno
Waiuku
Taurangaruru
Tuakau
Mercer
MER DE TASMAN
Maramarua
Otaua
Pukekawa
Waikato
0
20 km
Port Waikato
Opuatia

Auckland

Golfe de Hauraki

Centre-ville

Les restaurants et boutiques de Britomart et du Wynyard Quarter, quartier du front de mer, revitalisent le centre-ville.

Devonport

D'Auckland, un rapide trajet en ferry mène à Devonport, avec ses bâtiments bien préservés et ses cafés.

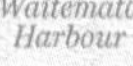

Ponsonby

Quartier branché de la ville, émaillé de restaurants, de bars animés et d'enseignes de mode.

Parnell

Plus vieux quartier d'Auckland, fief de la bourgeoisie fortunée : cafés, restaurants et boutiques chics.

Mt Eden

Banlieue à l'atmosphère villageoise, au pied du plus haut cratère volcanique de l'isthme d'Auckland.

N 0 2 km

Plan du centre-ville et Ponsonby (p. 52)
Plan de Mt Eden, Newmarket et One Tree Hill (p. 58)

Auckland Museum

Auckland Museum

Ce musée à l'architecture caractéristique trône au milieu de l'Auckland Domain. Dans la plus grande ville polynésienne du monde, ses collections consacrées aux îles du Pacifique ont rang d'incontournables.

Pour ceux qui aiment...

☑ **Ne ratez pas**

La vue sur la baie et le centre d'Auckland depuis l'entrée principale du musée.

L'imposant temple néoclassique (1929), coiffé d'une coupole de cuivre et de verre (2007), domine le paysage urbain, en particulier vu depuis la baie.

Au rez-de-chaussée, la galerie d'objets maoris comprend une pirogue de guerre de 25 m, creusée dans le tronc d'un totara géant, la dernière utilisée lors d'une bataille, ainsi qu'une maison commune sculptée (ôtez vos chaussures pour entrer). Citons également une exposition fascinante sur le champ volcanique d'Auckland, incluant la simulation d'une éruption. Les étages supérieurs, qui ont fonction de mémorial de guerre, traitent de l'histoire des forces armées et de la population civile néo-zélandaise lors des deux conflits mondiaux. La principale commémoration de l'Anzac à Auckland se déroule le 25 avril autour du cénotaphe érigé dans l'avant-cour du musée.

Panneau en bois sculpté de la maison commune de Hotunui

PAUL KENNEDY/GETTY IMAGES ©

Infos pratiques

Carte p. 52 ; 09-309 0443 ; www.aucklandmuseum.com ; Auckland Domain, Parnell ; adulte/enfant 25/10 $; 10h-17h

Une petite faim ?

L'excellent **Woodpecker Hill** (p. 62) se tient à 1,4 km du musée, dans le quartier de Parnell

★ Bon à savoir

Consultez le site Internet du musée au sujet des concerts, spectacles et autres manifestations.

Visite

On peut opter pour une visite guidée incluant les fleurons du musée et un spectacle folklorique maori (45-55 $), à la faveur duquel il est possible d'assister à des danses *poi* et à un *haka* (danse guerrière maorie), puis de rencontrer les artistes.

Dans les environs

À 1,5 km au sud du musée, le quartier commerçant animé de Newmarket regroupe certaines des plus belles boutiques de mode et de design d'Auckland, en particulier autour de Teed Street et Nuffield Street. Karen Walker (p. 58), styliste de réputation internationale, crée de belles tenues qui, vendues au prix fort, ont séduit Madonna et Kirsten Dunst. Autre griffe néo-zélandaise emblématique, Zambesi (p. 59) a également la faveur des célébrités. Enfin, les **Texan Art Schools** (carte p. 58 ; www.texanartschools.co.nz ; 366 Broadway) proposent les réalisations intéressantes d'un collectif de 100 artistes du cru.

Newmarket compte aussi son lot de bons cafés et restaurants. Le douillet **Basque Kitchen Bar** (carte p. 58 ; www.basquekitchenbar.co.nz ; 61 Davies Cres) sert de délicieuses tapas à accompagner de vins espagnols, de xérès ou de bière. Le **Teed St Larder** (carte p. 58 ; www.teedstreetlarder.co.nz ; 7 Teed St) prépare quant à lui des sandwichs et des tartes très réussis.

Waiheke Island

Des vignobles réputés, des restaurants avec vue sur l'océan et quelques-unes des plus jolies plages de la région font de cette île du golfe de Hauraki une destination de choix des Aucklanders.

Pour ceux qui aiment...

Infos pratiques

Un ferry de passagers dessert Waiheke Island (www.aucklandnz.com) depuis le centre d'Auckland en 40 minutes environ. Des formules "Hot Seat Deals" à prix réduits, appliquées à certaines traversées, figurent sur le site www.fullers.co.nz.

★ Bon à savoir

La brochure *Waiheke Art Map*, disponible gratuitement à l'i-SITE du village d'Oneroa, présente les galeries et boutiques d'artisanat de l'île.

Toute proche d'Auckland et riche d'un microclimat chaud et sec, la bienheureuse Waiheke Island attire de longue date citadins et touristes. Son pan donnant sur la grande île est marqué de criques rocheuses, tandis que celui ouvert sur l'océan est ponctué de croissants de sable.

Si les plages constituent l'atout majeur de Waiheke, le vin arrive juste derrière. De fait, l'île compte une trentaine de domaines viticoles, dont beaucoup avec salle de dégustation, restaurant chic et vue somptueuse. Elle recèle en outre son lot de galeries et autres boutiques d'artisanat, héritage de son passé hippie.

Le visiteur ne sera pas cantonné à la seule bonne chère et aux plaisirs balnéaires. Des sentiers pédestres parcourent ainsi les réserves naturelles et les collines ponctuées des résidences secondaires de l'élite d'Auckland. On peut également y faire du kayak, s'élancer en tyrolienne et pratiquer le ball-trap.

Plages

Les deux plus jolies plages de Waiheke sont Onetangi, longue étendue de sable blanc au centre de l'île, et Palm Beach, ravissante petite baie en forme de fer à cheval entre Oneroa et Onetangi. Chacune comporte une partie réservée aux nudistes, en allant vers l'ouest après quelques rochers. Oneroa et sa voisine Little Oneroa ont aussi de l'attrait, mais les bateaux de plaisance sillonnent leurs eaux en été. Accessible par une route non goudronnée traversant des terres cultivées, la plage abritée de Man O' War Bay se prête idéalement à la baignade.

Vignobles de Waiheke Island

Restaurants de vignobles

Shed at Te Motu Néo-zélandais moderne $$

(☎09-372 6884 ; www.temotu.co.nz/the-shed ; 76 Onetangi Rd ; petites/grandes assiettes à partager 12-18/22-36 $; 🕐12h-15h tlj, 18h-tard ven-sam nov-avr, horaires réduits en hiver). Dans une cour rustique à l'ombre de parasols, venez découvrir une cuisine aux influences cosmopolites, servie par un personnel non moins international. Les pancakes de champignons shiitaké avec kimchi et ail noir sortent du lot, de même que l'épaule d'agneau lentement mijotée et son riz façon biryani. Côté vins, les assemblages de type bordeaux se distinguent tout particulièrement.

★ Bon à savoir

Outre le très efficace i-SITE de Waiheke Island (116 Ocean View Rd, Oneroa), il existe un comptoir d'information (souvent sans personnel) dans le terminal des ferries de Matiatia Wharf.

Cable Bay Néo-zélandais moderne $$$

(☎09-372 5889 ; www.cablebay.co.nz ; 12 Nick Johnstone Dr ; plats 42-44 $; 🕐12h-15h mar-dim, 18h-tard mar-sam ; 📶). Architecture ultramoderne, sculptures et vues splendides composent le décor de cette table renommée où l'on mange divinement. Les budgets serrés pourront se contenter d'une dégustation de vins (cinq pour 10 $, remboursé en cas d'achat ; 11h-17h tlj) ou d'une assiette à partager au bar Verandah.

Te Whau Néo-zélandais moderne $$$

(☎09-372 7191 ; www.tewhau.com ; 218 Te Whau Dr ; plats 40-42 $; 🕐11h-17h tlj et 18h30-23h jeu-sam déc et jan, 11h-17h mer-lun et 18h30-23h sam fév-Pâques, 11h-16h30 ven-dim et 18h30-23h sam Pâques-nov). À la pointe de la péninsule de Te Whau, ce restaurant de vignoble, qui combine vue, cuisine et service exceptionnels, s'enorgueillit d'une des cartes des vins les plus prestigieuses du pays. Dans la salle de dégustation attenante, on peut goûter les mélanges de cépages bordelais du domaine (11h-17h ; quatre vins pour 12 $).

Marches

Renseignez-vous à l'i-SITE de Waiheke sur les magnifiques sentiers côtiers (1-3 heures de marche) et sur le Cross Island Walkway (3 km d'Onetangi à Rocky Bay). D'autres chemins traversent le Whakanewha Regional Park, refuge d'espèces rares d'oiseaux côtiers et de geckos, ainsi que les trois réserves de la Royal Forest & Bird Protection Society : Onetangi (Waiheke Rd), Te Haahi-Goodwin (Orapiu Rd) et Atawhai Whenua (Ocean View Rd).

Fous de Bassan, Muriwai

SHAUN JEFFERS/SHUTTERSTOCK ©

Plages de la côte ouest

Enveloppées par la forêt indigène du Waitakere Ranges Regional Park, les plages sauvages de la côte ouest d'Auckland présentent un contraste saisissant avec les attractions urbaines à 40 km de là.

Pour ceux qui aiment...

☑ Ne ratez pas

À Piha, la **West Coast Gallery** (✆09-812 8029 ; www.westcoastgallery.co.nz ; Seaview Rd ; ⏰10h-17h), qui vend les œuvres de plus de 200 artistes locaux.

La côte à l'ouest d'Auckland a l'attrait de plages de sable noir propices au surf, et d'une colonie de fous de Bassan. De belles randonnées sont possibles dans le Waitakere Ranges Regional Park (www.regionalparks.aucklandcouncil.govt.nz), tandis que les restaurants raffinés des vignobles et autres tables (p. 62) témoignent de l'héritage croate de la région.

Muriwai

Cette plage de sable noir, assez accidentée, abrite la colonie de fous de Bassan du Takapu Refuge, laquelle englobe le promontoire au sud et les rochers alentour. Une plate-forme permet de voir de près (et de sentir) ces oiseaux. En août, des centaines d'entre eux reviennent s'accoupler avec leur partenaire attitré – on assiste alors à toutes sortes d'effusions. Chaque couple

MANCHAN/GETTY IMAGES ©

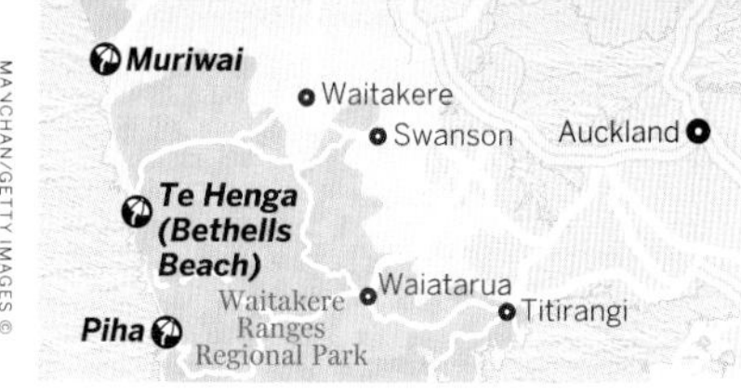

donne naissance à un seul petit par saison. Décembre et janvier sont les meilleurs mois pour observer les jeunes s'essayer à l'envol avant leur longue migration.

Non loin, deux courts sentiers à travers le bush mènent à un point de vue dont le panorama embrasse la plage sur ses 60 km de long. Du fait des fortes vagues et des courants, assez traîtres, on ne peut se baigner sans risque que lorsque celle-ci est surveillée (nagez toujours entre les drapeaux). En dehors du surf, les sportifs auront le choix entre le deltaplane, le parapente, le kitesurf et l'équitation.

Piha

Piha Rd dévoile une perspective spectaculaire sur la côte. Perché près du centre de la plage, le Lion Rock (101 m), rocher évoquant le roi des animaux, voit sa "crinière" s'embraser au soleil couchant. Il s'agit du cœur érodé d'un volcan ancien et du site d'un *pa* (village fortifié) maori. À l'extrémité sud du rivage, un sentier dessert de superbes points de vue. À marée basse, on peut marcher le long de la plage en direction du sud et regarder les vagues s'engouffrer dans la faille d'un autre gros rocher baptisé The Camel ("le Chameau"). Un peu plus loin, les flots qui pénètrent à travers The Gap forment un trou d'eau où se baigner sans danger. Une petite colonie de manchots niche à l'extrémité nord de la plage.

Te Henga (Bethells Beach)

À l'extrémité nord de Scenic Dr, Te Henga Rd conduit à ce superbe rivage de sable noir prisé des surfeurs, aux dunes battues par le vent. Des sentiers pédestres sillonnent le secteur, dont celui, très fréquenté, qui débute près du pont aux abords de la plage et mène au lac Wainamu *via* des dunes géantes.

Infos pratiques

En l'absence de transports publics, rallier les plages nécessite de louer une voiture ou de participer à un circuit organisé.

Une petite faim ?

Le **Piha Cafe** (☎09-812 8808 ; www.pihacafe.com ; 20 Seaview Rd ; plats 14-27 $; 8h30-15h30 lun-mer, 8h30-22h jeu-sam, 8h30-17h dim) combine harmonieusement standards urbains, décontraction balnéaire et sensibilité écolo.

★ Bon à savoir
Les eaux pouvant être dangereuses, nagez toujours entre les drapeaux.

Matakana Village Farmers Market

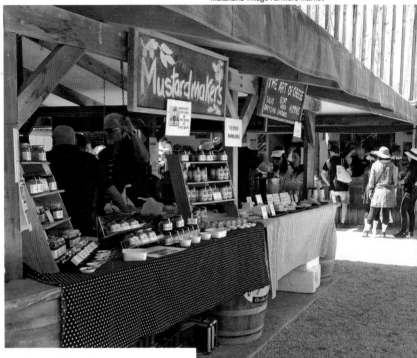

TRACY WHITMEY

Matakana

À 67 km au nord d'Auckland, ce village rural jadis assoupi se pose aujourd'hui comme un haut lieu de la gastronomie locale et du vin. De beaux sites de snorkeling en émaillent les environs.

Pour ceux qui aiment...

☑ Ne ratez pas

Le **Leigh Sawmill Cafe** (☎09-422 6019 ; www.sawmillcafe.co.nz ; 142 Pakiri Rd), où savourer une bière artisanale et une pizza cuite au feu de bois.

Le **Matakana Village Farmers Market** (www.matakanavillage.co.nz ; Matakana Sq, 2 Matakana Valley Rd ; ⏲8h-13h sam), un marché de producteurs au nord sur la Highway, a les faveurs des Aucklanders. Le **Mahurangi River Winery & Restaurant** (☎09-425 0306 ; www.mahurangiriver.co.nz ; 162 Hamilton Rd ; plats 28-34 $; ⏲11h-16h jeu-lun), une adresse gastronomique près de Sandspit Rd, à l'atmosphère décontractée, offre de vastes perspectives sur les vignes. Le pub du village, **The Matakana** (☎09-422 7518 ; www.matakana.co.nz ; 11 Matakana Valley Rd ; plats 17-25 $; ⏲12h-0h30), propose des vins du cru et des plats de bistrot corrects, dont des huîtres de Mahurangi. Pour explorer les vignobles à vélo, contactez **Matakana Bicycle Hire** (☎09-423 0076 ; www.matakanabicyclehire.co.nz ; 951 Matakana Rd ; location demi-journée/journée à partir de 30/40 $, excursions à partir de 70 $).

Golfe de Hauraki
Matakana
Warkworth
Sandspit
Snells Beach

Infos pratiques

Le **centre d'information de Matakana** (☎09-422 7433 ; www.matakanainfo.org.nz ; 2 Matakana Valley Rd ; ⌚10h-13h) fournit tous les renseignements nécessaires.

Une petite faim ?

Des sorbets et glaces à base de fruits frais attendent les gourmands au **Charlie's Gelato Garden** (☎09-422 7942 ; www.charliesgelato.co.nz ; 17 Sharp Rd ; ⌚9h-17h nov-mars, 10h-16h ven-dim avr-oct).

★ Bon à savoir

Procurez-vous les brochures *Matakana Wine Trail* (www.matakanawine.com) au Matakana Information Centre.

À voir

Goat Island Marine Reserve — Réserve naturelle

(www.doc.govt.nz ; Goat Island Rd). La première réserve marine du pays, établie en 1975, couvre 547 ha à 16 km au nord-est de Matakana. En moins de 40 ans, le site est redevenu tel que devait être l'ensemble du littoral néo-zélandais avant l'arrivée de l'espèce humaine. Enfoncez-vous dans l'eau jusqu'aux genoux pour apercevoir des espèces telles que le *snapper* (gros poisson à points et nageoires bleus), le maomao bleu (*Scorpis violacea*) et la *Girella tricuspidata*. **Octopus Hide-away** (☎09-422 6212 ; www.theoctopushideaway.nz ; 7 Goat Island Rd ; ⌚10h-17h) loue du matériel et organise des excursions.

Des panneaux sont consacrés à la faune aquatique et à l'importance que revêt le site – point de débarquement d'une des pirogues ancestrales – pour les Maoris.

Omaha Beach — Plage

Plage de baignade la plus proche de Matakana, cette étendue de sable blanc, propice au surf, est ponctuée de maisons de vacances cossues. **Blue Adventures** (☎022 630 5705 ; www.blueadventures.co.nz ; 331 Omaha Flats Rd, Omaha ; cours 40-80 $/heure) vous emmènera faire du kitesurf, du paddleboard ou du wakeboard.

Tawharanui Regional Park — Plage

(☎09-366 2000 ; regionalparks.aucklandcouncil.govt.nz/tawharanui ; 1181 Takatu Rd). Une route partiellement goudronnée conduit à cette réserve de 588 ha au bout d'une péninsule, où la faune aviaire est protégée par une clôture à l'épreuve des nuisibles, et dont la côte nord forme un parc marin (prévoyez masque et tuba). Il existe de nombreux sentiers, mais l'atout majeur de l'endroit est la plage de sable blanc d'Anchor Bay.

Auckland

Sur le plan géographique, Auckland est bénie des dieux : deux splendides baies encadrent un isthme ponctué de cônes volcaniques et entouré de terres arables. Ses nombreux points de vue permettent de constater combien la mer de Tasman et l'océan Pacifique cernent le site, formant presque une nouvelle île.

L'eau n'est jamais bien loin, qu'il s'agisse des belles plages de surf de la côte ouest, ou du scintillant golfe de Hauraki, constellé d'îles. À une heure de route, les gratte-ciel cèdent la place à des parcelles d'épaisse forêt humide, des sources thermales, des vignobles et des réserves naturelles. À ce titre, Auckland figure régulièrement dans le peloton de tête mondial des villes bénéficiant de la meilleure qualité de vie.

À VOIR

Auckland Art Gallery Galerie

(Carte p. 52 ; 09-379 1349 ; www.aucklandartgallery.com ; angle Kitchener St et Wellesley St ; 10h-17h). GRATUIT Depuis sa réouverture en 2011, au sortir d'une remarquable rénovation, le principal musée d'Auckland dispose d'un superbe atrium de verre et de bois greffé à sa structure d'origine (1887), aux allures de château. Aux côtés d'œuvres majeures de Brueghel le Jeune, Guido Reni, Picasso, Cézanne, Gauguin et Matisse, y est exposé le meilleur de l'art néo-zélandais. Parmi les incontournables, citons les portraits intimistes de Maoris tatoués, peints par Charles Frederick Goldie (XIXe siècle), ou encore les toiles fiévreusement brossées par Colin McCahon. Visites guidées gratuites quotidiennes, à 11h30 et 13h30, au départ de l'entrée principale.

St Patrick's Cathedral Église

(Carte p. 52 ; www.stpatricks.org.nz ; 43 Wyndham St ; 7h-19h). Cette cathédrale catholique (1907), de style néogothique, est l'un des plus ravissants édifices d'Auckland. Bois poli et vitraux confèrent une certaine chaleur à son intérieur. Il y a une présentation historique dans l'ancien confessionnal, sur la gauche.

Auckland Art Gallery

One Tree Hill Volcan, parc

(Maungakiekie ; carte p. 58). Ce cône volcanique était jadis un *pa* stratégique de l'isthme d'Auckland et la plus importante forteresse du pays. De son sommet (182 m), on jouit d'un panorama à 360°. Là se trouve la tombe de John Logan Campbell, qui fit don de la terre à la ville en 1901, demandant en retour qu'un mémorial soit élevé ici en hommage au peuple maori. À quelques pas subsiste la souche du dernier "arbre solitaire" (One Tree). Prévoyez du temps pour découvrir les vieux arbres et l'Acacia Cottage (1841) du Cornwall Park alentour.

Au **Cornwall Park Information Centre** (carte p. 58 ; ☎09-630 8485 ; www.cornwallpark.co.nz ; Huia Lodge ; ⏰10h-16h), des installations interactives montrent le *pa* tel qu'à l'époque où quelque 5 000 personnes y vivaient. Près d'un excellent terrain de jeux pour les enfants, le **Stardome** (carte p. 58 ; ☎09-624 1246 ; www.stardome.org.nz ; 670 Manukau Rd ; adulte/enfant 15/12 $; ⏰10h-17h lun, 10h-21h30 mar-jeu, 10h-23h ven-dim) GRATUIT programme des séances d'observation des étoiles et de planétarium qui ne dépendent pas de la météo capricieuse d'Auckland (généralement à 19h et 20h mer-dim, spectacles supplémentaires le week-end).

Depuis Auckland, prenez le train pour Greenlane et marchez 1 km le long de Green Lane West. En voiture, empruntez la sortie "Greenlane" sur la Southern Motorway et tournez à droite dans Green Lane West.

Wallace Arts Centre Centre d'art

(☎09-639 2010 ; tsbbankwallaceartscentre.org.nz ; The Pah Homestead, 72 Hillsborough Rd, Hillsborough ; ⏰10h-15h mar-ven, 8h-17h sam-dim). GRATUIT Hébergé dans un magnifique manoir (1879), le Wallace Arts Centre rassemble des œuvres d'art contemporain néo-zélandaises issues d'une importante collection privée (le fonds tourne toutes les 4-6 semaines). Après un déjeuner dans la véranda, le parc mitoyen, avec vue sur One Tree Hill et Manakau Harbour, constitue un cadre enchanteur pour une balade.

La promenade de Tamaki Drive

Cette route panoramique bordée de pohutukawas longe le front de mer depuis le centre-ville en direction de l'est. En été, joggers, cyclistes et autres sportifs s'y retrouvent. Fergs Kayaks (p. 57), à Okahu Bay, pourra vous fournir des rollers ou un vélo de location.

À partir d'Okahu Bay se succèdent de paisibles plages propices à la baignade en famille. De l'autre côté du promontoire s'étend la fréquentée Mission Bay, qui abrite une fontaine Art déco, des maisons historiques de missionnaires, des restaurants et des bars. Viennent ensuite celles de Kohimarama et de St Heliers, parfaites aussi pour piquer une tête. Plus à l'est, le long de Cliff Rd, l'Achilles Point Lookout offre une vue panoramique et des sculptures maories.

Faites halte au **St Heliers Bay Bistro** (www.sthelierbaybistro.co.nz ; 387 Tamaki Dr, St Heliers ; brunch 16-27 $, dîner 25-27 $; ⏰7h-23h), un restaurant chic avec vue sur Rangitoto Island. On y sert des versions haut de gamme de classiques (*fish and chips*, burgers, tourte au bœuf), ainsi que des petits-déjeuners cuisinés, des salades et des plats d'influence méditerranéenne. Sans oublier de succulentes glaces (au caramel salé, à la réglisse...) à déguster sur la plage.

Les bus n°767 et 769 empruntent cet itinéraire depuis la gare de Britomart jusqu'à St Heliers. Les bus n°745 à 757 poussent jusqu'à Mission Bay.

Concurrents de la course Round the Bays
SANDRA MU/GETTY IMAGES ©

Centre-ville et Ponsonby

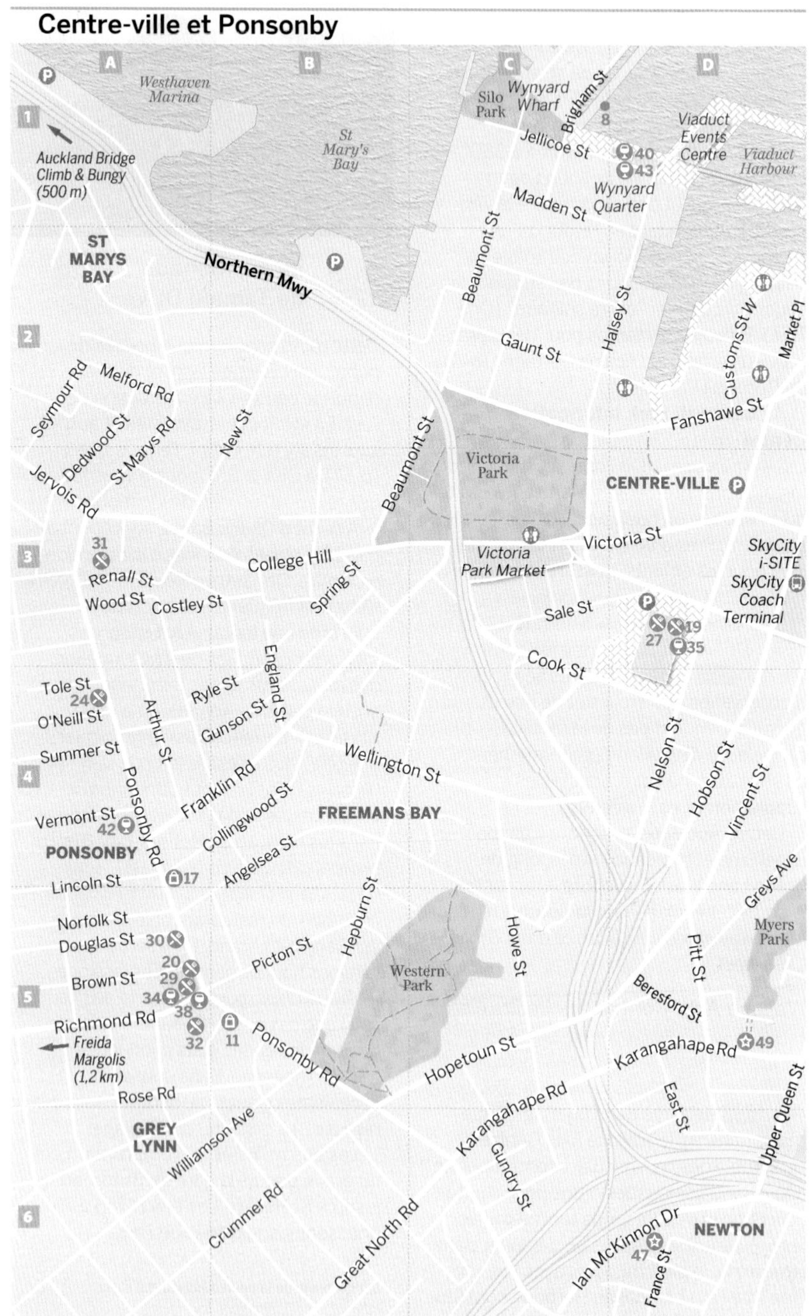

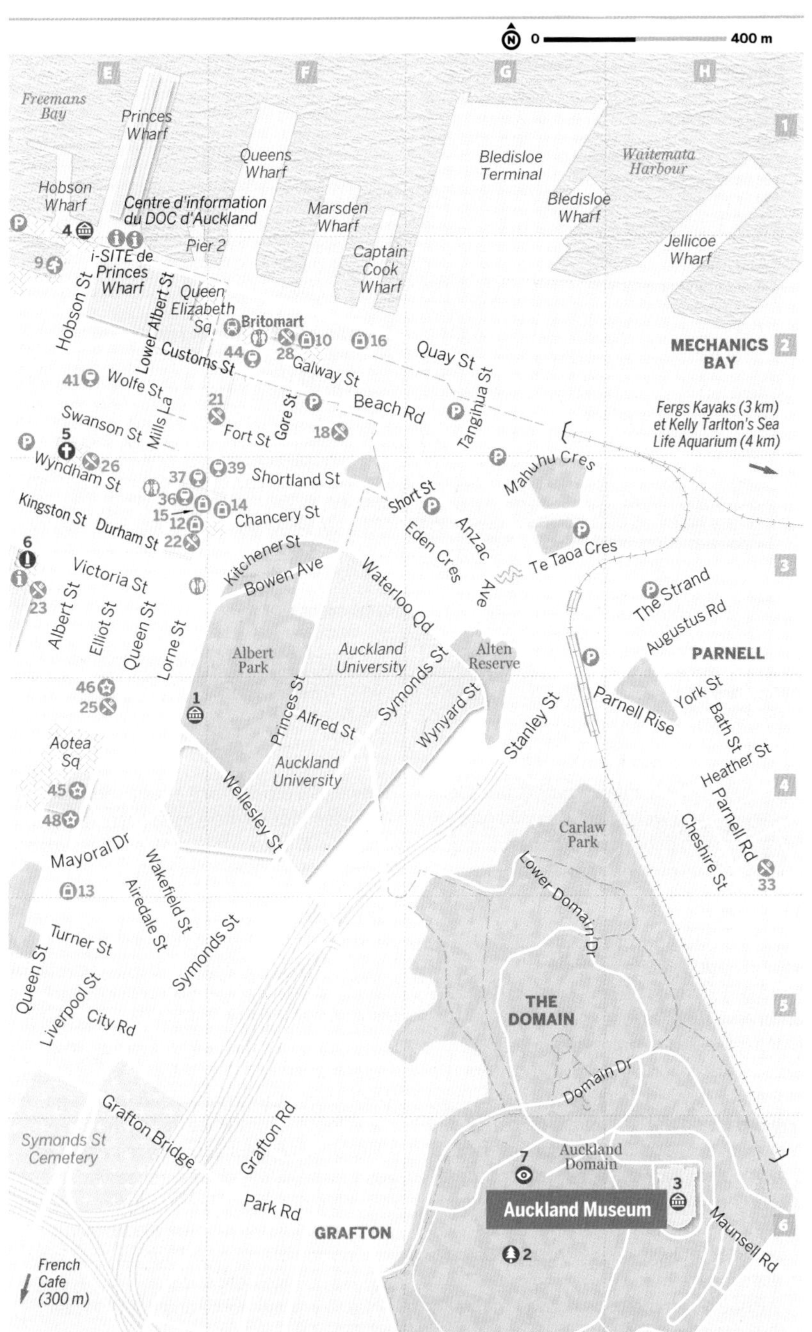

0
400 m
E
F
G
H
1
2
3
4
5
6
Freemans Bay
Princes Wharf
Queens Wharf
Bledisloe Terminal
Waitemata Harbour
Hobson Wharf
Centre d'information du DOC d'Auckland
Marsden Wharf
Bledisloe Wharf
Jellicoe Wharf
Pier 2
Captain Cook Wharf
i-SITE de Princes Wharf
Queen Elizabeth Sq
Britomart
MECHANICS BAY
Fergs Kayaks (3 km) et Kelly Tarlton's Sea Life Aquarium (4 km)
Hobson St
Lower Albert St
Customs St
Quay St
Galway St
Beach Rd
Tangihua St
Wolfe St
Mills La
Fort St
Gore St
Swanson St
Wyndham St
Shortland St
Mahuhu Cres
Kingston St
Durham St
Chancery St
Short St
Eden Cres
Anzac Ave
Kitchener St
Bowen Ave
Waterloo Qd
Te Taoa Cres
Victoria St
The Strand
Augustus Rd
Albert St
Elliot St
Queen St
Lorne St
Albert Park
Auckland University
Symonds St
Alten Reserve
PARNELL
Stanley St
Parnell Rise
York St
Bath St
Princes St
Alfred St
Wynyard St
Heather St
Aotea Sq
Auckland University
Wellesley St
Parnell Rd
Carlaw Park
Cheshire St
Mayoral Dr
Lower Domain Dr
Wakefield St
Airedale St
Turner St
Symonds St
Queen St
Liverpool St
City Rd
THE DOMAIN
Domain Dr
Grafton Bridge
Grafton Rd
Symonds St Cemetery
Auckland Domain
Auckland Museum
Maunsell Rd
Park Rd
GRAFTON
French Cafe (300 m)

Centre-ville et Ponsonby

À voir
1 Auckland Art Gallery E4
2 Auckland Domain G6
3 Auckland Museum H6
4 New Zealand Maritime Museum E1
5 Saint Patrick's Cathedral E3
6 Sky Tower E3
7 Wintergarden G6

Activités
8 Auckland Seaplanes C1
9 Explore E2
SkyJump .... (voir 6)
SkyWalk .... (voir 6)

Achats
10 Karen Walker (Britomart) F2
11 Karen Walker (Ponsonby) B5
12 Pauanesia E3
13 Real Groovy E4
14 Strangely Normal F3
15 Unity Books E3
16 Zambesi (Britomart) F2
17 Zambesi (Ponsonby) A4

Où se restaurer
18 Beirut F2
19 Best Ugly Bagels D3
20 Blue Breeze Inn A5
21 Cassia F2
22 Chuffed E3
23 Depot E3
24 Dizengoff A4
25 Giapo E4
26 Grove E3
27 Odette's D3
28 Ortolana F2
29 Ponsonby Central A5
30 Saan A5
31 Sidart A3
32 Street Food Collective A5
Sugar Club .... (voir 6)
33 Woodpecker Hill H4

Où prendre un verre et faire la fête
34 Bedford Soda & Liquor A5
35 Brothers Beer D3
36 Cassette Nine E3
37 Gin Room E3
38 Golden Dawn A5
39 Hotel DeBrett F3
40 Jack Tar D1
41 Mo's E2
42 Shanghai Lil's A4
43 Sixteen Tun D1
44 Xuxu F2

Où sortir
45 Auckland Town Hall E4
46 Civic Theatre E4
47 Kings Arms Tavern D6
48 Q Theatre E4
49 Whammy Bar D5

Le bus n°299 (Lynfield) part (toutes les 15 minutes) de Wellesley St en ville (près du Civic Theatre) pour rejoindre Hillsborough Rd (4,50 $, environ 40 minutes).

Mt Eden — Volcan

(Maungawhau ; carte p. 58 ; 250 Mt Eden Rd). Du haut du cône volcanique le plus élevé d'Auckland (196 m), la vue à 360° embrasse tout l'isthme et les baies de Manukau et Waitemata. Hautement *tapu* (sacré) pour les Maoris, le cratère symétrique (50 m de profondeur) porte le nom de Te Ipu Kai a Mataaho (la coupe de Mataaho, dieu des choses cachées dans le sol). À défaut de le pénétrer, vous pourrez explorer la colline, où l'on distingue encore les vestiges des terrassements et des fosses de stockage de nourriture d'un *pa* (village fortifié maori).

Jusque récemment, on pouvait monter en voiture jusqu'au sommet, mais l'accès aux véhicules a été restreint à cause des risques d'érosion. Des sentiers escaladent le mont dans six directions différentes et l'ascension ne prend que 10 minutes environ.

Sky Tower — Tour

(Carte p. 52 ; ☎09-363 6000 ; www.skycityauckland.co.nz ; angle Federal St et Victoria St ; adulte/enfant 28/11 $; 8h30-22h30). Dressée vers le ciel, cette altière aiguille est éclairée, de nuit, de lumières dont la couleur change à l'occasion d'événements particuliers. Culminant à 328 m, il s'agit de la tour la plus élevée de l'hémisphère Sud. Un ascenseur propulse les visiteurs jusqu'aux plates-formes d'observation en 40 secondes ; regardez le vide à travers le sol vitré pour une montée d'adrénaline... À voir au coucher du soleil autour d'un verre au Sky Lounge Cafe & Bar.

La Sky Tower abrite aussi le SkyWalk (p. 56) et le SkyJump (p. 56).

Auckland Domain Parc

(Carte p. 52 ; Domain Dr, Parnell ; 24h/24). Le verdoyant Domain englobe, sur quelque 80 ha, des terrains de sport, des sculptures, des jardins paysagers, des coins sauvages et le **Wintergarden** (carte p. 52 ; Wintergarden Rd, Parnell ; 9h-17h30 lun-sam, 9h-19h30 dim nov-mars, 9h-16h30 avr-oct) GRATUIT, doté d'une fougeraie, de serres, et d'un café. Le tertre au centre du parc est tout ce qui reste du Pukekaroa, l'un des volcans d'Auckland. Sur sa petite éminence, un arbre totara, enceint d'une palissade, constitue un vivant hommage au premier roi maori.

Auckland Zoo Zoo

(Carte p. 58 ; 09-360 3805 ; www.aucklandzoo.co.nz ; Motions Rd ; adulte/enfant 28/12 $; 9h30-17h, dernière entrée 16h15). Dans ce vaste zoo moderne, les grands animaux d'autres contrées volent souvent la vedette aux espèces endémiques pourtant bien mises en valeur. Baptisée Te Wao Nui, la section consacrée à la Nouvelle-Zélande se subdivise en 6 habitats : littoral (otaries, manchots), îles (surtout des lézards, dont le tuatara), marais (canards, hérons, anguilles), nuit (kiwi, grenouilles, chouettes endémiques et weta), forêts (oiseaux) et altitude (oiseaux et lézards).

Des bus fréquents (adulte/enfant 4,50/2,50 $) circulent entre le 99 Albert St et l'arrêt du bus n°8124 sur Great North Rd, à 700 m de l'entrée du zoo.

Kelly Tarlton's Sea Life Aquarium Aquarium

(09-531 5065 ; www.kellytarltons.co.nz ; 23 Tamaki Dr, Orakei ; adulte/enfant 39/22 $; 9h30-17h). Requins et raies pastenagues évoluent autour des visiteurs dans des tunnels transparents autrefois utilisés comme réservoirs d'eau de pluie. Une cage antirequins permet de s'immerger (124 $) dans les bassins, et l'on peut même y faire de la plongée (265 $). Parmi les autres activités, le Penguin Discovery Tour (tlj 10h, 199 $/pers) permet à quatre visiteurs par jour d'approcher des manchots de l'Antarctique. Importantes réductions en ligne.

Le champ volcanique d'Auckland

Si certaines villes se targuent de leur situation au pied d'un cratère, que dire d'Auckland, bâtie sur 50 volcans, pas tous éteints. La dernière éruption fut celle du Rangitoto, il y a environ 600 ans, et personne ne peut prédire quand surviendra la prochaine. Pas de panique cependant : cela ne s'est produit que 19 fois en 20 000 ans ! Toutefois, avec son réservoir de magma 100 km sous terre, Auckland est littéralement un "point chaud".

Parmi ces reliefs volcaniques figurent des cônes et des cratères remplis d'eau. D'autres, exploités comme carrières, ont pratiquement disparu. Des démarches ont été entreprises pour inscrire le site sur la liste du patrimoine mondial de l'Unesco et protéger ce qui subsiste. La plupart des cônes restants arborent des vestiges de terrasses du temps où ils abritaient une impressionnante série de *pa* (villages fortifiés maoris). Mt Eden, One Tree Hill, North Head (p. 56) et Rangitoto sont les plus intéressants à explorer, mais Mt Victoria (p. 56), Mt Wellington (Maungarei), Mt Albert (Owairaka), Mt Roskill (Puketāpapa), Lake Pupuke, Mt Mangere et Mt Hobson (Remuera) méritent aussi le détour.

One Tree Hill (p. 51)

Une navette gratuite, en forme de requin, part du 172 Quay St (face au terminal des ferries) toutes les 30 minutes de 9h30 à 15h30.

Le faubourg de Devonport

D'Auckland, un rapide trajet en ferry mène à Devonport, faubourg façon village, avec ses bâtiments édouardiens et victoriens bien préservés et ses nombreux cafés.

Pour une visite en solo, procurez-vous l'*Old Devonport Walk* à l'i-SITE.

Les ferries à destination de Devonport (aller-retour adulte/enfant 11/5,80 $, 12 minutes) partent du Ferry Building d'Auckland toutes les 30 minutes (5h45-23h30 lun-jeu, 5h45-1h ven, 6h15-1h sam, 7h15-22h dim et jours fériés). Certains ferries pour Waiheke Island et Rangitoto s'arrêtent également à Devonport.

Les volcans **Mt Victoria** (Takarunga ; Victoria Rd) et **North Head** (Maungauika ; Takarunga Rd ; 6h-22h), sites d'anciens *pa* (villages fortifiés) maoris, accueillent aujourd'hui marine et bunkers qui en perpétuent l'héritage défensif. North Head est d'ailleurs criblé de tunnels, creusés à la fin du XIXe siècle en réponse à la menace russe, puis prolongés lors des deux guerres mondiales.

La marine est basée à Devonport depuis l'arrivée des premiers colons. Le **Navy Museum** (09-445 5186 ; navymuseum.co.nz ; 64 King Edward Pde, Torpedo Bay ; 10h-17h) en retrace l'histoire, avec un intérêt particulier porté à ses hommes.

New Zealand Maritime Museum — Musée

(Carte p. 52 ; 09-373 0800 ; www.maritimemuseum.co.nz ; 149-159 Quay St ; adulte/enfant 20/10 $, avec croisière dans la baie 50/25 $; 9h-17h, visites guidées gratuites 10h30 et 13h lun-ven). Ce musée illustre l'histoire maritime de la Nouvelle-Zélande, des canoës maoris à la Coupe de l'America. On peut y admirer la reconstitution d'une cabine d'entrepont inclinée du XIXe siècle, ainsi qu'une boutique de plage et une maison de vacances des années 1950. *Blue Water Black Magic* est un hommage à Sir Peter Blake – vainqueur de la Whitbread et de la Coupe de l'America –, tué en 2001 lors d'un voyage d'études sur l'Amazone. À noter aussi des formules incluant une croisière d'une heure dans la baie à bord d'un bateau historique.

ACTIVITÉS

Rien ne permet de saisir le cœur et l'âme d'Auckland comme une croisière à la voile dans le golfe de Hauraki. À défaut, on peut se fendre de la traversée en ferry, plus économique, jusqu'à Waiheke Island. Et dans un pays réputé pour ses sports extrêmes, la ville ne fait pas exception à la règle.

Auckland Bridge Climb & Bungy — Sports extrêmes

(09-360 7748 ; www.bungy.co.nz ; 105 Curran St, Westhaven ; ascension pont adulte/enfant 125/85 $, saut à l'élastique 160/130 $, activités combinées 230 $). Sautez depuis l'Auckland Harbour Bridge ou escaladez-le.

SkyJump — Sports extrêmes

(Carte p. 52 ; 0800 759 586 ; www.skyjump.co.nz ; Sky Tower, angle Federal St et Victoria St ; adulte/enfant 225/175 $; 10h-17h15). Une chute de 11 secondes à 85 km/h depuis la Sky Tower. La formule Look & Leap (290 $) combine SkyJump et SkyWalk.

SkyWalk — Sports extrêmes

(Carte p. 52 ; 0800 759 925 ; www.skywalk.co.nz ; Sky Tower, angle Federal St et Victoria St ; adulte/enfant 145/115 $; 10h-16h30). Le SkyWalk consiste à marcher sur la passerelle large de 1,2 m qui encercle la Sky Tower, à 192 m d'altitude. Ni rampe ni vitre, mais un harnais de sécurité en cas de faux pas !

Explore — Croisières à la voile

(Carte p. 52 ; 0800 397 567 ; www.explorenz.co.nz ; Viaduct Harbour). Escapade sur un authentique bateau de la Coupe de l'America (2 heures, adulte/enfant 170/120 $), croisière à bord d'un beau et grand voilier (1 heure 30, 75/55 $) et Harbour Dinner Cruise (dîner-croisière, 2 heures 30, 120/85 $).

Fergs Kayaks — Kayak

(☎09-529 2230 ; www.fergskayaks.co.nz ; 12 Tamaki Dr, Orakei ; ⏲9h-17h). Location de kayaks (à partir de 20/80 $ heure/jour), paddleboards (25/70 $), vélos (20/80 $) et rollers (15/45 $). Sorties guidées jour et nuit en kayak à Devonport (100 $, 3 heures, 8 km) ou à Rangitoto Island (140 $, 6 heures, 13 km).

CIRCUITS ORGANISÉS

Auckland Wine Trail Tours — Circuits œnologiques

(☎09-630 1540 ; www.winetrailtours.co.nz). Excursions en petits groupes dans les domaines viticoles de l'ouest d'Auckland et les Waitakere Ranges (demi-journée/journée 125/255 $), plus loin à Matakana (265 $) ou les deux à la fois (265 $).

Auckland Seaplanes — Vols panoramiques

(Carte p. 52 ; ☎09-390 1121 ; www.aucklandseaplanes.com ; 11 Brigham St, Wynyard Quarter ; à partir de 200 $/pers). Survols de la baie d'Auckland et des îles à bord d'un hydravion des années 1960.

Bush & Beach — Circuits divers

(☎09-837 4130 ; www.bushandbeach.co.nz). Marches guidées dans les Waitakere Ranges et le long des plages de la côte Ouest (150-235 $), visite de la ville en minibus (3 heures, 78 $) et formules vins et cuisine à Kumeu ou Matakana (demi-journée/journée 235/325 $).

Big Foody Food Tour — Circuits gastronomiques

(☎021 481 177, 0800 366 386 ; www.thebigfoody.com ; 125-185 $/pers). Visites d'Auckland en petits groupes incluant découverte de marchés, rencontres de producteurs artisanaux et moult dégustations.

TIME Unlimited — Circuits culturels

(☎09-846 3469 ; www.newzealandtours.travel). Circuits culturels, pédestres et touristiques, abordés du point de vue maori.

SkyJumper sur la Sky Tower (p. 54)

Mt Eden, Newmarket et One Tree Hill

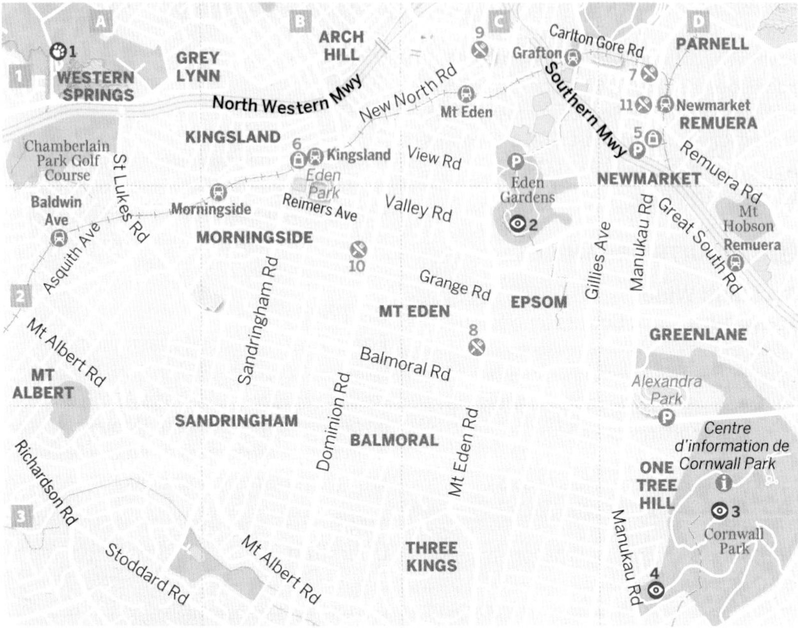

Mt Eden, Newmarket et One Tree Hill

À voir

1 Auckland Zoo A1
2 Mt Eden C2
3 One Tree Hill D3
4 Stardome D3

Achats

5 Karen Walker (Newmarket) D1
6 Royal Jewellery Studio B1
Texan Art Schools .... (voir 5)
Zambesi (Newmarket) .... (voir 11)

Où se restaurer

7 Basque Kitchen Bar D1
8 Bolaven C2
9 French Cafe C1
10 Merediths B2
11 Teed St Larder D1

Où boire un verre et faire la fête

Galbraith's Alehouse .... (voir 9)

Toru Tours Circuits en bus
(☎027 457 0011 ; www.torutours.com ; 79 $/pers). Idéal pour les voyageurs solitaires, l'Express Tour de 3 heures part même lorsqu'il n'y a qu'un seul inscrit.

Tāmaki Hikoi Circuits culturels
(☎021 146 9593 ; www.tamakihikoi.co.nz ; 1 heure/3 heures 40/95 $). Des guides de la tribu Ngāti Whātua conduisent plusieurs circuits culturels, dont des marches et des interprétations de sites comme le Mt Eden et l'Auckland Domain.

ACHATS

Les fashionistas apprécieront le quartier de Britomart, Newmarket, et Ponsonby Rd. Pour des vêtements vintage ou d'occasion, flânez plutôt dans K Rd ou Ponsonby Rd.

Karen Walker Vêtements
(Carte p. 52 ; ☎09-309 6299 ; www.karenwalker.com ; 18 Te Ara Tahuhu Walkway, Britomart ; ⏲10h-18h). À l'instar de Madonna et de Kirsten Dunst, laissez-vous tenter par les

modèles, aussi beaux qu'onéreux, de cette styliste néo-zélandaise. Autres enseignes à Ponsonby (carte p. 52 ; 09-361 6723 ; 128a Ponsonby Rd, Grey Lynn ; 10h-17h30 lun-sam, 11h-16h dim) et Newmarket (carte page ci-contre ; 09-522 4286 ; 6 Balm St, Newmarket ; 10h-18h).

Pauanesia Cadeaux et souvenirs

(Carte p. 52 ; 09-366 7282 ; www.pauanesia.co.nz ; 35 High St ; 9h30-18h30 lun-ven, 10h-16h30 sam-dim). Articles de maison et cadeaux d'influences polynésienne et kiwie.

Zambesi Vêtements

(Carte p. 52 ; 09-303 1701 ; www.zambesi.co.nz ; 56 Tyler St ; 9h30-18h lun-sam, 11h-16h dim). Marque néo-zélandaise emblématique très prisée des célébrités. Également à Ponsonby (carte p. 52 ; 09-360 7391 ; 169 Ponsonby Rd, Ponsonby ; 9h30-18h lun-sam, 11h-16h dim) et Newmarket (carte page ci-contre ; 09-523 1000 ; 38 Osborne St, Newmarket ; 9h30-18h lun-sam, 11h-16h dim).

Royal Jewellery Studio Bijoux

(Carte page ci-contre ; 09-846 0200 ; www.royaljewellerystudio.com ; 486 New North Rd, Kingsland ; 10h-16h mar-dim). Des objets issus de l'artisanat local, dont de superbes pièces maories et d'authentiques bijoux en *pounamu* (néphrite).

Otara Flea Market Marché

(09-274 0830 ; www.otarafleamarket.co.nz ; Newbury St ; 6h-12h sam). Sur le parking entre le Manukau Polytech et le centre-ville d'Otara, ce marché polynésien vend des produits alimentaires, des disques et des vêtements du Pacifique Sud. Les bus n[os]472, 487 et 497 s'y rendent depuis le 55 Customs St (6,50 $, 50 minutes).

Real Groovy Musique

(Carte p. 52 ; 09-302 3940 ; www.realgroovy.co.nz ; 369 Queen St ; 9h-19h sam-mer, 9h-21h jeu-ven). CD et vinyles neufs, d'occasion ou rares, mais aussi places de concerts, posters géants, DVD, livres, magazines et vêtements.

Unity Books Livres

(Carte p. 52 ; 09-307 0731 ; www.unitybooks.co.nz ; 19 High St ; 8h30 19h lun-sam, 10h-18h dim). Meilleure librairie indépendante du centre-ville.

Strangely Normal Vêtements

(Carte p. 52 ; 09-309 0600 ; www.strangelynormal.com ; 19 O'Connell St ; 10h-18h lun-sam, 11h-16h dim). Chemises pour hommes sur mesure *made in New Zealand*, au style résolument polynésien, ainsi que des chapeaux, chaussures et autres accessoires.

OÙ SE RESTAURER

De par sa taille et la diversité de sa population, Auckland se classe en tête des villes du pays en matière de choix de restaurants et de qualité de la cuisine. Britomart (deux rues au-dessus de la gare ferroviaire) et Federal St (sous la Sky Tower) font figure de nouvelles enclaves gastronomiques à la mode, tandis que Ponsonby a renforcé sa réputation culinaire grâce à des ouvertures récentes. Le Wynyard Quarter et l'ancien City Works Depot, à l'angle de Wellesley St et Nelson St, ont également le vent en poupe.

Centre-ville

Best Ugly Bagels Boulangerie-café $

(Carte p. 52 ; 09-366 3926 ; www.bestugly.co.nz ; City Works Depot, 90 Wellesley St ; bagels garnis 5-12 $; 7h-3h ;). Roulés à la main, bouillis et cuits au feu de bois, les bagels de cette boulangerie ultra tendance, aménagée dans un ancien garage pour poids lourds, n'ont pas leur pareil. Choisissez entre différentes garnitures (pastrami, bacon, saumon fumé, ingrédients végétariens...) ou commandez simplement un bagel à la cannelle nappée de fromage frais à tartiner et de confiture. Excellent café.

Chuffed Café $

(Carte p. 52 ; 09-367 6801 ; www.chuffedcoffee.co.nz ; 43 High St ; plats 6,50-18 $; 7h-17h lun-ven, 9h-17h sam-dim). Dans un puits de lumière à l'arrière d'un bâtiment, cette petite adresse branchée, largement couverte de street art, peut concourir pour la place de meilleur café du centre-ville. Installez-vous sur la terrasse semi-ouverte pour un petit-déjeuner cuisiné, un burger au bœuf Wagyu, un jarret d'agneau ou un sandwich toasté riche en saveurs.

Depot Néo-zélandais moderne $$
(Carte p. 52 ; www.eatatdepot.co.nz ; 86 Federal St ; plats 16-34 $; 7h-tard). Premier restaurant du médiatique chef Al Brown à Auckland, le Depot propose des spécialités kiwies de premier choix dans un cadre informel – tables communes, carrelage mural et brouhaha constant. Un duo d'écaillers prépare les huîtres et les palourdes les plus fraîches de la ville. Plats conçus pour être partagés. Arrivez tôt ou acceptez d'attendre car pas de réservations.

Beirut Libanais $$
(Carte p. 52 ; 09-367 6882 ; www.beirut.co.nz ; 85 Fort St ; plats 26-29 $; 7h-tard lun-ven, 17h-tard sam). Si les rideaux en grosse toile et le décor industriel de ce sympathique nouveau venu n'évoquent pas vraiment le Liban, tel n'est pas le cas de ses plats raffinés. Et les cocktails n'ont guère à envier à la nourriture, ce qui en dit long.

Cassia Indien $$
(Carte p. 52 ; 09-379 9702 ; www.cassiarestaurant.co.nz ; 5 Fort Lane ; plats 28-34 $; 12h-15h mer-ven, 17h30-tard mar-sam). Ce restaurant à l'éclairage tamisé, en sous-sol le long d'une allée, mitonne une cuisine indienne moderne et percutante qui ne manque pas de panache. Commencez par un goûteux et croustillant *pani puri,* suivi d'un curry. Mention spéciale pour le canard à la mode de Delhi et le curry de poisson relevé de Goa.

Odette's Néo-zélandais moderne $$
(Carte p. 52 ; 09-309 0304 ; www.odettes.co.nz ; Shed 5, City Works Depot, 90 Wellesley St ; plats 17-25 $; 8h-15h dim-lun, 7h-23h mar-sam). Tout ici sort de l'ordinaire, qu'il s'agisse du cadre – luminaires en forme de bulbes et photos originales – et, surtout, de la carte. Que diriez-vous de poulpe ou de plat de côte épicé à l'heure du brunch ?

Dizengoff

À moins de préférer les champignons sauvages accompagnés de beignets et de feta. Le soir, des plats à partager remplacent les spécialités de type bistrot. Ambiance frénétique le week-end.

Giapo Glaces $$
(Carte p. 52 ; ☎09-550 3677 ; www.giapo.com ; 279 Queen St ; glaces 10-22 $; ⏰12h-22h30 dim-jeu, 12h-23h45 ven-sam). La queue qui se forme devant ce glacier même en plein hiver témoigne de la qualité de l'offre. Loin des simples cornets, vous aurez droit ici à de véritables œuvres d'art, nappées d'un tas de bonnes choses.

Ortolana Italien $$
(Carte p. 52 ; www.ortolana.co.nz ; 33 Tyler St, Britomart ; plats 25-29 $; ⏰7h-23h). Cette table élégante fait la part belle aux saveurs de la Méditerranée et des régions italiennes. Aussi joliment présentés que délicieux, les plats mettent pour l'essentiel à profit des produits issus de la petite exploitation agricole des patrons, dans la région rurale à l'ouest d'Auckland. Quant aux desserts, certains sont confectionnés par la pâtisserie Milse voisine, qui appartient aux mêmes propriétaires. Pas de réservations.

Sugar Club Néo-zélandais moderne $$$
(Carte p. 52 ; ☎09-363 6365 ; www.thesugarclub.co.nz ; L53 Sky Tower, Federal St ; déjeuner de 2/3/4/5 plats 56/70/84/98 $, dîner de 3/4/5/6 plats 90/108/118/128 $; ⏰12h-14h30 mer-dim et 17h30-21h30 tlj). Quand Peter Gordon, considéré au Royaume-Uni comme le pape de la cuisine fusion, est aux fourneaux, on peut s'attendre au nec plus ultra. Une vue somptueuse du haut de la Sky Tower s'ajoute aux recettes soigneusement élaborées par l'illustre chef néo-zélandais.

Grove Néo-zélandais moderne $$$
(Carte p. 52 ; ☎09-368 4129 ; www.thegroverestaurant.co.nz ; St Patrick's Sq, Wyndham St ; menu dégustation 5/9 plats 89/145 $; ⏰12h-15h jeu-ven, 18h-tard lun-sam). Cadre propice à un dîner romantique, longue carte des vins et service bien rodé.

Ponsonby et Grey Lynn

Street Food Collective Fast-food $
(Carte p. 52 ; ☎021 206 4503 ; www.thestreetfoodcollective.co.nz ; Rear, 130 Ponsonby Rd, Grey Lynn ; plats 5-15 $; ⏰11h-15h et 17h-22h). Un concept sympathique : 14 food trucks occupent à tour de rôle quatre emplacements dans une cour accessible par une étroite ruelle entre Richmond Rd et Mackelvie St (cherchez la grille d'entrée en fer forgé). Il y a aussi un camion-bar. Calendrier en ligne.

Dizengoff Café $
(Carte p. 52 ; ☎09-360 0108 ; www.facebook.com/dizengoff.ponsonby ; 256 Ponsonby Rd, Ponsonby ; plats 6,50-20 $; ⏰6h45-16h30). Cet élégant mouchoir de poche accueille une clientèle disparate de cadres d'entreprise, de *hipsters*, de riverains de Ponsonby et de touristes. La carte, d'influence juive, comprend des assiettes israéliennes, du foie haché, des bagels et des salades de poulet, ainsi que des plats au four alléchants et du café fort. Vous trouverez sur place de quoi lire.

Saan Thaïlandais $$
(Carte p. 52 ; ☎09-320 4237 ; www.saan.co.nz ; 160 Ponsonby Rd, Ponsonby ; plats 14-28 $; ⏰17h-tard lun-mar, 12h-tard mer-dim). Une adresse super tendance qui met à l'honneur la cuisine très épicée de l'Isaan et du Lanna, deux régions du nord de la Thaïlande. Les mets, des plats individuels ou à partager, sont classés sur la carte du moins au plus pimenté. Le crabe en mue est vraiment exceptionnel.

Blue Breeze Inn Chinois $$
(Carte p. 52 ; ☎09-360 0303 ; www.thebluebreezeinn.co.nz ; Ponsonby Central, 146 Ponsonby Rd, Ponsonby ; plats 26-32 $; ⏰12h-tard). Les saveurs des régions chinoises sont ici à l'honneur, dans une ambiance rétro et détendue. Les chaussons vapeur à la poitrine de porc et au concombre mariné sortent du lot, de même que l'agneau au cumin et les cocktails au rhum délicieusement forts. Personnel diligent.

L'ouest d'Auckland : vin, bière et gastronomie

La principale zone de production viticole de l'ouest d'Auckland compte encore des vignobles appartenant aux familles croates à l'origine du lancement de cette industrie en Nouvelle-Zélande. Les restaurants chics qui poussent comme des champignons ces dernières années n'ébranlent guère l'atmosphère rurale détendue de la région, mais font tout pour inciter les visiteurs de retour de la plage à un après-midi hédoniste.

La plupart des caves proposent des dégustations gratuites, et il existe même une formidable brasserie artisanale.

Coopers Creek (09-412 8560 ; www.cooperscreek.co.nz ; 601 SH16, Huapai ; 10h30-17h30). Achetez une bouteille et installez-vous pour pique-niquer dans les jolis jardins. Concerts de jazz le dimanche après-midi de janvier à Pâques.

Kumeu River (09-412 8415 ; www.kumeuriver.co.nz ; 550 SH16 ; 9h-16h30 lun-ven, 11h-16h30 sam). Propriété des Brajkovich, ce domaine viticole produit l'un des meilleurs chardonnays du pays.

Soljans Estate (09-412 5858 ; www.soljans.co.nz ; 366 SH16 ; dégustations 9h-17h, café 10h-15h). Parmi les premiers fondés par une famille croato-kiwie, ce vignoble possède un merveilleux café (plats 19-33 $) qui sert des brunchs et d'appétissantes assiettes méditerranéennes.

Tasting Shed (09-412 6454 ; www.thetastingshed.co.nz ; 609 SH16, Huapai ; plats 14-26 $; 16h-22h mer-jeu, 12h-23h ven-dim). Ce restaurant d'aspect "rural chic" prépare de délicieux plats conçus pour être partagés.

Hallertau (09-412 5555 ; www.hallertau.co.nz ; 1171 Coatesville-Riverhead Hwy, Riverhead ; 11h-minuit). Cette micro-brasserie propose des planches avec un mixte de plats pour accompagner la dégustation de bières (14 $) sur la terrasse couverte de vigne. Il y a parfois un DJ ou de la musique *live* le week-end.

Ponsonby Central Café $$

(Carte p. 52 ; www.ponsonbycentral.co.nz ; 136-138 Ponsonby Rd, Ponsonby ; plats 15-35 $; 7h-22h30 dim-mer, 7h-minuit jeu-sam). Des meilleures pizzas d'Auckland aux cuisines argentine, thaïe et japonaise, les restaurants, bars et épiceries fines qui remplissent cet ancien entrepôt converti en espace haut de gamme offrent l'embarras du choix.

Sidart Néo-zélandais moderne $$$

(Carte p. 52 ; 09-360 2122 ; www.sidart.co.nz ; Three Lamps Plaza, 283 Ponsonby Rd, Ponsonby ; formule déjeuner de 8 plats 50 $, dîner de 5-9 plats 85-150 $; 12h-14h30 ven, 18h-23h mar-sam). Mélange d'art et de science culinaire, les formules dégustation créatives de Sid Sahrawat excitent les papilles et le cerveau, satisfont l'estomac et donnent le sourire. Le restaurant, un peu difficile à repérer, se cache à l'arrière de l'ancien cinéma Alhambra.

Parnell

Woodpecker Hill Asiatique, fusion $$$

(Carte p. 52 ; 09-309 5055 ; www.woodpeckerhill.co.nz ; 196 Parnell Rd, Parnell ; grands plats 32-37 $; 12h-tard). Mariant les saveurs et le concept de plats partagés d'Asie du Sud-Est à la façon américaine d'accommoder les viandes (poitrine de bœuf fumée lentement mijotée, plat de côte mariné au barbecue...), cet oiseau rare s'est taillé une place unique sur la scène gastronomique d'Auckland. Tissu écossais, fausse fourrure, cloches en cuivre et plantes vertes composent un cadre délirant, aussi bigarré que la cuisine.

Mt Eden

Bolaven Café $$

(Carte p. 58 ; 09-631 7520 ; www.bolaven.co.nz ; 597 Mt Eden Rd, Mt Eden ; plats 11-26 $; 8h-15h mar-dim, 18h-22h mer-sam ;). Ce café à la fois chic et décontracté, est marqué d'influences laotiennes. Les bagels et le müesli y côtoient le *pho'* (soupe de nouilles au bœuf), le riz gluant aux œufs frits et le *mok pa* (papillote de poisson à la vapeur).

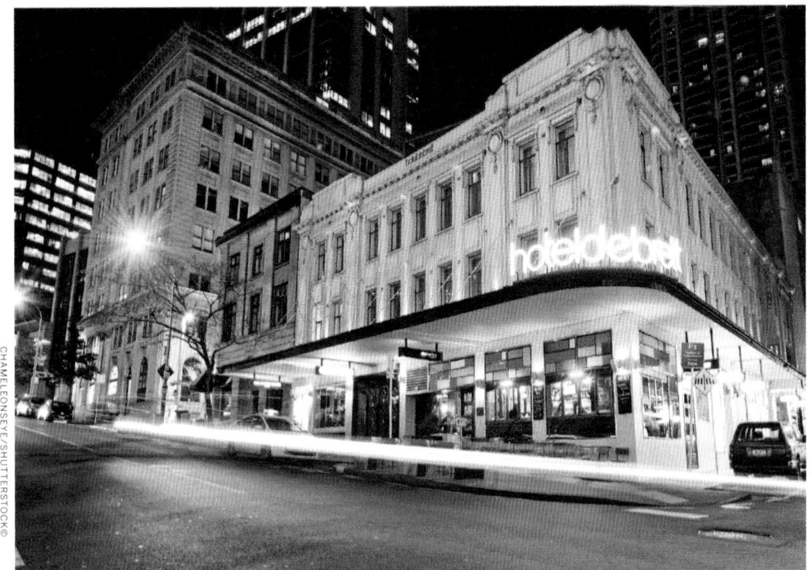

CHAMELEONSEYE/SHUTTERSTOCK©

Hotel DeBrett, Auckland

Le soir, la tendance s'accentue encore avec des plats comme le curry de légumes, les brochettes de porc ou les calmars sautés.

Merediths Néo-zélandais moderne $$$

(Carte p. 58 ; ☎09-623 3140 ; www.merediths.co.nz ; 365 Dominion Rd, Mt Eden ; menu dégustation 5/8/9 plats 80/120/140 $; 12h-15h ven, 18h-tard mar-sam). Un plongeon dans l'inconnu, plein de surprises et d'euphorie gustatives. Il n'y a pas d'options à la carte et seul le menu dégustation de 9 plats est servi le samedi.

Newton

French Cafe Français $$$

(Carte p. 58 ; ☎09-377 1911 ; www.thefrenchcafe.co.nz ; 210 Symonds St, Newton ; plats 46 $, menu dégustation 145 $; 12h-15h ven, 18h-tard mar-sam). Classé parmi les meilleures tables d'Auckland pendant plus de 20 ans, le légendaire French Café continue d'exceller. La cuisine est officiellement d'inspiration française, mais Simon Wright y introduit de succulentes notes d'Asie et du Pacifique. Service impeccable.

OÙ PRENDRE UN VERRE ET FAIRE LA FÊTE

La vie nocturne d'Auckland s'avère plutôt calme en semaine. Pour un peu d'animation, il faut gagner Ponsonby Rd, Britomart ou le Viaduct. Karangahape Rd (K Rd) s'anime tard, pas avant 23h, les vendredis et samedis. Dans Ponsonby Rd, la différence entre café, restaurant, bar et boîte reste floue. Beaucoup de tables programment aussi de la musique live ou se transforment en clubs après le dîner.

Centre-ville

Brothers Beer Micro-brasserie

(Carte p. 52 ; ☎09-366 6100 ; www.brothersbeer.co.nz ; City Works Depot, 90 Wellesley St ; 12h-22h). Notre bar préféré : 18 fûts de bières, brassées par Brothers ou d'autres, plus des centaines de bouteilles au frais, une formule dégustation (5 petits verres pour 25 $) et de quoi se restaurer, dont une excellente pizza.

La plage de Karekare

Rares sont les plages à avoir autant de personnalité que Karekare. Sauvage et vierge de constructions, elle a servi de cadre à des scènes du film *La Leçon de piano*, Palme d'or à Cannes, et de la série télévisée *Xena, princesse guerrière*.

Mais cette célèbre plage est l'une des plus dangereuses du pays. Ne vous baignez surtout pas, sauf si la plage est surveillée (généralement en été), car les fortes vagues déferlantes et les constants courants sagittaux (emportant vers le large) présentent un très grand danger.

Sur la côte ouest, à 50 minutes d'Auckland et à quelques kilomètres de la célèbre Piha Beach, suivez Scenic Dr et Piha Rd jusqu'à l'embranchement, bien indiqué, pour Karekare Rd.

Mo's Bar

(Carte p. 52 ; ☎09-366 6066 ; www.mosbar.co.nz ; angle Wolfe St et Federal St ; ⊙15h-tard lun-ven, 18h-tard sam ; 📶). Bar de quartier aux martinis bien dosés.

Gin Room Bar

(Carte p. 52 ; www.ginroom.co.nz ; L1, 12 Vulcan Lane ; ⊙17h-minuit mar-mer, 17h-2h jeu, 16h-4h ven, 18h-4h sam). L'endroit revêt ce charme colonial légèrement débraillé qui sied à un temple du gin. Vous aurez le choix entre une cinquantaine de variétés – demandez conseil aux barmen – sans compter les cocktails.

Xuxu Bar à cocktails

(Carte p. 52 ; ☎09-309 5529 ; www.xuxu.co.nz ; angle Galway St et Commerce St, Britomart ; ⊙12h-tard lun-ven, 17h-tard sam). Cocktails d'inspiration asiatique et bons raviolis forment ici un duo gagnant. DJ le week-end.

Hotel DeBrett Bar

(Carte p. 52 ; www.hoteldebrett.com ; 2 High St ; ⊙12h-tard). On vient, dans cet hôtel sélect, siroter une bière au Cornerbar ou un cocktail au Housebar de style Art déco.

Cassette Nine Club

(Carte p. 52 ; ☎09-366 0196 ; www.cassettenine.com ; 9 Vulcan Lane ; ⊙16h-tard mar-ven, 18h-tard sam). Les *hipsters* affluent dans ce bar-club excentrique dont la programmation inclut concerts indés et sets de DJ internationaux.

Grey Lynn

Golden Dawn Bar

(Carte p. 52 ; ☎09-376 9929 ; www.goldendawn.co.nz ; 134b Ponsonby Rd, Grey Lynn ; ⊙16h-minuit mar-ven, 12h-minuit sam-dim). Arrière-cour chaleureuse et devanture surannée pour ce repaire branché, qui accueille des concerts ou des DJ. Nourriture excellente, dont des petits pains garnis de porc ou de crevettes à la mayonnaise nippone et au piment. On entre par une anodine porte au coin de la rue, sur Richmond Rd.

Freida Margolis Bar

(☎09-378 6625 ; www.facebook.com/freidamargolis ; 440 Richmond Rd, Grey Lynn ; ⊙16h-tard). Au détour de ruelles animées, cette ancienne boucherie (comme l'indique l'enseigne West Lynn Organic Meats) est devenue un petit bar de quartier extra. Les habitués s'assoient dehors devant une sangria, du vin ou de la bière artisanale, sur fond de vinyles en tout genre.

Ponsonby

Bedford Soda & Liquor Bar à cocktails

(Carte p. 52 ; ☎09-378 7362 ; www.bedfordsodaliquor.co.nz ; Ponsonby Central, Richmond Rd, Ponsonby ; ⊙12h-minuit).

Reconnaissable à son décor semi-industriel, éclairé de bougies, cet établissement de style new-yorkais cultive l'art américain des spiritueux. Les cocktails coûtent cher, mais leur prix se justifie : certains arrivent enveloppés d'un nuage de fumée, d'autres dans une sorte de "boule à neige", tandis que le milk-shake à base de whisky Malteser au caramel salé tient ses promesses.

Shanghai Lil's Bar à cocktails

(Carte p. 52 ; ☎09-360 0396 ; www.facebook.com/lilsponsonby ; 212 Ponsonby Rd, Ponsonby ; ⏲17h-tard mar-sam). Dans ce petit bar, où flotte un peu de l'atmosphère interlope du Shanghai d'antan, le patron porte une veste chinoise en soie et des musiciens octogénaires accompagnent des chanteurs de jazz à la voix de velours. L'endroit attire une clientèle hétéroclite, pour partie gay.

Wynyard Quarter

Sixteen Tun Bière artisanale

(Carte p. 52 ; ☎09-368 7712 ; www.16tun.co.nz ; 10-26 Jellicoe St, Wynyard Quarter ; dégustation de 4/6/8 bières 12/18/24 $; ⏲11h30-tard). Le reflet du cuivre poli se marie parfaitement, ici, avec la couleur ambrée des dizaines de bières artisanales néo-zélandaises à la pression et des dizaines d'autres en bouteilles. Si vous ne parvenez pas à vous décider, optez pour une "caisse" de dégustation composée d'échantillons de 200 ml.

Jack Tar Pub

(Carte p. 52 ; ☎09-303 1002 ; www.jacktar.co.nz ; North Wharf, 34-37 Jellicoe St, Wynyard Quarter ; ⏲7h-tard). Un lieu fort agréable pour boire une bière en fin d'après-midi/début de soirée ou manger un morceau avec du vin dans l'ambiance détendue du front de mer.

Newton

Galbraith's Alehouse Brasserie, pub

(Carte p. 58 ; ☎09-379 3557 ; alehouse.co.nz ; 2 Mt Eden Rd, Newton ; ⏲12h-23h). Ce pub à l'anglaise, aménagé dans un beau bâtiment ancien, produit de véritables *ales* et *lagers*, servies à la pression, de même que des bières artisanales d'autres brasseurs. La cuisine est également à la hauteur.

✪ OÙ SORTIR

Auckland Live Arts de la scène

(☎09-309 2677 ; www.aucklandlive.co.nz). Le principal complexe d'art et de spectacle de la ville s'organise autour d'Aotea Sq. Il comprend l'Auckland Town Hall, le Civic Theatre et l'Aotea Centre, ainsi que le Bruce Mason Centre à Takapuna.

Auckland Town Hall Musique classique

(Carte p. 52 ; ☎09-309 2677 ; www.aucklandlive.co.nz ; 305 Queen St). Cette élégante salle édouardienne (1911) accueille le NZ Symphony Orchestra (www.nzso.co.nz) et l'Auckland Philharmonia (www.apo.co.nz), entre autres formations.

Civic Theatre Concerts

(Carte p. 52 ; www.civictheatre.co.nz ; angle Queen St et Wellesley St). Le "Mighty Civic" (1929) est l'une des rares magnifiques salles survivantes de l'âge d'or du cinéma. L'auditorium est paré de somptueuses décorations mauresques, et son plafond s'orne de la voûte céleste de l'hémisphère Sud (où sont projetés des nuages). Le Civic Theatre accueille essentiellement des comédies musicales en tournée, des concerts de stars internationales et des festivals de cinéma.

Q Theatre Théâtre

(Carte p. 52 ; ☎09-309 9771 ; www.qtheatre.co.nz ; 305 Queen St). Pièces jouées par diverses compagnies et concerts intimistes. Le Silo Theatre (www.silotheatre.co.nz) se produit souvent dans cette salle.

Kings Arms Tavern Pub, concerts

(Carte p. 52 ; ☎09-373 3240 ; www.kingsarms.co.nz ; 59 France St, Newton). Véritable institution, cette petite salle de concerts reçoit groupes locaux et étoiles montantes de la scène internationale.

Whammy Bar Concerts

(Carte p. 52 ; www.facebook.com/thewhammybar ; 183 Karangahape Rd, Newton ; ⏲20h30-4h mer-sam). Quoique de taille modeste, ce lieu est un pilier de la scène musicale indé.

RENSEIGNEMENTS

i-SITE de Princes Wharf (carte p. 52 ; ☎09-365 9914 ; www.aucklandnz.com ; 139 Quay St ; ⏲9h-17h). Le principal office du tourisme officiel de la ville, qui comprend le **centre d'information du DOC d'Auckland** (carte p. 52 ; ☎09-379 6476 ; www.doc.govt.nz ; 137 Quay St, Princes Wharf ; ⏲9h-17h lun-ven, horaires étendus en été).

i-SITE de-SkyCity (carte p. 52 ; ☎09-365 9918 ; www.aucklandnz.com ; SkyCity Atrium, angle Victoria St et Federal St ; ⏲9h-17h)

i-SITE de l'aéroport d'Auckland – terminal des vols internationaux (☎09-365 9925 ; www.aucklandnz.com ; terminal des vols internationaux ; ⏲6h30-22h30)

DEPUIS/VERS AUCKLAND

AVION

L'**aéroport d'Auckland** (p. 365) se situe à 21 km au sud du centre-ville. Il s'agit de la principale plate-forme aérienne internationale du pays et d'un hub pour les vols intérieurs. Les deux terminaux, à 10 minutes de marche l'un de l'autre, sont reliés par une voie signalisée : une navette gratuite circule toutes les 15 minutes (5h-22h30). Vols directs pour les grandes villes australiennes, l'Asie, le Pacifique, l'Amérique du Nord et l'Amérique du Sud.

BUS

Les bus longue distance partent du 172 Quay St, en face du Ferry Building, sauf les InterCity, qui démarrent du **SkyCity Coach Terminal** (carte p. 52 ; 102 Hobson St). Nombre de lignes à destination du sud passent aussi par l'aéroport.

TRAIN

Le **Northern Explorer** (☎0800 872 467 ; www.kiwirailscenic.co.nz) de KiwiRail Scenic roule entre Auckland et Wellington, *via* le Tongariro National Park et Ohakune.

COMMENT CIRCULER

Les bus Link, respectueux de l'environnement, assurent un service très pratique de 7h à 23h, avec trois parcours en boucle dans les deux sens englobant la plupart des sites touristiques :

Bus **City Link** (adulte/enfant 50/30 ¢, toutes les 7-10 minutes) – Wynyard Quarter, Britomart, Queen St et Karangahape Rd.

Bus **Inner Link** (adulte/enfant 2,50/1,50 $, toutes les 10-15 minutes) – Queen St, SkyCity, Victoria Park, Ponsonby Rd, Karangahape Rd, Museum, Newmarket, Parnell et Britomart.

Bus **Outer Link** (maximum 4,50 $, toutes les 15 minutes) – Art Gallery, Ponsonby, Herne Bay, Westmere, MOTAT 2, Pt Chevalier, Mt Albert, St Lukes Mall, Mt Eden, Newmarket, Museum, Parnell, University.

Îles du golfe de Hauraki

Entre Auckland et la péninsule de Coromandel (voir p. 91), le golfe de Hauraki rivalise de beauté avec la Bay of Islands (voir p. 71). Certaines de ses îles (*motu*), à quelques minutes seulement de la ville, font l'objet d'une agréable journée d'excursion. Waiheke (voir p. 42), plantée de vignobles, et Rangitoto, au relief volcanique, méritent vraiment la visite.

Rangitoto Island

S'élevant élégamment des eaux du golfe, Rangitoto (259 m ; www.rangitoto.org), le plus grand et le plus jeune des cônes volcaniques de la région d'Auckland, compose une toile de fond pittoresque aux activités urbaines. Sorti de la mer il y a 600 ans à peine, il est probablement resté actif plusieurs années avant de s'endormir.

Rangitoto se prête à une excursion d'une journée. Ses pentes aux scories volcaniques et à la flore abondante (dont la plus grande forêt de pohutukawas du monde) permettent de très belles balades – prévoyez de bonnes chaussures et beaucoup d'eau. Rejoindre le sommet demande 1 heure (la pente est moins raide qu'il n'y paraît) et la vue mérite l'effort.

COMMENT S'Y RENDRE ET CIRCULER

Fullers (☎09-367 9111 ; www.fullers.co.nz ; 139 Quay St ; aller-retour adulte/enfant Auckland ou Devonport 36/18 $) dessert Rangitoto depuis le

Ferry Building d'Auckland (20 minutes ; toutes les 40 minutes 5h35-23h45 lun-ven, toutes les 30 minutes 6h15-23h45 sam, et 7h-22h30 dim) et Devonport. La compagnie propose également un circuit guidé, le **Volcanic Explorer** (adulte/enfant 65/32,50 $ ferry inclus ; 4 heures 30 ; départs Auckland 9h15 et 12h15, Devonport 9h25 et 12h25), à bord d'un petit train couvert qui fait le tour de l'île.

Great Barrier Island

Cette terre déchiquetée d'une beauté exceptionnelle est la quatrième île néo-zélandaise par la taille (285 km²), après l'île du Sud, l'île du Nord et Stewart Island (voir p. 328). Appelée Aotea ("nuage") par les Maoris, elle doit son nom de Great Barrier ("grande barrière") à James Cook – et à son emplacement au bout du golfe de Hauraki. Avec des plages préservées, des sources chaudes, d'anciens barrages, une réserve forestière, un réseau de sentiers de randonnée et des étendues de bush luxuriantes, Great Barrier évoque la péninsule de Coromandel (voir p. 91), à laquelle elle était jadis reliée. Comme Coromandel, c'était autrefois un site d'extraction minière, d'exploitation forestière et de chasse à la baleine. Ces activités ont depuis longtemps cessé ; de nos jours, l'île est aux deux tiers détenue par l'État et gérée par le DOC.

Située à seulement 88 km d'Auckland, Great Barrier semble pourtant à des années-lumière de la plus grande ville du pays. Ici, il n'y a ni supermarché, ni réseau électrique (l'électricité est fournie par des panneaux solaires, des éoliennes et des générateurs), ni gestion collective des eaux usées (uniquement des fosses septiques). De nombreuses routes ne sont pas goudronnées, et l'essence coûte cher. La couverture mobile est limitée et il n'y a ni banque, ni DAB, ni éclairage public. La haute saison s'étend de la mi-décembre à mi-janvier : réservez les transports, les hébergements et les activités bien à l'avance.

Le village principal, **Tryphena**, est à 4 km de l'embarcadère de Shoal Bay. Il consiste en quelques dizaines de maisons et en une poignée de boutiques et d'hébergements, disséminés sur

Great Barrier Island

PAUL KENNEDY/GETTY IMAGES©

plusieurs kilomètres le long de la route côtière. Du débarcadère, on rejoint en 3 km Mulberry Grove ; il faut poursuivre sur 1 km par-delà le promontoire pour atteindre Pa Beach et Stonewall Store. L'aéroport est à 12 km au nord de Tryphena, à **Claris**, un petit village doté d'une épicerie, d'un bottle shop, d'une laverie, d'un garage, d'une pharmacie et d'un café.

Le vieux bourg aux maisons de bois de **Whangaparapara** était au centre de la chasse à la baleine au XIXe siècle. **Port Fitzroy**, à 1 heure de route de Tryphena, est l'autre port d'importance sur la côte ouest. On peut s'approvisionner en carburant dans ces quatre villages.

 RENSEIGNEMENTS

Vous trouverez un centre d'information à l'agence GBI Rent-A-Car, à Claris.

Le **centre d'information de Port Fitzroy** (09-429 0848 ; www.thebarrier.co.nz ; Aotea Rd ; 9h-15h lun-sam), un organisme privé, publie le *Great Barrier Island Visitor Information Guide*.

Le café **Claris Texas** (09-429 0811 ; 129 Hector Sanderson Rd ; 8h-16h ;) offre un accès à Internet.

 DEPUIS/VERS GREAT BARRIER ISLAND

AVION

Barrier Air (0800 900 600, 09-275 9120 ; www.barrierair.kiwi ; adulte/enfant à partir de 89/84 $). Chaque semaine, 42 vols pour Claris (30 minutes) au départ du terminal domestique de l'aéroport d'Auckland et de l'aérodrome de la rive nord (North Shore) ; vols Auckland-Okiwi, ou Claris-Whitianga ou Tauranga sur demande.

FlyMySky (0800 222 123, 09-256 7026 ; www.flymysky.co.nz ; adulte/enfant à partir de 99/89 $). Au moins 2 vols/jour entre Auckland et Claris ; formules intéressantes pour les allers-retours combinant avion et ferry (adulte/enfant 193/140 $).

Sunair (0800 786 247 ; www.sunair.co.nz ; aller 130-190 $). Chaque jour, à destination de Claris, 1 vol au départ de Whitianga (130 $), Tauranga (190 $) et Hamilton (190 $), et 2 vols depuis l'aéroport d'Ardmore, à Papakura, dans les quartiers sud d'Auckland (South Auckland ; 130 $).

BATEAU

SeaLink (0800 732 546, 09-300 5900 ; www.sealink.co.nz ; adulte/enfant/voiture aller 81/59/280 $, aller-retour 102/81/347 $). Au départ de Wynyard Wharf, à Auckland, chaque semaine, 4 car-ferries pour Shoal Bay, à Tryphena (4 heures 30), et un car-ferry à destination de Port Fitzroy (5 heures).

 COMMENT CIRCULER

La plupart des routes sont étroites et sinueuses, mais néanmoins accessibles même aux plus petites voitures de location – y compris sur les sections non goudronnées. Si vous les prévenez, les hébergements viendront généralement vous chercher à l'arrivée de l'avion ou du bateau.

Aotea Car Rentals (0800 426 832, 09-429 0474 ; www.aoteacarrentals.co.nz ; Mulberry Grove). Location de voitures ordinaires (à partir de 60 $), de 4x4 (à partir de 80 $) et de vans (à partir de 99 $). Les clients peuvent profiter gratuitement des services de Great Barrier Travel.

GBI Rent-A-Car (09-429 0767 ; greatbarrierisland.co.nz ; 67 Hector Sanderson Rd ; 8h-18h lun-sam, 9h-18h dim). Parc de voitures (à partir de 40 $) et de 4x4 (à partir de 70 $) un peu cabossés, et service de navettes au départ de Claris et à destination de Tryphena (20 $), de Medlands (15 $), de Whangaparapara (20 $) et de Port Fitzroy (30 $, min. 4 pers) ; navettes pour les randonneurs également. Prise en charge à 5 $ pour les voyageurs en solo ; réservez par téléphone.

Great Barrier Travel (09-429 0474, 0800 426 832 ; www.greatbarriertravel.co.nz). Navettes entre Tryphena et Claris (correspondant aux horaires des avions et des bateaux), et 1 bus/jour entre Tryphena et Port Fitzroy, desservant plusieurs départs de sentiers. Téléphonez pour vérifier les horaires et réserver.

Où se loger

Métropole internationale en plein essor, Auckland affiche un large choix d'hébergements. Réserver bien à l'avance permet parfois de profiter des meilleures offres. Sachez aussi que les hôtels se remplissent à l'occasion des concerts de vedettes internationales et des matchs de rugby importants.

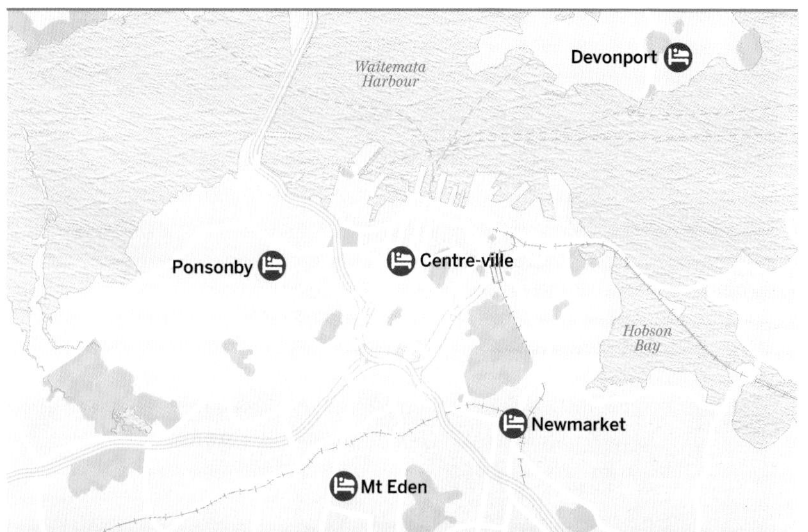

Quartier	Ambiance
Centre-ville	Hôtels de luxe, chaînes internationales et auberges de jeunesse dans le CBD. Pratique mais sans cachet.
Ponsonby	Choix satisfaisant de B&B et d'auberges de jeunesse près de bars et de restaurants. À une courte distance du centre d'Auckland.
Mt Eden	Banlieue verdoyante, dotée de bons B&B et auberges de jeunesse. Transports pratiques pour le CBD et les ferries de la baie.
Devonport	Banlieue en bord de mer avec de beaux B&B de style édouardien. Accessible en ferry depuis le centre-ville.
Newmarket	Motels d'un bon rapport qualité/prix sur Great South Rd, à proximité de commerces intéressants. Bien desservi depuis le centre-ville.

Urupukapuka Island

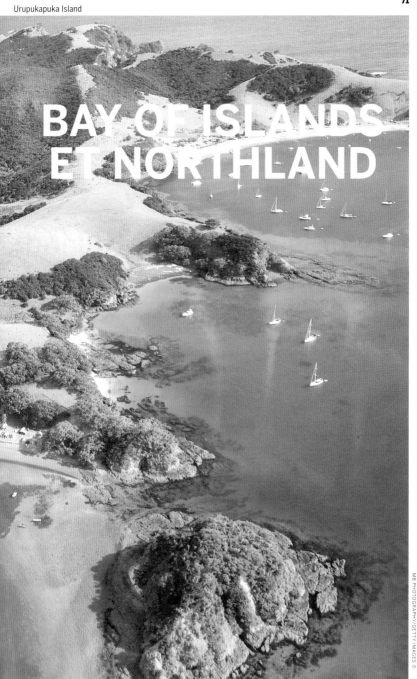

BAY OF ISLANDS ET NORTHLAND

Dans ce chapitre

Bay of Islands et Northland

Dans la partie septentrionale "sans hiver" de l'île du Nord, la Bay of Islands se prête à des excursions en bateau, et l'on y croise souvent des dauphins et autres mammifères marins. Berceau de la colonisation européenne en Nouvelle-Zélande, elle abrite les Waitangi Treaty Grounds, qui retrace l'histoire biculturelle du pays du point de vue des Maoris et des Pakehas. À l'extrême nord, la péninsule d'Aupouri offre de merveilleux paysages sauvages, tandis que la Waipoua Forest, sur la côte ouest, compte parmi les plus beaux spécimens de kauris.

En 2 jours

Après la visite du port historique de **Russell** (p. 80), prenez le ferry ou le car-ferry pour **Paihia** (p. 83) afin de consacrer l'après-midi aux **Waitangi Treaty Grounds** (p. 74), puis dînez au **Provenir** (p. 85), toujours à Paihia. Le lendemain matin, fendez-vous d'une sortie en bateau dans la Bay of Islands. Enfin, détendez-vous en sirotant un verre sur le front de mer au **Alongside** (p. 85).

En 4 jours

Démarrez la journée par un bon café et un *burrito* au **El Cafe** (p. 84) de Paihia, suivis d'autres délices à **Kerikeri** (p. 78). Choisissez entre les caramels, les dégustations de vin et les noix de macadamia, avant de vous régaler de saveurs thaïlandaises au **Food at Wharepuke** (p. 79). Le quatrième jour, faites une escapade au **cap Reinga** (p. 87), à l'extrémité de la péninsule d'Aupouri, ou partez à la découverte des majestueux kauris de la **Waipoua Forest** (p. 86).

Comment s'y rendre

Aéroport de Kerikeri Environ 23 km à l'ouest de Paihia, il accueille des vols réguliers d'Air New Zealand depuis/vers Auckland. La navette Super Shuttle le relie à Kerikeri, Paihia, Opua et Kawakawa.

InterCity Bus Terminus à l'i-SITE de Paihia et dans Cobham Rd, en face de la Kerikeri Library.

Où se loger

Si Russell a davantage de cachet, Paihia se révèle bien plus pratique en soi, avec des motels, appartements et B&B sur le front de mer et les collines alentour. On trouve également à Paihia un excellent choix d'auberges de jeunesse, notamment dans Kings Rd, la principale enclave pour routards. De son côté, Russell compte quelques établissements corrects de catégorie moyenne et plusieurs petits lodges économiques, mais il importe, en haute saison, de réserver. Des B&B de luxe attendent également une clientèle à l'aune de leurs tarifs.

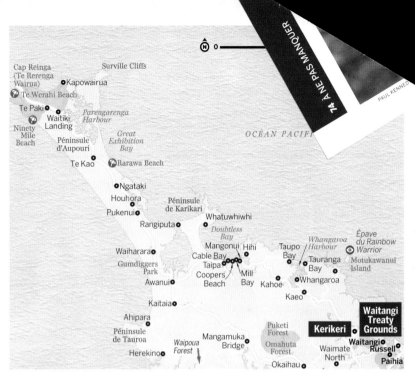

Waitangi Treaty Grounds

Magnifiquement situés sur la côte, les Waitangi Treaty Grounds constituent une étape essentielle pour qui veut comprendre l'histoire de la Nouvelle-Zélande.

Pour ceux qui aiment...

☑ Ne ratez pas

Les sculptures et *tukutuku* (panneaux tissés) de la *whare runanga* (maison commune) de Waitangi.

Lieu de naissance de la Nouvelle-Zélande moderne, Waitangi occupe une place aussi particulière que complexe dans l'imaginaire national. En témoigne le mélange de festivités, de protestations et d'apathie qui accompagne la célébration du Waitangi Day (6 février), jour anniversaire de la fondation du pays.

Installé sur un promontoire entouré de pelouses et de broussailles, ce site est le plus important de l'histoire néo-zélandaise. Le 6 février 1840, les 43 premiers chefs maoris signèrent, au terme de discussions acharnées, le traité de Waitangi avec la Couronne britannique – à terme, ce furent plus de 500 d'entre eux qui y apposèrent leur marque. La Nouvelle-Zélande moderne puise ses racines dans cet événement.

Si la population saisit bien le rôle crucial de l'épisode, les visiteurs étrangers pourront s'étonner du manque

Maison commune, Waitangi Treaty Grounds

FRANS LEMMENS/GETTY IMAGES ©

Infos pratiques

09-402 7437 ; www.waitangi.org.nz ; 1 Tau Henare Dr ; adulte/enfant 40/20 $; 9h-17h mars-24 déc, 9h-18h 26 déc-fév

Une petite faim ?

Donnant sur les Waitangi Treaty Grounds, le **Whare Waka** (en-cas et plats 7-18 $; 9h-17h) sert une bonne cuisine de café.

★ Bon à savoir

***Hangi* et concert au Whare Waka les mardis et jeudis soir de décembre à mars.**

d'explications relatives à ses suites et conséquences historiques, entre violations de l'accord par la Couronne britannique, conflits et spoliations foncières, pour arriver plus tard à l'émergence de mouvements de contestation et au processus actuel de réparation.

La **Treaty House** (1832), ancienne maison du résident britannique James Busby transformée en musée-mémorial, expose notamment une copie du traité. De l'autre côté de la pelouse, où eut lieu la signature, la magnifique *whare runanga* (maison commune) arbore de jolies sculptures représentant les principales tribus maories. Elle fut construite en 1940 pour le centenaire du traité, tout comme le *waka taua* (pirogue de guerre) de 35 m près de la crique. Une exposition photographique illustre la fabrication du bateau à partir d'énormes rondins de kauri.

Le billet inclut l'accès aux Treaty Grounds, une visite guidée, un spectacle culturel et l'entrée du nouveau **Museum of Waitangi** (09-402 7437 ; www.waitangi.org.nz ; 1 Tau Henare Dr ; adulte/enfant 40/20 $; 9h-17h mars-24 déc, 9h-18h 26 déc-fév). Les résidents néo-zélandais ne paient que 20 $ sur présentation de leur passeport ou permis de conduire.

Un sentier pédestre (aller simple 5 km/1 heure 30) conduit des Treaty Grounds aux belles Haruru Falls en forme de fer à cheval.

Hole in the Rock

THOMAS NORD/SHUTTERSTOCK ©

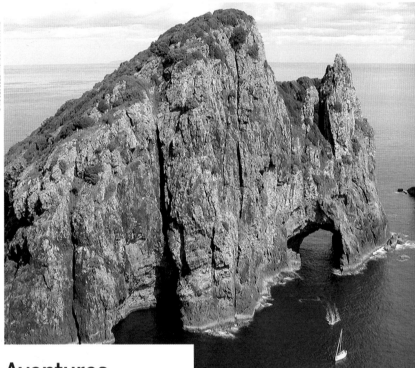

Aventures nautiques

C'est sur l'eau, notamment en kayak, qu'on découvre le mieux les paysages spectaculaires de la Bay of Islands, peuplés de dauphins et autres créatures marines.

Pour ceux qui aiment...

☑ Ne ratez pas

L'épave du *Rainbow Warrior* (p. 86) au large des Cavalli Islands, à environ 1 heure de bateau au nord de Paihia.

La Bay of Islands peut s'explorer en voilier, en *jet-boat* ou à bord de grandes vedettes. Les embarcations lèvent l'ancre de Paihia ou de Russell et font une première escale dans l'autre ville.

Au large du cap Brett en lisière est de la baie, Piercy Island (Motukokako) compte parmi les plus belles îles. Cette forteresse de roche est trouée d'une grande arche naturelle, le fameux Hole in the Rock. Si les conditions le permettent, les bateaux d'excursion passent au travers. En chemin, vous croiserez sans doute des tursiops et des dauphins communs, voire des orques, des baleines ou des manchots.

La voile, qui permet d'aller d'une île à l'autre, est le meilleur moyen d'explorer la baie. Inutile d'être un navigateur aguerri, l'équipage se charge de tout. On peut donner un coup de main ou s'adonner au bronzage, à la baignade ou au snorkeling.

Voilier *R Tucker Thompson*

ROBERT ARMSTRONG/GETTY IMAGES ©

Circuits organisés

Explore NZ Croisières

(☎09-402 8234 ; www.explorenz.co.nz ; angle Marsden Rd et Williams Rd, Paihia). Deux croisières de 4 heures sont proposées : Swim with the Dolphins Cruise pour nager avec les dauphins (adulte/enfant 95/50 $, plus 15 $ pour nager, départs 8h et 12h30, nov-avr) ou Discover the Bay Cruise pour parcourir la baie au sec (4 heures, adulte/enfant 115/65 $, départs 9h et 13h30, visite du Hole in the Rock et escale à Urupukapuka Island).

Fullers Great Sights Croisières

(☎0800 653 339 ; www.dolphincruises.co.nz ; Paihia Wharf). La Dolphin Cruise (4 heures, adulte/enfant 105/53 $, départs 9h et 13h30) mène à la découverte des dauphins sur le chemin du Hole in the Rock, avec escale à Urupukapuka Island au retour. La **Dolphin Eco Experience** (4 heures, adulte/enfant 117/58 $, ⌚départs 8h et 12h30) ne comprend pas le Hole in the Rock ; son but est de vous faire nager avec les dauphins.

R Tucker Thompson Voile

(☎09-402 8430 ; www.tucker.co.nz ; ⌚nov-avr). Le majestueux voilier *Tucker* armé par une fondation caritative à vocation éducative fait des sorties à la journée (adulte/enfant 145/73 $, déjeuner barbecue compris) et des croisières en fin d'après-midi (adulte/enfant 65/33 $).

Carino Voile

(☎09-402 8040 ; www.sailingdolphins.co.nz ; adulte/enfant 119/74 $). Ce catamaran de 15 m bénéficie d'une autorisation du Department of Conservation (DOC) pour emmener les touristes nager avec les dauphins et adhère au Marine Mammal Protection Act de 1978. Barbecue en sus (6 $).

Mack Attack Jet-boat

(☎0800 622 528 ; www.mackattack.co.nz ; 9 Williams Rd, Paihia ; adulte/enfant 99/49 $). Attachez votre ceinture pour filer en *jet-boat* jusqu'au Hole in the Rock (1 heure 30) ou optez pour un circuit dans l'Inner Bay of Islands (adulte/enfant 85/49 $).

Infos pratiques

Renseignez-vous auprès de l'**i-SITE de la Bay of Islands** (p. 85), à Paihia, pour les nombreuses excursions en mer.

Une petite soif ?

Terminez la journée par un verre en bord de mer au **Alongside** (p. 85).

★ Bon à savoir

Il est vivement recommandé de réserver au moins quelques jours à l'avance durant l'été et les vacances scolaires.

Stone Store

Kerikeri

Les sites historiques répartis autour du bassin fluvial de Kerikeri évoquent les premières interactions entre Maoris et Pakehas. Le secteur compte également son lot de bonnes tables.

Pour ceux qui aiment...

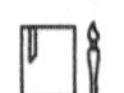  

☑ Ne ratez pas

Vin et gastronomie du cru sur la terrasse du **Marsden Estate** (09-407 9398 ; www.marsdenestate.co.nz ; 56 Wiroa Rd ; 10h-17h).

En 1819, le puissant chef Hongi Hika de la tribu Ngapuhi autorisa la mission du révérend Samuel Marsden à s'installer à l'ombre de son Kororipo Pa. Une campagne vise actuellement à faire inscrire le site, qui comprend désormais la Stone Store et la Mission House, sur la liste du patrimoine mondial de l'Unesco.

À voir

Stone Store Édifice historique

(09-407 9236 ; www.historic.org.nz ; 246 Kerikeri Rd ; 10h-16h). Dans la plus vieille maison en pierre (1836) de Nouvelle-Zélande, jadis une épicerie, sont vendus aujourd'hui, outre les mêmes articles que naguère, d'intéressants souvenirs typiques. La visite guidée de la Mission House part de là.

Infos pratiques

À Kerikeri, la **Procter Library** (Cobham Rd ; 8h-17h lun-ven, 9h-14h sam ;) renferme un centre d'information pratique.

Une petite faim ?

Goûtez la *shakshuka* (œufs au plat dans une sauce tomate relevée) du **Cafe Jerusalem** (09-407 1001 ; www.facebook.com/cafejerusalem ; Village Mall, 85 Kerikeri Rd ; en-cas et plats 9-18 $; 11h-tard lun-sam).

★ Bon à savoir

Pour des infos sur l'industrie viticole en plein essor de Kerikeri, consultez le site www.northlandwinegrowers.co.nz.

Mission House Édifice historique

(www.historic.org.nz ; visite guidée 10 $). Le plus vieux bâtiment du pays (1822) fait l'objet d'une visite guidée partant de la Stone Store et incluant l'exposition "The Soul Trade" au 1er étage de celle-ci.

Aroha Island Réserve naturelle

(09-407 5243 ; www.arohaisland.co.nz ; 177 Rangitane Rd ; 9h30-17h30). GRATUIT À 12 km au nord-est de Kerikeri, cette île de 5 ha sert de refuge au kiwi de Mantell et à d'autres espèces d'oiseaux indigènes. C'est aussi un lieu de pique-nique agréable pour leurs admirateurs, avec un centre d'accueil des visiteurs et des kayaks à louer. On peut participer à des marches nocturnes (35 $/pers, réservation indispensable), avec quelque 50% de chances d'observer des kiwis à l'état sauvage.

Dans les environs

De nombreuses boutiques d'objets et de produits alimentaires artisanaux émaillent le secteur entre Kerikeri et Paihia. Voici nos préférées :

Kerikeri Farmers Market (www.boifm.org.nz ; Hobson Ave ; 8h30-12h dim). Depuis les saucisses gastronomiques jusqu'au limoncello.

The Old Packhouse Market (09-401 9588 ; www.theoldpackhousemarket.co.nz ; 505 Kerikeri Rd ; 8h-13h30 sam). Tous les samedis matin.

Get Fudged & Keriblue Ceramics (09-407 1111 ; www.keriblueceramics.co.nz ; 560 Kerikeri Rd ; 9h-17h). Gros blocs de caramel et céramiques.

Makana Confections (09-407 6800 ; www.makana.co.nz ; 504 Kerikeri Rd ; 9h-17h30). Toutes sortes de chocolats.

Food at Wharepuke (09-407 8936 ; www.foodatwharepuke.co.nz ; 190 Kerikeri Rd ; petit-déj 14-22 $, déjeuner et dîner 24-39 $; 10h-22h30 mar-dim). Excellente cuisine thaïlandaise et plats de café classiques au milieu de luxuriants jardins subtropicaux.

Le passé interlope de Russell

Établie au début du XIXe siècle autour d'une paisible crique, la première colonie européenne de Nouvelle-Zélande ne tarda pas à attirer prisonniers en fuite, chasseurs de baleine et marins alcooliques. Dans les années 1830, des dizaines de baleiniers mouillaient dans la baie, et Charles Darwin décrivait un endroit plein de "rebuts de la société".

Aujourd'hui, Russell décevra les amateurs de débauche – les bacchanales sur la plage n'ont plus cours depuis 180 ans ! Il s'agit désormais d'un charmant village historique, riche en magasins de souvenirs, restaurants de qualité et B&B.

Christ Church, Russell

Russell

Jadis connue comme le "bouge du Pacifique", cette localité chargée d'histoire coloniale tire désormais avantage d'une atmosphère plus tranquille que Paihia, de l'autre côté de la baie. Dans ce charmant village historique, ponctué de maints magasins de souvenirs et autres B&B, on peut louer, l'été venu, kayaks et canots sur la plage.

À VOIR

Pompallier Mission Édifice historique

(09-403 9015 ; www.pompallier.co.nz ; The Strand ; visites guidées adulte/enfant 10 $/gratuit ; 10h-16h). Ce bâtiment de la mission catholique, édifié en 1842 pour abriter sa presse, est le dernier à subsister dans le Pacifique Ouest. Quelque 40 000 livres y furent imprimés en maori. Converti en demeure privée dans les années 1870, il a depuis retrouvé son aspect initial, y compris sa tannerie et son atelier d'imprimerie.

Christ Church Église

(Church St). Charles Darwin contribua à la construction de cette église, la plus ancienne du pays (1836). Le plus grand monument du cimetière commémore Tamati Waka Nene, chef de la tribu Ngapuhi originaire du Hokianga, qui se battit au côté d'Hone Heke durant la guerre de Flagstaff. La façade de l'église est marquée d'impacts datant de la bataille de 1845.

Haratu Galerie

(www.kororarekanz.com ; angle de The Strand et Pitt St ; 10h-16h lun-sam). Géré par l'association du *marae* local, Haratu présente des objets d'art et d'artisanat maoris, pour la plupart en vente, assortis d'installations audiovisuelles et de panneaux explicatifs. Rendez-vous sur le site Internet pour télécharger l'application (4,99 $US) de la visite à pied de Russell (1 heure) axée sur l'histoire et les légendes maories. Le centre employant des bénévoles, les horaires d'ouverture peuvent varier.

Russell Museum Musée

(09-403 7701 ; www.russellmuseum.org.nz ; 2 York St ; adulte/enfant 10/3 $; 10h-16h). Ce petit musée moderne donne à voir de belles collections maories, la maquette du navire *Endeavour* du capitaine Cook et une vidéo retraçant l'histoire du bourg.

Long Beach Plage

(Long Beach Rd). Environ 1,5 km après Russell et aisément accessible à pied ou à vélo, cette plage tranquille convient bien aux familles avec enfants. En tournant à gauche (face à la mer), vous tomberez sur la crique de **Donkey Bay**, une plage de nudistes non officielle.

Omata Estate Domaine viticole
(☎09-403 8007 ; www.omata.co.nz ; Aucks Rd ; ⊙dégustation et repas 10h-17h nov-mars, dégustation seule 11h-17h mer-dim avr-oct). De plus en plus réputé pour ses vins rouges – en particulier son cru de syrah – Omata Estate fait partie des meilleurs domaines viticoles du Northland. Au programme : dégustations de vin, assiettes à partager (40 $) et vue splendide sur la mer. D'avril à octobre, vérifiez par téléphone que l'endroit est bien ouvert. Sur la route qui relie Russell à l'embarcadère du car-ferry d'Okiato.

ACTIVITÉS

Russell Nature Walks Circuits écologiques
(☎027 908 2334 ; www.russellnaturewalks.co.nz ; 6080 Russell Whakapara Rd ; marche diurne adulte/enfant 38/20 $, nocturne 45/20 $; ⊙marche diurne à 10h, marche nocturne selon l'heure du coucher du soleil). Sur une parcelle privée de forêt indigène, à 2,5 km au sud de Russell, ces circuits pédestres de 1 heure 30 à 2 heures se révèlent propices à l'observation des oiseaux, notamment le weka et le méliphage tui, de même que des insectes comme les wetas. La nuit, des vers luisants ponctuent le parcours et l'on peut entendre ou, avec beaucoup de chance, voir le fameux kiwi national. Les patrons de la compagnie, Eion et Lisette, gèrent aussi un programme de nidification pour les kiwis.

CIRCUITS ORGANISÉS

Russell Mini Tours Circuits en minibus
(☎09-403 7866 ; www.russellminitours.com ; angle The Strand et Cass St ; adulte/enfant 29/15 $; ⊙départs 11h, 13h, 14h, 15h et 16h, plus 10h et 16h oct-avr). Cette visite commentée en minibus du Russell historique démarre en face du Russell Wharf.

OÙ SE RESTAURER

Newport Chocolates Café $
(☎09-403 8402 ; www.newportchocolates.co.nz ; 3 Cass St ; chocolats environ 3-4 $/pièce ; ⊙10h-18h mar-jeu, 10h-19h30 ven-sam).

Restaurant Gables, Russell (p. 82)

Les toilettes artistiques de Kawakawa

Si Kawakawa, sur la SH1 au sud de Paihia, est une ville quelconque, ses toilettes publiques (60 Gillies St) sortent en revanche de l'ordinaire. Elles ont été conçues par Friedensreich Hundertwasser, un artiste et éco-architecte autrichien qui, de 1973 à sa mort en 2000, vécut dans une maison isolée sans électricité non loin de la localité. Les toilettes les plus photographiées de Nouvelle-Zélande incarnent typiquement le style de leur auteur : spirales organiques, mosaïques de carreaux et bouteilles colorées, herbe et plantes sur le toit. On peut admirer d'autres œuvres de Hundertwasser à Vienne et à Osaka.

Intérieur des toilettes publiques de Kawakawa
ANDREW BAIN/GETTY IMAGES ©

Délicieux chocolats artisanaux, fabriqués sur place, aux saveurs telles que framboise, citron vert et piment ou caramel au sel marin (notre préférée). Onctueux chocolat chaud et boissons glacées également.

Hell Hole Café $

(☎022 604 1374 ; www.facebook.com/hellholecoffee ; 16 York St ; en-cas 6-12 $; ⏰7h-17h mi-déc à fév, 8h-15h mars-avr et oct à mi-déc). Cette petite adresse à un pâté de maisons du front de mer sert le meilleur café du coin, torréfié maison, ainsi que des boissons bios sans alcool, des bagels, des sandwichs à la baguette et des croissants. Elle connaît un franc succès, surtout en haute saison, de mi-décembre à février.

Duke Pub $$

(☎09-403 7829 ; www.theduke.co.nz ; 35 The Strand ; déjeuner 15-25 $, dîner 25-38 $; ⏰11h-tard). Il n'y a pas de lieu plus plaisant à Russell que la terrasse ensoleillée du Duke pour passer quelques heures un verre à la main en contemplant la vue. L'excellent choix de vins et de bières artisanales néo-zélandaises va de pair avec une cuisine de bistrot haut de gamme.

Hone's Garden Pizza $$

(☎022 466 3710 ; www.facebook.com/honesgarden ; York St ; pizzas 18-25 $, wraps et salades 14-16 $; ⏰12h-tard uniquement l'été). Onze sortes de pizzas cuites au four à bois, bière artisanale à la pression bien fraîche et ambiance kiwie parfaitement relaxe dans une cour pavée. La longue carte comprend aussi des wraps, des salades et des assiettes d'antipasti (29-45 $) idéales pour les groupes et les indécis.

Gables Néo-zélandais moderne $$

(☎09-403 7670 ; www.thegablesrestaurant.co.nz ; 19 The Strand ; déj 23-29 $, dîner 27-34 $; ⏰12h-15h ven-lun, à partir de 18h jeu-lun). Dans un bâtiment du front de mer construit en 1847 sur des fondations en vertèbres de baleine, ce restaurant revisite les classiques néo-zélandais (agneau, gibier et fruits de mer) de façon créative. Demandez une table près de la fenêtre pour profiter de la vue et goûtez les produits de la région tels qu'huîtres et fromages. Cocktails l'été et carte correcte de bières et de vins locaux.

OÙ PRENDRE UN VERRE ET FAIRE LA FÊTE

Duke of Marlborough Tavern Pub

(☎09-403 7831 ; www.duketavern.co.nz ; 19 York St ; ⏰12h-tard). Une taverne ancrée dans l'atmosphère locale, avec des tables de billard et un quiz amusant le mardi soir (à partir de 19h). Burgers et fish and chips à prix honnête.

Paihia

RENSEIGNEMENTS

Centre d'information et de réservation de Russell (☎ 09-403 8020, 0800 633 255 ; www.russellinfo.co.nz ; Russell Pier ; ⏰ 8h-17h, plus tard en été). Plein d'idées sur la meilleure manière d'explorer la région.

DEPUIS/VERS RUSSELL

La façon la plus rapide de rallier Russell en voiture consiste à emprunter le car-ferry (voiture/moto/passager 11/5,50/1 $), qui effectue toutes les 10 minutes la traversée entre Opua (à 5 km de Paihia) et Okiato (à 8 km de Russell), de 6h40 à 22h. Les billets s'achètent à bord, uniquement en espèces.

Si vous n'êtes pas motorisé, prenez le ferry de passagers au départ de Paihia (aller simple adulte/enfant 7/3 $, aller-retour 12/6 $) qui lève l'ancre toutes les 20 minutes (toutes les heures le soir) de 7h à 19h (jusqu'à 22h oct-mai). Billets en vente sur le bateau.

Paihia

Reliée à Waitangi par un pont et à Russell par un ferry de passagers, la bourgade de Paihia constitue la base la plus centrale pour sillonner la Bay of Islands, avec de nombreuses sorties en bateau et autres excursions maritimes au départ de sa jetée principale. Elle compte en outre un choix satisfaisant d'hébergements, de restaurants et de bars.

À VOIR

St Paul's Church Église

(Marsden Rd). Datant de 1925, cet édifice plein de cachet, bâti en pierre de Kawakawa, s'élève sur le site de ce qui fut la première église de Nouvelle-Zélande, une simple hutte en *raupo* (jonc) bâtie en 1823. Notez les oiseaux indigènes sur les vitraux au-dessus de l'autel : le *kotare* (martin-pêcheur) représente Jésus, tandis que le méliphage tui et le *kereru* (pigeon ramier) symbolisent les personnalités des frères Williams (l'un érudit, l'autre énergique) qui fondèrent la mission.

IANWOOL/GETTY IMAGES ©

Haruru Falls (p. 75)

Opua Forest Forêt

Juste derrière Paihia, cette forêt en cours de régénération est parcourue de sentiers propices à des marches de 10 minutes à 5 heures. Quelques grands arbres, dont un imposant kauri, ont échappé à la hache et au feu. De School Rd, une ascension de 30 minutes conduit à de beaux points de vue. Pour rejoindre le site en voiture, suivez Oromahoe Rd vers l'ouest depuis Opua.

ACTIVITÉS

Coastal Kayakers Kayak

(☎0800 334 661 ; www.coastalkayakers.co.nz ; Te Karuwha Pde, Paihia). Circuits guidés (demi-journée/journée 89/139 $, base 2 pers), expéditions sur plusieurs jours et location de kayaks (demi-journée/journée 40/50 $).

CIRCUITS ORGANISÉS

Taiamai Tours Heritage Journeys Circuits culturels

(☎09-405 9990 ; www.taiamaitours.co.nz ; circuit de 2 heures 30 135 $; ⏰10h et 13h oct-avr). Ce tour-opérateur vous emmènera pagayer sur un *waka* (pirogue) sculpté de 15 mètres entre le pont de Waitangi et les Haruru Falls. Les hôtes de la tribu Ngapuhi en tenue traditionnelle chantent des *karakia* (incantations) et racontent des histoires.

OÙ SE RESTAURER

El Cafe Café sud-américain $

(☎09-402 7637 ; www.facebook.com/elcafepaihia ; 2 Kings Rd ; en-cas et plats 5-15 $; ⏰8h-16h mar-jeu, jusqu'à 21h30 ven-dim ; 📶). Cette adresse de premier ordre, tenue par un Chilien, sert le meilleur café de Paihia, de même que de délicieux burritos, tacos, *huevos rancheros* relevés et autres plats d'œufs au petit-déjeuner. Saluez Javier, le patron, de notre part. Son sandwich cubain à l'effiloché de porc est un régal et ses smoothies aux fruits rafraîchissent agréablement.

35 Degrees South Fruits de mer $$

(☎09-402 6220 ; www.35south.co.nz ; 69 Marsden Rd ; assiettes à partager 15-18 $, plats 28-26 $; ⏰11h30-tard). Le service peut être un brin désorganisé, mais l'emplacement au-dessus de l'eau dans le centre de Paihia n'a pas son pareil. Les produits de la mer, dont les huîtres de l'Orongo Bay, et les petites assiettes à partager constituent le point fort de la carte. Goûtez les calmars au sel et poivre ou les coquilles Saint-Jacques sautées à la poêle, suivis de beignets hollandais aux raisins secs.

Provenir Néo-zélandais moderne **$$$** (09-402 0111 ; www.paihiabeach.co.nz ; 130 Marsden Rd, Paihia Beach Resort & Spa ; plats 32-34 $; 8h-10h30 et 18h-tard). Les quelques plats principaux de saison mettent l'accent sur les fruits de mer et produits régionaux tels que coquilles Saint-Jacques et huîtres charnues d'Orongo Bay. Les autres trahissent de subtiles influences asiatiques. Quant à la cave, elle figure parmi les meilleures du Northland. En été, dîner au bord de la piscine est un must. De 17h à 19h, la formule "Revive at Five" combine en-cas raffinés, bière et vin (8 $ chacun).

OÙ PRENDRE UN VERRE ET FAIRE LA FÊTE

Alongside Bar
(09-402 6220 ; www.alongside35.co.nz ; 69 Marsden Rd ; 8h-22h). Doté d'une vaste terrasse avançant dans la mer, cet espace polyvalent vous accueille pour savourer un petit-déjeuner (café et bagels), grignoter des en-cas ou manger un repas complet. Le soir, il devient un bar fort plaisant, dont les espaces de détente invitent à converser devant un cocktail ou une bière fraîche.

Sauce Bière artisanale
(09-402 7590 ; www.facebook.com/saucepizzaandcraft ; Marsden Rd ; 11h-22h). Pizzas (12-22 $) à composer soi-même, excellente pression artisanale de la Good George Brewery de Hamilton et quelques bières en bouteille de petites brasseries néo-zélandaises soigneusement choisies.

RENSEIGNEMENTS

L'**i-SITE de la Bay of Islands** (09-402 7345 ; www.northlandnz.com ; Marsden Rd ; 8h-17h mars à mi-déc, 8h-19h mi-déc à fév). Renseignements et réservations.

Nager avec les dauphins

Des croisières proposent tout au long de l'année de rencontrer des dauphins sauvages. Elles connaissent un franc succès et sont généralement gratuites si les cétacés ne sont pas au rendez-vous. La baignade dépend du temps et de l'état de la mer, et des restrictions s'appliquent s'il y a des petits.

Ce sont les dauphins qui choisissent ou non d'évoluer en votre compagnie. Il faut être un bon nageur pour les suivre, même lorsqu'ils vont plus lentement pour faire plaisir à leurs admirateurs. Certains défenseurs du bien-être animal considèrent toutefois que cette pratique perturbe l'habitat naturel et le comportement des dauphins.

Seuls trois tour-opérateurs ont le droit de proposer cette activité : Explore NZ (p. 77), Fullers Great Sights (p. 77) et le bateau Carino (p. 77). Tous reversent une partie de leur recette à la recherche marine *via* le DOC.

DEPUIS/VERS PAIHIA

Tous les bus desservant Paihia s'arrêtent au Maritime Building, près du quai.

Des ferries rallient Russell régulièrement. Un car-ferry (voiture/moto/passager 11/5,50/1 $) navigue toutes les 10 minutes entre Opua (à 5 km de Paihia) et Okiato (à 8 km de Russell), de 6h40 à 22h. Les billets s'achètent à bord en espèces.

COMMENT CIRCULER

Island Kayaks & Bay Beach Hire (09-402 6078 ; www.baybeachhire.co.nz ; Marsden Rd, Paihia ; 9h-17h30) loue des vélos et organise des excursions en kayak d'une demi-journée (79 $).

L'affaire du *Rainbow Warrior*

Le matin du 10 juillet 1985, en Nouvelle-Zélande, les médias firent état d'une attaque terroriste ayant fait une victime dans la baie d'Auckland. Le navire amiral de Greenpeace, le *Rainbow Warrior*, avait été sabordé la veille au soir, alors qu'il devait appareiller pour l'atoll de Mururoa, en Polynésie française, afin de protester contre les essais nucléaires français.

Mais, à défaut de terroristes, deux agents de la DGSE, Alain Mafart et Dominique Prieur, furent apréhendés et condamnés à 10 ans de prison pour avoir placé deux mines magnétiques sur la coque. Conçue par les services secrets français, l'opération, qui devait envoyer le bateau par le fond après son évacuation, provoqua toutefois la mort du photographe Fernando Pereira.

Sur le plan international, cette affaire pesa lourdement sur les relations entre la Nouvelle-Zélande et la France. Cette dernière, qui aurait d'abord menacé de remettre en cause les exportations néo-zélandaises en Europe, dut présenter des excuses officielles et verser 7 millions de dollars US de dommages et intérêts. Il lui fallut par ailleurs verser plus de 8 millions de dollars US d'indemnités à Greenpeace. En France, l'affaire du *Rainbow Warrior* provoqua un énorme scandale politique.

Les essais nucléaires français à Mururoa cessèrent en 1996. L'épave du *Rainbow Warrior* fut immergée au large des îles Cavalli (Northland), où elle est accessible aux plongeurs. Les deux mâts du navire, acquis par le musée de Dargaville, dominent aujourd'hui la ville. La mémoire de Fernando Pereira est saluée dans une cabane destinée à l'observation des oiseaux dans la ville de Thames ; un mémorial du *Rainbow Warrior* a été élevé à Matauri Bay, au nord de la Bay of Islands, sur un site maori.

Waipoua Forest

Cette superbe réserve forestière fut classée en 1952, sous la pression des habitants. Joyau de la Kauri Coast (côte ouest à l'opposé de la Bay of Islands), elle forme le plus grand vestige des vastes forêts de kauris qui couvraient jadis le nord de la Nouvelle-Zélande. Quelques arbres gigantesques se dressent le long de la route forestière (SH12), qui s'étire sur 18 km. Un kauri peut atteindre 60 m de hauteur et son tronc peut faire jusqu'à 5 m de diamètre.

Le contrôle de la forêt fut confié aux Te Roroa, *iwi* (ethnie) locale, à la suite des Land Wars (ou guerres maories), déclenchées en réaction aux violations du traité de Waitangi par les colons britanniques. Les Te Roroa gèrent le centre d'information de la Waipoua Forest, près de l'extrémité sud du parc.

Il est possible de découvrir la forêt dans le cadre d'un circuit sur 2 jours, au départ d'Omapere, avec Footprints Waipoua (☎ 09-405 8207 ; www.footprintswaipoua.co.nz ; 334 SH12).

Près de l'extrémité nord du parc, en retrait de la route, le majestueux **Tane Mahuta** doit son nom au dieu de la Forêt des Maoris. Avec une hauteur de 51,5 m, 13,8 m de circonférence et un volume total de 244,50 m³, il s'agit du plus gros kauri vivant. Il règne sur les lieux depuis au moins 1200 ans.

Depuis le parking au départ du sentier de la Kauri Walk, on rejoint en 20 minutes de marche (aller) le Te Matua Ngahere ("père de la Forêt"). Avec ses 30 m de haut et ses 16,4 m de circonférence – il s'agit du plus large kauri vivant –, il s'impose dans le paysage, dominant une clairière entourée de vénérables arbres qui, en comparaison, ressemblent à de vulgaires allumettes. Vous croiserez en chemin les **Four Sisters**, un gracieux ensemble de quatre hauts arbres, soudés au niveau de la base.

Un sentier, qui part près des Four Sisters, conduit en 30 minutes (aller) au **Yakas**, le 7e plus gros kauri.

Le **centre d'information de la Waipoua Forest** (☎09-439 6445 ; www.teroroa.iwi.nz/visit-waipoua ; 1 Waipoua River Rd, Dargaville ; ⏲9h-16h) présente une exposition intéressante consacrée aux forêts de kauris. Il propose aussi des circuits guidés (25 $) et des ateliers de tissage de lin (5 $), et possède un bon café. Vous pourrez même planter votre propre kauri – on vous en donnera les coordonnées GPS ! – pour 180 $.

Cap Reinga et Ninety Mile Beach

Dans la tradition maorie, le cap Reinga (Te Rerenga-Wairua), situé au bout de la péninsule d'Aupouri qui forme l'extrémité nord de la Nouvelle-Zélande, est le point de départ des âmes pour leur grand voyage vers le monde des esprits. Par sa forme, la péninsule évoque d'ailleurs une sorte de tremplin géant : longue et étroite, elle s'étire sur 108 km. Sur sa côte ouest, Ninety Mile Beach (qui mesure plutôt 90 km que 90 miles – 145 km) est une bande continue bordée par de hautes dunes de sable et flanquée par la forêt d'Aupouri.

À VOIR ET À FAIRE

Cap Reinga Site remarquable

À regarder l'océan depuis le Cape Reinga Lighthouse, le phare battu par les vents du cap Reinga (accessible par 1 km de marche dans les collines depuis le parking), on se croirait au bout du monde. C'est là que se rencontrent la mer de Tasman et l'océan Pacifique, dont les eaux se heurtent pour former des vagues atteignant jusqu'à 10 m de haut les jours de tempête. Même par beau temps, les lieux peuvent soudain se parer d'un air sinistre, quand des morceaux de nuages s'accrochent sur la crête.

Depuis un promontoire un peu plus à l'est, on aperçoit un pohutukawa vénéré, vieux de 800 ans. Selon la tradition, les âmes glisseraient sur ses racines. Il s'agit du site le plus sacré des Maoris ; par respect, ne vous approchez pas de l'arbre, et abstenez-vous de boire et de manger dans le secteur.

Cap Reinga, Bay of Islands

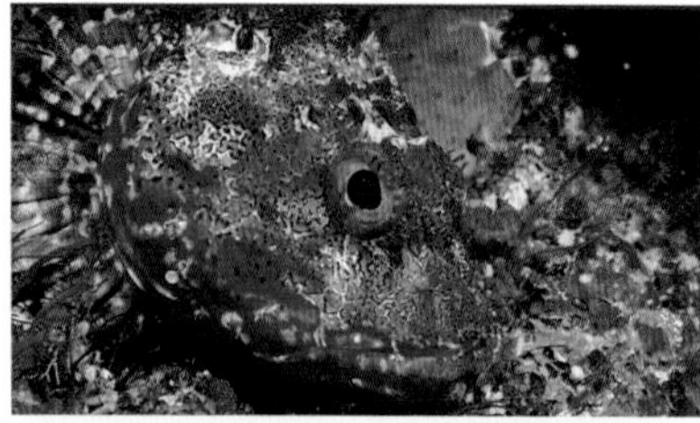

Les richesses marines des îles Poor Knights

La Poor Knights Marine Reserve, créée en 1981, est classée parmi les 10 meilleurs spots de plongée du monde. Les îles sont baignées par un courant subtropical issu de la mer de Corail, à l'origine d'une variété de poissons tropicaux et subtropicaux inégalée en Nouvelle-Zélande. L'eau est claire, grâce à l'absence de pollution et de sédiments. À une profondeur comprise entre 40 et 60 m, des falaises abruptes plongent vers le fond sableux, et on trouve un labyrinthe d'arches, de grottes, de tunnels et de fissures, accueillant une grande diversité d'éponges et de végétation sous-marine colorée. On observe fréquemment des bancs de poissons, des anguilles et des raies (il y a même des raies mantas à certaines périodes).

Les deux principales îles volcaniques, Tawhiti Rahi et Aorangi, étaient autrefois peuplées par des Ngati Wai. Mais elles furent déclarées *tapu* (terme qui désigne ce qui ne peut être approché en raison de son caractère sacré) à la suite du massacre de la population par un autre peuple, vers 1825. Aujourd'hui encore, les îles sont interdites d'accès, cette fois pour protéger l'environnement. Des sphénodons et des puffins de Buller viennent y nicher ; on trouve aussi des espèces végétales uniques, comme le *Xeronema callistemon* (sorte de lis).

Les excursions pour la plongée se font au départ du port de Tutukaka.

Northern Scorpionfish (Scorpaena cardinalis)

Te Paki Recreation Reserve Réserve naturelle

La réserve de Te Paki, gérée par le DOC, englobe de nombreuses terres autour du cap Reinga. Il s'agit d'un domaine public, accessible gratuitement ; laissez les portes comme vous les avez trouvées et ne dérangez pas les animaux. Des dunes de sable géantes s'étendent sur 7 km² de part et d'autre de l'embouchure de Te Paki Stream. Vous pourrez vous hisser jusqu'au sommet, puis glisser jusqu'en bas. En été, Ahikaa Adventures (ci-contre) loue des sandboards (15 $).

Great Exhibition Bay Plage

Sur la côte est, Great Exhibition Bay s'enorgueillit de dunes de sable de silice d'un blanc étincelant. Aucune route publique n'y conduit, mais des prestataires versent un *koha* (don) pour pouvoir traverser les terres agricoles maories ou s'approchent du site en kayak depuis Parengarenga Harbour.

Nga-Tapuwae-o-te-Mangai Église Ratana

(6576 Far North Rd). Avec ses deux tours coiffées d'un dôme (Arepa et Omeka, alpha et oméga – du nom des fils du fondateur de l'Église), surmonté d'une étoile dans un croissant de lune (le symbole du courant Ratana), ce temple évoque une mosquée. L'Église Ratana, un courant religieux maori intégrant des croyances chrétiennes, compte plus de 50 000 fidèles. Elle fut fondée en 1925 par Tahupotiki Wiremu Ratana, considéré comme le "messager de Dieu". Nga-Tapuwae-o-te-Mangai commémore le voyage de Ratana à Te Kao en 1920. Son nom signifie l'"escalier sacré du messager". Te Kao est à 46 km au sud du cap Reinga.

Gumdiggers Park Musée

(☎ 09-406 7166 ; www.gumdiggerspark.co.nz ; 171 Heath Rd, Awanui ; adulte/enfant 12,50/6 $; 9h-16h). La région est couverte de forêts de kauris depuis 100 000 ans. D'où l'existence de bois ancien et de la précieuse gomme (employée pour fabriquer des vernis et du linoléum) contenue dans le sous-sol, dont l'extraction fut entre les années 1870 et les années 1920 l'activité principale de la région. En 1900, quelque 7 000 chercheurs de gomme (*gumdiggers*) creusaient dans le Northland, et y compris ici. Commencez par visionner la vidéo de 15 minutes, avant de vous enfoncer dans le bush, à la découverte des cabanes des chercheurs de gomme, des vieilles souches de kauris, des gigantesques grumes et des trous destinés à l'extraction de la gomme.

Cape Reinga Coastal Walkway Randonnée

Cet itinéraire de 53 km (3-4 jours), reliant Kapowairua à Te Paki Stream, peut être entrepris en indépendant. L'un de ses nombreux tronçons mène jusqu'au cap Maria van Diemen (une boucle de 5 heures), en longeant Te Werahi Beach, pour atteindre la pointe ouest de la Nouvelle-Zélande. La magnifique Tapotupotu Bay est à 2 heures de marche à l'est du cap Reinga – vous passerez par Sandy Bay et les falaises. De Tapotupotu Bay, on rejoint en 8 heures de marche Spirits Bay, l'une des plus belles plages de Nouvelle-Zélande. Ces deux baies sont également accessibles par la route.

CIRCUITS ORGANISÉS

Des excursions en bus au cap Reinga partent de Kaitaia, d'Ahipara, de Doubtless Bay et de la Bay of Islands. Il n'existe pas de transports publics réguliers.

Far North Outback Adventures Circuits aventure

(☎09-409 4586 ; farnorthtours.co.nz ; Ahipara ; adulte/enfant 50/25 $). Circuits en 4x4 modulables d'une journée, depuis Kaitaia et Ahipara ; thé du matin et déjeuner inclus. Visites de régions reculées (Great Exhibition Bay, etc.) en option.

Harrisons Cape Runner Circuits aventure

(☎0800 227 373 ; www.harrisonscapereingatours.co.nz ; adulte/enfant 50/25 $). Excursions le long de Ninety Mile Beach au départ de Kaitaia ; sandboard et pique-nique pour le déjeuner compris.

Sand Safaris Circuits aventure

(☎0800 869 090, 09-408 1778 ; www.sandsafaris.co.nz ; adulte/enfant 50/30 $). Circuits en bus depuis Ahipara et Kaitaia, avec sandboard et pique-nique au déjeuner.

Ahikaa Adventures Circuits culturels

(☎09-409 8228 ; www.ahikaa-adventures.co.nz ; 50-190 $). Sandboard, kayak, pêche ou festin de *kai* (nourriture) traditionnelle au programme de ces formules imprégnées de culture maorie.

DEPUIS/VERS CAP REINGA ET NINETY MILE BEACH

Il n'existe pas de transports publics (autres que les nombreux circuits) au-delà de Pukenui, qui est relié à Kaitaia (5 $, 45 minutes) par **Busabout North** (☎09-408 1092 ; www.busaboutnorth.co.nz).

En dehors de Far North Rd (SH1), il est également possible de longer Ninety Mile Beach proprement dite, à condition d'avoir un véhicule robuste. Attention toutefois : il est arrivé que des voitures s'ensablent ou soient rattrapées par la marée – repérez les épaves dans le sable. Renseignez-vous sur les horaires des marées avant de vous mettre en route et abstenez-vous de circuler dans les 26 heures qui suivent ou précèdent une grande marée. Gare aux sables mouvants au niveau de Te Paki Stream – ne vous arrêtez pas. De nombreuses agences de location interdisent les déplacements sur le sable ; si vous vous retrouvez bloqué, vous ne serez pas couvert par l'assurance.

Faites le plein avant d'atteindre la péninsule d'Aupouri.

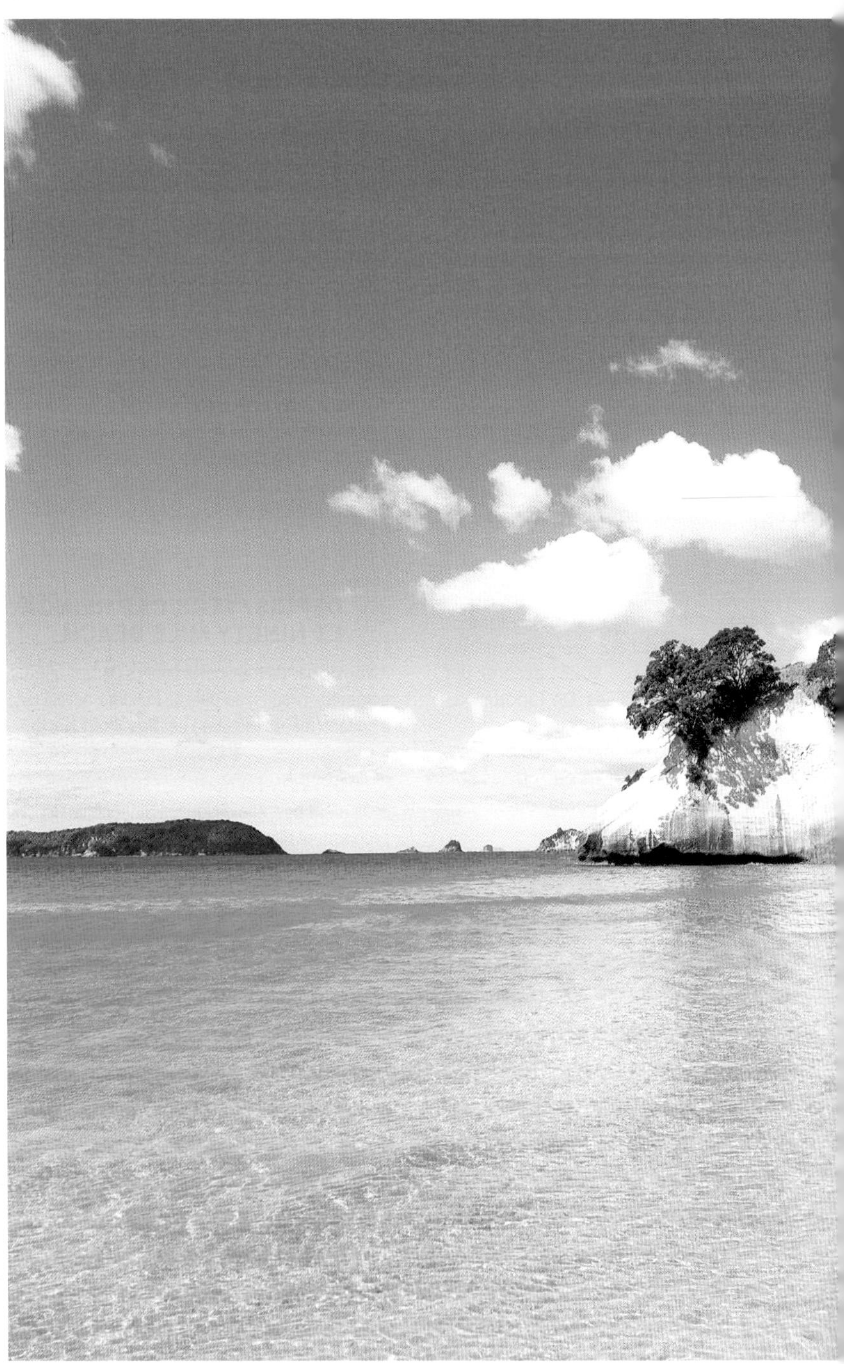

Cathedral Cove (p. 96)

PÉNINSULE DE COROMANDEL

SHAUN JEFFERS?SHUTTERSTOCK ©

Dans ce chapitre

Péninsule de Coromandel

Avançant dans le Pacifique à l'est d'Auckland, la côte orientale de la péninsule de Coromandel recèle certaines des plus belles plages de sable blanc de l'île du Nord. Venez plutôt l'été, quand les fleurs écarlates des pohutukawas embrasent les criques. Hahei et Cathedral Cove figurent parmi les destinations prisées de la région, tandis que Whitianga fait une base pratique pour parcourir en bateau la Te Whanganui-A-Hei Marine Reserve. Enfin, la bourgade historique de Waihi témoigne du passé aurifère et minier de cette contrée.

En 2 jours

De **Whitianga** (p. 104), gagnez **Hahei** (p. 94) et allez explorer à pied l'arche naturelle de **Cathedral Cove** (p. 96). Le lendemain, si la marée s'y prête (les antennes i-SITE affichent les horaires), continuez jusqu'à **Hot Water Beach** (p. 97), avant de goûter la bière artisanale de Coromandel au **The Pour House** (p. 97) ou au **Hot Water Brewing Co** (p. 97).

En 4 jours

Ajoutez à l'itinéraire précédent une excursion en bateau dans la **Te Whanganui-A-Hei Marine Reserve** (p. 107), puis visitez au sud la fascinante ville minière de **Waihi** (p. 98). Louez un vélo chez **Waihi Bicycle Hire** (p. 99) et renseignez-vous sur le **Goldfields Railway** (p. 99) pour découvrir tranquillement le **Hauraki Rail Trail** (p. 99) le quatrième et dernier jour.

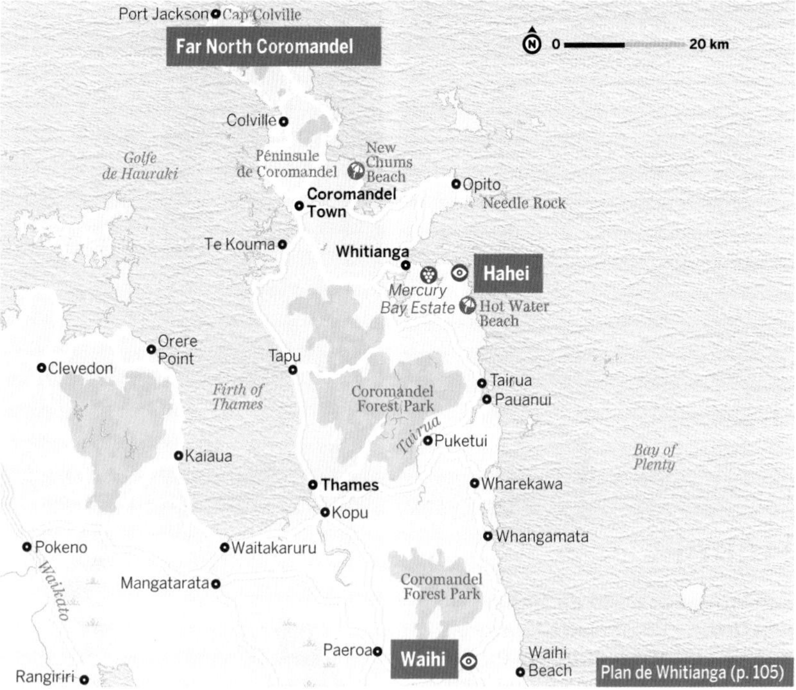

Port Jackson
Cap Colville
Far North Coromandel
0 — 20 km
Colville
Golfe de Hauraki
Péninsule de Coromandel
New Chums Beach
Opito
Needle Rock
Coromandel Town
Te Kouma
Whitianga
Hahei
Mercury Bay Estate
Hot Water Beach
Orere Point
Clevedon
Tapu
Firth of Thames
Coromandel Forest Park
Tairua
Pauanui
Tairua
Puketui
Bay of Plenty
Kaiaua
Thames
Wharekawa
Kopu
Whangamata
Pokeno
Waitakaruru
Waikato
Mangatarata
Coromandel Forest Park
Paeroa
Waihi
Waihi Beach
Rangiriri
Plan de Whitianga (p. 105)

Comment s'y rendre

Aéroport de Whitianga Sunair assure des vols réguliers depuis/vers Auckland.

Bus En provenance d'Auckland, Hamilton et autres, ils s'arrêtent devant les antennes i-SITE de Whitianga et de Waihi ainsi qu'à Coromandel Town.

Navette Go Kiwi relie le centre-ville et l'aéroport d'Auckland à Hahei et Whitianga.

Où se loger

Bien située pour explorer la région, Whitianga possède des hébergements de toutes catégories. On peut aussi loger à Hahei et Hot Water Beach. Coromandel Town compte un bon choix d'auberges de jeunesse, motels et B&B. Pour louer une maison sur l'une des plages voisines, adressez-vous à **Coromandel Accommodation Solutions** (www.accommodationcoromandel.co.nz).

Cathedral Cove

Hahei

La Cathedral Cove de Hahei constitue l'un des sites naturels les plus impressionnants du pays. Des excursions en bateau et des sorties de snorkeling ou de plongée permettent d'explorer la Te Whanganui-A-Hei Marine Reserve alentour.

Pour ceux qui aiment...

Infos pratiques

www.hahei.co.nz affiche des infos locales en matière d'hébergement, de restaurants et d'activités.

★ Bon à savoir

Louez un vélo chez **Hahei Beach Bikes** (☎021 701 093 ; www.haheibeachbikes.co.nz ; 2 Margot Pl ; demi-journée/journée 35/45 $) pour couvrir les 8 km jusqu'à Hot Water Beach.

IAN TROWER/GETTY IMAGES ©

Hahei doit son nom à Hei, l'ancêtre des Ngati Hei, qui arriva ici au XIVe siècle sur la pirogue Te Arawa. Cette charmante station balnéaire voit sa population gonfler l'été, mais semble presque abandonnée l'hiver, à l'exception des cars de touristes qui font halte à Cathedral Cove. C'est un endroit plaisant pour décompresser quelques jours, en particulier hors saison.

Mieux vaut rejoindre la belle **Cathedral Cove** et son imposante arche de pierre en début ou en fin de journée pour éviter le gros des visiteurs. Sur le parcours se trouvent la **Gemstone Bay** rocheuse, dont le site de snorkeling permet, en temps normal, d'apercevoir de gros vivaneaux, des langoustes et des raies pastenagues, et la **Stingray Bay** sablonneuse. **Cathedral Cove Dive & Snorkel** (07-866 3955 ; www.hahei.co.nz/diving ; 48 Hahei Beach Rd ; plongées à partir de 90 $) organise des plongées quotidiennes et loue du matériel de plongée/snorkeling (25 $), ainsi que des boogie boards (20 $). **Hahei Explorer** (07-866 3910 ; www.haheiexplorer.co.nz ; adulte/enfant 85/50 $) propose des excursions de 1 heure en *jet-boat* le long de la côte. D'autres prestataires nautiques figurent dans la section consacrée à Whitianga (p. 104).

Le trajet à pied de Hahei Beach à Cathedral Cove prend un peu plus d'une heure. Du parking, 1 km au nord de Hahei, comptez 30-40 minutes. Sinon, **Cathedral Cove Water Taxi** (027 919 0563 ; www.cathedralcovewatertaxi.co.nz ; aller simple/aller-retour adulte 15/25 $, enfant 10/15 $; toutes les 30 minutes) s'y rend en 10 minutes et le **Beach Bus** (0800 446 549 ; www.go-kiwi.co.nz ; adulte/enfant/famille 10/5/22 $, pass journalier adulte/famille 28/50 $; 9h15-17h15

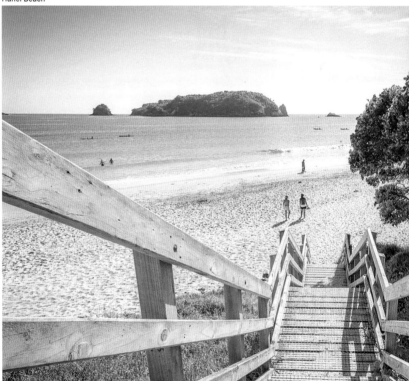

Hahei Beach

fin déc-Pâques) de Go Kiwi circule l'été. Sachez que le parking et la baie peuvent être bondés durant la période estivale.

Dans les environs

Hot Water Beach, 8 km au sud de Hahei, a quelque chose de singulier. Au milieu de la plage, devant un affleurement rocheux, de l'eau chaude sourd d'une parcelle de sable accessible deux heures avant et après la marée basse. Apportez une pelle ou louez-en une (5 $) sur place, creusez un trou et vous aurez-là votre propre Jacuzzi. Les horaires des marées sont affichés au **Hot Waves** (07-866 3887 ; 8 Pye Pl ; plats 12-26 $; 8h30-16h lun-jeu et dim, 8h30-20h30 ven-sam), l'excellent café local.

Notez la présence de courants dangereux, en particulier juste devant la principale zone thermale. Quand les maîtres-nageurs sauveteurs ne surveillent pas la plage, la baignade n'est pas sûre.

★ Bon à savoir
Envahie de décembre à février, Hahei se révèle, hors saison, plus détendue.

Brasseries artisanales

La vogue de la bière artisanale qui s'est emparée de la Nouvelle-Zélande a aussi atteint la péninsule de Coromandel. Après la visite de Cathedral Cove et Hot Water Beach, rien de tel qu'une bonne mousse dans l'une des brasseries suivantes.

The Pour House Bière artisanale (www.coromandelbrewingcompany.co.nz ; 7 Grange Rd ; 11h-23h). Siège de la Coromandel Brewing Company, ce pub-bistrot moderne de Hahei offre le choix entre cinq bières – nous avons un faible pour la Code Red Irish Ale. Des assiettes de viande, de fromages et de fruits de mer, de même que des pizzas correctes, sont servies dans le *beer garden*.

Hot Water Brewing Co Bière artisanale (07-866 3830 ; www.hotwaterbrewingco.com ; Sea Breeze Holiday Park, 1043 SH25, Whenuakite ; 11h-tard). Cette micro-brasserie de Whenuakite possède de nombreuses tables dehors. La Kauri Falls Pale Ale riche en houblon et la robuste Walkers Porter se distinguent. Demandez aussi s'il y a du Barley Wine. Les assiettes et les pizzas épongent efficacement la bière, tandis que le burger d'agneau mérite sa réputation.

Une petite faim ?
The Church (07-866 3797 ; www.thechurchhahei.co.nz ; 87 Hahei Beach Rd ; 17h30-tard lun-sam), la table chic de Hahei, occupe une ravissante église en bois. Ses plats d'inspirations espagnole et nord-africaine, conçus pour être partagés, s'accompagnent d'un choix de bières artisanales de Nouvelle-Zélande, chères mais de grande qualité.

Cornish Pumphouse, Martha Mine

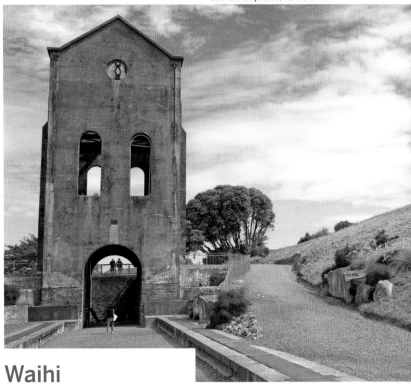

Waihi

Waihi vous permettra de découvrir l'histoire des mines d'or dans la péninsule de Coromandel, de profiter d'une jolie plage et d'effectuer un formidable parcours à vélo.

Pour ceux qui aiment...

☑ **Ne ratez pas**

Étonnez-vous de la densité de l'or en soupesant un lingot au Gold Discovery Centre.

À Waihi, on extrait de l'or et de l'argent de Martha Mine, la mine la plus riche du pays, depuis 1878. Des bâtiments évocateurs, des sculptures et des panneaux d'information sur le passé minier du lieu jalonnent Seddon St, l'artère principale.

Joliment illuminée la nuit, la structure de la Cornish Pumphouse (1904) à l'abandon constitue le monument emblématique de la ville. De là, le Pit Rim Walkway dévoile une vue fascinante sur Martha Mine, d'une profondeur de 250 m. La brochure *Historic Hauraki Gold Towns*, disponible gratuitement à l'i-SITE, décrit plusieurs circuits pédestres.

Le nouveau et splendide **Gold Discovery Centre** (☎07-863 9015 ; www.golddiscoverycentre.co.nz ; 126 Seddon St, Waihi ; adulte/enfant 25/12 $; ⏲9h-17h, 9h-16h en hiver) illustre l'activité de la mine d'or au

travers d'expositions interactives, de poignants témoignages personnels, des hologrammes et des films courts. Vous pourrez même tenter votre chance au Two-up (jeu de hasard utilisant deux pièces de monnaie) avec un mineur virtuel.

Pour descendre dans la mine, joignez-vous au **Waihi Gold Mine Tour** (07-863 9015 ; www.golddiscoverycentre.co.nz/tours ; 126 Seddon St, Gold Discovery Centre, Waihi ; adulte/enfant 34/17 $; 10h et 12h30, visites supplémentaires en été), un circuit de 1 heure 30 au départ du Gold Discovery Centre.

Séparée de Waihi par 11 km de terres cultivées, Waihi Beach s'étend sur 9 km jusqu'à Bowentown et se prête à la baignade. Sa scène gastronomique en plein essor comprend d'excellents cafés.

Infos pratiques

i-SITE de Waihi (07-863 9015 ; www.waihi.org.nz ; 126 Seddon St, Waihi ; 9h-17h, 9h-16h en hiver)

Une petite faim ?

Dégustez une glace au caramel salé provenant de la boutique du **Waihi Beach Hotel** (07-863 5402 ; www.waihibeachhotel.co.nz ; 60 Wilson Rd, Waihi Beach ; plats 20-32 $).

Bon plan

Vous trouverez de quoi pique-niquer à la **German Bakery** (07-863 6431 ; www.thegermanbakery.co.nz ; 54a Seddon St, Waihi ; en-cas et plats 10-20 $; 8h-15h mer-ven, 8h-13h sam-dim).

Dans les environs

De Waihi, une journée d'excursion combine un trajet sur l'historique **Goldfields Railway** (07-863 8251 ; www.waihirail.co.nz ; 30 Wrigley St, Waihi ; aller-retour adulte/enfant 18/10 $, vélos 2 $ en sus par itinéraire ; départ de Waihi à 10h, 11h45 et 13h45 sam-dim et fêtes) et quelques heures à pédaler sur le tronçon du **Hauraki Rail Trail** qui traverse la Karangahake Gorge. On peut louer des vélos auprès de **Waihi Bicycle Hire** (07-863 8418 ; www.waihibicyclehire.co.nz ; 25 Seddon St, Waihi ; demi-journée/journée à partir de 30/40 $; 8h-17h) et monter avec dans le train.

Réservez pour déjeuner au **Bistro at the Falls Retreat** (07-863 8770 ; www.fallsretreat.co.nz ; 25 Waitawheta Rd ; pizzas 20-24 $, plats 25-28 $; 10h-22h), qui cuit au four à bois des pizzas gourmandes et des plats de viande.

Le site www.haurakirailtrail.co.nz fournit des infos et des cartes des itinéraires.

Colville General Store

Far North Coromandel

Lieu isolé de toute beauté, la pointe sauvage de la péninsule de Coromandel mérite l'effort requis pour s'y rendre, par des routes parfois non goudronnées.

Pour ceux qui aiment...

☑ **Ne ratez pas**

Le surprenant stupa blanc du **Mahamudra Centre** (☎07-866 6851 ; www.mahamudra.org.nz ; RD4, Main Rd, Colville), un lieu de retraite bouddhiste proche de Colville.

Au nord de Coromandel Town, on traverse un superbe paysage côtier. Première étape au bout de 26 km, Colville est un village rural isolé, prisé des adeptes d'un mode de vie alternatif. La **Colville Farm** (☎07-866 6820 ; www.colvillefarmholidays.co.nz ; 2140 Colville Rd ; d 75-130 $; @ Wi-Fi), une exploitation de 1 260 ha, propose un hébergement intéressant. Ses hôtes pourront en outre s'essayer aux travaux agricoles, dont la traite des vaches, et se fendre de randonnées équestres (40-150 $, 1-5 heures). La **Colville General Store** (☎07-866 6805 ; Colville Rd ; ⏲8h30-17h) vend des denrées bio.

À Whangaahei, 3 km au nord, la route devient gravillonneuse et bifurque pour suivre chaque côté de la péninsule. Sur le littoral ouest, de vieux pohutukawas se dressent au-dessus des eaux turquoise et

Waitete Bay, entre Coromandel Town et Colville

KERSHAW/GETTY IMAGES ©

des plages de galets abritant quelques jolis campings. Environ 4 km plus loin, un point de vue impressionnant a été équipé d'un récapitulatif du panorama qui, gravé sur un disque métallique, permet d'identifier les différentes îles à l'horizon. Great Barrier Island, qui faisait jadis partie de la péninsule, n'est qu'à 20 km.

La route s'achève à Fletcher Bay, la pointe de cette langue de terre magique. Il n'y a que 37 km à parcourir depuis Colville, mais comptez quand même 1 heure de trajet. Notez qu'aucun axe ne relie Fletcher Bay à la côte est, ce qui oblige à regagner Whangaahei avant de tourner à gauche pour rejoindre Coromandel Town *via* une route spectaculaire passant par Waikawau Bay et Kennedy Bay.

Le Coromandel Coastal Walkway, un itinéraire de randonnée relativement facile entre Fletcher Bay et Stony Bay (3 heures 30 de marche dans chaque sens), dévoile de belles perspectives sur le littoral et comporte un tronçon à travers champs. Si vous ne souhaitez pas faire tout le trajet du retour à pied, Coromandel Discovery (www.coromandeldiscovery.co.nz) vous conduira de Coromandel Town à Fletcher Bay et viendra vous chercher à Stony Bay 4 heures plus tard.

Au sud de Stony Bay, là où s'achève la route de la côte est, de jolies plages parsemées de *baches* (bungalows de vacances) s'étirent en direction de Port Charles, une bourgade un peu plus importante.

Attention car la chaussée est recouverte de graviers par endroits. Aller vers le nord de Colville à Fletcher Bay, revenir au sud à Whangaahei et longer la côte est jusqu'à Coromandel Town prend 4 à 5 heures. Ajoutez 30 minutes environ pour la partie de Coromandel Town à Colville.

Il n'existe pas de transports publics.

Infos pratiques

Le camping est la meilleure option pour se loger. Faites le plein d'essence avant de quitter Coromandel Town.

Une petite faim ?

Arrêtez-vous pour déguster les saucisses et les viandes fumées locales au restaurant **Hereford 'n' a Pickle** (021 136 8952 ; www.facebook.com/hereford.n.a.pickle ; Colville Town ; tourtes 4-6 $; 9h-16h ;).

★ Bon à savoir

Mieux vaut entreprendre ce périple durant l'été austral, quand les routes gravillonneuses sont sèches et les pohutukawas en fleur.

Coromandel Town

Riche en patrimoine architectural, la ville de Coromandel séduit par ses cafés chics, ses boutiques d'art, ses bons hébergements – et ses délicieuses moules fumées.

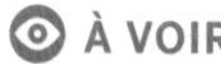

À VOIR

Coromandel Goldfield Centre & Stamper Battery Édifice historique

(☎021 0232 8262 ; www.coromandelstamperbattery.weebly.com ; 360 Buffalo Rd ; adulte/enfant 10/5 $; ⏱10h-16h, circuits toutes les heures 10h-15h, fermé ven en hiver). Lors de la visite de cette usine de 1899, la machine à concasser la roche revient à la vie. On peut aussi s'essayer à l'orpaillage (5 $) et voir fonctionner la plus grande roue à eau du pays. Des circuits à la lumière de lampes de mineurs ont lieu tous les jours à 17h en été.

Coromandel Mining & Historic Museum Musée

(☎07-866 8987 ; 841 Rings Rd ; adulte/enfant 5 $/gratuit ; ⏱10h-13h sam-dim fév à mi-déc, 10h-16h tlj mi-déc à jan). Pour un aperçu de la vie des pionniers.

ACTIVITÉS

Driving Creek Railway & Potteries Chemin de fer à voie étroite

(☎07-866 8703 ; www.drivingcreekrailway.co.nz ; 380 Driving Creek Rd ; adulte/enfant 35/13 $; ⏱10h15 et 14h, horaires supplémentaires en été). Ce petit train, unique en son genre, roule le long de pentes abruptes, franchit quatre ponts sur chevalets, deux ponts en spirale, un double virage en épingle à cheveux et deux tunnels, avant d'atteindre la vue panoramique de l'"Eye-full Tower". Le trajet (1 heure) passe par des œuvres d'art et une forêt endémique. Plus de 17 000 arbres indigènes y ont été plantés, dont 9 000 kauris. Réservation conseillée en été.

Une vidéo intéressante évoque Barry Brickell, personnage peu commun et constructeur de la ligne ferroviaire.

Mussel Barge Snapper Safaris Pêche

(☎07-866 7667 ; www.musselbargesafaris.co.nz ; adulte/enfant 55/30 $). Amusantes sorties de pêche couleur locale. On peut venir vous chercher.

Port de Coromandel Town

CREATIVENATURE_NL/GETTY IMAGES ©

CIRCUITS ORGANISÉS

Coromandel Adventures — Circuits divers
(07-866 7014 ; www.coromandeladventures.co.nz ; 480 Driving Creek Rd ; circuit 1 journée adulte/enfant 80/50 $). Divers circuits à Coromandel Town et dans la péninsule, ainsi que des navettes pour Whitianga et Auckland.

ACHATS

The Source — Arts et artisanat
(07-866 7345 ; 31 Kapanaga Rd ; 10h-16h). La vitrine créative d'une trentaine d'artistes du cru.

OÙ SE RESTAURER

Coromandel Oyster Company — Fruits de mer $
(07-866 8028 ; 1611 Tiki Rd ; en-cas et repas 5-25 $; 10h-17h30 sam-jeu, 10h-18h30 ven). Moules, coquilles Saint-Jacques, huîtres, *fish and chips* et flets tout frais pêchés. Sur une colline environ 7 km avant Coromandel Town lorsqu'on va de Thames vers le nord.

Chai Tea House — Café $
(021 893 055 ; www.facebook.com/chaiteahouse ; 24 Wharf Rd ; en-cas 6-12 $; 10h-17h mar-dim ;). Un agréable café, au penchant New Age, proposant quantité de mets bio, végétariens et végétaliens. Le jardin, très relaxant, accueille des concerts à l'occasion. Heures d'ouverture plus restreintes en dehors de l'été.

Driving Creek Cafe — Végétarien $
(07-866 7066 ; www.drivingcreekcafe.com ; 180 Driving Creek Rd ; plats 9-18 $; 9h30-17h ;). Une cuisine végétarienne, végétalienne, sans gluten, bio et équitable, alliant présentation soignée, fraîcheur et diététique, vous attend dans ce restaurant en briques de terre. Ne manquez pas les jus de fruits et autres smoothies. Une fois rassasiés, les enfants pourront jouer dans le bac à sable tandis que leurs parents profiteront du Wi-Fi gratuit.

De Coromandel Town à Whitianga

Entre Coromandel Town et Whitianga, la SH25 sinue sur 32 km ; quelques sites invitent à s'attarder en chemin. De Te Rerenga, à 13 km environ de Coromandel Town, une route bifurque vers **Whangapoua** (elle longe la baie presque tout du long), d'où vous pourrez marcher sur la rive rocheuse pendant 30 minutes pour atteindre **New Chum's Beach**. Cette plage isolée, bien préservée et souvent déserte, est considérée comme l'une des plus belles du pays.

En continuant vers l'est sur la SH25 après Te Rerenga, on atteint rapidement **Kuaotunu**, un agréable village balnéaire sur une belle plage de sable blanc, avec quelques services, dont une épicerie et une vieille pompe à essence. Le **Luke's Kitchen & Cafe** (07 866 4420 ; www.lukeskitchen.co.nz ; 20 Blackjack Rd, Kuaotunu ; plats et pizzas 15-28 $; café et galerie 8h30-15h30, restaurant et bar 11h-22h, horaires réduits en hiver), aux faux airs de cabane de surfeurs rustique, sert des bières fraîches (et notamment des marques artisanales de toute la Nouvelle-Zélande) et d'excellentes pizzas cuites au feu de bois ; les concerts occasionnels, les fruits de mer et les smoothies aux fruits méritent le détour !

Vous pourrez quitter la grand-route à Kuaotunu (en empruntant une piste) pour rejoindre deux des secrets les mieux gardés de Coromandel. On trouve d'abord le long ruban d'**Otama Beach**, désert, à l'exception de quelques maisons et petites fermes. Puis en poursuivant sur la piste toujours plus étroite, on finit par regagner une route goudronnée et par atteindre le merveilleux arc sablonneux d'**Opito Bay**.

De retour à Kuaotunu, poursuivez sur la SH25 pendant 15 km vers le sud pour arriver à Whitianga.

Coromandel Mussel Kitchen Produits de la mer $$

(☎07-866 7245 ; www.musselkitchen.co.nz ; angle SH25 et 309 Rd ; plats 18-21 $; ⌚9h-15h30, plus dîner fin déc-fév). Café-bar sympathique, à 3 km au sud de Coromandel. Les moules du cru sont préparées de mille façons – à la thaïlandaise, à la méditerranéenne, grillées, en beignets, fumées au piment... L'été, le bar dans le jardin offre un cadre agréable pour les déguster avec une bière artisanale glacée de la MK Brewing Co, la micro-brasserie du lieu. Vente à emporter également.

Pepper Tree Néo-zélandais moderne $$

(☎07-866 8211 ; www.peppertreerestaurant.co.nz ; 31 Kapanga Rd ; plats déj 16-28 $, dîner 25-39 $; ⌚10h-21h ; 📶). Le meilleur restaurant de Coromandel sert de copieux repas mettant à l'honneur les produits marins locaux. Les soirs d'été, choisissez les tables de l'arrière-cour, sous les arbres.

Umu Café $$

(www.facebook.com/umucafe ; 22 Wharf Rd ; petit-déj 11-18 $, déjeuner 12-25 $, dîner 14-32 $; ⌚9h-21h ; 📶). Pizzas, nourriture de comptoir (tartes et quiches autour de 7 $), bon café et petits-déjeuners roboratifs en version haut de gamme.

OÙ PRENDRE UN VERRE ET FAIRE LA FÊTE

Star & Garter Hotel Pub

(☎07-866 8503 ; www.starandgarter.co.nz ; 5 Kapanga Rd ; ⌚11h-tard). Ce pub chic tire le meilleur parti du sobre intérieur en bois de kauri d'un bâtiment de 1873 et possède un *beer garden* habillé de tôle ondulée. Tables de billard, bonne musique d'ambiance et concert/DJ le week-end.

RENSEIGNEMENTS

Coromandel Town Information Centre (☎07-866 8598 ; www.coromandeltown.co.nz ; 85 Kapanga Rd ; ⌚10h-16h ; 📶). Cartes fiables et informations locales. Procurez-vous la brochure *Coromandel Town* de l'Historic Places Trust.

DEPUIS/VERS COROMANDEL TOWN

Des bus **InterCity** (☎09-583 5780 ; www.intercity.co.nz) relient Coromandel Town à Hamilton (40 $, 3 heures 30). **Go Kiwi** (☎0800 446 549 ; www.go-kiwi.co.nz) dessert Thames et Auckland (59 $, 4 heures 30).

Whitianga

Les plages sablonneuses de Mercury Bay, la plongée, le bateau et le kayak le long de la côte escarpée, ainsi que la Te Whanganui-A-Hei Marine Reserve, voisine, sont les points forts de Whitianga. Le joli port est réputé pour les sorties de pêche au gros (notamment le marlin et le thon, surtout de janvier à mars).

Le nom de la ville est la contraction de Te Whitianga a Kupe, "le lieu de passage de Kupe", car le légendaire explorateur maori y aurait débarqué vers 950.

À VOIR ET À FAIRE

Buffalo Beach s'étire le long de Mercury Bay, au nord de Whitianga Harbour. Un ferry de passagers (☎021 025 10169 ; www.whitiangaferry.co.nz ; adulte/enfant/vélo 4/2/1,50 $; ⌚7h30-19h30 et 20h30-22h30) couvre en 5 minutes la traversée jusqu'au débarcadère. De là, vous pourrez notamment rejoindre à pied le Shakespeare Cliff Lookout et la Whitianga Rock Scenic & Historical Reserve, et son beau panorama sur l'océan.

Plus loin se déploient Hahei Beach (13 km), Cathedral Cove (15 km) et Hot Water Beach (18 km, 1 heure à vélo). Si vous souhaitez les rejoindre en pédalant depuis le Ferry Landing, le terrain est relativement plat. Sinon, **Cathedral Cove Shuttles** (☎027 422 5899 ; www.catheralcoveshuttles.co.nz ; 40 $/pers) assure des liaisons pratiques vers ces destinations, de même que le Beach Bus (p. 96) de Go Kiwi de décembre à mars.

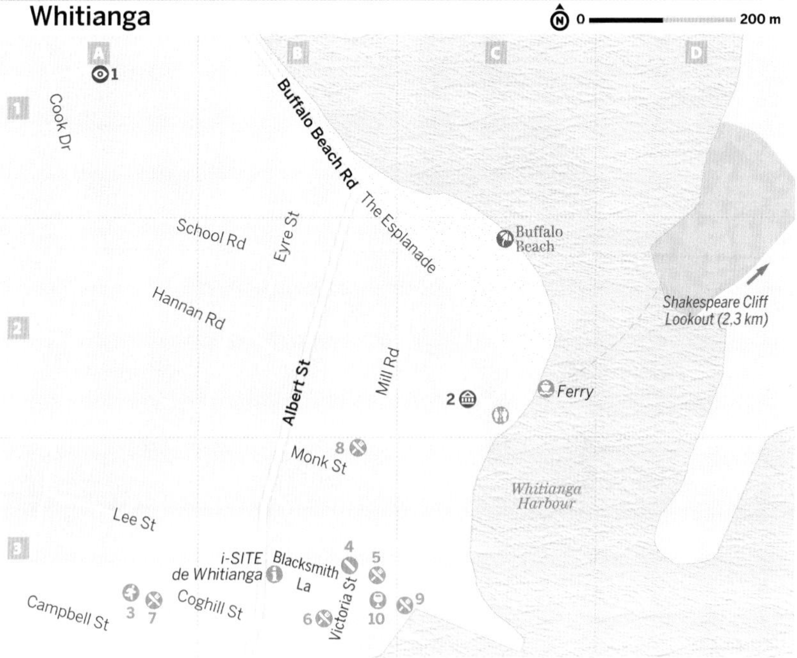

Whitianga

Whitianga

À voir
1 Lost Spring A1
2 Mercury Bay Museum C2

Activités
3 Bike Man A3
4 Dive Zone B3

Où se restaurer
5 Blue Ginger B3
6 Cafe Nina B3
7 Coghill House A3
8 Poivre & Sel B3
9 Salt Restaurant & Bar C3

Où prendre un verre et faire la fête
10 Whitianga Hotel B3

Lost Spring — Spa

(☎07-866 0456 ; www.thelostspring.co.nz ; 121a Cook Dr ; 1 heure 30/journée 38/68 $; ⏲10h30-18h dim-ven, 10h30-20h sam). Ce complexe thermal coûteux mais amusant comporte une série de sources chaudes disséminées dans un décor de jungle luxuriante, parachevé par un volcan en éruption. Bref, l'ambiance idéale pour décompresser un cocktail à la main. Les moins de 14 ans doivent être accompagnés d'un adulte dans les bassins.

Mercury Bay Museum — Musée

(☎07-866 0730 ; www.mercurybaymuseum.co.nz ; 11a The Esplanade ; adulte/enfant 7 $/50 ¢ ; ⏲10h-16h). Un petit musée intéressant consacré à l'histoire locale, qui met particulièrement l'accent sur Kupe et le capitaine Cook.

Bike Man — Vélo

(☎07-866 0745 ; thebikeman@xtra.co.nz ; 16 Coghill St ; 25 $/jour ; ⏲9h-17h lun-ven, 9h-13h sam). Louez un vélo ici, traversez la baie en ferry, puis rejoignez Hahei et Hot Water Beach.

DENIZUNLUSU/GETTY IMAGES ©

Débarcadère du ferry (p. 104), près de Whitianga

Dive Zone Plongée

(☎07-867 1580 ; www.divezonewhitianga.co.nz ; 7 Blacksmith Lane ; excursions 150-225 $). Plongées depuis le rivage, en kayak ou en bateau.

CIRCUITS ORGANISÉS

Ocean Leopard Croisière

(☎0800 843 8687 ; www.oceanleopardtours.co.nz ; adulte/enfant 80/45 $; ⏱10h30, 13h30 et 16h). Excursions de 2 heures à la découverte des sites côtiers, dont Cathedral Cove, et Whirlwind Tour (adulte/enfant 60/35 $).

Cave Cruzer Croisière

(☎07-866 0611 ; www.cavecruzer.co.nz ; 1 heure adulte/enfant 50/30 $, 2 heures 75/40 $). Circuits dans la baie à bord d'un robuste Zodiac.

Glass Bottom Boat Croisière

(☎07-867 1962 ; www.glassbottomboatwhitianga.co.nz ; adulte/enfant 95/50 $). Deux heures à bord d'un bateau à fond vitré, dans la Te Whanganui-A-Hei Marine Reserve.

Windborne Croisière

(☎027 475 2411 ; www.windborne.co.nz). Excursions d'une journée sur une goélette de 19 m datant de 1928 (95 $, déc-avr) et départs pour les Mercury Islands (150 $, fév-mars).

Whitianga Adventures Croisière

(☎0800 806 060 ; www.whitianga-adventures.co.nz ; adulte/enfant 75/45 $). Excursion s de 2 heures en bateau pneumatique, à la découverte des grottes marines.

OÙ SE RESTAURER

Cafe Nina Café $

(☎07-866 5440 ; www.facebook.com/cafeninawhitianga ; 20 Victoria St ; plats 8-20 $; ⏱8h-15h). Ici, on cuit sur une plaque chauffante en plein air les œufs et le bacon servis aux clients attablés dans le jardin. Idéal pour le petit-déjeuner. Entre autres plats, citons de copieuses salades grecques et de délicieuses *quesadillas*.

Coghill House Café $
(☎07-866 0592 ; www.thecog.co.nz ; 10 Coghill St ; plats 10-18 $; ⏲8h-15h). Une terrasse ensoleillée en bord de rue où la savoureuse cuisine de comptoir côtoie de grosses piles de pancakes et des tortillas bien garnies.

Mercury Bay Estate Restaurant de vignoble $$
(☎07-866 4066 ; www.mercurybayestate.co.nz ; 761a Purangi Rd, Cooks Beach ; assiettes 18-48 $, dégustation de vin 8-15 $; ⏲10h-17h lun-ven, 9h-18h sam-dim). Bois et tôle ondulée de récupération composent le décor rustique chic de cette table à 35 km de Whitianga, entre le Ferry Landing et Cooks Beach. Les assiettes de fruits de mer, de fromages et de charcuterie se marient bien avec des vins comme l'excellent chardonnay Lonely Bay.

Blue Ginger Asie du Sud-Est $$
(☎07-867 1777 ; www.blueginger.co.nz ; 1/10 Blacksmith Lane ; assiettes à partager 9-14 $, plats 22-28 $; ⏲11h-14h mar-ven et 17h-tard mar-sam). Cette adresse décontractée, avec tables communes, affiche une carte aux saveurs asiatiques. Mention spéciale pour le bœuf rendang à l'indonésienne, les nouilles pad thaï et le délicieux canard rôti au curry rouge.

Salt Restaurant & Bar Fruits de mer $$$
(☎07-866 5818 ; www.salt-whitianga.co.nz ; 2 Blacksmith Lane ; assiettes à partager 12-30 $, plats 28-38 $; ⏲11h30-tard). La vue sur la marina de Whitianga et la languide traversée jusqu'au Ferry Landing ajoutent au charme de ce restaurant à la fois élégant et informel. L'été venu, on se régale en terrasse de poisson poêlé aux palourdes de Cloudy Bay ou d'huîtres de Coromandel.

Poivre & Sel Néo-zélandais moderne $$$
(☎07-866 0053 ; www.poivresel.co.nz ; 2 Mill Rd ; plats 35-40 $; ⏲18h-tard mar-sam). Cette villa de style méditerranéen, entourée d'un jardin à l'ombre des palmiers, abrite l'établissement le plus sélect de la ville. Commencez par un parfait à base d'avocat, pamplemousse, crabe et ail noir, suivi d'une caille farcie aux cèpes et sa garniture d'asperges. Verres à 5 $ pendant la happy hour (17h-18h).

La Te Whanganui-A-Hei Marine Reserve

Il existe un nombre incroyable de circuits à destination de la Te Whanganui-A-Hei Marine Reserve, où vous admirerez de remarquables formations rocheuses et pourrez observer (avec de la chance) des dauphins, des otaries à fourrure, des manchots et des orques. Certains sont de simples croisières ; d'autres incluent des baignades et du snorkeling en option. Renseignez-vous auprès de l'i-SITE de Whitianga.

OÙ PRENDRE UN VERRE ET FAIRE LA FÊTE

Whitianga Hotel Pub
(☎07-866 5818 ; www.whitiangahotel.co.nz ; 1 Blacksmith Lane ; ⏲11h-tard). Un pub typiquement kiwi : cuisine d'un bon rapport qualité-prix, nombreuses bières à la pression bien glacées et bar décontracté dans le jardin. Défiez les locaux au billard et revenez le week-end pour les soirées DJ et reprises.

RENSEIGNEMENTS

i-SITE de Whitianga (☎07-866 5555 ; www.whitianga.co.nz ; 66 Albert St ; ⏲9h-17h lun-ven, 9h-16h sam-dim). Infos et accès Internet. Horaires étendus en été.

DEPUIS/VERS WHITIANGA

Sunair (☎0800 786 247 ; www.sunair.co.nz) assure des vols reliant Whitianga à Auckland.

Des bus et navettes desservent Auckland, Hamilton et Coromandel Town.

COMMENT CIRCULER

Du débarcadère de l'autre côté de Whitianga Harbour, des navettes rallient Hahei, Cathedral Cove et Hot Water Beach. Elles ne circulent habituellement que l'été et les week-ends de fête.

Mangapohue Natural Bridge (p. 115)

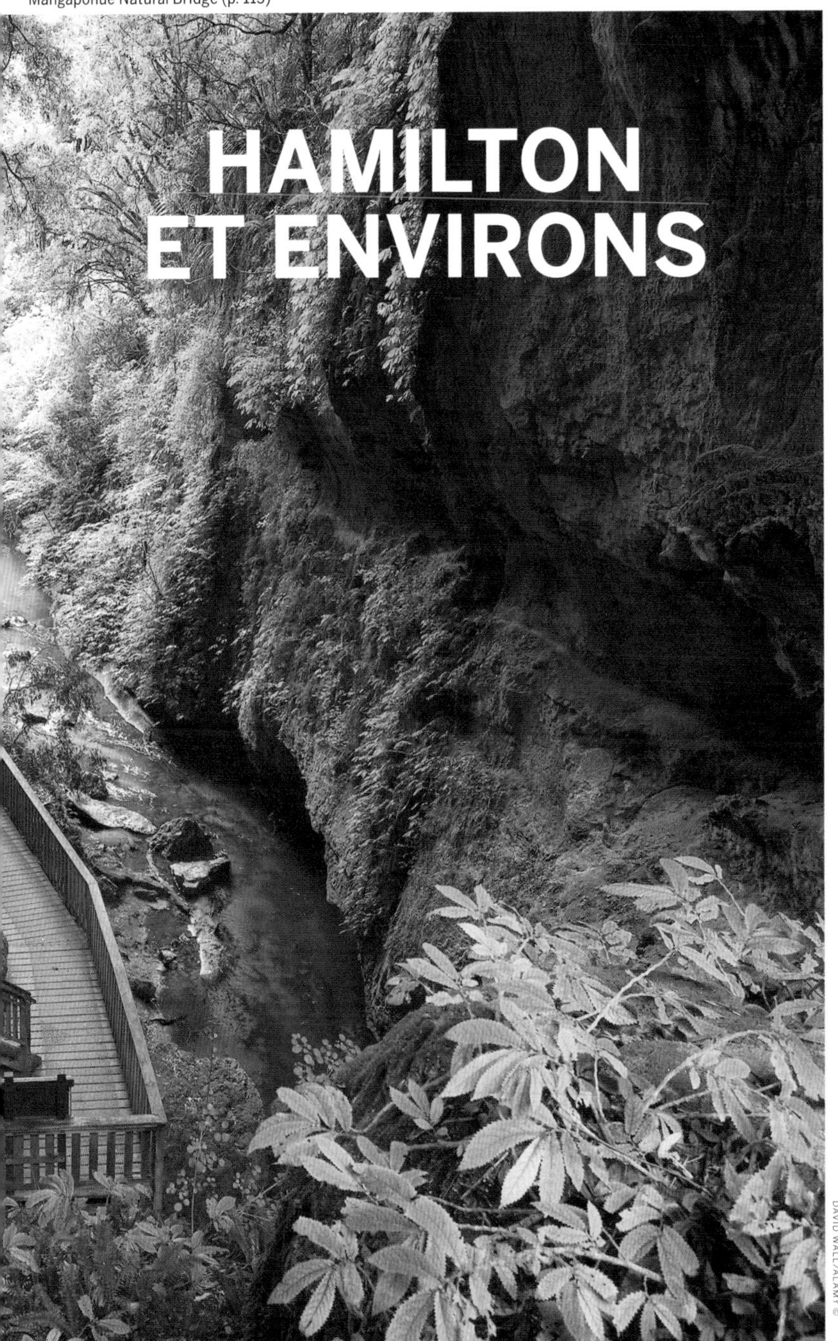

HAMILTON ET ENVIRONS

DAVID WALL/ALAMY ©

Dans ce chapitre

Hamilton et environs

Centre névralgique d'une région de pâturages, la ville de Hamilton, au bord du Waikato, a l'attrait d'excellentes tables et doit sa vie nocturne animée au dynamisme de sa population estudiantine. Au sud, on peut découvrir les grottes de Waitomo en naviguant sur un cours d'eau souterrain ou, de manière plus sportive, en tyrolienne ou en rappel. À l'est, le décor de cinéma de Hobbiton ravira les fans du* Seigneur des Anneaux. *À l'ouest, enfin, les spectaculaires spots de surf de Raglan méritent le détour.

En 2 jours

Au départ de **Hamilton** (p. 120), cap à l'ouest sur **Raglan** (p. 118) pour la tournée des plages de **Ngarunui** et de **Manu Bay**. Profitez des excellents cafés de la bourgade avant de retourner à Hamilton où vous pourrez dîner au **Gothenburg** (p. 123). Le lendemain, direction les **grottes de Waitomo** (p. 112 ; 75 km) et l'aventure d'une descente en rafting dans les entrailles de la terre.

En 4 jours

Accordez-vous une excursion aux **Hamilton Gardens** (p. 120) organisée par **Waikato River Explorer** (p. 121). Dînez ensuite au bord de la rivière au **Chim Choo Ree** (p. 123), avant d'affiner votre goût pour les bières artisanales néo-zélandaises dans les bars de Hood St. Le quatrième jour, ralliez **Matamata** (p. 116 ; 65 km à l'est de Hamilton) pour retrouver l'univers fantastique de la Terre du Milieu à **Hobbiton**, ou mesurez-vous aux déferlantes de **Raglan** (p. 118), bien connues des amateurs de surf.

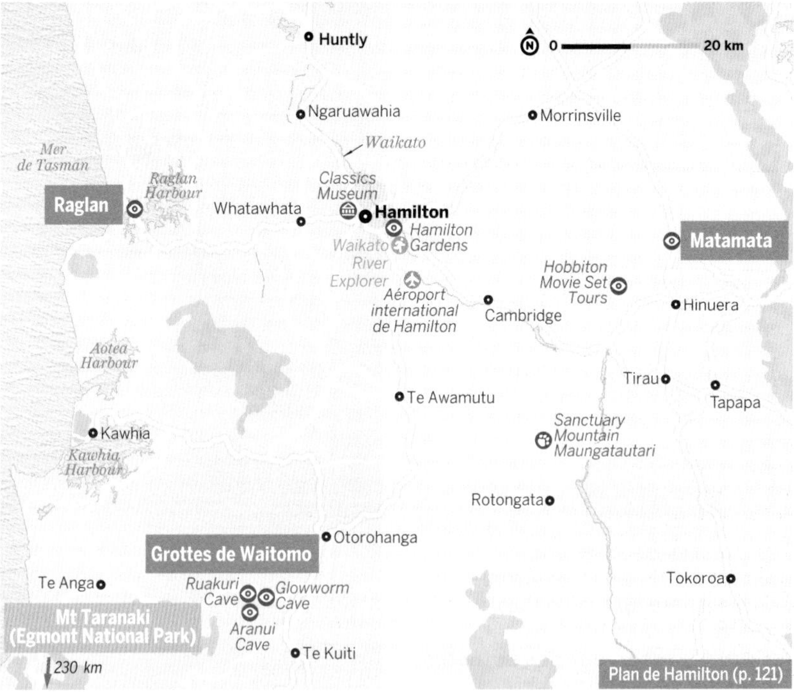

Huntly
0 20 km
Ngaruawahia
Morrinsville
Waikato
Mer de Tasman
Raglan Harbour
Classics Museum
Raglan
Whatawhata
Hamilton
Hamilton Gardens
Waikato River Explorer
Matamata
Hobbiton Movie Set Tours
Aéroport international de Hamilton
Cambridge
Hinuera
Aotea Harbour
Tirau
Tapapa
Te Awamutu
Sanctuary Mountain Maungatautari
Kawhia
Kawhia Harbour
Rotongata
Otorohanga
Grottes de Waitomo
Te Anga
Ruakuri Cave
Glowworm Cave
Tokoroa
Mt Taranaki (Egmont National Park)
Aranui Cave
Te Kuiti
230 km
Plan de Hamilton (p. 121)

Comment s'y rendre

Aéroport international de Hamilton À 12 km au sud de la ville, cet aéroport assure, entre autres dessertes, des vols depuis/vers Auckland, Wellington, Christchurch et Nelson.

Gare routière de Hamilton Terminus des bus InterCity et des bus locaux Busit! pour Raglan.

Gare ferroviaire de Frankton Le *Northern Explorer* reliant Auckland à Wellington s'arrête à Hamilton et continue au sud jusqu'à Otorohanga, d'où des navettes couvrent les grottes de Waitomo (15 km).

Où se loger

Hamilton présente le plus grand choix d'hébergements du secteur, dont des hôtels en centre-ville à proximité des cafés, bars et restaurants.

Le site des grottes de Waitomo compte un village de vacances et des auberges de jeunesse de qualité, ainsi que de bons B&B, lesquels peuvent afficher complet en été.

L'artère principale de Matamata est ponctuée de motels, mais la plupart des visiteurs n'y passent pas la nuit.

Lost World Cave

Grottes de Waitomo

Les grottes de Waitomo sont un haut lieu d'aventures souterraines. Si la Glowworm Cave est accessible à tous, les autres réservent des activités riches de sensations fortes.

Pour ceux qui aiment...

Infos pratiques

Waitomo Shuttle (07-873 8279, 0800 808 279 ; www.waitomo.org.nz/transport-to-waitomo ; aller adulte/enfant 12/7 $) dessert les grottes 5 fois par jour au départ d'Otorohanga (à 15 minutes de route) ; les horaires coïncident avec l'arrivée des bus et des trains.

★ Bon plan

Vous obtiendrez des réductions en réservant en ligne auprès d'un tour-opérateur. En été, cette option est recommandée.

On ne saurait manquer la visite de ces grottes calcaires, qui constituent l'une des attractions majeures de l'île du Nord.

Waitomo vient de *wai* (eau) et de *tomo* (trou ou puits). De fait, le secteur compte de nombreux puits débouchant sur des réseaux de cavités et de cours d'eau souterrains. Parmi les quelque 300 grottes répertoriées dans la région, les trois principales – baptisées Glowworm, Ruakuri et Aranui – rencontrent un franc succès touristique depuis plus d'un siècle.

Si la Glowworm Cave, sorte de cathédrale éclairée à la lumière électrique, rassure les visiteurs les moins téméraires, les autres sites conviennent mieux aux voyageurs en quête d'adrénaline.

Grottes

Glowworm Cave Grotte

(☎0800 456 922 ; www.waitomo.com/waitomo-glowworm-caves ; adulte/enfant 49/22 $; ⏲visite 45 minutes toutes les 30 minutes 9h-17h). La visite de la grotte de Glowworm (située derrière le centre d'information) donne à voir d'impressionnantes stalactites et stalagmites, avant de déboucher dans une vaste cavité, "la Cathédrale". Le circuit s'achève par une inoubliable promenade en bateau sur la rivière souterraine. Une fois l'œil accoutumé à l'obscurité, des myriades de vers luisants (*glowworms*) apparaissent, en formant comme une voûte étoilée. Réservez la visite auprès du centre d'accueil des visiteurs et renseignez-vous sur la formule incluant les grottes de Glowworm, Aranui et Ruakuri.

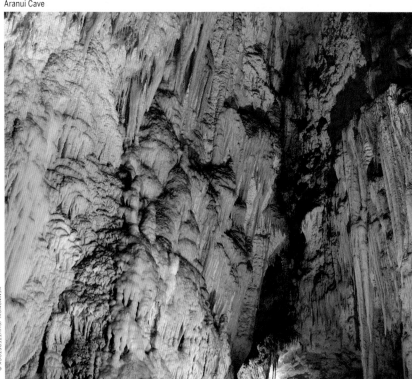

Aranui Cave

Ruakuri Cave Grotte

(☎0800 782 587, 07-878 6219 ; www.waitomo.com/ruakuri-cave ; adulte/enfant 71/27 $; ⌚visite 2 heures 9h, 10h, 11h, 12h30, 13h30, 14h30 et 15h30). La grotte de Ruakuri abrite, à l'entrée, un site funéraire maori bordé par un escalier en colimaçon de 15 m de haut. Le circuit parcourt 1,6 km d'un réseau de 7,5 km comprenant cavernes parsemées de vers luisants, cours d'eau et cascades. D'aucuns tiennent l'endroit pour empreint de spiritualité, d'autres le disent hanté. La coutume veut que l'on se lave les mains en partant pour se débarrasser du *tapu* (tabou).

★ Bon à savoir

i-SITE de Waitomo (☎07-878 7640 ; www.waitomocaves.com ; 21 Waitomo Caves Rd ; ⌚9h-17h30). Accès Internet, bureau de poste et agent de réservation.

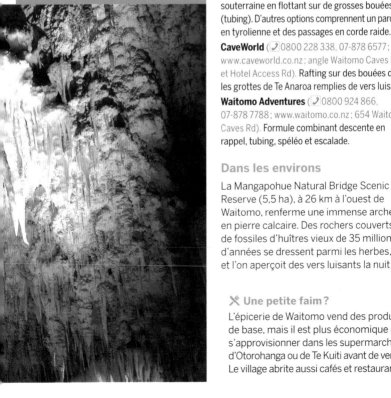

Aranui Cave Grotte

(☎0800 456 922 ; www.waitomo.com/aranui-cave ; adulte/enfant 49/22 $; ⌚visite 1 heure départs 9h-16h). La grotte d'Aranui, à 3 km à l'ouest de Glowworm, est dépourvue de vers luisants –, mais se distingue par d'impressionnantes formations calcaires, dont un plafond hérissé de milliers de fines stalactites. Réservation auprès du centre d'accueil, d'où est assuré le transport jusqu'à l'entrée.

Activités

L'exploration du monde souterrain associe, à Waitomo, action et découverte en une alliance unique.

Legendary Black Water Rafting Company (☎0800 782 5874 ; www.waitomo.com/black-water-rafting ; 585 Waitomo Caves Rd ; ⌚Black Labyrinth 9h, 10h30, 12h, 13h30 et 15h, Black Abyss 9h et 14h, Black Odyssey 10h et 15h). Revêtu d'une combinaison, vous descendrez une rivière souterraine en flottant sur de grosses bouées (tubing). D'autres options comprennent un parcours en tyrolienne et des passages en corde raide.

CaveWorld (☎0800 228 338, 07-878 6577 ; www.caveworld.co.nz ; angle Waitomo Caves Rd et Hotel Access Rd). Rafting sur des bouées dans les grottes de Te Anaroa remplies de vers luisants.

Waitomo Adventures (☎0800 924 866, 07-878 7788 ; www.waitomo.co.nz ; 654 Waitomo Caves Rd). Formule combinant descente en rappel, tubing, spéléo et escalade.

Dans les environs

La Mangapohue Natural Bridge Scenic Reserve (5,5 ha), à 26 km à l'ouest de Waitomo, renferme une immense arche en pierre calcaire. Des rochers couverts de fossiles d'huîtres vieux de 35 millions d'années se dressent parmi les herbes, et l'on aperçoit des vers luisants la nuit.

Une petite faim ?

L'épicerie de Waitomo vend des produits de base, mais il est plus économique de s'approvisionner dans les supermarchés d'Otorohanga ou de Te Kuiti avant de venir. Le village abrite aussi cafés et restaurants.

Terrier de Hobbit à Hobbiton

Matamata

***Les vertes collines ondoyantes, le joli lac et les jardins soignés qui entourent les terriers de Hobbits près de Matamata transportent le visiteur dans le monde imaginaire du* Seigneur des Anneaux.**

Pour ceux qui aiment...

☑ **Ne ratez pas**

Une Oak Barton Brew ou un Sackville Cider au Green Dragon Inn d'Hobbiton.

Matamata n'était qu'une agréable bourgade rurale, à 65 km à l'est de Hamilton, jusqu'à ce que Peter Jackson vienne y filmer *Le Seigneur des Anneaux*, adapté de l'œuvre majeure de J.R.R. Tolkien. Trois cents habitants participèrent alors au tournage comme figurants. Depuis qu'y fut tourné, plus récemment, le *Hobbit*, le lieu se revendique comme un pendant bien réel de la mythique Comté, en Terre du Milieu. On y a même érigé une statue de Gollum et relooké son antenne **i-SITE** (07-888 7260 ; www.matamatanz.co.nz ; 45 Broadway ; 9h-17h) en conséquence.

Pour une question de droits d'auteur, tous les décors de la trilogie initiale ont été démontés une fois les prises de vue terminées, mais les propriétaires de Hobbiton ont négocié pour conserver leurs "terriers" de Hobbits, reconstruits pour la

Morrinsville
Ngaura
Hamilton
Matamata
Hobbiton
Cambridge
Hinuera
Tirau

Infos pratiques

Des bus gratuits partent de l'i-SITE de Matamata – consultez les horaires sur le site Internet d'Hobbiton.

Une petite faim

Le **Redoubt Bar & Eatery** (07-888 8585 ; www.redoubtbarandeatery.co.nz ; 48 Broadway ; 11h-14h et 17h-21h lun-ven, 11h-21h sam-dim), à Matamata, sert des pizzas à pâte fine portant le nom des personnages du *Seigneur des Anneaux*.

★ Bon à savoir

Mieux vaut réserver, surtout pour les Hobbiton's Evening Banquet Tours des mercredis et dimanches.

seconde série cinématographique. Pendant la **visite** (0508 446 224 866, 07-888 1505 ; www.hobbitontours.com ; 501 Buckland Rd, Hinuera ; adulte/enfant 79/39,50 $, visite avec repas 190/100 $ dim et mer ; 10h-16h30), qui inclut un verre au Green Dragon Inn, les guides racontent quantité d'anecdotes relatives au tournage. En voiture depuis Matamata, suivez la direction de Cambridge, tournez à droite dans Puketutu Rd, prenez à gauche Buckland Rd et arrêtez-vous au Shire's Rest Cafe.

La plupart des touristes qui se rendent ici sont des fans de l'univers de Tolkien, mais le secteur recèle aussi d'autres attractions. À 3 km à l'est de Matamata, la **Firth Tower** (07-888 8369 ; www.firthtower.co.nz ; Tower Rd ; parc gratuit, visite adulte/enfant 5/1 $; parc 10h-16h tlj, bâtiments 10h-16h jeu-lun) fut édifiée en 1882 par Josiah Firth, un homme d'affaires d'Auckland. Cette tour en béton de 18 m, qui constituait à l'époque un signe extérieur de modernité, abrite aujourd'hui des objets maoris et en lien avec les colons européens. Dix autres bâtiments historiques l'entourent, dont une salle de classe, une église et une prison. À 15 km au nord-est de Matamata coulent les **Wairere Falls** (153 m), plus hautes chutes de l'île du Nord. Du parking, il faut 45 minutes de marche à travers le bush pour atteindre le point de vue ou 1 heure 30 d'ascension jusqu'au sommet.

Pour manger un morceau, faites halte au **Workman's Cafe Bar** (07-888 5498 ; 52 Broadway ; plats 12-30 $; 7h30-tard). Avec son décor extravagant – vieux transistors suspendus au plafond, murs tapissés de miroirs Art déco et Johnny Cash en fond sonore –, ce restaurant s'est forgé une réputation au-delà de Matamata. Il comprend également un bar, ouvert plus tard le soir.

Cours de surf

Raglan

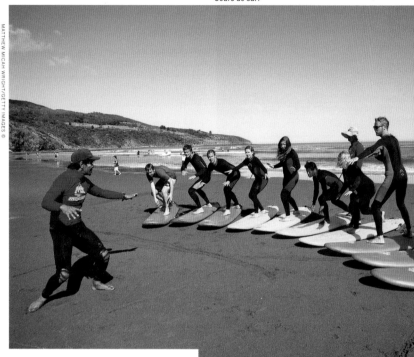

À 40 km à l'ouest de Hamilton, Raglan mérite le détour pour ses plages de surf spectaculaires, dont la vue embrasse la côte ouest sauvage de l'Île du Nord, sa scène artistique dynamique, ses boutiques d'artisanat et ses restaurants à la mode.

Pour ceux qui aiment...

☑ **Ne ratez pas**

Un fish and chips et les boutiques d'artisanat de Raglan Wharf, 1 km au nord de la ville.

Bourgade décontractée, Raglan est une localité de surf par excellence – assez petite pour avoir échappé au développement de masse, mais suffisamment grande pour posséder de bons restaurants et un bar sympathique. En plus de fameux spots de surf, la baie au sud se prête à la pratique du kayak. Le dynamisme créatif se traduit quant à lui par des galeries et boutiques dignes d'intérêt, comme le **Toi Hauāuru Studio** (☎07-825 0244 ; www.toihauauru.com ; 4338 Main Rd ; 🕙10h-17h mer-dim) spécialisé dans l'art maori contemporain.

Plages

Au sud de Raglan se succèdent des plages de surf de premier ordre. À environ 4 km au sud-est de la ville, la plage de sable noir de **Ngarunui Beach** est la plus propice

Fish and chips

GREG ELMS/GETTY IMAGES ©

à la baignade. Le club des sauveteurs volontaires en surveille une portion de fin octobre à avril. À 2,5 km de Ngarunui Beach, **Manu Bay** est un spot de surf légendaire, réputé pour avoir le plus long break de gauche du monde. Enfin, **Whale Bay** est un haut lieu du surf à 1 km à l'ouest de Manu Bay. Moins fréquentée que cette dernière, elle nécessite de se frayer un chemin par-delà les rochers pour accéder au break, à 600 m du bout de Calvert Rd.

Activités

Ce haut lieu du surf offre un large choix d'activités aquatiques. Ainsi, **Raglan Watersports** (07-825 0507 ; www.raglanwatersports.co.nz ; 5a Bankart St ; cours de paddleboard en groupe/individuel 45/65 $ par pers) propose des cours et des sorties guidées de paddleboard, des excursions en kayak et des cours de kiteboard et de surf, ainsi que la location de kayaks, de planches et de vélos. La **Raglan Surfing School** (07-825 7873 ; www.raglansurfingschool.co.nz ; 5b Whaanga Rd ; cours 3 heures avec navette depuis Raglan 89 $), basée au Karioi Lodge, à Whale Bay, assure que 95% des débutants parviennent à se tenir debout sur la planche dès leur première leçon. On peut y louer des planches (à partir de 20 $/heure), des bodyboards (5 $/heure) et des combinaisons (5 $/heure). Enfin, **Raglan Kayak** (07-825 8862 ; www.raglaneco.co.nz ; Raglan Wharf) organise des sorties guidées en kayak dans la baie de Raglan (3 heures, 75 $/pers) et propose à la location des kayaks individuels/doubles (40/60 $ la demi-journée). Débutez sur la calme Opotoru, ou partez à l'aventure dans les recoins des Pancake Rocks au nord de la baie. Des paddle sont également à louer (1 heure/demi-journée 20/40 $).

Infos pratiques

Deux ou trois bus quotidiens circulent entre Raglan et Hamilton (1 heure).

Une petite soif ?

Raglan Roast (07-825 8702 ; www.raglanroast.co.nz ; Volcom Lane ; café 4 $; 7h-17h, horaires réduits en hiver), un petit torréfacteur, prépare le meilleur café de Raglan.

★ Bon à savoir

L'i-SITE de Raglan (07-825 0556 ; www.raglan.org.nz ; 13 Wainui Rd ; 9h-19h lun-ven, 9h30-18h sam-dim) présente une exposition intéressante sur la scène de surf locale.

Hamilton

Au cœur d'une zone de production laitière, cette ville en rapide expansion – désormais la quatrième du pays – fait une base commode pour découvrir la région du Waikato et du King Country. De là, on peut entreprendre des excursions à Raglan, aux grottes de Waitomo et à Hobbiton (près de Matamata). Fort de sa scène culinaire et de ses bars cosmopolites, le centre urbain recèle de quoi se distraire le soir venu.

À VOIR

Hamilton Gardens Jardins

(07-838 6782 ; www.hamiltongardens.co.nz ; Cobham Dr ; visites guidées adulte/enfant 15/8 $; espaces clos, 7h30-17h, informations 9h-17h, visites guidées 11h sept-avr). GRATUIT Les Hamilton Gardens s'étendent sur plus de 50 ha, englobant un grand parc, un café, un restaurant et d'extravagants jardins à thèmes : Renaissance italienne, Chine, Japon, Angleterre, Amérique, Inde ; le tout parachevé par des colonnes, des pagodes et la reconstitution miniature du Taj Mahal. La Garden Collection fondée sur les principes du développement durable, le jardin d'herbes aromatiques et le Te Parapara Garden maori suscitent également l'intérêt. Remarquez l'impressionnante sculpture *Nga Uri O Hinetuparimaunga* (Earth Blanket) à l'entrée principale.

Un jardin de style Tudor et un autre réunissant plus de 200 espèces tropicales ont récemment été ajoutés. Réservation recommandée pour les visites guidées.

Waikato Museum Musée

(www.waikatomuseum.co.nz ; 1 Grantham St ; entrée sur don ; 10h-16h30). Excellent musée comportant 5 grandes sections : une galerie d'art, des salles interactives dédiées à la science, une collection maorie (dont la magnifique pirogue de guerre sculptée *waka taua* Te Winikawaka), la section "For Us They Fell" illustrant l'histoire de Hamilton et une exposition sur le fleuve Waikato. Un programme rigoureux d'événements publics complète le tout. Un droit d'entrée s'applique pour certaines expositions.

Classics Museum Musée

(www.classicsmuseum.co.nz ; 11 Railside Pl, Frankton ; adulte/enfant 20/8 $; 9h-16h). Voyagez dans le temps à travers cette collection d'automobiles datant de la première moitié du XXe siècle, dont un Amphicar délirant et des modèles de sport Maserati et Corvette. Près de la SH1, au nord-ouest du centre-ville.

Zealong Tea Estate Plantation de thé

(0800 932 566 ; www.zealong.com ; 495 Gordonton Rd, Gordonton ; adulte/enfant 25/13 $; 10h-17h mar-dim, visites 9h30 et 14h30). Des visites instructives permettent d'en savoir plus sur l'unique plantation de thé de Nouvelle-Zélande, à environ 10 km au nord-est de Hamilton. Moyennant 35 $ de plus, offrez-vous un *high tea* avec un buffet d'en-cas salés et de douceurs. Sur place, un bon café propose aussi un *high tea* (42 $/pers) sans la visite, des dégustations de thé (9 $/pers) et des plats de résistance.

Riff Raff Monument

(www.riffraffstatue.org ; Victoria St). Cette statue grandeur nature représente Riff Raff, extraterrestre venu de la planète Transsexuel, dans le fameux *Rocky Horror Picture Show* de Richard O'Brien. Elle s'élève à l'emplacement de l'ancien Embassy Theatre, où O'Brien travailla comme coiffeur. Difficile toutefois de percevoir ce qui lui inspira cette histoire de bisexualité dans le Hamilton des années 1960. Une connexion Wi-Fi gratuite émane de l'effigie.

ArtsPost Galerie

(www.waikatomuseum.co.nz/artspost ; 120 Victoria St ; 10h-16h30). GRATUIT Cette galerie d'art contemporain et boutique-cadeaux occupe le beau bâtiment d'une ancienne poste. Elle met à l'honneur le meilleur de la création locale en matière de peinture, travail du verre, gravure, textile et photographie.

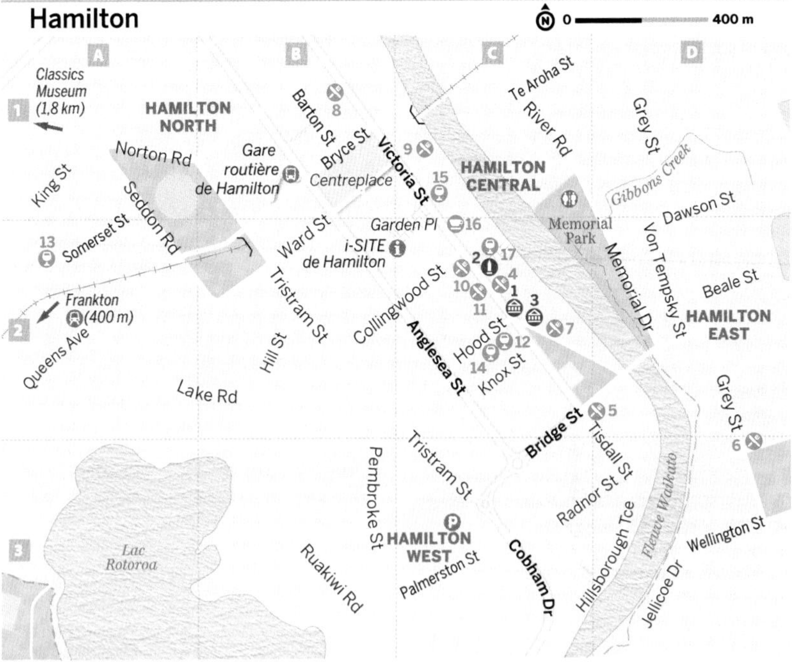

Hamilton

Hamilton

À voir

1 ArtsPost C2
2 Riff Raff C2
3 Waikato Museum C2

Où se restaurer

4 Banh Mi Caphe C2
5 Chim Choo Ree D2
6 Duck Island Ice Cream D3
7 Gothenburg C2
8 Hazel Hayes B1
9 Palate C1
10 River Kitchen C2
11 Scott's Epicurean C2

Où prendre un verre et faire la fête

12 Craft C2
13 Good George Brewing A2
14 Little George C2
15 Local Taphouse C1
16 SL28 .... C2
17 Wonderhorse C2

ACTIVITÉS

Waikato River Explorer Croisières

(☎0800 139 756 ; www.waikatoexplorer.co.nz ; Hamilton Gardens Jetty ; adulte/enfant 29/15 $; ⌚mer-dim, tlj 26 déc-6 fév). Des croisières panoramiques de 1 heure 30 sur la Waikato River partent de la jetée des Hamilton Gardens. Le dimanche à 11h, le bateau (adulte/enfant 79/40 $) rejoint la Vilagrad Winery pour une dégustation de vin et un repas d'inspiration méditerranéenne. Le samedi à 14h, le programme comprend aussi une dégustation de vin et une assiette de fromages à Mystery Creek (adulte/enfant 79/35 $).

Kiwi Balloon Company Vols en montgolfière

(☎07-843 8538, 021 912 679 ; www.kiwiballooncompany.co.nz ; 350 $/pers). Survolant la campagne verdoyante du Waikato, l'expérience (4 heures) inclut petit-déjeuner au champagne et vol effectif.

OÙ SE RESTAURER

Parmi les plus grandes villes de l'île du Nord, Hamilton peut se targuer d'un large éventail de cafés et de restaurants de qualité. Des adresses très variées se tiennent autour de Victoria St et de Hood St. De l'autre côté de la rivière, Hamilton East devient également un endroit propice pour sortir dîner.

Duck Island Ice Cream Glaces $
(07-856 5948 ; 300 Grey St ; glaces à partir de 4 $; 11h-18h mar-jeu et dim, 11h-20h ven-sam). Avec son assortiment de parfums sans cesse renouvelés – crumble aux pommes sauvages ou noix de coco et combava, par exemple –, ce glacier tendance est sans doute le meilleur du pays. Les *ice cream floats* (sodas à la crème glacée) maison rafraîchissants justifient aussi de traverser la rivière jusqu'à Hamilton East.

Scott's Epicurean International $
(07-839 6680 ; www.scottsepicurean.co.nz ; 181 Victoria St ; plats 11-20 $; 7h-15h lun-ven, 8h30-16h sam-dim). Cet élégant gastropub au plafond en métal gaufré et aux banquettes en cuir sert du bon café, de l'alcool et affiche une carte abordable : commandez un *pyttipanna* suédois (pommes de terre, oignons et viande coupés en dés) au petit-déjeuner ou des *spaghetti aglio e olio* (spaghettis à l'huile d'olive et à l'ail) pour déjeuner sur le pouce. Service avenant.

Hamilton Farmers Market Marché $
(022 639 1995 ; www.waikatofarmersmarkets.co.nz ; Te Rapa Racecourse ; 8h-12h). À environ 4 km au nord du centre-ville, au Te Rapa Racecourse (hippodrome), ce marché fermier propose le dimanche matin des produits alimentaires du cru. Le café de Rocket et le hot-dog de Bangin Bangaz composent un petit-déjeuner de choix.

Banh Mi Caphe Vietnamien $
(07-839 1141 ; www.facebook.com/banhmicaphe ; 198/2 Victoria St ; en-cas et plats 10-17 $; 11h-16h mar-mer, 11h-21h jeu-sam). Les rouleaux de printemps, les *banh mi* (sandwichs vietnamiens à la baguette) et les bols de *pho* (soupe de nouilles au bœuf) fumants de cette adresse branchée mènent tout droit aux ruelles de Hanoi.

Hamilton Gardens (p. 120)

Gothenburg Tapas $$
(07-834 3562 ; www.gothenburg.co.nz ; ANZ Centre, 21 Grantham St ; assiettes partagées 7-24 $; 9h-23h lun-ven, 11h30-tard sam). Niché en bord de rivière, cet ancien bar haut de plafond, doublé d'une terrasse estivale, est à ce jour notre restaurant préféré à Hamilton. La carte de tapas fait le tour du globe – nous vous recommandons les raviolis au porc et au kimchi ou les boulettes de bœuf et de chorizo – et la panna cotta à la noix de coco et au citron vert est le dessert qui s'impose. Une sélection tournante de bières artisanales du Waikato, des vins et des cocktails très réussis comme le mojito à la grenade accompagnent les plats.

Hazel Hayes Café $$
(07-839 1953 ; www.hazelhayes.co.nz ; 587 Victoria St ; plats 10-23 $; 7h-16h lun-ven, 8h-14h sam). Cette adresse au décor de cuisine rurale revisité propose une petite carte inventive où la part belle est faite aux produits fermiers et bio. Les hash browns (galettes de pomme de terre frites) au saumon, nappées d'une riche sauce hollandaise, vous rassasieront pour la journée. Excellents café et service.

River Kitchen Café $$
(07-839 2906 ; www.theriverkitchen.co.nz ; 237 Victoria St ; plats 10-20 $; 7h-16h lun-ven, 8h-15h sam-dim ;). Le café torréfié dans les règles de l'art par le barista, les gâteaux, les petits-déjeuners gastronomiques et plats de saison (optez pour le hachis de saumon) ont de quoi fidéliser quiconque vient ici.

Chim Choo Ree Néo-zélandais moderne $$$
(07-839 4329 ; www.chimchooree.co.nz ; 14 Bridge St ; plats 36-37 $; 11h30-14h et 17h-tard lun-sam). Occupant un grand bâtiment d'époque près de la rivière, le Chim Choo Ree concocte des assiettes à partager telles que salade de papaye thaïlandaise, saumon mariné au gin et poitrine de porc confite, ainsi que des plats de canard, agneau, gibier et poisson tout aussi créatifs.

Le Sanctuary Mountain Maungatautari

Comment transformer un volcan enclavé en île paradisiaque ? S'inspirant de l'expérience réussie de l'éradication des nuisibles et de la réintroduction des espèces indigènes dans le golfe de Hauraki, un groupe communautaire a érigé une barrière anti-nuisibles de 47 km de long autour des trois pics du Maungatautari (797 m) pour former le **Sanctuary Mountain Maungatautari** (www.sanctuarymountain.co.nz ; adulte/enfant 18/8 $). Le résultat ? Cet îlot de forêt humide, qui domine l'horizon entre Te Awamutu et Karapiro, a vu naître les premiers kiwis en un siècle. Il existe aussi un "tuatarium", où l'on peut observer des sphénodons (ou tuataras), les reptiles emblématiques de la Nouvelle-Zélande.

L'entrée principale se trouve au niveau du centre des visiteurs situé du côté sud de la réserve. Des circuits guidés (adulte/enfant 35/15 $) partent du centre du mardi au dimanche. Au programme : exploration des zones humides l'après-midi, et départs le matin et l'après-midi à la découverte des oiseaux et des insectes de la partie sud de la réserve (Southern Enclosure). Réservation par téléphone ou sur Internet, au minimum la veille.

Les gourmets locaux les accompagnent de vin ou d'une bière artisanale kiwie.

Palate Néo-zélandais moderne, fusion $$$
(07-834 2921 ; www.palaterestaurant.co.nz ; 20 Alma St ; plats 34-38 $; 11h30-14h mar-ven, 17h30-tard lun-sam). Cette table, à la fois simple et raffinée, doit son renom à des recettes innovantes, comme le canard rôti aux ignames, coquilles Saint-Jacques, champignons shiitaké et bouillon pimenté. La carte des vins n'a pas son pareil à Hamilton.

La monarchie maorie (Kingitanga)

L'idée d'un royaume maori est assez récente. Jusqu'au milieu du XIXe siècle, la Nouvelle-Zélande était composée de communautés tribales indépendantes (*iwi*), qui durent coexister avec les colons britanniques à partir de 1840.

Face à l'afflux massif des Britanniques, le Kingitanga (King Movement ou monarchie maorie) vit le jour en 1858, dans une tentative d'unification pan-tribale, visant à freiner l'expansion territoriale des colons et à lutter contre la disparition des cultures traditionnelles. Potatau Te Wherowhero, chef respecté du Waikato, devint le premier roi de la nouvelle monarchie maorie. Fort de son *mana* (prestige), il souhaitait non pas nier la souveraineté britannique en Nouvelle-Zélande, mais permettre aux différentes *iwi* de s'unifier en un seul royaume et d'atteindre une certaine cohésion.

Le mouvement Kingitanga a perduré, malgré les pertes colossales qu'il subit pendant la guerre de Waikato (1863-1864) contre les Pakehas (Néo-Zélandais blancs), la confiscation de terres par les Britanniques et l'absence de reconnaissance réelle sur le plan constitutionnel. Le mouvement de deuil au décès de Te Atairangikaahu, l'arrière-arrière-arrière-petite-fille de Potatau, après 40 années de règne, atteste sa force. Bien qu'il ne s'agisse pas d'une monarchie héréditaire (élection par les chefs de différents peuples), le roi actuel, Tuheitia Paki, comme ceux qui l'ont précédé, est un descendant de Potatau.

OÙ PRENDRE UN VERRE ET FAIRE LA FÊTE

Hamilton se défend bien en matière de bières artisanales. Le vendredi soir est le moment le plus animé de la semaine.

Craft Brasserie

(07-839 4531 ; www.facebook.com/craftbeerhamilton ; 15 Hood St ; 15h-tard mer-jeu, 11h30-tard ven-dim). Quinze bières artisanales à la pression, provenant de tout le pays et de brasseries étrangères réputées, attirent ici les amateurs de mousse. Les petits sandwichs et les pizzas cuites au four à bois incitent à passer la soirée sur place. Quiz presque tous les mercredis à 19h30.

Good George Brewing Brasserie

(07-847 3223 ; www.goodgeorge.co.nz ; 32a Somerset St, Frankton ; visite avec bière et en-cas 19 $; 11h-tard, visites à partir de 18h mar-jeu). Atmosphère industrielle dans la vieille église St George reconvertie en temple de la bière artisanale. On peut y accompagner d'un assortiment de cinq d'entre elles (16 $) une pizza cuite au four à bois (20-23 $) ou autre plat de résistance (18-33 $). L'American Pale Ale au goût citronné et le Drop Hop Cider ont notre préférence. Visite sur réservation.

Wonderhorse Bar à cocktails, brasserie

(07-839 2281 ; www.facebook.com/wonderhorsebar ; 232 Victoria St ; 17h-3h mer-sam). À 20 m en retrait de Victoria St, ce bar, parmi les meilleurs de la ville, propose régulièrement des bières de micro-brasseries locales comme Shunters Yard et Brewaucracy, sans oublier de bons cocktails, des sandwichs et de la cuisine asiatique de rue. Il y a souvent de vieux vinyles en fond sonore.

SL28 Café

(07-839 6422 ; www.facebook.com/sl28.coffee ; 298 Victoria St ; 7h30-16h lun-ven). Les connaisseurs en quête d'un café de qualité fréquentent ce spécialiste du genre.

Little George Brasserie

(07-834 4345 ; www.facebook.com/littlegeorgepopupbar ; 15 Hood St ; 16h-23h mar-jeu, 14h-1h ven-dim). Plus compact et central que son cousin Good George, cet excellent bar, qui donne dans une rue animée le soir, sert régulièrement les bières de ce dernier et souvent celles d'autres

Waikato Museum (p. 120)

brasseries artisanales du pays. Citons également de savoureux en-cas – tacos à 3 $ le mardi – et un petit choix de vins.

Local Taphouse Bar

(☎07-834 4923 ; www.facebook.com/thelocaltaphouse ; 346 Victoria St, City Co-Op ; ⊙11h-tard). Dans le nouveau complexe de bars et de restaurants City Co-Op, cet établissement sert un choix de bières des régions du Waikato, de la Bay of Plenty et de Coromandel. On peut aussi y manger, notamment de copieuses cocottes de moules et des burgers gastronomiques.

RENSEIGNEMENTS

i-SITE de Hamilton (☎07-958 5960, 0800 242 645 ; www.visithamilton.co.nz ; angle Caro St et Alexandra St ; ⊙9h-17h lun-ven, 9h30-15h30 sam-dim ; 📶). Réservations d'hébergement, d'activités et de transport, et Wi-Fi gratuit, de l'autre côté de Garden Place.

DEPUIS/VERS HAMILTON

L'**aéroport international de Hamilton** (HIA ; ☎07-848 9027 ; www.hamiltonairport.co.nz ; Airport Rd) est à 12 km au sud de la ville. La navette **Super Shuttle** (☎0800 748 885, 07-843 7778 ; www.supershuttle.co.nz ; aller 30 $) assure un service porte à porte jusqu'en ville. **Aero-link Shuttles** (☎0800 151 551 ; www.aerolink.nz ; aller simple 80 $) dessert aussi le centre, tandis que **Raglan Scenic Tours** (☎021 0274 7014, 07-825 0507 ; www.raglanscenictours.co.nz) relie l'aéroport à Raglan. En taxi, comptez environ 50 $.

Air New Zealand (☎0800 737 000 ; www.airnewzealand.co.nz) assure des vols directs réguliers depuis/vers Auckland, Christchurch et Wellington. **Kiwi Regional Airlines** (☎07-444 5020 ; www.flykiwiair.co.nz) couvre Nelson.

Tous les bus vont au **Hamilton Transport Centre** (☎07-834 3457 ; www.hamilton.co.nz ; angle Anglesea St et Bryce St ; 📶).

COMMENT CIRCULER

Le centre-ville est assez resserré et le CBD peut se parcourir à pied. Se garer dans Victoria St, la principale artère commerçante, pose parfois problème. Vous trouverez plus facilement une place quelques rues à l'ouest.

Mt Taranaki, Egmont National Park

SPENCER CLUBB/GETTY IMAGES ©

Mt Taranaki (Egmont National Park)

À mi-distance d'Auckland et de Wellington, le cône volcanique du Mt Taranaki, avec ses 2 518 m de hauteur, fascine ceux qui le contemplent.

Pour ceux qui aiment...

☑ **Ne ratez pas**

Les plages de sable noir du Taranaki, telles **Fitzroy Beach** et **East End Beach**, idéales pour le surf.

Une multitude de sentiers de randonnée, de difficulté variable, sillonnent la zone montagneuse au milieu de laquelle le Mt Taranaki émerge. De North Egmont, le superbe **Pouakai Circuit** (2 jours) fait une boucle de 23 km à travers des zones alpines, marécageuses et herbeuses. Il existe aussi de courts itinéraires faciles, tels que le **Ngatoro Loop Track** (1 heure), la **Veronica Loop** (2 heures) et la **Nature Walk** (15 minutes aller-retour). Le **Summit Track** part aussi de North Egmont. Cet itinéraire balisé de 14 km prend 8 à 10 heures aller-retour et ne convient qu'aux randonneurs expérimentés, notamment en cas de verglas et de neige.

Au départ d'East Egmont : le **Potaema Track** (accessible en fauteuil roulant ; 30 minutes aller-retour), l'**East Egmont Lookout** (10 minutes aller-retour) et l'abrupt **Enchanted Track** (2-3 heures aller-retour).

Mer de Tasman
Cape Egmont Lighthouse
Cap Egmont
Mt Taranaki (Mt Egmont)
North Egmont
Mt Taranaki
East Egmont
Egmont National Park
Stratford

Infos pratiques

L'**i-SITE de New Plymouth** (06-759 6060 ; www.taranaki.co.nz ; Puke Ariki, 1 Ariki St ; 9h-18h lun-mar et jeu-ven, 9h-21h mer, 9h-17h sam-dim) est logé dans le musée Puke Ariki.

Une petite faim ?

Vedette de la scène culinaire locale, nichée au sein du Puke Ariki, **Arborio** (06-759 1241 ; www.arborio.co.nz ; Puke Ariki, 1 Ariki St, New Plymouth ; plats 13-34 $; 9h-tard) est un lieu clair et spacieux avec vue sur la mer et service impeccable.

★ Bon à savoir

Navettes et tour-opérateurs pallient l'absence de bus menant au parc national. Comptez 40/55 $ l'aller simple/aller-retour (moins pour les groupes).

Plusieurs courtes balades partent du centre d'information de Dawson Falls, dont le **Wilkies Pools Loop** (1 heure 15 aller-retour) et l'exigeant **Fanthams Peak Return** (5 heures aller-retour), enneigé l'hiver. Le **Kapuni Loop Track** (1 heure) conduit aux **Dawson Falls**, de 18 m de haut, qui peuvent aussi être vues depuis le centre d'information, après 10 minutes de marche.

Mt Taranaki Guided Tours Randonnées (027 441 7042 ; www.mttaranakiguidedtours.co.nz). Randonnées d'un à trois jours sur la montagne, en compagnie du bien nommé Ian McAlpine. Prix sur demande.

Taranaki Tours Randonnées guidées (0800 886 877, 06-757 9888 ; www.taranakitours.com ; à partir de 130 $/pers). Randonnées d'une journée autour du volcan mettant l'accent sur la culture maorie et l'histoire naturelle.

Heliview Survols panoramiques (0800 767 886, 06-753 0123 ; www.heliview.co.nz ; vols à partir de 149 $). Survoler en hélicoptère et en 25 minutes le sommet du Mt Taranaki coûte 249 $/pers.

New Plymouth

Le Mt Taranaki veille au loin sur l'unique port international en eau profonde de cette région, New Plymouth. La ville se distingue par sa scène artistique dynamique, ses cafés sensationnels et ses activités de plein air – randonnée dans l'Egmont National Park bien sûr, mais aussi côté mer avec quelques superbes spots de surf.

L'excellente promenade côtière du **Coastal Walkway** (11 km), entre Bell Block et Port Taranaki, permet de contempler New Plymouth côté mer et franchit le **Te Rewa Rewa Bridge**, pont au design audacieux.

Artistes du Rotorua Maori Arts Festival

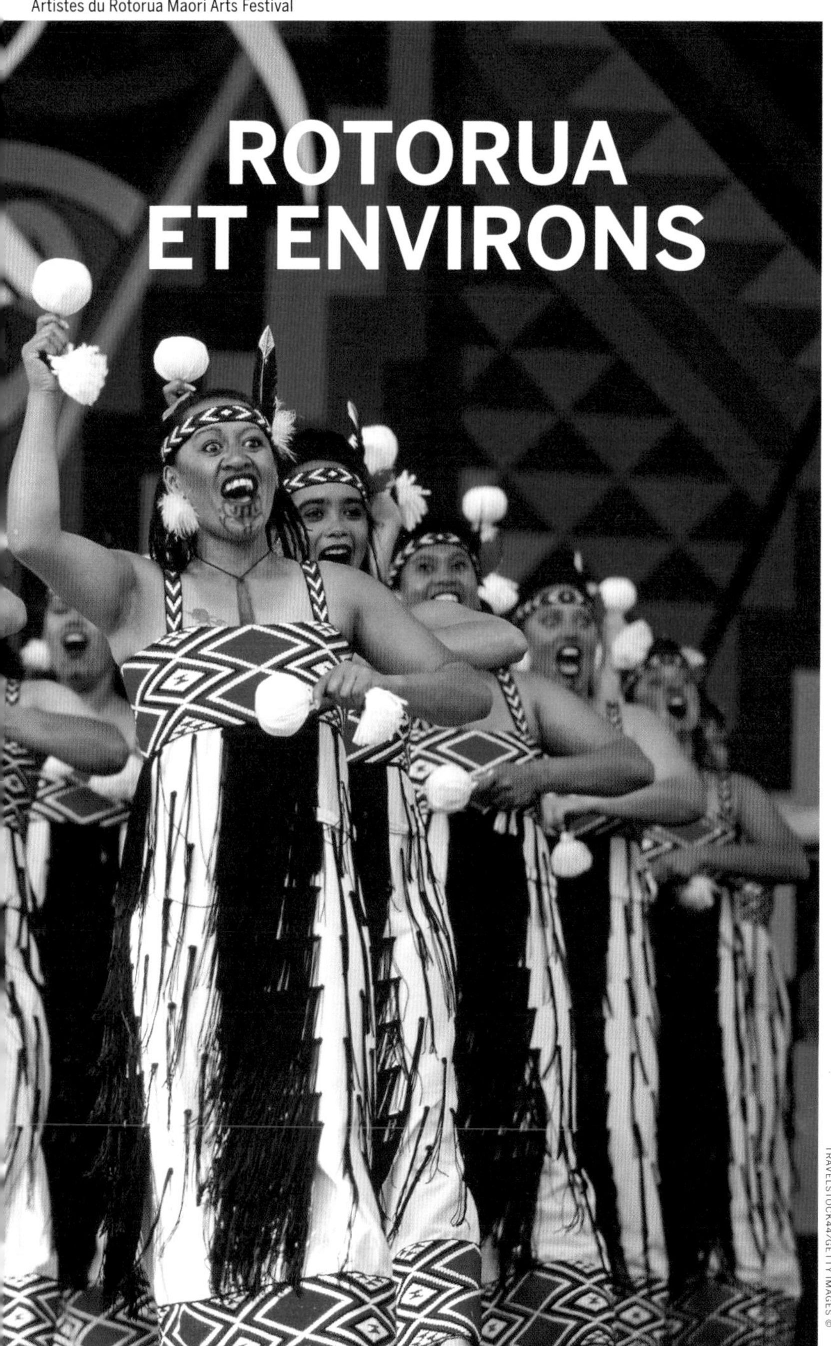

ROTORUA ET ENVIRONS

Dans ce chapitre

Rotorua et environs

L'air saturé de soufre de Rotorua annonce d'emblée l'une des zones géothermiques les plus actives de Nouvelle-Zélande, célèbre pour ses geysers, ses sources chaudes et ses bassins de boue. L'endroit est profondément ancré dans les traditions des Maoris, qui représentent aujourd'hui quelque 35% de la population, et dont les démonstrations culturelles enthousiasment autant le voyageur que ne le fait le paysage. Enfin, les plus aventureux auront loisir de s'adonner à toute sorte d'activités de plein air et autres sports extrêmes.

En 2 jours

Commencez par les paysages géothermiques de **Te Puia** (p. 133) et **Whakarewarewa Village** (p. 132) avant un concert maori et un *hangi* vespéraux. Le lendemain, avalez un robuste petit-déjeuner à l'**Urbano Bistro** (p. 143), suivi d'une randonnée pédestre ou à VTT dans la **Redwoods Whakarewarewa Forest** (p. 134). Au dîner, optez pour l'ambiance décontractée de l'**Abracadabra Cafe Bar** (p. 143) ou la cuisine latino-américaine du **Sabroso** (p. 143).

En 3 jours

Après avoir exploré la forêt de séquoias, poussez plus loin les activités de plein air. **Rotorua Canopy Tours** (p. 142) propose de parcourir un réseau de tyroliennes, plates-formes et passerelles dans la canopée, tandis qu'**Ogo** (p. 139) vous fera dévaler une pente dans une grosse sphère en plastique transparent. Le rafting et la luge aquatique sur la **Kaituna River** (p. 139) vous seront de mémorables expériences, à raconter le soir même en sirotant des bières artisanales au **Brew** (p. 144).

0 — 10 km
Rotoehu Forest
Okere Falls
Lac Rotoehu
Lac Rotorua
Tikitere (Hells Gate)
Lac Rotoiti
Rotoiti
Ruato Bay
Lake Rotoma
Te Ngae
Zorb
Ogo
Mitai Maori Village
Mamaku
Agroventures
Aéroport régional de Rotorua
Kawerau
Skyline MTB Gravity Park
Rainbow Springs
Lake Okataina
Paradise Valley Springs
Whakarewarewa Village
Lac Okataina
Rotorua
Te Puia

Redwoods Whakarewarewa Forest

Mountain Bike Rotorua
Planet Bike
Whakarewarewa State Forest Park
Lac Tarawera
Tarawera Trail
Tarawera Forest
Lac Rotomahana
Kinleith Forest
Waimangu Volcanic Valley
Lac Rerewhakaaitu
Ngakuru
Wai-O-Tapu
Rerewhakaaitu
Upper Atiamuri
Waikite Valley
Atiamuri
Wai-O-Tapu Thermal Wonderland
Kaingaroa Forest
Galatea
Parekarangi
Reporoa

Plan de Rotorua (p. 141)

Comment s'y rendre

Aéroport régional de Rotorua
À 10 km au nord-est de la ville près du lac Rotorua. Air New Zealand assure des vols réguliers depuis/vers Auckland, Wellington et Christchurch.

Gare routière de Rotorua Dans le centre à côté de l'i-SITE. Bus réguliers pour diverses destinations de l'île du Nord.

Où se loger

Rotorua compte de nombreux parcs de vacances et une offre pour *backpackers* qui change constamment. Des motels standards jalonnent Fenton St, mais les options les plus intéressantes se situent en dehors de l'artère principale.

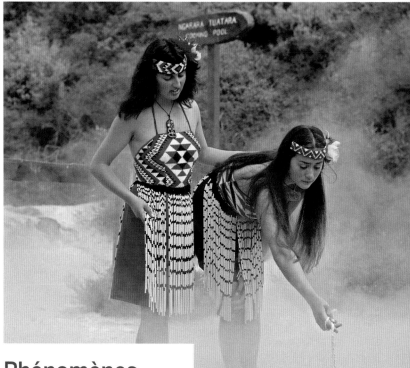

Phénomènes géothermiques

Les paysages de Rotorua, entre fumerolles et bouillonnements, sont au cœur de la culture des Maoris, dont l'âme fut forgée, au fil des siècles, par cet environnement.

Pour ceux qui aiment…

☑ Ne ratez pas

La visite du Whakarewarewa Village avec des guides maoris.

Whakarewarewa Village Village

(☎07-349 3463 ; www.whakarewarewa.com ; 17 Tyron St ; visite et spectacle culturel adulte/enfant 35/15 $; ⌚8h30-17h, visites toutes les heures 9h-16h et spectacle culturel 11h15 et 14h). Ce village thermal reste habité par une population maorie (*tangata whenua*) résidant ici depuis des siècles. Les villageois qui guident les touristes expliquent leur mode de vie et la signification des bassins bouillonnants, des terrasses de silice et des geysers qui, inaccessibles du village, peuvent être vus depuis des postes d'observation (la vue sur le geyser Pohutu vaut celle depuis Te Puia et coûte bien moins cher).

Des boutiques vendent de l'art et de l'artisanat authentiques, et l'on peut découvrir des traditions maories comme le tissage du lin, la sculpture et le *ta moko*

Geyser Pohutu

MUHAO4/GETTY IMAGES ©

(tatouage). Un épi de maïs (2 $) cuit directement dans le bassin d'eau chaude, seul *hangi* géothermique de la localité, comblera les petits creux. Pour un *hangi* plus substantiel, comptez 18,50-21 $ par personne.

Te Puia Geysers, visites culturelles
(☎0800 837 842, 07-348 9047 ; www.tepuia.com ; Hemo Rd ; visite adulte/enfant 49,50/23 $, visite en journée et spectacle 58/29 $, visite en soirée, spectacle et hangi 140/70 $; 🕒8h-18h oct-avr, 8h-17h mai-sept). Cette réserve thermale, à 3 km au sud du centre, compte quelque 500 sources, dont la plus connue est **Pohutu** ("Éclaboussure" ou "Explosion" en maori), un geyser jaillissant jusqu'à 20 fois par jour, projetant de l'eau chaude jusqu'à 30 m de haut. Peu avant l'éruption, son voisin, le geyser **Prince of Wales' Feathers**, ouvre le bal. Tous les deux dépendent de **Te Puia**, qui propose l'attraction culturelle maorie la plus réussie de Nouvelle-Zélande. Les visites (1 heure 30) ont lieu toutes les heures à partir de 9h. Les spectacles culturels (45 minutes) débutent à 10h15, 12h15 et 15h15.

Sur place, la National Carving School et la National Weaving School donnent à voir les techniques traditionnelles et les œuvres de sculpteurs sur bois et de tisserands maoris. Il y a aussi une maison commune sculptée, un café, des galeries, une réserve de kiwis et une boutique-cadeaux.

Infos pratiques

Le bus City Ride (ligne 11) rallie Te Puia et Whakarewarewa depuis le centre de Rotorua.

Une petite faim ?

Accordez-vous une pause déjeuner ou dîner à l'**Urbano Bistro** (p. 143).

★ Bon à savoir

Thermal Land Shuttle (☎0800 894 287 ; www.thermalshuttle.co.nz ; adulte/enfant à partir de 70/35 $) **assure le transport jusqu'à Waimangu et Wai-O-Tapu.**

Dans les environs

Renseignez-vous à l'i-SITE de Rotorua sur les autres sites géothermiques à visiter dans la région, dont **Wai-O-Tapu Thermal Wonderland** (☎07-366 6333 ; www.waiotapu.co.nz ; 201 Waiotapu Loop Rd, près de la SH5 ; adulte/enfant/famille 32,50/11/80 $; 🕒8h30-17h, dernière entrée 15h45) et **Waimangu Volcanic Valley** (☎07-366 6137 ; www.waimangu.co.nz ; 587 Waimangu Rd ; circuits pédestres adulte/enfant 37/12 $, en bateau 42,50/12 $; 🕒8h30-17h, 8h30-18h jan, dernière entrée 15h, 16h jan), au sud en direction de la ville de Taupo, située en bord de lac.

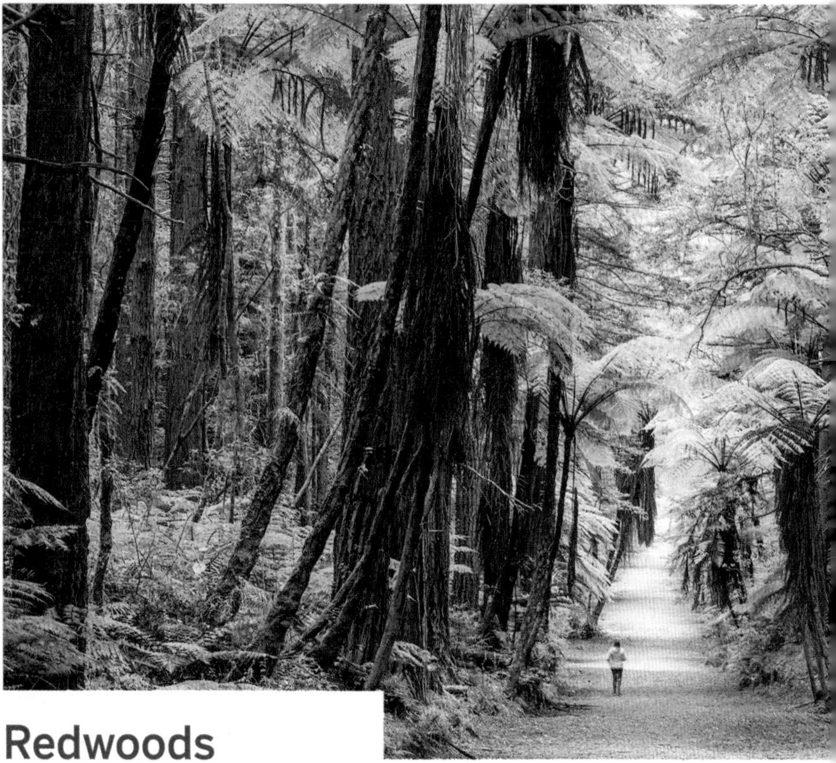

Redwoods Whakarewarewa Forest

Non loin du centre de Rotorua, ce vert labyrinthe de sentiers pédestres et de pistes de VTT parmi de grands séquoias est la destination préférée des familles.

Pour ceux qui aiment...

☑ **Ne ratez pas**

La traversée du Redwoods Treewalk, une série de passerelles suspendues entre des séquoias centenaires.

À 3 km au sud-est de la ville sur Tarawera Rd, ce parc forestier abritait à l'origine plus de 170 espèces d'arbres, plantées en 1899 pour tester les possibilités de produire du bois d'œuvre. D'imposants séquoias sempervirens lui confèrent sa splendeur actuelle. Il comporte des sentiers pédestres de longueurs diverses, de la balade de 30 minutes dans le Redwood Grove à la randonnée d'une journée entière au Lake Blue et au Lake Green.

Depuis janvier 2016, la forêt accueille le **Redwoods Treewalk** (☎07-350 0110 ; www.treewalk.co.nz ; Redwoods Whakarewarewa Forest ; adulte/enfant 25/15 $; ⏲8h30-18h), un parcours de plus de 500 m comprenant 21 passerelles en bois suspendues entre des séquoias. Il s'élève pour l'essentiel à 6 m au-dessus du sol, avec des pointes à 12 m, mais il est question d'augmenter sa hauteur jusqu'à 20 m.

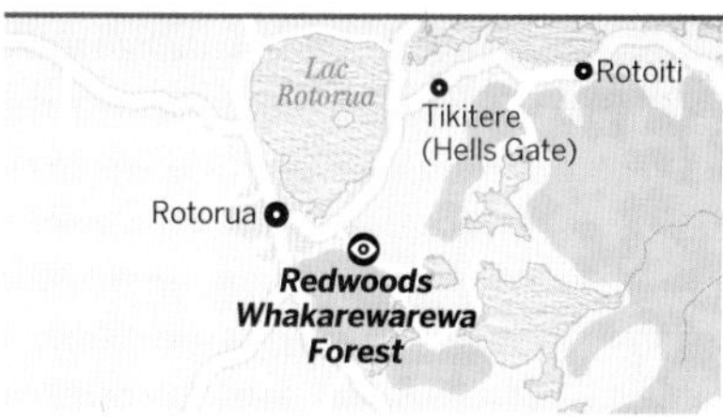

Infos pratiques

Le site Internet de la **Redwoods Whakarewarewa Forest** (07-350 0110 ; www.redwoods.co.nz ; Long Mile Rd, près de Tarawera Rd ; 8h30-17h) GRATUIT fournit d'excellentes informations sur les randonnées et autres activités.

Une petite faim ?

Les gâteaux de **Mistress of Cakes** (07-345 6521 ; www.mistressofcakes.co.nz ; Shop 2, 26 Lynmore Ave ; en-cas 4-8 $; 8h30-17h30 mar-ven, 9h-15h sam-dim) vous requinqueront après l'effort.

★ Bon à savoir

Venez plutôt en semaine pour profiter pleinement de la tranquillité de la forêt.

Le parc se prête également au pique-nique et au VTT.

Dans les environs

À 16 km de la Redwoods Whakarewarewa Forest – *via* les jolis Blue Lake et Green Lake – le lac Tarawera invite à se baigner, pêcher, marcher et voguer sur l'eau. **Clearwater Cruises** (027 362 8590, 07-345 6688 ; www.clearwater.co.nz ; croisière/bateau de location 550/145 $ de l'heure) propose des croisières panoramiques et des bateaux à moteur à piloter soi-même. **Lake Tarawera Water Taxi & Eco Tours** (07-362 8080 ; www.ecotoursrotorua.co.nz ; 1375 Tarawera Rd ; adulte/enfant 65/35 $; départs à 14h) organise des excursions sur le lac et le transport en bateau-taxi (sur réservation) à Hot Water Beach et au Tarawera Trail (15 km, 5-6 heures). Le **Landing Café** (07-362 8502 ; plats 15-40 $; 10h-tard), donnant sur le plan d'eau, sert des glaces à base de fruits frais.

À 15 km de Rotorua sur Tarawera Rd, le village de Te Wairoa fut enseveli en 1886 par l'éruption du Mt Tarawera. Il s'agissait autrefois d'une étape pour les visiteurs se rendant aux Pink and White Terraces. Des guides en costume d'époque conduisent les groupes sur les sites fouillés et un musée expose les objets mis au jour. Une marche mène aux Te Wairoa Falls, des chutes de 30 m de haut.

À VTT

La Nouvelle-Zélande est une destination reine pour la pratique du VTT, notamment le long des sentiers forestiers de Rotorua.

Pour ceux qui aiment...

☑ Ne ratez pas

L'ascension en télécabine au sommet du Mt Ngongotaha et la descente à VTT d'un de ses 11 sentiers.

Bienvenue dans l'une des destinations phares de l'hémisphère Sud pour pratiquer le VTT, qu'on soit débutant, en famille ou vétéran de ce sport.

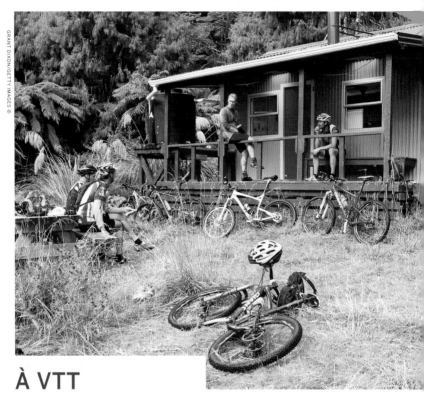

À la lisière de la ville, la Redwoods Whakarewarewa Forest (p. 134) compte près de 100 km d'itinéraires cyclables de niveaux divers. Notez toutefois que tous les sentiers ne sont pas conçus pour le vélo et qu'il importe de suivre la signalisation. Le centre d'accueil des visiteurs distribue des cartes. **Mountain Bike Rotorua** (☎0800 682 768 ; www.mtbrotorua.co.nz ; Waipa State Mill Rd ; VTT pour 2h/1 journée à partir de 35/45 $, sorties guidées demi-journée/journée à partir de 130/275 $; ⊙9h-17h) loue des vélos à l'entrée de la Redwoods Whakarewarewa Forest, point de départ des sentiers de VTT. Son nouveau "**pôle aventure**" (☎07-348 4290 ; www.mtbrotorua.co.nz ; 1128 Hinemoa St ; ⊙9h-

GRANT DIXON/GETTY IMAGES ©

17h), dans le centre, fournit aussi des VTT, dispense des informations et comprend un sympathique café. **Planet Bike** (☎027 280 2817 ; www.planetbike.co.nz ; Waipa Bypass Rd ; VTT 2 heures/journée à partir de 35/60 $) constitue une autre option pour la location et les circuits guidés (3 heures/demi-journée 150/199 $).

Également parmi les hauts lieux de ce sport, le nouveau **Skyline MTB Gravity Park** (☎07-347 0027 ; www.skyline.co.nz/rotorua ; Fairy Springs Rd ; 1/15 trajets en télécabine avec vélo 29/55 $; ⏰9h-17h) comprend 11 sentiers de difficulté variable descendant les pentes boisées du Mt Ngongotaha, lui-même accessible en télécabine. Location de VTT sur place (2 heures/demi-journée à partir de 60/90 $) auprès de Mountain Bike Rotorua.

Infos pratiques

Le site www.riderotorua.com dispense quantité d'informations sur le VTT à Rotorua.

Une petite soif ?

À Rotorua, la micro-brasserie **Brew** (p. 144) a les faveurs des vététistes locaux.

★ Bon à savoir

Crankworx (www.crankworx.com), le festival du VTT, a lieu en mars.

Pour prendre des forces avant de pédaler, le **Third Place Cafe** (☎07-349 4852 ; www.thirdplacecafe.co.nz ; 36 Lake Rd ; plats 14-19 $; ⏰7h30-16h lun-ven, 7h30-15h30 sam-dim), avec vue sur le lac, sert un "Roasted Kumara Mumble Jumble" (patates douces, tomates et chorizo recouverts de bacon, d'un œuf poché et de sauce hollandaise) très roboratif au petit-déjeuner.

Non loin, le Te Ara Ahi Trail (66 km, 2 jours) fait partie des "Great Rides" de New Zealand Cycle Trail (www.nzcycletrail.com). De niveau moyen, il va de la ville vers le sud jusqu'à Wai-O-Tapu Thermal Wonderland et au-delà.

Si vous souhaitez en savoir plus, l'i-SITE de Rotorua (p. 145) accueille une exposition consacrée à la scène montante du VTT.

Freefall Xtreme

JOHN BORTHWICK/GETTY IMAGES ©

Sports extrêmes

Si Queenstown s'impose comme la capitale néo-zélandaise des sports extrêmes, Rotorua n'est pas en reste en matière de belles frayeurs.

Pour ceux qui aiment...

☑ Ne ratez pas

Le passage en rafting des Tutea Falls (7 m) sur la rivière Kaituna.

Sports extrêmes

Agroventures Sports extrêmes

(☎0800 949 888, 07-357 4747 ; www.agroventures.co.nz ; Western Rd, sur Paradise Valley Rd, Ngongotaha ; 1/2/4/5 activités(s) 49/79/109/189 $; ⌚9h-17h). À 9 km au nord de Rotorua sur la SH5 (navettes à disposition), Agroventures ne manque pas d'activités décoiffantes : il y a du saut à l'élastique à 43 m, le Swoop, qui vous projette, seul ou à trois, dans un mouvement de balancier pouvant atteindre 130 km/h, et le Freefall Xtreme, qui simule un saut en chute libre. Citons aussi le Shweeb, capsule transparente dans laquelle on pédale allongé pour se déplacer le long d'un monorail à 60 km/h.

Zorb Sports extrêmes

(☎07-357 5100, 0800 227 474 ; www.zorb.com ; angle Western Rd et SH5, Ngongotaha ; parcours à

Rafting sur la Kaituna River

FRANS LEMMENS/GETTY IMAGES ©

partir de 39 $; 9h-17h, 9h-19h déc-mars). À 9 km au nord de Rotorua sur la SH5, trois parcours pour dévaler des pelouses à l'intérieur de grosses sphères transparentes : 150 m tout droit, 180 m en zigzag ou le "Drop" de 250 m. On peut descendre la pente sanglé et au sec, ou en freestyle, sans attaches... avec de l'eau dans la sphère. Une nouveauté, le "Zurf", permet de surfer en même temps.

Ogo Sports extrêmes

(0800 646 768, 07-343 7676 ; www.ogo.co.nz ; 525 Ngongotaha Rd ; descente à partir de 45 $; 9h-17h, 9h-18h30 déc-fév). À 5 km au nord de la ville, vous descendrez en roulant le versant herbeux d'une colline dans une sphère géante, remplie d'eau ou non. Stupide, hilarant ou effrayant ? Sans doute les trois à la fois...

Infos pratiques

Les tour-opérateurs nautiques assurent gratuitement la navette jusqu'à la Kaituna et les cours d'eau.

Une petite soif ?

Les smoothies aux fruits de l'**Okere Falls Store** (07-362 4944 ; www.okerefallsstore.co.nz ; SH33, Okere Falls ; en-cas 5-15 $; 7h-19h, *beer garden* jusqu'à 20h30 sam) aident à recharger les batteries après une descente de la Kaituna.

★ Bon à savoir

Consultez le site www.rotoruacombos.com pour des formules à prix réduits combinant un large choix d'activités ébouriffantes.

Rafting et kayak

Raftabout Rafting

(0800 723 822, 07-343 9500 ; www.raftabout.co.nz). Descente des rivières Kaituna (105 $), avec passage des Tutea Falls, hautes de 7 m, Rangitaiki (139 $) et Wairoa (129 $). Luge aquatique sur la Kaituna (129 $).

River Rats Rafting

(07-345 6543, 0800 333 900 ; www.riverrats.co.nz). Descente des rivières Wairoa (129 $), Kaituna (105 $) et Rangitaiki (139 $), plus une sortie sur le cours inférieur de la Rangitaiki (classe II) convenant bien aux plus jeunes (adulte/enfant 139/110 $). Location de kayaks (adulte/enfant 59/39 $) et luge aquatique sur la Kaituna (129 $).

Wet 'n' Wild Rafting

(0800 462 7238, 07-348 3191 ; www.wetnwildrafting.co.nz). Sorties sur la Kaituna (99 $), la Wairoa (110 $) et la Mokau (160 $), balades tranquilles sur la Rangitaiki (adulte/enfant 130/100 $) et excursions longue durée sur la Motu et la Mohaka (excursion 2-5 jours 650-1 095 $).

À la rencontre de la culture maorie

L'occasion de découvrir la culture des premiers habitants de la Nouvelle-Zélande fait partie des attraits de Rotorua – même si certains dénoncent une exploitation mercantile. Vous pourrez ainsi assister à des concerts et des *hangi* (festins maoris), souvent proposés lors d'une soirée comprenant aussi les fameux *hongi* (salutation maorie : front contre front et nez contre nez pour partager le souffle vital) et danses *haka* et *poi*.

Le **Tamaki Maori Village** (☎0508 826 254, 07-349 2999 ; www.tamakimaorivillage.co.nz ; billetterie 1220 Hinemaru St ; adulte/famille 115/310 $, enfant 25-65 $; ⏲visites à 17h, 18h15 et 19h30 nov-avr, 18h15 mai-oct) et le **Mitai Maori Village** (☎07-343 9132 ; www.mitai.co.nz ; 196 Fairy Springs Rd ; adulte/famille 116/315 $, enfant 23-58 $; ⏲18h30), plus familial, sont des favoris de longue date. **Te Puia** (p. 133) et la **Whakarewarewa Thermal Reserve** (p. 132) proposent des formules similaires et nombre d'hôtels importants organisent des concerts et *hangi* maoris grand public

Sculpture sur bois à Te Puia (p. 133)
HOLGER LEUE/GETTY IMAGES ©

Rotorua

Surnommée "Rotovegas" par les vacanciers néo-zélandais, qui aiment depuis longtemps y séjourner, Rotorua voit également affluer des touristes étrangers, séduits par ses phénomènes géothermiques, sa culture maorie et ses activités familiales.

À VOIR

Rotorua Museum Musée, galerie
(☎07-350 1814 ; www.rotoruamuseum.co.nz ; Queens Dr, Government Gardens ; adulte/enfant 20/8 $; ⏲9h-17h mars-nov, jusqu'à 18h déc-fév, visites toutes les heures 10h-16h, plus 17h déc-fév). Ce remarquable musée occupe un bel édifice Tudor. Un film passionnant (20 minutes ; toutes les 20 minutes à partir de 9h ; déconseillé aux jeunes enfants – bruits authentiques) sur l'histoire de Rotorua montre, entre autres, l'éruption du Tarawera. La splendide Don Stafford Wing abrite 8 galeries consacrées au peuple Te Arawa de Rotorua, riches en sculptures en bois, tissages, objets de jade et expositions interactives. On y découvre aussi l'histoire du fameux bataillon de 28 Maoris de la Seconde Guerre mondiale. Le musée accueille enfin deux galeries d'art et un café avec vue sur le jardin (mais c'est depuis le toit que le panorama sur la ville est le plus beau).

Ohinemutu Site historique
GRATUIT Ce village maori au bord du lac (accès par Kiharoa St, Haukotuku St ou Korokai St près de Lake Rd, au nord du Rotorua Hospital) témoigne de la fusion des cultures maorie et européenne. Vous y verrez la maison commune Tama-te-kapua (fermée au public) datant de 1905, de nombreux orifices volcaniques fumants et la **St Faith's Anglican Church** (☎07-348 2393 ; angle Mataiawhea St et Korokai St, Ohinemutu ; entrée sur donation ; ⏲8h-18h, messes 9h dim et 10h mer), une vieille église en bois. Cette dernière présente des sculptures maories élaborées, des *tukutuku* (panneaux tissés) et un vitrail figurant le Christ en costume autochtone en train de marcher sur les eaux du lac Rotorua.

Adoptez une attitude respectueuse car vous pénétrez dans le domaine quotidien des habitants, qui n'apprécient guère les touristes bruyants qui déambulent en prenant des photos.

Paradise Valley Springs Réserve naturelle
(☎07-348 9667 ; www.paradisevalleysprings.co.nz ; 467 Paradise Valley Rd ; adulte/enfant

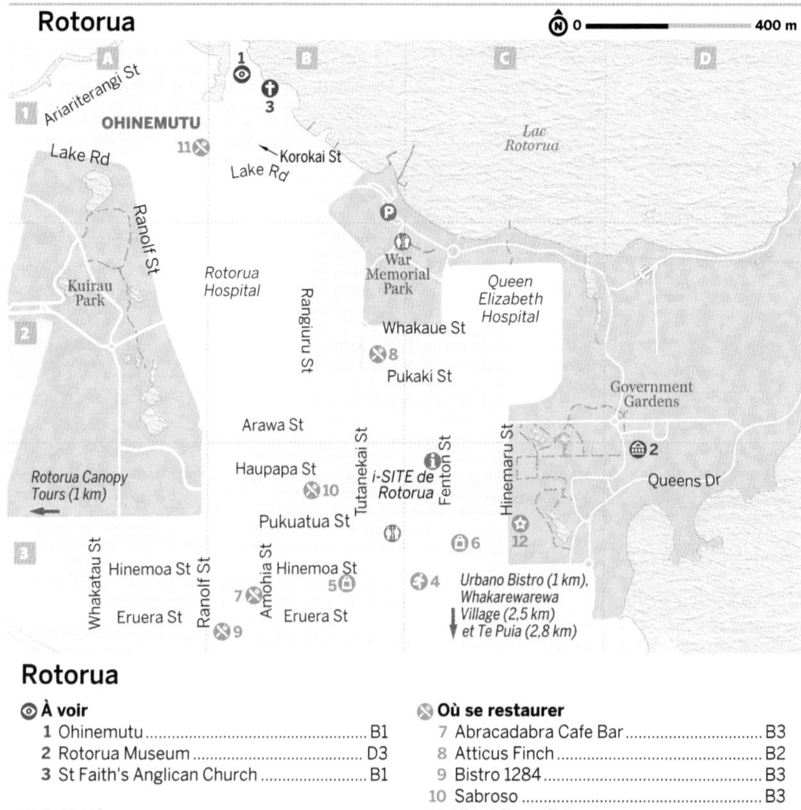

Rotorua

À voir

1 Ohinemutu B1
2 Rotorua Museum D3
3 St Faith's Anglican Church B1

Activités

4 Mountain Bike Rotorua Adventure Hub C3

Achats

5 Maori Made B3
6 Rākai Jade C3

Où se restaurer

7 Abracadabra Cafe Bar B3
8 Atticus Finch B2
9 Bistro 1284 .... B3
10 Sabroso B3
11 Third Place Cafe A1

Où prendre un verre et faire la fête

Brew .... (voir 8)
Ponsonby Rd .... (voir 8)

Où sortir

12 Tamaki Maori Village C3

30/15 $; 8h-coucher du soleil, dernière entrée 17h). Au pied du Mt Ngongotaha, à 8 km de Rotorua, ce parc de 6 ha abrite des cours d'eau où évoluent truites et grosses anguilles, des daims, des alpagas, des opossums et des lions introduits d'Afrique (nourris à 14h30).

Rainbow Springs Réserve naturelle
(0800 724 626 ; www.rainbowsprings.co.nz ; 192 Fairy Springs Rd ; forfait journée adulte/enfant/famille 40/20/99 $; 8h30-tard). Les sources naturelles peuplées de truites et d'anguilles sauvages, observables sous l'eau, enchanteront les familles. Le parc comprend des sentiers d'interprétation, une activité aquatique ("Big Splash"), quantité d'animaux, dont le tuatara (lézard endémique), et des espèces d'oiseaux indigènes (kea, kaka et pukeko). Le Kiwi Encounter donne l'occasion, rare, de voir de près des kiwis, une espèce menacée. Les

visites de 30 minutes (en sus 10 $/pers) permettent de découvrir, sur la pointe des pieds, la couveuse et la poussinière.

Rainbow Springs est à quelque 3 km au nord du centre de Rotorua.

ACTIVITÉS

Rotorua Canopy Tours — Sports extrêmes

(☎07-343 1001, 0800 226 679 ; www.canopytours.co.nz ; 173 Old Taupo Rd ; visite 3 heures adulte/enfant/famille 139/95/419 $; ⏲8h-20h oct-avr, 8h-18h mai-sept). Un réseau de 1,2 km de ponts, tyroliennes et plates-formes, à 22 m de haut, au milieu de la canopée d'une forêt native luxuriante (un des arbres rimu est supposé avoir 1 000 ans !), hantée de maints oiseaux endémiques. À 10 minutes de la ville ; navette gratuite possible.

CIRCUITS ORGANISÉS

Mt Tarawera Volcanic Experience — Circuits

(Katikati Adventures ; ☎0800 338 736 ; www.mt-tarawera.com ; 149 $/pers). Découvrez de près le paysage volcanique impressionnant du Mt Tarawera dans le cadre d'un circuit guidé incluant un trajet en 4x4 et une marche autour de la bouche du cratère. Vous pourrez même descendre à l'intérieur. Des formules combinées incluent le survol en hélicoptère de la montagne et des lacs voisins.

Geyser Link Shuttle — Circuits en bus

(☎03-477 9083, 0800 304 333 ; www.travelheadfirst.com/local-legends/geyser-link-shuttle). Une visite des sites touristiques majeurs, englobant Wai-O-Tapu (demi-journée adulte/enfant 75/35 $), Waimangu (demi-journée adulte/enfant 75/35 $), ou les deux (journée 125/65 $). Des circuits comprenant Hobbiton et Whakarewarewa sont également proposés.

Happy Ewe Tours — Cyclotourisme

(☎022 622 9252 ; www.happyewetours.com ; adulte/enfant 55/35 $; ⏲10h et 14h). Circuit de 3 heures en petit groupe, passant par 20 sites de Rotorua. Nul besoin d'être en grande forme, l'itinéraire est plat et tranquille.

Rotorua Museum (p. 140)

ACHATS

Maori Made Vêtements, artisanat
(☎022 047 5327, 021 065 9611 ; maorimade.rotorua@gmail.com ; 1180 Hinemoa St ; ⏲10h-17h lun-ven, 10h-14h sam). Cette boutique de qualité vend le travail de plusieurs créateurs locaux mêlant tradition maorie et inspiration contemporaine. On y trouve des vêtements, des tissages, des bijoux et des articles de maison, souvent en exclusivité. Se démarquent du lot les T-shirts kiwis originaux de Paua Frita, la mode féminine stylée de Mereana Ngatai et les peintures de Mahi Toi.

Rākai Jade Artisanat
(☎027 443 9295 ; www.rakaijade.co.nz ; 1234 Fenton St). Si les objets en *pounamu* (jade) disponibles ne vous plaisent pas, l'équipe de sculpteurs maoris vous aidera à réaliser votre propre bijou (150-180 $) ; prévenez de préférence la veille et comptez une journée entière.

OÙ SE RESTAURER

L'extrémité de Tutanekai St côté lac, surnommée "Eat Streat", abrite des restaurants indiens, thaïs et italiens.

Gold Star Bakery Boulangerie $
(☎07-349 1959 ; 89 Old Taupo Rd ; pies 4-5 $; ⏲6h-15h lun-sam). En arrivant à Rotorua depuis le nord, une halte s'impose dans cette boulangerie hautement réputée pour ses *pies*. De la tourte poulet-champignons à la classique bœuf-fromage, vous aurez l'embarras du choix.

Abracadabra Cafe Bar Oriental-fusion $$
(☎07-348 3883 ; www.abracadabracafe.com ; 1363 Amohia St ; plats 15-30 $, tapas 10-15 $; ⏲10h30-23h mar-sam, 10h30-15h dim). À mi-chemin entre le Mexique et le Maroc, l'Abracadabra est un repaire magique respirant les épices – tajine de bœuf aux abricots, fajitas de crevette ou porc Tijuana pimenté. La terrasse à l'arrière invite à siroter quelques bières artisanales du cru avec des tapas. Nous vous recommandons vivement le *burrito* du petit-déjeuner et une bouteille de kombucha revitalisant pour le lendemain matin.

Le kiwi, un produit phare

Ce modeste fruit rapporte à la Nouvelle-Zélande plus d'un milliard de dollars par an, et, la Bay of Plenty étant un pôle de production, on ne s'étonnera pas que ses habitants en soient friands.

Originaire de Chine, où il était dénommé "pêche des singes" (on le considérait mûr lorsque les singes le cueillaient), le kiwi fut rebaptisé "groseille de Chine" en parvenant en Nouvelle-Zélande. D'astucieux Néo-Zélandais mirent alors au point une variante aux proportions plus généreuses de ce petit fruit. C'est sous l'appellation marketing "Zespri" que son exportation commença dans les années 1950. Aujourd'hui, les "Zespriens" cultivent 2 sortes de kiwis : celui vert et poilu, bien connu chez nous, et une version *gold*, jaune et lisse. Pour en savoir plus sur ce fruit, prenez contact avec **Kiwi Fruit Country Tours** (☎07-573 6340 ; www.kiwifruitcountrytours.co.nz ; Kiwi Farm Rd), près de Te Puke.

Sabroso Sud-américain $$
(☎07-349 0591 ; www.sabroso.co.nz ; 1184 Haupapa St ; plats 19-30 $; ⏲17h-21h mer-dim). Décor de sombreros, guitares, nappes en toile de jute et poivriers en bouteilles de Corona pour cette *cantina* latino-américaine sans chichis, qui réussit très bien le chili de haricots noirs, les tacos aux calmars et les margaritas. Mieux vaut réserver car l'endroit a beaucoup de succès. Avant de partir, achetez la sauce piquante du patron pour rehausser votre prochain barbecue kiwi.

Urbano Bistro Néo-zélandais moderne $$
(☎07-349 3770 ; www.urbanobistro.co.nz ; angle Fenton St et Grey St ; plats petit-déj et déjeuner 14-21 $, dîner 24-43 $; ⏲9h-23h lun-sam, 9h-15h dim).

La légende de Hinemoa et Tutanekai

Hinemoa, jeune fille d'un *hapu* de la rive ouest du lac Rotorua, et Tutanekai, jeune homme d'un *hapu* de Mokoia Island, tombèrent amoureux lors d'un rassemblement tribal. Le mariage leur était cependant interdit du fait de la naissance illégitime de Tutanekai.

De retour à Mokoia, le garçon transi joua pour sa dulcinée une mélodie à la flûte, que le vent porta de l'autre côté des eaux. Hinemoa entendit sa déclaration, mais les siens attachèrent les pirogues la nuit pour l'empêcher de le rejoindre.

Finalement, Hinemoa se déshabilla et couvrit à la nage la longue distance séparant le rivage de l'île, où elle se trouva confrontée à un dilemme. Ne pouvant se présenter nue au village, elle sauta dans un bassin d'eau chaude pour réfléchir à une solution.

À ce moment-là, un homme vint puiser de l'eau à la source voisine. À Hinemoa, qui lui demandait d'une voix virile son identité, celui-ci se présenta comme l'esclave de Tutanekai. La jeune fille s'empara alors de sa calebasse et la brisa en mille morceaux. D'autres esclaves arrivèrent et leurs calebasses subirent le même sort jusqu'à l'intervention de Tutanekai. Apprenant que l'intruse était Hinemoa, il l'emmena en cachette dans sa hutte.

Le lendemain, après une grasse matinée suspecte, un esclave révéla que quelqu'un partageait le lit de Tutanekai. Les deux amants furent découverts, mais les efforts surhumains déployés par Hinemoa pour rejoindre son bien-aimé eurent raison des dernières oppositions à leur union, qui finit par être célébrée.

Des descendants de Hinemoa et Tutanekai vivent encore aujourd'hui autour de Rotorua.

À la périphérie de la ville, des restaurateurs locaux de renom ont eu l'audace d'ouvrir cette adresse tendance, décorée d'un immense tapis à damier et de papier peint aux motifs sinueux. Goûtez le curry de bœuf à l'ananas et aux patates douces, bien préparé et riche de saveurs. Bonne cave et service cinq étoiles. En journée, le restaurant devient un café, moins formel et d'un intéressant rapport qualité/prix.

Atticus Finch Bistrot **$$**

(07-460 0400 ; www.atticusfinch.co.nz ; 1106 Tutanekai St, Eat Streat ; assiettes à partager 15-32 $; 12h-15h et 17h-tard). Avec son nom, inspiré de celui du célèbre avocat du roman *Ne tirez pas sur l'oiseau moqueur* et le cocktail baptisé d'après son auteur, le Harper Lee, ce bistrot détendu affiche d'emblée ses références littéraires. Côté cuisine, les plats à partager s'inspirent de l'Asie et de la Méditerranée – commandez les crevettes au gingembre et au piment ou les boules de mozzarella. La carte choisie de bières et de vins néo-zélandais ajoute une touche locale. Les assiettes de fromages ou de charcuterie (17-34 $) font un honorable en-cas pour un couple ou un groupe.

Bistro 1284 Néo-zélandais moderne **$$$**

(07-346 1284 ; www.bistro1284.co.nz ; 1284 Eruera St ; plats 36-42 $; 18h-tard). Haut lieu gastronomique dans l'insignifiante Eruera St, cette adresse intime (aux tons automnaux) sert une savoureuse cuisine kiwie aux notes asiatiques et européennes. Essayez l'agneau recouvert d'une croûte de noix de pécan et gardez de la place pour le crumble pêche-mangue au dessert.

OÙ PRENDRE UN VERRE ET FAIRE LA FÊTE

Brew Bar à bières

(07-346 0976 ; www.brewpub.co.nz ; 1103 Tutanekai St, Eat Streat ; 11h-tard lun-ven, 9h-tard sam-dim). Tenu par les gérants de la Croucher Brewing Co, le Brew occupe un emplacement ensoleillé dans la principale rue à restaurants de la ville. Treize bières

Inferno Crater, Waimangu Volcanic Valley (p. 133)

à la pression de la microbrasserie phare de Rotorua y côtoient d'autres productions néo-zélandaises et étrangères. La Croucher Pilsner se marie bien avec la pizza à l'effiloché de porc et aux crevettes. Le café n'est pas mauvais non plus. Des groupes et des DJ se produisent parfois le vendredi soir.

Ponsonby Rd Bar à cocktails
(☎021 640 292 ; www.ponsonbyrd.co.nz ; 1109 Tutanekai St, Eat Streat ; ⏰17h-tard). L'ancien présentateur météo Tamati Coffey a introduit à Rotorua le style urbain flashy – son établissement porte le nom de la grande rue des bars et des restaurants à Auckland. Lumière rouge, velours et box douillets créent un cadre parfait où savourer des cocktails baptisés d'après des légendes maories. Musique live à partir de 21h presque tous les week-ends.

ℹ RENSEIGNEMENTS

i-SITE de Rotorua (☎0800 768 678, 07-348 5179 ; www.rotoruanz.com ; 1167 Fenton St ; ⏰7h30-18h). Le pôle d'informations et réservations touristiques, y compris pour les randonnées du Department of Conservation (DOC). Renseignements sur le VTT. Café, douches et casiers.

ℹ DEPUIS/VERS ROTORUA

Aéroport régional de Rotorua (ROT ; ☎07-345 8800 ; www.rotorua-airport.co.nz ; SH30). À 10 km au nord-est de la ville. **Super Shuttle** (☎09-522 5100, 0800 748 885 ; www.supershuttle.co.nz ; 1er passager/passager suppl 21/5 $). Service porte à porte depuis/vers l'aéroport (1 passager 21 $, puis 5 $/pers suppl). **Baybus** (☎0800 422 928 ; www.baybus.co.nz) couvre aussi la liaison avec l'aéroport (ligne 10, 2,30 $). Un taxi depuis/vers le centre-ville coûte environ 30 $. **Air New Zealand** (☎0800 737 000 ; www.airnewzealand.co.nz) assure des vols directs à destination d'Auckland, Wellington et Christchurch.

Les véhicules des grandes compagnies de bus s'arrêtent devant l'i-SITE de Rotorua, où effectuer les réservations.

ℹ COMMENT CIRCULER

Les principales compagnies de location de voitures disposent d'un comptoir à l'aéroport.

Tolaga Bay

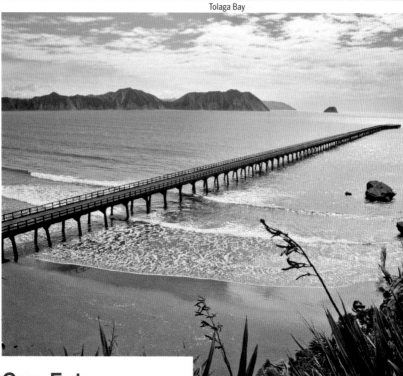

DAVID WALL PHOTO/GETTY IMAGES ©

Cap Est

Nulle part, la culture maorie n'est aussi perceptible que sur la côte est, que parsèment des* marae *(lieux de rassemblement sacrés). Ici, le* te reo *et le* tikanga *(langue et mœurs) sont bel et bien vivants.

Pour ceux qui aiment...

Ne ratez pas

À 11 km au sud des geysers de Te Puia, Tokomaru Bay, une large plage bordée de falaises décrivant une courbe majestueuse.

La culture maorie imprègne le cap Est, où des villages assoupis sont organisés autour des nombreuses *marae* disséminées dans la région. Les *tangata whenua* (Maoris locaux), qui vivent en communautés soudées, tirent l'essentiel de leurs revenus de la terre et de la mer. Ils offrent un précieux témoignage de ce que fut la vie des Maoris avant qu'ils ne soient privés d'une grande partie de leurs terres au XIXe siècle.

Les principales *iwi* de la région sont les Te Whanau-a-Apanui (www.apanui.co.nz ; ouest du cap Est), les Ngati Porou (www.ngatiporou.com ; est du cap Est), les Ngati Kahungunu (www.kahungunu.iwi.nz ; en descendant à partir de Hawke's Bay) et les Ngati Tuhoe (www.ngaituhoe.iwi.nz ; à l'intérieur des terres, au Te Urewera).

Les Ngati Porou et les Ngati Kahungunu, qui forment respectivement la deuxième

Sculpture maorie, Whakarewarewa Thermal Reserve

ADWO ©

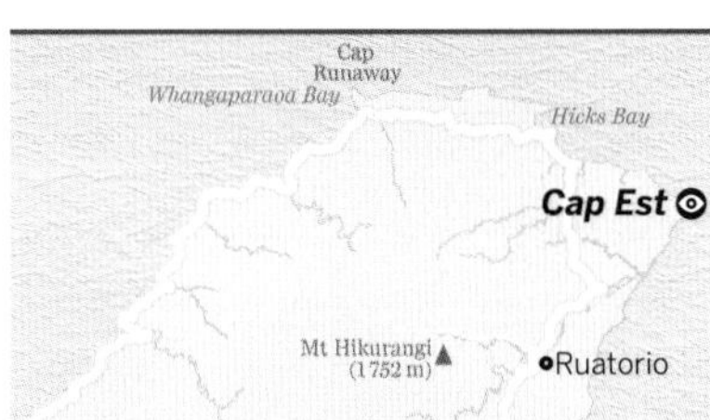

Infos pratiques

Centre d'information de Gisborne (06-868 6139 ; outeast.co.nz ; 209 Grey St ; 8h30-17h lun-ven, 10h-16h sam-dim ;).

Une petite faim ?

Les habitants se retrouvent à la **Te Puka Tavern** (06-864 5465 ; www.tepukatavern.co.nz ; 135 Beach Rd, Tokomaru Bay ; plats 13-28 $; 11h-tard ;), un pub bien tenu doté d'une vue époustouflante sur l'océan.

Bon à savoir

Pour profiter au mieux de la Pacific Coast Hwy, mieux vaut être véhiculé – à pédales ou à moteur !

et la troisième ethnie la plus importante en termes de population, donnèrent au pays deux hommes politiques importants à la fin du XIXe siècle : James Carroll (le premier Maori à devenir membre du Conseil des ministres) et Apirana Ngata (qui occupa brièvement le poste de Premier ministre). Ngata, qui est représenté sur les billets de 50 $ néo-zélandais, a œuvré auprès du Parlement en faveur de la renaissance culturelle des Maoris. Il est notamment à l'origine des *marae* admirablement sculptées de la région.

Pacific Coast Hwy

La Pacific Coast Hwy, qui serpente sur 327 km autour de l'Île du Nord, fait un peu figure de *road trip* initiatique pour les Néo-Zélandais. Si vous aimez les routes panoramiques, vous adorerez cet itinéraire pour voyageurs intrépides.

Vous pourrez couvrir toute la distance en une seule journée, mais vous en profiterez davantage sur 2 jours (ou plus). Si vous manquez de temps, rejoignez Gisborne par la SH2 depuis Opotiki : il s'agit d'une variante de 147 km (2 heures 30) *via* la Waioeka Gorge – où vous pourrez faire une boucle de randonnée de 2 ou 3 heures au départ de Tauranga Bridge (un pont ancien).

Les deux itinéraires sont présentés dans l'excellent *Pacific Coast Highway Guide*, disponible auprès des i-SITEs de Gisborne et d'Opotiki. Avant de partir, faites le plein d'essence, mais aussi de nourriture et de produits d'épicerie – les magasins et les stations-service sont mal approvisionnés. Les hébergements et les lieux de restauration sont également éloignés les uns des autres : organisez-vous en conséquence !

Huka Falls (p. 157)

TAUPO ET HAWKE'S BAY

Dans ce chapitre

Taupo et Hawke's Bay

Entre rivières et sommets montagneux, cette région, toute en diversité, se singularise par sa géologie. Le gros du spectacle géothermique se produit le long de la Taupo Volcanic Zone, qui s'étend jusqu'à Whakaari (White Island), dans la Bay of Plenty, via Rotorua. Ces phénomènes souterrains sont à l'origine du plus grand lac de Nouvelle-Zélande et des trois volcans du Tongariro National Park. Plus à l'est, Hawke's Bay présente de multiples attraits, entre architecture Art déco à Napier et vignobles à la renommée mondiale.

En 2 jours

Prenez le bateau sur le **lac Taupo** pour admirer les **pétroglyphes maoris** (p. 160), puis visitez, dans l'après-midi, le **Taupo Museum** (p. 160). Après vous être offert une bière Lakeman, de fabrication locale, au **Lakehouse** (p. 164), face aux pics du Tongariro National Park, consacrez le deuxième jour au secteur géothermique de **Wairakei** (p. 156).

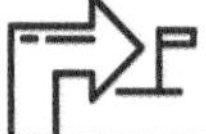

En 4 jours

Longez le **lac Taupo** vers le sud jusqu'à **Turangi** (p. 158), haut lieu de la pêche à la truite, avant de rallier **Ohakune** (p. 165) ou le **National Park Village**, deux excellentes bases pour s'attaquer au **Tongariro Alpine Crossing** (p. 154). Et si vous avez de l'énergie à revendre, vous pourrez parcourir l'**Ohakune Old Coach Road** (p. 166) à VTT le quatrième jour ; sinon, optez pour une dégustation de vins à **Hawke's Bay** (p. 170), ou un circuit de découverte du patrimoine architectural à **Napier** (p. 168).

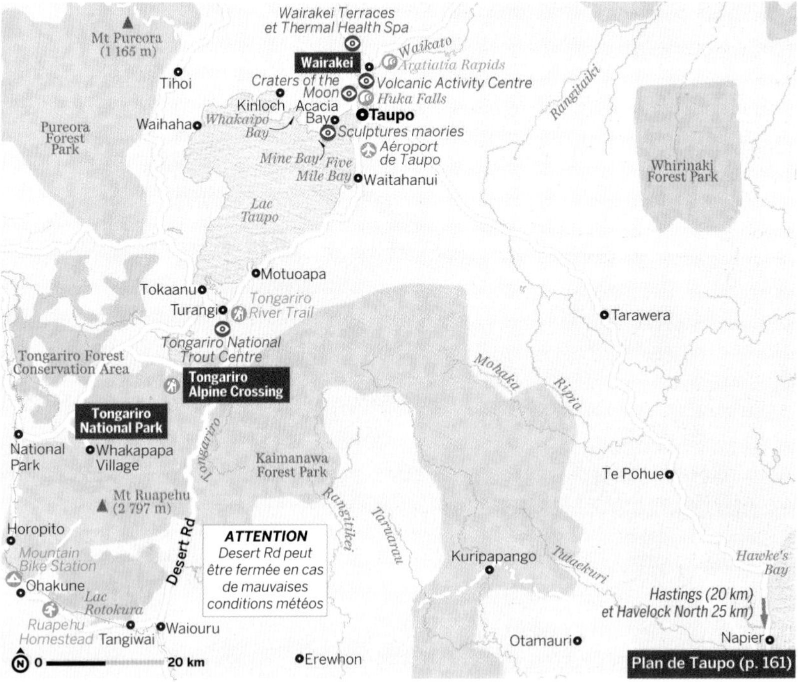

Comment s'y rendre

Aéroport de Taupo À environ 8 km au sud de la ville ; dessert Auckland et Wellington.

i-SITE de Taupo Terminus des bus en provenance d'Auckland, Rotorua et Hamilton. Des navettes et des bus continuent jusqu'au National Park Village et à Ohakune pour le Tongariro Alpine Crossing.

Gare ferroviaire d'Ohakune Le *Northern Explorer*, qui relie Auckland à Wellington, s'arrête ici et au National Park Village voisin.

Où se loger

Taupo compte de nombreux hébergements, tous très demandés fin décembre, en janvier et lors des grands événements sportifs (mieux vaut réserver pour ces mêmes périodes). Ohakune affiche, pour sa part, un honnête choix de motels et d'auberges de jeunesse. Attendez-vous à une hausse des tarifs d'environ 50% en hiver durant la saison de ski, et veillez à réserver très en amont. Le National Park Village, à 36 km au nord d'Ohakune, constitue un point de chute alternatif pour qui aborde la randonnée pédestre du Tongariro Alpine Crossing, ou se lance à VTT sur l'Old Coach Road.

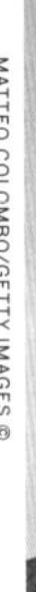

Mt Ngauruhoe

Tongariro National Park

Premier parc national de Nouvelle-Zélande créé en 1887, Tongariro est aussi devenu le plus populaire avec 200 000 visiteurs par an.

Pour ceux qui aiment...

☑ Ne ratez pas

Le survol panoramique avec **Mountain Air** (☎0800 922 812 ; www.mountainair.co.nz ; intersection SH47 et SH48 ; survols 120 $, 25 minutes 195 $, 35 minutes 245 $; ⏲8h-crépuscule).

Au cœur de l'île du Nord, le Tongariro National Park s'étend sur 797 km² et abrite trois volcans en activité : Ruapehu, Tongariro et Ngauruhoe.

Culminant à 2 797 m, le **Mt Ruapehu** (www.mtruapehu.com) est la plus haute montagne de l'île du Nord... et l'un des volcans les plus actifs du monde. Les grondements fréquents nous rappellent que ces volcans sont loin d'être endormis.

Le dernier événement majeur a eu lieu en 2012, lorsque les cratères nord du **Mt Tongariro** – sommet le plus bas (1 967 m) et le plus au nord du parc – furent secoués par deux importantes explosions. Cette activité entraîna même la fermeture de l'Alpine Crossing (p. 154) pendant 9 mois.

Au nord-est de Ruapehu, le **Mt Ngauruhoe** (2 287 m) est le plus jeune des 3 volcans. Il serait né il y a 2 500 ans. Contrairement à ses voisins, le Mt Ngauruhoe

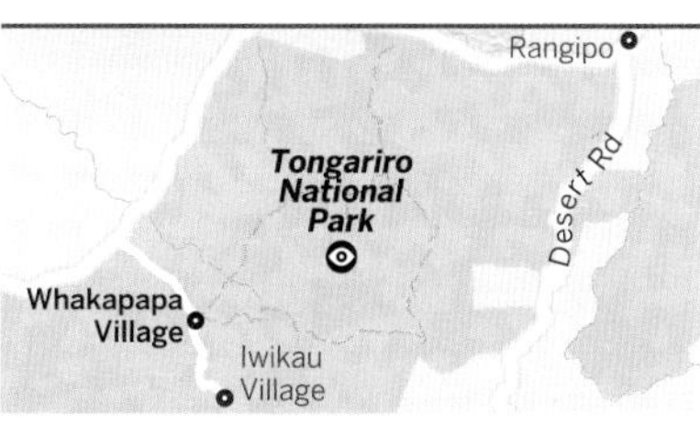

forme un cratère unique. Son aspect conique à la symétrie parfaite en fait un volcan archétypal – raison pour laquelle il fut choisi pour incarner la montagne du Destin dans *Le Seigneur des Anneaux*.

Situé au sein du Tongariro National Park, sur les versants les plus bas du Mt Ruapehu, Whakapapa Village (prononcé "fa-ka-pa-pa" ; altitude : 1140 m) est le point d'accès au parc, où se trouvent le centre d'information et le départ de nombreux sentiers.

Domaines skiables de Whakapapa et Turoa Ski, snowboard

(Whakapapa 07-892 4000, Turoa 06-385 8456 ; www.mtruapehu.com ; forfait journée adulte/enfant 75/45 $). Situés de part et d'autre du Mt Ruapehu, les deux plus grands domaines skiables du pays, reliés entre eux, cumulent 400 ha de pistes (tous niveaux) et atteignent une altitude maximale avoisinant les 2 300 m. Un même forfait est valable pour les deux stations.

Domaine skiable de Tukino Ski, snowboard

(06-387 6294, 0800 885 466 ; www.tukino.co.nz ; forfait journée adulte/enfant 65/35 $). Situé sur les pentes orientales du Mt Ruapehu, à 46 km de Turangi, Tukino n'est accessible qu'en 4x4, par une piste gravillonnée de 14 km qui part de la Desert Rd (SH1). L'endroit (géré par une école de ski), peu fréquenté, compte surtout des pistes pour débutants et skieurs de niveau intermédiaire.

Infos pratiques

Le **centre d'information du Tongariro National Park** (DOC ; 07-892 3729 ; www.doc.govt.nz ; Whakapapa Village, SH 48, Mt Ruapehu ; 8h-17h) fournit des renseignements sur le parc : itinéraires, refuges, pistes ouvertes, météo et état des sentiers.

Une petite faim ?

Laissez-vous tenter par un dîner dans la majestueuse **Ruapehu Room** (plats 30-38 $) de l'iconique **Chateau Tongariro Hotel** (07-892 3809, 0800 242 832 ; www.chateau.co.nz ; Whakapapa Village, SH48, Mt Ruapehu ; d 155-355 $;).

★ Bon à savoir

Le parc est accessible grâce à des navettes qui s'arrêtent à Whakapapa Village, National Park Village, Ohakune, Taupo et Turangi, et desservent surtout les chemins en été, et les remontées mécaniques en hiver. Réservez bien à l'avance.

PENG SHI/500PX ©

Tongariro Alpine Crossing

Ce parcours populaire, considéré comme la plus belle randonnée à la journée du pays, est émaillé d'incroyables paysages volcaniques – failles et sources fumantes, étranges formations rocheuses, bassins d'aspect lunaire...

Pour ceux qui aiment...

☑ Ne ratez pas

La descente des versants jonchés de scories du Red Crater jusqu'aux eaux turquoise miroitantes du Blue Lake.

Chaque année, quelque 10 000 randonneurs empruntent le Tongariro Alpine Crossing, dont la végétation va de simples broussailles à une absence pure et simple de plantes à plus haute altitude.

L'itinéraire débute au parking de Mangatepopo Rd, près de la SH47, et s'achève à Ketetahi Rd, près de la SH46. Il faut de 7 à 8 heures pour couvrir ses 19,4 km, mais la durée de marche est nettement rallongée pour qui se fend de l'ascension du Ngauruhoe (2 heures) ou du Tongariro (3 heures). Attention : prenez bien garde aux éboulis en gravissant le Ngauruhoe.

Quand partir

La période d'affluence maximale coïncide avec les premiers jours de beau temps consécutifs à Noël et Pâques. Plus d'un millier de personnes circulent alors sur

le sentier, et celui-ci est alors très bien desservi par de nombreux opérateurs, qui assurent le transfert aller-retour. Pensez à réserver bien à l'avance et surveillez votre progression pour ne pas rater la navette.

Sécurité

Cette randonnée nécessite de bonnes conditions météo. Faute de quoi, elle se résume à une montée et une descente épuisantes, scandées seulement par les poteaux à bout orange qui balisent le sentier. En cas de vents forts, vous devrez pratiquement ramper le long de la crête du Red Crater, point culminant du trek.

Attention, il s'agit d'une randonnée alpine : votre forme physique doit être adaptée et vous devez être prêt à affronter toutes sortes de climats. On croise pourtant souvent des marcheurs très mal équipés.

Infos pratiques

Les sites www.tongarirocrossing.org.nz et www.doc.govt.nz fournissent des informations pour préparer son trek.

Une petite faim ?

Célébrez la fin du périple au **Station Cafe** (07-892 2881 ; www.stationcafe.co.nz ; angle Findlay St et Station Rd ; plats déjeuner 15-20 $, dîner 28-34 $; 9h-16h lun-mar, jusqu'à 21h mer-dim), au National Park Village.

★ Bon à savoir

Whakapapa Village, National Park Village, Ohakune et Taumarunui font des points de chute commodes pour s'attaquer au Tongariro Alpine Crossing.

Prévoyez des chaussures ad hoc et un vêtement de pluie, ainsi qu'une provision d'eau suffisante car vous n'en trouverez pas entre Mangatepopo et Ketetahi.

Randonnées guidées

Contactez **Adrift Guided Outdoor Adventures** (07-892 2751 ; www.adriftnz.co.nz ; 3 Waimarino-Tokaanu Rd) ou **Adventure Outdoors** (0800 386 925, 027 242 7209 ; www.adventureoutdoors.co.nz), tous deux dans le National Park Village.

Dans les environs

Le Tongariro Northern Circuit, tracé de 50 km (4 jours) qui fait le tour du Mt Ngauruhoe, mérite bien d'appartenir aux "Great Walks".

Le circuit nord est ponctué de curiosités volcaniques spectaculaires qui ont valu au parc de figurer au patrimoine mondial de l'Unesco. Mentionnons le South Crater, le Central Crater et le Red Crater, des lacs aux couleurs improbables – Emerald Lakes, Blue Lake Upper et Lower Tama Lakes –, les féériques Soda Springs, et bien d'autres sites naturels, tels les cônes, les champs de lave et les vallées glaciaires.

L'endroit habituel pour débuter et finir cette randonnée est le Whakapapa Village. Toutefois, nombre de marcheurs commencent à Mangatepopo Rd.

Huka Falls

/GETTY IMAGES ©

Zone géothermique de Wairakei

À une courte distance au nord de Taupo, la zone de Wairakei témoigne des forces naturelles qui ont façonné les paysages accidentés du centre de l'île du Nord.

Pour ceux qui aiment...

☑ Ne ratez pas

Les eaux grondantes et tumultueuses des Huka Falls ou des Aratiatia Rapids.

Wairakei Terraces & Thermal Health Spa Sources chaudes

(☎07-378 0913 ; www.wairakeiterraces.co.nz ; Wairakei Rd ; marche thermale adulte/enfant 18/9 $, piscine 25 $, massage à partir de 85 $; ⏰8h30-20h30 ven-mer, 8h30-19h jeu). Les eaux chargées en minéraux provenant des sources chaudes de la Wairakei, voisine, dévalent ici des terrasses de silice pour se jeter dans des bassins (accessibles aux plus de 14 ans) nichés dans de luxuriants jardins. Offrez-vous un moment d'immersion, avant de flâner, à votre rythme, aux alentours. Vous découvrirez un village maori reconstitué et des gravures représentant l'histoire du pays, des Maoris et des Ngati Tuwahretoa, l'*iwi* (tribu) locale. On y voit aussi des geysers artificiels et des terrasses figurant, à petite échelle, les célèbres Pink and White

Craters of the Moon

PAWEL TOCZYNSKI/GETTY IMAGES ©

Terraces, disparues lors de l'éruption du Tarawera en 1886.

Aratiatia Rapids Rapides

Ces rapides formaient un tronçon spectaculaire de la Waikato jusqu'à ce que l'on construise un barrage hydroélectrique sur le cours de la rivière. Il est toutefois possible, depuis deux points, de contempler l'eau qui sort à flots des vannes à 10h, 12h, 14h et 16h d'octobre à mars, à 10h, 12h et 14h d'avril à septembre. Le site se trouve à 13 km au nord-est de Taupo et 2 km de la SH5.

Craters of the Moon Site géothermique

(☎027 6564 684 ; www.cratersofthemoon.co.nz ; Karapiti Rd ; adulte/enfant 8/4 $; ⌚8h30-17h). Cette zone géothermique méconnue est apparue suite aux manipulations hydroélectriques effectuées pour la centrale électrique. Quand le niveau des eaux souterraines baisse et que la pression change, sourdent de nouvelles émanations de vapeur et autres mares de boue. La boucle autour de ce périmètre (45 minutes) est récompensée d'une vue magnifique sur le lac et les montagnes alentour. Il y a un kiosque à l'entrée dont les bénévoles surveillent le parking. Le site est signalé sur la SH1 à environ 5 km au nord de Taupo.

Huka Falls Chutes d'eau

(Huka Falls Rd). Ces chutes (bien indiquées – parking et kiosque à proximité) marquent l'endroit où le Waikato, plus long fleuve de Nouvelle-Zélande, coule à travers une gorge resserrée avant de se précipiter d'une hauteur de 10 m dans un bassin naturel. De la passerelle, on peut apprécier toute la puissance du torrent que les Maoris appellent Hukanui ("grande masse d'écume"). Empruntez les courts sentiers aux environs, ou le Huka Falls Walkway, pour regagner la ville, ou bien l'Aratiatia Rapids Walking/Cycling Track, qui mène aux rapides. Par temps ensoleillé, l'eau est cristalline et l'on peut prendre de belles photos depuis le point de vue à l'autre bout de la passerelle.

ℹ Infos pratiques

Consultez le site www.wairakeitouristpark.co.nz pour des infos sur le golf, le VTT et autres activités.

✕ Une petite faim ?

À Taupo, accordez-vous une pause-café et une pâtisserie au **Spoon & Paddle** (p. 164).

★ Bon à savoir

Le Volcanic Activity Centre de Wairakei (☎07-374 8375 ; www.volcanoes.co.nz ; Karetoto Rd ; adulte/enfant 12/7 $; ⌚9h-17h lun-ven, 10h-16h sam et dim) traite de l'activité géothermique de la région.

Pêche à la mouche sur la Tongariro

Pêche à la truite

Mondialement réputé pour la pêche à la truite, le secteur autour de Turangi se révèle un bon cadre de vacances, au milieu des rivières du Tongariro National Park.

Pour ceux qui aiment...

☑ Ne ratez pas

Le parcours à pied ou à VTT d'un tronçon du Tongariro River Trail (www.tongarirorivertrail.co.nz), long de 18 km.

Désireux d'améliorer les possibilités de chasse et de pêche, les premiers colons européens introduisirent, dans la seconde moitié du XIXe siècle, la truite commune et la truite arc-en-ciel dans les rivières de Nouvelle-Zélande. Ainsi, la Tongariro forme maintenant la plus importante frayère du district de Taupo et ses eaux poissonneuses jouissent d'une réputation internationale. Plus de 28 000 truites y sont légalement pêchées chaque année. À l'extrémité sud du lac Taupo, Turangi constitue la destination privilégiée, mais on trouve aussi guides et matériel à Taupo même.

La pêche répond à une réglementation stricte et sa pratique requiert un permis. Consultez le site Fish & Game New Zealand (www.fishandgame.org.nz) pour en savoir plus, même si nous vous conseillons plutôt de prendre un guide. La plupart d'entre eux

Pêcheur et truite commune

PETER G KNOTT/GETTY IMAGES ©

organisent des sorties flexibles ; comptez environ 250 $ la demi-journée.

Quelques prestataires sérieux à Turangi : **Creel Tackle House & Cafe** (07-386 7929 ; www.creeltackle.com ; 183 Taupahi Rd ; café 8h-16h, magasin de pêche 7h30-17h). Équipement, conseil, guides et excellent café.

Greig's Sporting World (07-386 6911 ; www.greigsports.co.nz ; 59 Town Centre ; 7h30-17h lun-sam). Location et vente de matériel, guides et location de bateaux.

Sporting Life (07-386 8996 ; www.sportinglife-turangi.co.nz ; The Mall, Town Centre ; 8h30-17h30 lun-sam, 9h15-17h dim). Magasin de sport bien fourni dont le site détaille les conditions de pêche du moment.

Ian & Andrew Jenkins (07-386 0840 ; www.tui-lodge.co.nz). Deux guides (père et fils) de pêche à la mouche.

Infos pratiques

i-SITE de Turangi (07-386 8999, 0800 288 726 ; www.greatlaketaupo.com ; Ngawaka Pl ; 8h30-17h ;)

Une petite faim ?

Cuisine savoureuse et art brut kiwi vous attendent à l'**Hydro Eatery** (07-386 6612 ; www.facebook.com/Hydroeatery ; angle Ohuanga Rd et Pihanga St ; plats 9-18 $; 6h30-16h).

★ Bon à savoir

Si les restaurants néo-zélandais n'ont pas le droit de servir de la truite, les hébergements de Turangi mettent le plus souvent un barbecue à disposition de leurs hôtes.

Central Plateau Fishing (027 681 4134, 07-378 8192 ; www.cpf.net.nz). Brett Cameron, guide basé à Turangi.

Nul besoin d'aimer taquiner le poisson pour s'intéresser au **Tongariro National Trout Centre** (07-386 8085 ; www.troutcentre.com ; SH1 ; adulte/enfant 12 $/gratuit ; 10h-16h déc-avr, 10h-15h mai-nov), 4 km au sud de Turangi. Géré par le DOC, ce centre d'élevage de truites comporte des expositions pédagogiques, une collection de cannes et de moulinets dont certains remontent aux années 1880, et des aquariums d'eau douce recréant le biotope de la rivière. Un chemin champêtre mène à l'alevinière, aux bassins, à une chambre d'observation immergée, à la Tongariro et à une aire de pique-nique.

Taupo

Avec son décor de carte postale sur la rive nord-est du lac, Taupo talonne Rotorua (p. 140) comme destination touristique principale de l'île du Nord. On y trouve abondance d'activités extrêmes, mais, même si vous ne carburez pas à l'adrénaline, vous pourrez aussi profiter de promenades au bord de l'eau en admirant le panorama où se dessinent, par temps clair, les cimes enneigées du Tongariro National Park.

À VOIR

Le lac et les activités en rapport constituent la principale attraction de Taupo.

Taupo Museum Musée

(☎07-376 0414 ; www.taupodc.govt.nz ; Story Pl ; adulte/enfant 5 $/gratuit ; ⏲10h-16h30). Ce petit musée vaut pour sa galerie maorie et ses collections insolites, parmi lesquelles une caravane des années 1960. Sa pièce maîtresse, Te Aroha o Rongoheikume, est une *marae* richement sculptée. On découvre aussi l'histoire industrielle régionale, une reconstitution d'une boutique du XIXe siècle, un squelette de *moa* (Dinornis) et une galerie consacrée aux expositions d'ici et d'ailleurs. Ne manquez pas non plus la roseraie à côté.

Sculptures maories Sculptures

Uniquement accessibles en bateau, ces sculptures de 10 m de haut ont été taillées dans les falaises proches de Mine Bay par le maître artisan Matahi Whakataka-Brightwell à la fin des années 1970. Elles représentent Ngatoro-i-rangi, le navigateur maori qui guida les peuples Tuwharetoa et Te Arawa jusqu'à la région de Taupo il y a environ 1000 ans.

ACTIVITÉS

Pour les accros à l'adrénaline, il existe des formules à prix réduit combinant plusieurs activités.

Taupo Bungy Saut à l'élastique

(☎0800 888 408, 07-377 1135 ; www.taupobungy.co.nz ; 202 Spa Rd ; solo/tandem 169/338 $; ⏲9h-17h, horaires étendus l'été). Sur une falaise dominant le puissant fleuve Waikato,

Saut à l'élastique au-dessus de la Waikato

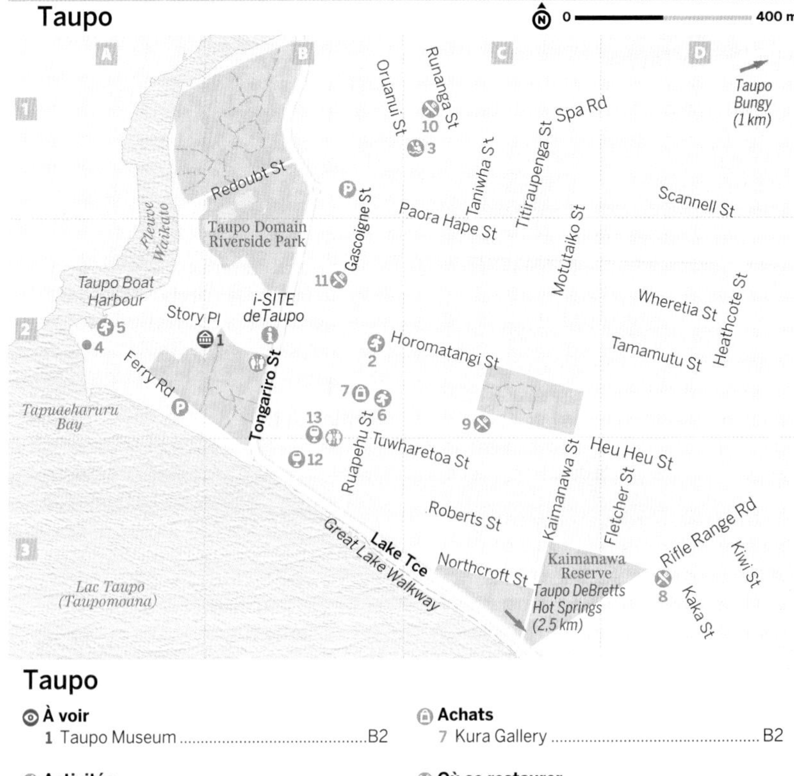

Taupo

À voir
1 Taupo Museum B2

Activités
2 Bike Barn B2
3 Canoe & Kayak C1
4 Chris Jolly Outdoors A2
Ernest Kemp Cruises .... (voir 5)
5 Fish Cruise Taupo A2
6 Rafting NZ Adventure Centre B2
Sail Barbary .... (voir 5)

Achats
7 Kura Gallery B2

Où se restaurer
8 Brantry D3
9 Spoon & Paddle C2
10 Storehouse C1
11 The Bistro B2

Où prendre un verre et faire la fête
12 Lakehouse Taupo B3
13 Vine Eatery & Bar B2

ce magnifique site de saut est le plus couru de l'île du Nord. Les moins téméraires observent, depuis nombre de points de vue, les plus hardis se jeter d'une plate-forme s'avançant de 20 m dans le vide, à 47 m de haut. Tandem possible, y compris pour la balançoire géante (solo/tandem 119/238 $).

Craters of the Moon MTB Park VTT (www.biketaupo.org.nz ; Craters Rd). Pour un choix d'itinéraires de VTT, direction ce parc dans la Wairakei Forest, à 10 minutes en voiture au nord de Taupo. Avant de partir, il vous sera demandé une adhésion temporaire à Bike Taupo. **Bike Barn** (07-377 6060 ; www.bikebarn.co.nz ; angle Horomatangi St et Ruapehu St ; demi-journée/journée 35/50 $; 8h30-17h lun-ven, 9h-16h30 sam-dim) en assurera les démarches et loue par ailleurs des vélos.

Canoe & Kayak Canoë, kayak (0800 529 256, 07-378 1003 ; www.canoeandkayak.co.nz/taupo ; 54 Spa Rd). Cours et location de bateaux, ainsi que circuits

L'histoire de Taupo

Quand le chef maori Tamatea Arikinui vint à Taupo pour la première fois, l'écho de ses pas lui fit croire que la terre était creuse et il le surnomma Tapuaeharuru ("Pas sonores"). Après la découverte du lac par Tia, qui dormit sur la rive dans sa cape, l'endroit fut rebaptisé Taupo Nui a Tia ("Grande cape de Tia").

Les colons européens s'implantèrent en force durant l'East Coast Land War (1868-1872), époque à laquelle le lieu avait rang de base militaire stratégique. En 1869, ils édifièrent une redoute où demeura stationné un détachement de police, et ce jusqu'à la défaite, la même année, de Te Kooti.

Au XXe siècle, le développement de l'automobile vit le village de quelque 750 âmes devenir une grande station touristique accessible depuis la plupart des points de l'île du Nord. Aujourd'hui, la population augmente considérablement en période de vacances, lorsque Néo-Zélandais et visiteurs étrangers affluent vers le "Great Lake".

guidés, dont une sortie sur le Waikato (2 heures, 59 $) ou jusqu'aux sculptures maories du lac (demi-journée 95 $).

Rafting NZ Adventure Centre Sports extrêmes
(0800 238 3688 ; www.raftingnewzealand.com ; 47 Ruapehu St ; 8h30-17h). Dans le centre de Taupo, ce tour-opérateur bien géré propose descentes en rafting sur la Tongariro, circuits en *jet-boat*, saut en chute libre, saut à l'élastique, croisières sur le lac et sorties de pêche.

Taupo DeBretts Hot Springs Sources chaudes
(07-378 8559 ; www.taupodebretts.co.nz ; 76 Napier Taupo Rd ; adulte/enfant 22/11 $; 8h30-21h30). Bassins thermaux ou d'eau chlorée en plein air ou couverts, toboggan en forme de dragon, deux toboggans aquatiques en spirale et "Warm Water Playground" interactif. Pendant que les enfants s'amusent, les parents peuvent profiter des massages détente et des soins du spa.

Hukafalls Jet Jet-boat
(0800 485 253, 07-374 8572 ; www.hukafallsjet.com ; 200 Karetoto Rd ; adulte/enfant 115/69 $). Un circuit décoiffant (30 minutes) à bord d'un *jet-boat* qui remonte le fleuve jusqu'aux eaux tumultueuses des Huka Falls, puis redescend jusqu'au barrage d'Aratiatia en décrivant des virages à 360°. Départs toute la journée (navette depuis Taupo incluse).

Rapids Jet Jet-boat
(0800 727 437, 07-374 8066 ; www.rapidsjet.com ; Nga Awa Purua Rd ; adulte/enfant 105/60 $; 9h-17h été, 10h-16h hiver). En termes de frisson, cette descente de 35 minutes dans la partie inférieure des Aratiatia Rapids rivalise avec les excursions aux Huka Falls. Le bateau part du bout de la route d'accès aux points de vue d'Aratiatia. Suivez Rapids Rd, puis tournez dans Nga Awa Purua Rd.

Heli Adventure Flights Survols panoramiques
(0508 435 474, 07-374 8680 ; www.helicoptertours.co.nz ; 415 Huka Falls Rd ; 99-740 $). Survols en hélicoptère de 10 minutes à 1 heure 30, formule Helijet (189 $) incluant un circuit en *jet-boat* avec Hukafalls Jet (ci-dessus) et autres combinaisons possibles pour les chasseurs et vététistes.

CIRCUITS ORGANISÉS

Ernest Kemp Cruises Croisières
(07-378 3444 ; www.ernestkemp.co.nz ; Taupo Boat Harbour, Redoubt St ; adulte/enfant 40/10 $; 10h30 et 14h toute l'année, plus 17h oct-avr). Une excursion de 2 heures à bord de l'*Ernest Kemp*, réplique de bateau à vapeur, vous emmènera voir les pétroglyphes maoris, Hot Water Beach, les bords du lac et Acacia Bay. Commentaires vivants et thé/café offert. Réservation auprès de **Fish Cruise Taupo** (Launch Office ; 07-378 3444 ; www.fishcruisetaupo.co.nz ; Taupo Boat Harbour,

VICTOR MASCHEK/SHUTTERSTOCK ©

Wairakei Terraces & Thermal Health Spa (p. 156)

Redoubt St ; 9h-17h oct-mars, 9h30-15h avr-sep). Une croisière spéciale de 1 heure 30 débute parfois à 12h30.

Chris Jolly Outdoors Croisières, pêche (07-378 0623, 0800 252 628 ; www.chrisjolly.co.nz ; Taupo Boat Harbour, Ferry Rd ; adulte/enfant 44/16 $). Le gros vaisseau moderne *Cruise Cat* sert pour des parties de pêche et des excursions quotidiennes à destination des sculptures maories (10h30, 13h30 et 17h). Les croisières-brunchs du dimanche (adulte/enfant 62/34 $) valent également le détour, de même que la location de bateau, les randonnées guidées et les circuits à VTT.

Sail Barbary Croisières (07-378 5879 ; www.sailbarbary.com ; Taupo Boat Harbour, Redoubt St ; adulte/enfant 44/25 $; 10h30 et 14h toute l'année, plus 17h déc-fév). Le voilier *Barbary* (1926) assure chaque jour des excursions de 2 heures 30 à la découverte des pétroglyphes maoris.

Huka Falls River Cruise Croisières (0800 278 336 ; www.hukafallscruise.co.nz ; Aratiatia Dam ; adulte/enfant 37/15 $; 10h30, 12h30 et 14h30 toute l'année, plus 16h30 déc-fév). Des traversées tranquilles (1 heure 10) entre l'Aratiatia Dam et les Huka Falls, idéales pour prendre des photos.

ACHATS

Lava Glass Artisanat (07-374 8400 ; www.lavaglass.co.nz ; 165 SH5 ; 10h-17h). Plus de 500 sculptures en verre uniques ponctuent le jardin et les abords de cette galerie située sur la SH5 à une dizaine de kilomètres au nord de Taupo. Les démonstrations de souffleurs de verre, l'excellent café et la boutique incitent à s'attarder. Tous les articles peuvent être soigneusement expédiés.

Kura Gallery Art (07-377 4068 ; www.kura.co.nz ; 47a Heu Heu St ; 10h-16h). Cette petite galerie expose à la vente les peintures, sculptures, tissages et bijoux de plus de 70 artistes de tout le pays, dont beaucoup sont influencés par les cultures maorie et du Pacifique.

La capitale de la carotte

Ohakune abonde en champs de carottes, dont elle est la capitale néo-zélandaise incontestée. Ce légume y fut planté pour la première fois dans les années 1920 par des colons chinois, après un défrichage à la main et au moyen d'explosifs. Il est aujourd'hui célébré chaque année à l'occasion du **Carrot Carnival** (www.carrotcarnival.org.nz ; début juin) et immortalisé en bord de route par Big Carrot, une carotte géante érigée en 1984.

OÙ SE RESTAURER

L'Arté Café $

(07-378 2962 ; www.larte.co.nz ; 255 Mapara Rd, Acacia Bay ; en-cas 4-9 $, plats 10-19 $; 8h-16h mer-dim, tlj jan). Dans ce café arty situé sur la colline derrière Acacia Bay, les plats, alléchants, sont pour la plupart faits sur le vif. Jardin de sculptures, galerie et brunch au soleil.

Spoon & Paddle Café $$

(07-378 9664 ; www.facebook.com/spoonandpaddle ; 101 Heu Heu St ; plats 12-19 $; 8h-16h). Aménagée dans une maison claire et spacieuse des années 1950, cette adresse colorée apporte la preuve qu'il existe des cafés dignes de ce nom quasiment partout en Nouvelle-Zélande. Le café de premier ordre va de pair avec une carte choisie de bières et de vins. Les patrons, jeunes et dynamiques, préparent des plats savoureux telles les tortillas à l'épaule d'agneau et réussissent à merveille les œufs Bénédicte.

Storehouse Café $$

(07-378 8820 ; www.facebook.com/storehousenz ; 14 Runanga St ; plats à partager 7-14 $; 7h-16h lun-mer, 7h-22h jeu-ven, 8h-22h sam, 8h-15h30 dim). Le lieu de restauration le plus branché de Taupo sert dans la journée bagels, sandwichs et café et devient le soir un bar proposant bières artisanales à la pression, cocktails, vins et tapas (tacos, *empanadas*, crevettes à l'ail et au piment...). Gardez de la place au dessert pour le sundae au caramel salé et aux noix de macadamia.

The Bistro Néo-zélandais moderne $$

(07-377 3111 ; www.thebistro.co.nz ; 17 Tamamutu St ; plats 24-36 $; 17h-tard). Couru des habitants – mieux vaut réserver –, l'endroit met l'accent sur les plats simples très bien réalisés à l'aide de produits locaux de saison, comme le confit de canard aux pommes de terre truffées ou les tortellinis au crabe et à la poitrine de porc. Ajoutez-y un choix – restreint mais étudié – de bières et de vins, et vous obtiendrez une valeur sûre. Atmosphère intime sans prétention.

Brantry Néo-zélandais moderne $$$

(07-378 0484 ; www.thebrantry.co.nz ; 45 Rifle Range Rd ; menu 2/3 plats 45/55 $; à partir de 17h30 mar-sam). Occupant une maison discrète des années 1950, le Bantry exerce une domination gastronomique bien établie. Classiques et carnés, les plats sont abordables et parfaitement cuisinés. Entrées et dessert également recommandés.

OÙ PRENDRE UN VERRE ET FAIRE LA FÊTE

Lakehouse Taupo Brasserie

(07-377 1545 ; www.lakehousetaupo.co.nz ; 10 Roberts St ; 7h30-minuit). Ce fief de la bière artisanale à Taupo possède un frigo rempli de bouteilles intéressantes et propose cinq pressions néo-zélandaises en alternance. Commandez la formule dégustation (4 bières 15 $) avec une pizza ou un steak grillé sur pierre. La terrasse a vue sur le lac et, par temps clair, les montagnes au loin.

Vine Eatery & Bar Bar à vins (07-378 5704 ; www.vineeatery.co.nz ; 37 Tuwharetoa St ; 11h-tard). Tout est dans le nom ! Ici, le vin se déguste dans un local aux allures de grange, qui héberge aussi le caviste Scenic Cellars. Large choix de crus à prix abordables, tapas traditionnelles (9-18 $) et plats à partager plus copieux (32-35 $). La meilleure adresse pour frayer avec la bonne société de la ville.

RENSEIGNEMENTS

i-SITE de Taupo (07-376 0027, 0800 525 382 ; www.greatlaketaupo.com ; Tongariro St ; 8h30-17h). Conseils chaleureux et réservation d'hébergements, transports et activités diverses. Plans du DOC et de Taupo à disposition.

DEPUIS/VERS TAUPO

L'**aéroport de Taupo** (07-378 7771 ; www.taupoairport.co.nz ; Anzac Memorial Dr) est à 8 km au sud de la ville. **Air New Zealand** (0800 737 000 ; www.airnz.co.nz) et **Sounds Air** (0800 505 005 ; www.soundsair.com) assurent respectivement des vols depuis/vers Auckland et Wellington.

InterCity (07-348 0366 ; www.intercitycoach.co.nz), **Mana Bus** (www.manabus.com) et **Naked Bus** (www.nakedbus.com) s'arrêtent devant l'i-SITE, où l'on peut réserver son trajet. Des bus se rendent à Auckland, Hamilton et Rotorua.

Renseignez-vous, à l'i-SITE, sur les navettes qui desservent le Tongariro National Park toute l'année.

COMMENT CIRCULER

Busit! (0800 4287 5463 ; www.busit.co.nz) gère les bus locaux. Le Taupo North conduit jusqu'aux Huka Falls et à Wairakei.

Ohakune

Charmante destination estivale propice aux activités de plein air, Ohakune constitue une bonne base pour partir à VTT à la conquête de l'excellente Old Coach Road (p. 166), ou pour rejoindre le Whanganui National Park au sud. Elle est encore plus fréquentée

Sculpture de Taupo

L'Old Coach Road à VTT

L'**Ohakune Old Coach Road** (www.ohakunecoachroad.co.nz) est un itinéraire destiné aux cyclistes assez en forme, auxquels les prestataires locaux font tout pour faciliter la vie.

Ce parcours progressif d'une demi-journée (3-4 heures), l'un des plus agréables du pays, passe par plusieurs ouvrages d'ingénierie dont les viaducs historiques de Hapuawhenua et Toanui, les seuls au tracé courbe subsistant dans l'hémisphère sud. Il traverse aussi une forêt ancienne d'imposants rimus et totaras qui a survécu à la grande explosion volcanique du Taupo en 180. La vue embrasse les buttes de formes curieuses et le plateau autour de la base du volcan. Peut-être devrez-vous pousser votre vélo çà et là dans les montées, mais le temps passé sur la selle justifie l'effort – en particulier le long de certaines descentes cahoteuses couvertes de vieux pavés que toute la famille peut dévaler joyeusement en roue libre.

Pour la location de vélos et les navettes, adressez-vous à **TCB** (06-385 8433 ; www.tcbskiandboard.co.nz ; 29 Ayr St) et **Mountain Bike Station** (p. 165) à Ohakune ou **Kiwi Mountain Bikes** (0800 562 4537, 07-892 2911 ; www.kiwimountainbikes.com ; Macrocarpa Cafe, 3 Waimarino-Tokaanu Rd) et **My Kiwi Adventure** (021 784 202, 0800 784 202 ; www.mykiwiadventure.co.nz ; 15 Findlay St ; paddleboard 50 $, VTT 45-95 $) dans le National Park Village.

l'hiver, quand les skieurs prennent d'assaut la Turoa Ski Area (p. 153).

ACTIVITÉS

Mountain Bike Station VTT

(06-385 8797 ; www.mountainbikestation.co.nz ; 60 Thames St). Loue des vélos (demi-journée/journée à partir de 35/50 $) et assure le transfert jusqu'aux itinéraires de VTT, dont l'Old Coach Road (20 $), le Bridge to Nowhere/Mangapurua Track sur la Whanganui et le Turoa Downhill Madness (17 km) qui descend la route d'accès au domaine skiable du Mt Ruapehu. Possibilité de formules combinant transport et engin.

Ruapehu Homestead Équitation

(027 267 7057 ; www.ruapehuhomestead.co.nz ; croisement Piwara St et SH49, Rangataua ; 30 minutes-3 heures adulte 30-120 $, enfant 15-90 $). À 4 km à l'est d'Ohakune, près de Rangataua, Ruapehu Homestead propose des promenades à cheval sur son domaine, ainsi que des randonnées au bord de la rivière et sur des sentiers de l'arrière-pays avec les montagnes en toile de fond.

Waitonga Falls Track Randonnée

Le chemin qui va d'Ohakune Mountain Rd jusqu'aux Waitonga Falls (1 heure 30 aller-retour, 4 km), plus hautes chutes de Tongariro (39 m), dévoile de magnifiques perspectives sur le Mt Ruapehu.

OÙ SE RESTAURER

Eat Café $

(027 443 1426 ; 49 Clyde St ; en-cas et plats 9-14 $; 9h-16h). Des bagels, des salades originales, une savoureuse cuisine d'inspiration américaine et tex-mex et le meilleur café de la ville vous attendent dans cet établissement moderne de l'artère principale. L'accent est mis sur les produits bios et issus de l'agriculture durable. Avant ou après une journée sportive, vous apprécierez le *breakfast burrito* ou les tacos de poulet avec carottes et salade de chou cru au cumin.

Cyprus Tree Italien $$

(06-385 8857 ; www.cyprustree.co.nz ; angle Clyde St et Miro St ; plats 16-34 $; 9h-tard). Ce bar-restaurant ouvert toute l'année sert des plats d'influences italienne et kiwie, tels que pizzas, pâtes, risotto et agneau au sumac, plus des en-cas de 15h à 17h. Outre du vin et des cocktails,

JOAO INACIO/GETTY IMAGES ©

Ski sur le Mt Ruapehu

la carte des boissons comprend la meilleure sélection de bières artisanales néo-zélandaises en ville.

OCR Café $$

(☎06-385 8322 ; www.ocrcafe.co.nz ; 2 Tyne St ; plats 10-29 $; ⏰9h-tard ven-sam, 9h-15h dim, tlj durant la saison de ski). Malgré ses horaires restreints, ce café à la mode installé dans un vieux bungalow conserve la faveur des habitants et des touristes. Petits-déjeuners, sandwichs, salades, burgers et gâteaux préparés avec soin figurent au menu. Demandez s'il y a de la Scoria Red IPA produite par la brasserie artisanale Little Thief Brewing d'Ohakune. Le fond musical et le poêle à bois ajoutent une note rustique.

Powderkeg Bar-restaurant $$

(☎06-385 8888 ; www.powderhorn.co.nz ; angle Thames St et Mangawhero Tce ; menu du bar 11-22 $, plats 22-42 $; ⏰16h-tard). Le bar festif du Powderhorn Chateau accueille des DJ l'hiver et l'on y danse parfois sur les tables. Il n'est pas en reste côté cuisine, avec des burgers et pizzas réussis, des viandes comme la selle d'agneau et un bon choix de bières artisanales du pays.

RENSEIGNEMENTS

i-SITE de Ruapehu (☎06-385 8427 ; www.visitruapehu.com ; 54 Clyde St ; ⏰8h-17h30). Réservation d'hébergements, transports et activités diverses. Des agents du DOC sont généralement à portée de main presque tous les jours de 10h à 16h30.

DEPUIS/VERS OHAKUNE

BUS

Des bus Auckland-Wellington passent par Ohakune.

TRAIN

Le *Northern Explorer* exploité par **KiwiRail Scenic** (☎04-495 0775, 0800 872 467 ; www.kiwirailscenic.co.nz) qui relie Auckland à Wellington s'arrête à Ohakune et au National Park Village voisin.

COMMENT CIRCULER

Basé à Ohakune, **Ruapehu Connexions** (☎021 045 6665, 06-385 3122 ; www.ruapehuconnexions.co.nz) assure un service de navette dans la région du Mt Ruapehu (p. 152), notamment vers les sentiers de VTT/randonnée et le Tongariro Alpine Crossing (p. 154).

Napier

Cité charismatique, calme et ensoleillée, aux airs de riche station balnéaire anglaise, Napier est nichée dans Hawke's Bay, qui s'étend de la péninsule de Mahia au cap Kidnappers (p. 172). La région du même nom, englobant le sud et l'intérieur des terres, comprend des terres agricoles fertiles, des plages de surf, des chaînes de montagnes et des forêts. Très visitée pour le vin, la gastronomie et l'architecture, elle affiche sans complexe ses richesses.

Le Napier d'aujourd'hui résulte de l'une des pires catastrophes de l'histoire du pays. Ravagée par le séisme meurtrier de 1931, elle fut reconstruite dans les styles dominants de l'époque, d'où un ensemble Art déco unique.

À VOIR

Deco Centre Office du tourisme
(☎0800 427 833, 06 835 0022 ; www.artdeconapier.com ; 7 Tennyson St ; 9h-17h). Le nouveau Deco Centre est le meilleur endroit pour débuter votre exploration. Sa visite guidée thématique de 1 heure (19 $) part tous les jours de l'i-SITE à 10h ; celle de 2 heures (21 $) démarre du centre à 14h, une autre de 1 heure 30 part à 17h (20 $). Il contient une jolie boutique. Vous pouvez aussi faire la visite à bord d'une voiture ancienne (1 heure 15, 195 $, 4 passagers).

Daily Telegraph Building Architecture
(49 Tennyson St). Cet immeuble, l'un des bâtiments emblématiques du Napier Art déco, s'orne de superbes motifs en zigzag, fontaine et ziggourat. Si les portes en façade sont ouvertes, entrez admirer le hall minutieusement restauré.

MTG Hawke's Bay Musée, théâtre
(Museum Theatre Gallery ; ☎06-835 7781 ; www.mtghawkesbay.com ; 1 Tennyson St ; adulte/enfant

National Tobacco Company Building, Napier

AMOS CHAPPLE/GETTY IMAGES ©

17,50 $/gratuit ; 10h-17h). Le cœur culturel de Napier bat dans cet espace rénové, d'un blanc étincelant, proche du front de mer, qui fait office de musée, de théâtre et de galerie – spectacles, projections de films, expositions temporaires et collections locales.

National Tobacco Company Building Architecture

(Angle Bridge St et Ossian St, Ahuriri). Près du rivage, à Ahuriri, le National Tobacco Company Building est le chef-d'œuvre Art déco de la région, dont les formes s'associent aux motifs naturels de l'Art nouveau. Roses, joncs et vignes encadrent l'entrée aux courbes élégantes. Durant les heures de bureau, tirez les poignées de porte en laiton, en forme de feuilles, et entrez dans les deux premières salles.

National Aquarium of New Zealand Aquarium

(www.nationalaquarium.co.nz ; 546 Marine Pde ; adulte/enfant/famille 20/10/54 $; 9h-17h, nourrissage 9h30,13h30 et 15h30). Le bâtiment contemporain de l'aquarium, dont le toit évoque une raie pastenague, abrite tortues, kiwis, crocodiles, tuataras, piranhas, anguilles et quantité d'autres poissons. Possibilité de faire du snorkeling au côté des requins (95 $) ou de côtoyer les manchots pygmées (65 $).

CIRCUITS ORGANISÉS

Absolute de Tours Circuits en bus

(06-844 8699 ; www.absolutedetours.co.nz). Circuits en bus entre Napier, Marewa et Bluff Hill (40 $), en collaboration avec le Deco Centre, ainsi qu'une visite d'une demi-journée de Napier et Hastings (60 et 70 $).

Ferg's Fantastic Tours Circuits guidés, œnotourisme

(0800 428 687 ; 39 Titoki Crescent ; circuits 40-120 $). Circuits de 2 à 7 heures dans Napier et ses environs : vignobles, Te Mata Peak, panoramas et haltes gourmandes.

Quelques escapades à vélo dans la baie

Couvrant 180 km, le réseau de pistes cyclables **Hawke's Bay Trails** (nzcycletrail.com/hawkes-bay-trails) – qui fait partie du projet Nga Haerenga/New Zealand Cycle Trail – permet de pédaler lors de courtes balades en ville, ou de longues randonnées dans les collines ou sur la côte. Des voies réservées aux vélos bordent Napier, Hastings et le littoral, et suivent les thèmes du paysage, de l'eau et du vin. Procurez-vous la brochure *Hawke's Bay Trails* à l'i-SITE ou sur Internet.

Napier est propice aux déplacements à vélo, surtout le long de Marine Parade où est installé **Fishbike** (0800 131 600, 06-833 6979 ; fishbike.co.nz ; 22 Marine Pde, Napier ; location vélo demi-journée/journée 30/40 $, tandem 65/80 $; 9h-tard), qui loue des vélos confortables.

Entre le climat, la topographie et les innombrables sentiers, tout est réuni pour que moult agences proposent des circuits dans la région, comprenant généralement des visites de vignobles.

Bike About Tours (06-845 4836 ; bikeabouttours.co.nz ; 47 Cloucester St, Napier ; circuits à partir de 40 $)

Bike D'Vine (06-833 6697 ; 4 Weather Pl, Napier ; circuits à partir de 40 $)

On Yer Bike Winery Tours (06-650 4627 ; www.onyerbikehb.co.nz ; 2543 SH50, Hastings ; circuits à aprtir de 50 $)

Takaro Trails (06-835 9030 ; www.takarotrails.co.nz ; circuits 1 jour à partir de 40 $, excursions 3/5 jours avec hébergement à partir de 479/899 $)

Hawke's Bay Scenic Tours Circuits guidés

(06-844 5693 ; www.hbscenictours.co.nz ; 2 Neeve Pl ; circuits à partir de 50 $). Diverses formules, dont le "Napier Whirlwind Tour" (visite éclair) et des circuits dans les vignobles.

Les vignobles de Hawke's Bay

Autrefois réputée pour ses vergers, Hawke's Bay est maintenant la deuxième région viticole du pays, et ses vins se classent parmi les meilleurs : rouges rappelant les bordeaux, ainsi que syrah et chardonnay. Retirez le *Hawke's Bay Winery Guide* à l'i-SITE ou téléchargez-le sur winehawkesbay.co.nz. Parmi nos vignobles favoris :

Black Barn Vineyards (06-877 7985 ; www.blackbarn.com ; Black Barn Rd, Havelock North ; 10h-16h). Domaine moderne et inventif englobant un bistrot, une galerie, un marché de petits producteurs le samedi (l'un des premiers du pays) et un amphithéâtre accueillant concerts et projections de films. Goûtez le chardonnay, son cépage phare.

Crab Farm Winery (06-836 6678 ; crabfarmwinery.co.nz ; 511 Main North Rd, Bay View, Napier ; 10h-17h jeu, sam et dim, 18h-tard ven). Vins corrects à prix honnête et agréable café accueillant des musiciens. Une bonne adresse pour déjeuner ou prendre un verre de rosé.

Mission Estate (06-845 9350 ; www.missionestate.co.nz ; 198 Church Rd, Napier ; 9h-17h lun-sam, 10h-16h30 dim). Le plus ancien domaine viticole de Nouvelle-Zélande (1851). Une longue allée bordée d'arbres mène au restaurant et à la salle de dégustation, qui occupent un vieux séminaire restauré.

Te Mata Estate (06-877 4399 ; www.temata.co.nz ; 349 Te Mata Rd, Havelock North ; 9h-17h lun-ven, 10h-17h sam). Le Coleraine produit par ce domaine vaut le détour à lui seul.

Craggy Range (06-873 0141 ; www.craggyrange.com ; 253 Waimarama Rd, Havelock North ; 10h-18h sep-mai, 10h-17h mer-dim avr-oct). Installé dans un "tonneau" géant aux airs de cathédrale, le restaurant du domaine, baptisé Terroir, est l'un des meilleurs de la région. Belle vue sur le Te Mata Peak.

OÙ SE RESTAURER ET PRENDRE UN VERRE

Groove Kitchen Espresso — Café $

(06-835-8530 ; www.groovekitchen.co.nz ; 112 Tennyson St ; plats 9-19 $; 8h30-14h ;). Café sophistiqué au petit espace tendance où des DJ officient aux platines. Au menu : brunch exquis, wraps, petits pains, salades et excellent café. Concerts ponctuels le jeudi soir.

Mister D — Néo-zélandais moderne $$

(06-835 5022 ; www.misterd.co.nz ; 47 Tennyson St ; plats déj 15-29 $, dîner 25-29 $; 7h30-16h dim-mer, 7h30-tard jeu-sam). Branché, élégant, *et* abordable, ce Mister D – longue salle sur parquet et bar au carrelage vert – est la fierté de Napier. Goûtez au *pulled pork* accompagné de polenta blanche ou aux beignets de maïs garnis de bacon et de sirop d'érable. Les donuts sont servis avec des seringues remplies de chocolat, de confiture ou de crème anglaise (à injecter soi-même). Service épatant, réservation impérative.

Emporium — Bar

(06-835 0013 ; www.emporiumbar.co.nz ; Hôtel Masonic, angle Tennyson St et Marine Pde ; 7h-23h ;). Bar le plus raffiné de la ville, à l'atmosphère de bistrot ancien – comptoir recouvert de marbre, détails Art déco, lambris et briques. Service rapide, cocktails inventifs, bon café, vins kiwis et plats de style pub (assiettes 15-30 $).

RENSEIGNEMENTS

i-SITE de Napier (0800 847 488, 06-834 1911 ; www.napiernz.com ; 100 Marine Pde ; 9h-17h, horaires étendus déc-mars ;). Pratique et utile.

Napier Health Centre (06-878 8109 ; www.hawkesbay.health.nz ; 76 Wellesley Rd ; 24h/24). Assistance médicale jour et nuit.

DEPUIS/VERS NAPIER

AVION

Aéroport de Hawke's Bay (www.hawkesbay-airport.co.nz). 8 km au nord de Napier.

Air New Zealand (☎0800 737 000, 06-833 5400 ; www.airnewzealand.co.nz). Vols directs depuis/vers Auckland, Wellington et Christchurch.

Sunair Aviation (☎0800 786 247 ; www.sunair.co.nz). Vols directs en semaine entre Napier, Gisborne et Hamilton.

BUS

Les bus InterCity (billets en ligne ou à l'i-SITE) partent de l'**arrêt de bus de Clive Square**. Liaisons quotidiennes avec Auckland (82 $, 7 heures 30) *via* Taupo (33 $, 2 heures), Gisborne (43 $, 4 heures) *via* Wairoa (27 $, 2 heures 30), Wellington (40 $, 5 heures 30) et Hastings (22 $, 30 minutes, 4/j).

Naked Bus dessert plusieurs destinations quotidiennement, dont Wellington (20 $, 5 heures 30) *via* Palmerston North (10 $, 2 heures 30), et Auckland (25 $, 8 heures) *via* Taupo (10 $, 2 heures).

Hastings, Havelock North et environs

Située au cœur des vergers de Hawke's Bay, à 20 km au sud de Napier, Hastings est le centre économique de la région. Quelques kilomètres de vergers la séparent de Havelock North, à l'atmosphère de village cossu, que domine le Te Mata Peak.

À VOIR

Également dévastée par le séisme de 1931, Hastings, tout comme Napier, ne manque pas de beaux bâtiments Art déco, ainsi que de style néo-colonial espagnol, qui lui donne de faux airs californiens. Dans l'artère principale, citons ainsi le **Westerman's Building** (angle Russell St et Heretaunga St E, Hastings), mais il y a bien d'autres joyaux architecturaux alentour. Vous trouverez à l'i-SITE la brochure *Art Deco Hastings* (1 $).

Te Mata Peak Parc
(tematapark.co.nz). Le Te Mata Peak (399 m), dont l'imposante silhouette

Vignobles de Hawke's Bay

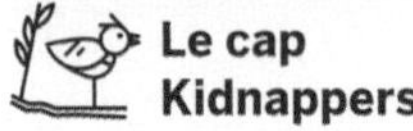

Le cap Kidnappers

De mi-septembre à fin avril, le cap Kidnappers (baptisé ainsi lorsque des Maoris locaux tentèrent de kidnapper le valet tahitien de James Cook) abrite une bruyante colonie de fous de Bassan, indifférents aux spectateurs humains.

La période allant de début novembre à fin février est la meilleure pour visiter ce site. Suivez un circuit guidé ou empruntez le sentier menant à la colonie – environ 5 heures aller-retour depuis le parking de Clifton Reserve (1 $), au Clifton Motor Camp. Gare à ne pas vous retrouver pris par les eaux : ne partez pas plus de 3 heures après la marée haute à l'aller et 1 heure 30 après la marée basse au retour. Entre autres circuits :

Gannet Beach Adventures (06-875 0898, 0800 426 638 ; www.gannets.com ; 475 Clifton Rd, Clifton ; adulte/enfant 44/24 $). Après un tour sur la plage en remorque tirée par un tracteur, promenez-vous sur le cap (1 heure 30).

Gannet Safaris (06-875 0888, 0800 427 232 ; www.gannetsafaris.co.nz ; 396 Clifton Rd, Te Awanga ; adulte/enfant 80/40 $). Circuits en 4x4 à travers champs jusqu'à la colonie (3 heures, départs à 9h30 et 13h30).

Colonie de fous de Bassan
JIRI FOLTYN/SHUTTERSTOCK ©

surgit au milieu des plaines de Heretaunga, à 16 km au sud de Havelock North, s'inscrit sur les 98 ha du **Te Mata Trust Park**. La route qui monte au sommet passe devant des sentiers pour moutons, des clôtures branlantes et des escarpements vertigineux dans une atmosphère désolée évoquant tour à tour la Lune et les Highlands écossais. Par beau temps, depuis le **Te Mata Peak Lookout**, la vue s'étend jusqu'à la baie, la péninsule de Mahia et, au loin, le Mt Ruapehu.

Les sentiers du parc permettent de faire des balades de 30 minutes à 2 heures. Procurez-vous la brochure *Te Mata Trust Park* auprès d'un i-SITE local.

CIRCUITS ORGANISÉS

Long Island Guides Circuits guidés
(06-561 1214 ; www.longislandtoursnz.com ; demi-journée à partir de 180 $). Circuits thématiques : culture maorie, randonnées, kayak, équitation et vin et gastronomie.

Prinsy's Tours Visite de vignobles
(0800 004 237, 06-845 3703 ; www.prinsystours.co.nz ; circuits demi-journée/journée à partir de 90/70 $). Virées (demi-journée/journée) dans 4 ou 5 vignobles, avec un guide qui saura éclairer les néophytes.

OÙ SE RESTAURER

Taste Cornucopia Café $
(06-878 8730 ; www.tastecornucopia.co.nz ; 219 Heretaunga St E, Hastings ; plats 7-22 $; 7h30-16h lun-ven, 8h-14h sam ;). Au cœur de Hastings, un café bio épatant à la salle haute sous plafond. Petits-déjeuners copieux, café bio, tourtes au poisson, curries, lasagnes, et étonnants "marshmallows". Excellent choix de vins du cru.

Opera Kitchen Café $$
(06-870 6020 ; www.operakitchen.co.nz ; 312 Eastbourne St E, Hastings ; plats 9-25 $; 7h30-16h lun-ven, 9h-15h sam-dim ;). Café contemporain touchant l'opéra de Hawke's

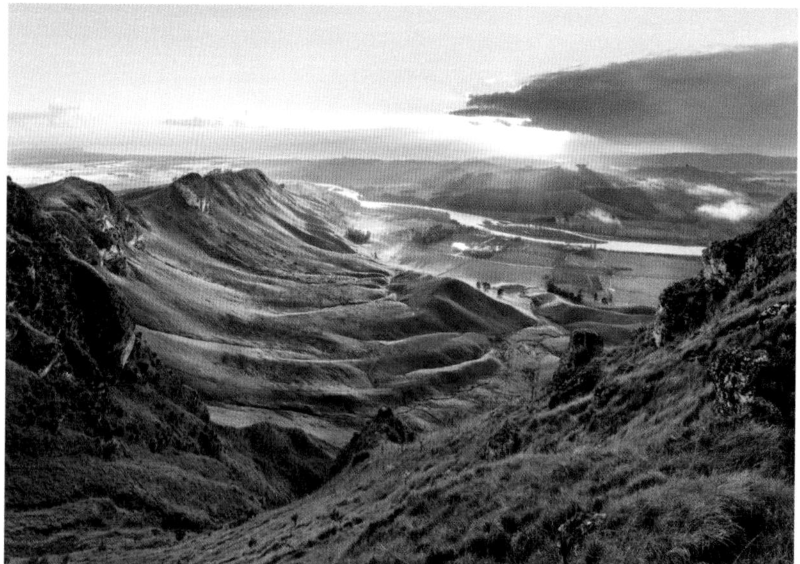

ANDREW CALDWELL/500PX ©

Vue sur la Tuki Tuki Valley depuis le Te Mata Peak

Bay. À la carte, porridge au whisky, crème et flocons d'avoine, ou *farmers breakfast*, petit-déjeuner plus classique. Bon café et service rapide.

RENSEIGNEMENTS

i-SITE de Hastings (06-873 5526 ; www.visithastings.co.nz ; Westermans Bldg, angle Russell St et Heretaunga St E ; 9h-17h lun-ven, 9h-15h sam, 10h-14h dim ;). S'occupe des réservations et fournit accès Internet, cartes gratuites et brochures sur les sentiers de randonnée.

DEPUIS/VERS HASTINGS, HAVELOCK NORTH ET ENVIRONS

L'**aéroport de Hawke's Bay** (p. 171), à Napier, est à 20 minutes de route.

L'arrêt de bus InterCity se situe dans Russell St. Réservez vos billets de bus **InterCity** et **Naked Bus** en ligne ou à l'i-SITE.

Funiculaire de Wellington (p. 186)

Dans ce chapitre

Wellington et environs

La capitale politique de la Nouvelle-Zélande a rang d'épicentre culturel, et son rayonnement dépasse de loin ce que laisserait supposer sa taille modeste. Les édifices victoriens qui, bâtis à flanc de colline, dominent la baie ; les points de vue ; les promenades sur le front de mer et les rivages escarpés au sud : tout cela vient compenser un climat notoirement difficile. Dans le centre, le CBD concentre de nombreux musées, théâtres et boutiques, sans oublier l'animation de ses cafés et micro-brasseries. Dans les environs, Kapiti Island et les vignobles du Wairarapa pourront faire l'objet d'agréables excursions à la journée.

En 2 jours

Après un petit-déjeuner au **Nikau Cafe** (p. 191), consacrez le temps qu'il faudra à **Te Papa** (p. 178), le remarquable musée national. En fin de journée, terminez par une tournée des **brasseries artisanales** (p. 180) de Wellington. Le lendemain, prenez le **Wellington Cable Car** (p. 186) pour contempler la vue sur la baie, faites du shopping dans Cuba St et dînez à l'**Ortega Fish Shack** (p. 192).

En 4 jours

Commencez par un brunch chez **Loretta** (p. 191) et rendez-vous ensuite à Miramar pour découvrir l'envers du décor de blockbusters comme *Le Hobbit* et *Avatar* à la **Weta Cave** (p. 189). De retour en ville, plongez-vous dans le cinéma et la culture kiwis au **Nga Taonga Sound & Vision** (p. 189). Concluez par un spectacle au **BATS** (p. 194) ou au **Circa Theatre** (p. 194), couronné d'un cocktail nocturne au **Hawthorn Lounge** (p. 193).

Comment s'y rendre

Aéroport international de Wellington
À 8 km au sud-est de la ville, il accueille des vols réguliers depuis/vers Auckland, Taupo, Nelson, Christchurch et Queenstown, ainsi que Sydney et Melbourne en Australie.

Waterloo Quay et Aotea Quay
Des ferries pour Picton traversent régulièrement le détroit de Cook.

Gare ferroviaire de Wellington
Terminus du *Northern Explorer* qui relie Auckland à Wellington via le Tongariro National Park. Des bus InterCity partent également de là.

Où se loger

L'hébergement coûte plus cher à Wellington qu'en région, mais il existe de nombreuses options proches du centre-ville. Les endroits où se garer sont rares – renseignez-vous à l'avance sur les possibilités en la matière. Les appartements indépendants ont du succès et se louent souvent à des tarifs avantageux le week-end. Réservez bien à l'avance en haute saison (déc-fév) et lors des grandes manifestations.

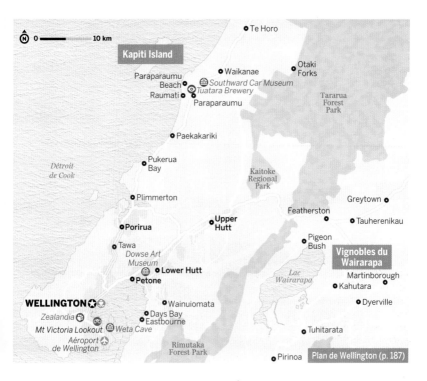

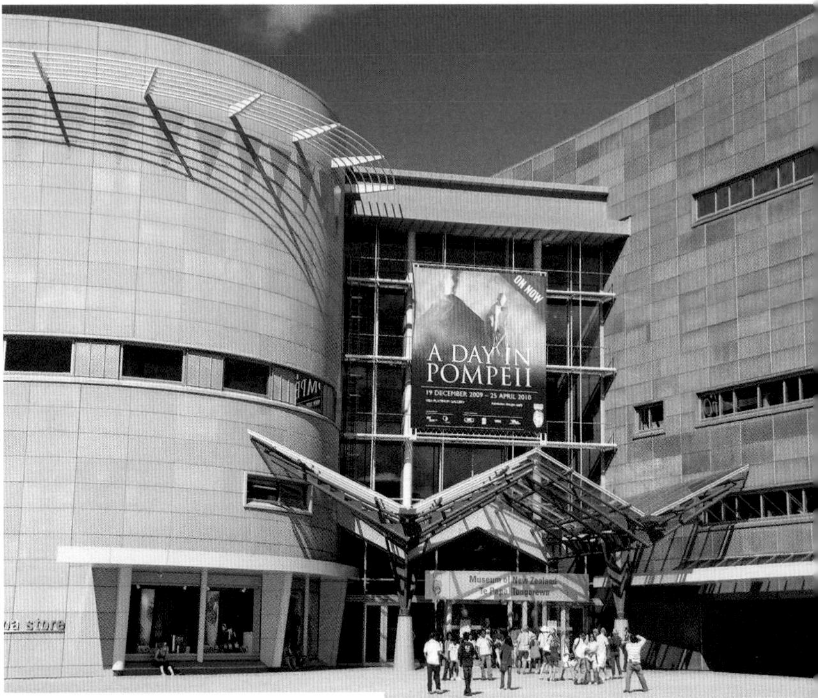

Te Papa

Fort de son emplacement privilégié sur le front de mer et de son architecture ultramoderne, le musée national de Nouvelle-Zélande est un incontournable.

Pour ceux qui aiment...

☑ **Ne ratez pas**

Les représentations hyperréalistes – et imposantes – des soldats de Gallipoli réalisées par Weta Workshop.

Te Papa Tongarewa, le musée national, constitue l'attraction incontournable de la capitale. Interactif, divertissant et plein de surprises, il n'a pas volé son nom, qui signifie "boîte aux trésors". Il recèle, entre autres richesses, une remarquable collection d'objets maoris et sa propre *marae*, une section consacrée à l'histoire naturelle et l'environnement, des galeries d'histoire de la Nouvelle-Zélande et du Pacifique, la collection d'art national et des "centres de découverte" thématiques pour les enfants. L'entrée est gratuite, mais un droit d'entrée s'applique aux grandes expositions temporaires.

Une journée entière ne saurait suffire pour explorer à fond les six étages. Afin d'aller droit au but, procurez-vous un plan au comptoir d'information du niveau deux. La visite guidée "Introducing Te Papa" (1 heure ; adulte/enfant 15/7 $; 10h15, 12h

CHAMELEONSEYE/SHUTTERSTOCK ©

et 14h tlj, plus 19h jeu) au départ de celui-ci permet d'admirer les pièces maîtresses et de se repérer. Sinon, le circuit "Māori Highlights" (20/10 $; 14h) met l'accent sur la culture autochtone. Deux cafés et deux boutiques-cadeaux complètent l'ensemble. Jusqu'en avril 2019 s'y tient l'exposition high-tech (organisée avec l'aide des studios Weta) "Gallipoli : The Scale of Our War", qui illustre la participation de la Nouvelle-Zélande à la bataille des Dardanelles, durant la Première Guerre mondiale, à travers l'expérience de huit citoyens ordinaires.

Dans les environs

De Te Papa, une agréable promenade sur le front de mer passe par **Te Raukura Wharewaka**, qui abrite une impressionnante pirogue maorie, et des œuvres d'art public comme la jolie

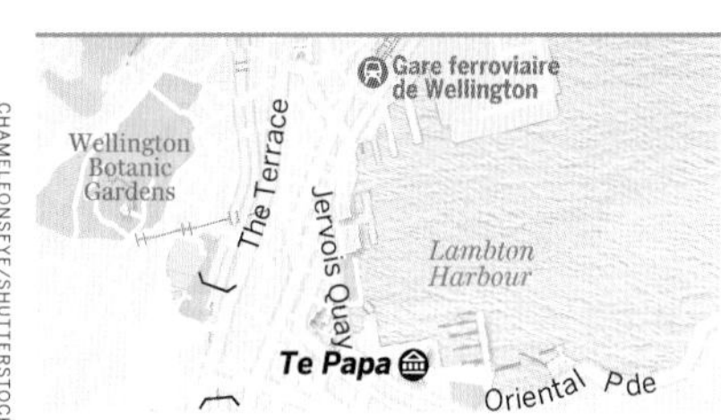

Infos pratiques

04-381 7000 ; www.tepapa.govt.nz ; 55 Cable St ; 10h-18h ; GRATUIT

Une petite faim ?

Gelissimo Gelato (04-385 9313 ; www.gelissimo.co.nz ; 11 Cable St, Taranaki Wharf ; glaces 1/2/3 parfums 4,50/6/7,50 $; 8h-17h30 lun-ven, 10h30-17h30 sam-dim) régale les gourmands de glaces et de sorbets, souvent agrémentés de fruits de Nouvelle-Zélande.

★ Bon à savoir

Consultez le site Internet du Te Papa pour connaître le programme des événements spéciaux (exposés de conservateurs, spectacles...).

Albatross Fountain. En marchant, jetez un œil aux plaques et sculptures typographiques du **Wellington Writers Walk** (www.wellingtonwriterswalk.co.nz) qui rendent hommage à des auteurs néo-zélandais tels que Katherine Mansfield et les poètes Sam Hunt et James K. Baxter.

Wellington Museum Musée
(04-472 8904 ; www.museumswellington.org.nz ; Bond Store, Queens Wharf ; 10h-17h ;) GRATUIT. Aménagé dans un ancien Bond Store (entrepôt sans douane) datant de 1892, ce musée présente l'histoire sociale et maritime de la ville d'une manière originale et interactive. L'émouvant documentaire sur le naufrage du ferry *Wahine*, en 1968 dans la baie de Wellington, ainsi que les légendes maories racontées au moyen de minuscules acteurs en hologrammes et autres effets spéciaux, retiennent particulièrement l'attention. Le nouvel espace d'exposition "Attic" a été inauguré en 2015.

Intérieur du Garage Project

Micro-brasseries de Wellington

La capitale néo-zélandaise possède un ensemble de micro-brasseries sans pareil dans l'hémisphère Sud.

Pour ceux qui aiment...

☑ Ne ratez pas

La Death from Above Pale Ale, bière du Garage Project à la menthe vietnamienne, à la mangue et au piment.

Bars

Little Beer Quarter Bar à bières

(LBQ ; ✆04-803 3304 ; www.littlebeerquarter.co.nz ; 6 Edward St ; ⏲15h30-tard lun, 12h-tard mar-sam, 15h-tard dim). Niché dans une ruelle, le joli LBQ se distingue par son cadre chaud et accueillant à l'éclairage tamisé. Un beau choix de bières à la pression et en bouteilles y côtoie de bons cocktails, vins et whiskies, ainsi qu'une savoureuse cuisine de bar. Formule "pizza et pinte" à 20 $ le lundi soir. La musique de Mark Knopfler ne gâte rien.

Golding's Free Dive Bar à bières

(✆04-381 3616 ; www.goldingsfreedive.co.nz ; 14 Leeds St ; ⏲12h-23h ; 📶). Dans une petite rue qui monte en tournant près de Cuba St, voici un bijou de bar, agréablement tapageur, dédié aux bières artisanales.

Bières à la pression du Garage Project

MICHAEL VALLI/GARAGE PROJECT ©

Parmi ses nombreux atouts : les fauteuils pivotants de casino, l'excellente carte des vins, le savoureux sandwich Reuben et la pizza du restaurant voisin, le Pomodoro. Blues, Zappa et Bowie en fond sonore.

Hashigo Zake Bar à bières
(☎04-384 7300 ; www.hashigozake.co.nz ; 25 Taranaki St ; 🕑12h-tard ; 📶).
Cette sorte de bunker en brique est un haut lieu du commerce de la bière, avec des importations fortes en goût et des productions néo-zélandaises soigneusement choisies. Coude à coude au comptoir, les amateurs de mousse lorgnent les robinets, dont les fûts changent régulièrement, et les réfrigérateurs, bien remplis. Les soirs de concert (samedi à partir de 21h30), les clients se pressent dans le charmant petit lounge. Neil Young domine la bande-son.

Infos pratiques

Le site www.craftbeercapital.com affiche un plan pratique des hauts lieux de la bière artisanale.

Une petite faim ?

Loretta (p. 191), dans Cuba St, est un bistrot décontracté, voisin de certains des meilleurs bars à bières de Wellington.

★ Bon à savoir

Sur le site www.craftbeercapital.com, la rubrique "Now Pouring" indique en temps réel l'offre de la ville en matière de bière.

Micro-brasseries

Fork & Brewer Micro-brasserie
(F&B ; ☎04-472 0033 ; www.forkandbrewer.co.nz ; 14 Bond St ; 🕑11h30-tard lun-sam).
Les dizaines de bières artisanales du F&B s'accompagnent d'excellents burgers, pizzas, tourtes, assiettes à partager et autres plats de viande, qui sont autant d'alternatives au sempiternel kebab de 2h du matin. Mention spéciale pour la Low Blow IPA et les doughnuts à la bière brune.

Garage Project Micro-brasserie
(☎04-384 3076 ; www.garageproject.co.nz ; 68 Aro St, Aro Valley ; 🕑12h-18h lun, 12h-20h mar-jeu, 10h-21h ven-sam, 10h-19h dim).
Dans cet établissement du faubourg bobo d'Aro Valley, la bière peut s'acheter au litre façon pompe à essence. Goûtez la Vesuvian Pale Ale ou risquez la Pernicious Weed. Dégustations gratuites. Un super bar GP a également ouvert au 91 Aro St (fermé lundi).

Festivals

Beervana Bière
(www.beervana.co.nz ; 🕑août). Une foule d'aficionados se retrouvent le temps d'un week-end dans le Westpac Stadium pour déguster des bières artisanales.

Excursion à vélo dans les vignobles d'Ata Rangi

Vignobles du Wairarapa

Les domaines viticoles du Wairarapa prospèrent grâce aux visiteurs ; près de la moitié des 25 vignobles de Martinborough les accueillent quotidiennement, d'autres ouvrent le week-end.

Pour ceux qui aiment...

☑ Ne ratez pas

Le **Martinborough Wine Merchants** (www.martinboroughwinemerchants.com ; 6 Kitchener St ; 🕙10h-17h), où goûter et acheter du vin.

Cette large portion de territoire à l'est et au nord-est de Wellington, au-delà des chaînes des Tararua et des Rimutaka, doit son nom au lac Wairarapa, ou Wairarapa Moana ("eaux miroitantes"), un immense plan d'eau de 8 000 ha. Avec la zone humide qui l'entoure, il participe à la réhabilitation d'un écosystème menacé après des générations d'élevage ovin intensif. Les champs où paissent les moutons sont encore nombreux, mais ils côtoient désormais des vignobles qui, conjugués à l'hospitalité des habitants, ont fait de la région une destination de week-end prisée.

Domaines viticoles recommandés : **Ata Rangi** (www.atarangi.co.nz ; 14 Puruatanga Rd ; 🕙13h-15h lun-ven, 12h-16h sam-dim). L'un des pionniers de la région, avec de bons crus et une cave ravissante.

Coney (☎06-306 8345 ; www.coneywines.co.nz ; Dry River Rd ; ⏰11h-16h ven-dim). Croisons les doigts pour que votre dégustation soit animée par l'inimitable Tim Coney qui produit une admirable syrah.

Haythornthwaite (www.haythornthwaite.co.nz ; 45 Omarere Rd ; ⏰11h-17h). Mode de production durable et pragmatique donnant des vins complexes, dont du pinot noir aux arômes de cerise et de superbes gewurztraminers aromatiques.

Palliser Estate (www.palliser.co.nz ; Kitchener St ; ⏰10h30-16h). Des vins si bons que même la reine Élisabeth II en garde dans sa cave.

Poppies (www.poppiesmartinborough.co.nz ; 91 Puruatanga Rd ; ⏰11h-16h). Délicieux vins servis par un duo de passionnés. Dégustation dans une élégante salle.

Infos pratiques

La *Wairarapa Wine Trail Map* (disponible à l'i-SITE et de nombreux autres endroits) vous permettra de vous orienter. Informations utiles sur le site www.winesfrommartinborough.com.

Une petite faim ?

Recommandé par les habitants et les visiteurs, le spacieux **Café Medici** (www.cafemedici.co.nz ; 9 Kitchener St ; petit-déj et déj 13-23 $, dîner 24-32 $; ⏰8h30-16h, dîner à partir de 18h30 jeu-sam), décoré d'ornements florentins, donne sur une cour ensoleillée. Cuisine maison savoureuse : muffins et tartes, plats simples et délicieux le midi (omelette espagnole) et spécialités méditerranéennes le soir (tajine d'agneau).

★ Bon à savoir

Depuis Wellington, les trains de banlieue Tranz Metro (☎0800 801 700 ; www.metlink.org.nz) desservent Masterton (17,50 $, 5-6 fois/j en sem, 2/j le we) *via* 7 gares du Wairarapa, dont celles de Featherston et de Carterton.

Martinborough

Destination touristique la plus attrayante du Wairarapa, Martinborough est une jolie bourgade dotée d'une grand-place plantée d'arbres et de plusieurs charmants bâtiments anciens, au milieu d'une mosaïque de pâturages et de vignes.

Le petit **i-SITE de Martinborough** (☎06-306 5010 ; www.wairarapanz.com ; 18 Kitchener St ; ⏰9h-17h mar-sam, 10h-16h dim-lun) propose des cartes de la région, dont une produite par l'équipe du très utile site Internet www.martinboroughnz.com.

Méliphage carillonneur se nourrissant d'une fleur de lin

Kapiti Island

La fascinante réserve d'oiseaux de Kapiti Island peut facilement faire l'objet d'une journée d'excursion depuis Wellington. Et si vous aimez la bière artisanale et/ou les voitures, la ville voisine de Paraparaumu mérite également le détour.

Pour ceux qui aiment...

☑ **Ne ratez pas**

La perruche de Sparrman, le miro de Garnot et le méliphage carillonneur, entre autres oiseaux.

Au large de la côte occidentale au nord de Wellington, Kapiti Island forme une réserve de 10 km de long sur 2 km de large protégée depuis 1897. En grande partie libre de prédateurs, elle abrite un nombre impressionnant d'espèces aviaires, certaines rares ou disparues du continent.

La visite implique de s'adresser à l'un des trois tour-opérateurs agréés. Tous les bateaux partent de Paraparaumu, une ville desservie par le train à 59 km au nord de Wellington.

L'île accueille un maximum de 100 visiteurs par jour à Rangatira, d'où l'on peut gravir le point culminant, Tuteremoana (521 m) ; et 60 visiteurs à la pointe nord – de courtes marches mènent à des points de vue et autour d'une lagune.

Sauf à avoir réservé un circuit avec nuit sur place, le territoire n'accueille que les excursionnistes à la journée.

Infos pratiques

Le site www.doc.govt.nz/kapitivisits fournit des renseignements complets sur la visite de Kapiti Island.

Une petite faim ?

Il y a du bon café et un comptoir réfrigéré plein de gâteaux au Paraparaumu's **Ambience Café** (04-298 9898 ; 10 Seaview Rd ; plats 2 $; 8h-15h lun-sam, 8h30-15h dim ;).

★ Bon à savoir

Demandez confirmation du circuit le matin du départ, car les traversées dépendent de la météo.

Renseignements dans la brochure du DOC intitulée *Kapiti Island Nature Reserve* (en téléchargement sur : www.doc.govt.nz).

Circuits organisés

Kapiti Island Nature Tours Circuits
(06-362 6606, 021 126 7525 ; www.kapitiislandnaturetours.co.nz ; transport $75 $/pers, journée 165 $). Organise des circuits de découverte de l'exceptionnelle faune aviaire, la colonie de phoques, l'histoire et les traditions maories de l'île. Les excursions d'un jour et une nuit comprennent une marche dans le bush après le crépuscule pour observer le rare kiwi d'Owen (335/405 $ avec repas et hébergement en camping/bungalow).

Kapiti Marine Charter Bateau
(027 655 4739, 0800 433 779 ; www.kapitimarinecharter.co.nz ; adulte/enfant à partir de 75/40 $). Transport depuis/vers Kapiti Island. Les tarifs incluent le permis de débarquer du DOC.

Kapiti Tours Bateau
(04-237 7965, 0800 527 484 ; www.kapititours.co.nz ; adulte/enfant 75/40 $). Transport depuis/vers Kapiti Island. Les tarifs incluent le permis de débarquer du DOC. Circuits guidés possibles (95/50 $).

Dans les environs

Non loin de Paraparaumu, le **Southward Car Museum** (04-297 1221 ; www.southwardcarmuseum.co.nz ; près d'Otaihanga Rd ; adulte/enfant 17/3 $; 9h-16h30 ;), rassemble l'une des plus importantes collections de voitures anciennes et insolites d'Asie Australe. Profitez-en pour visiter la **Tuatara Brewery** (04-296 1953 ; www.tuatarabrewing.co.nz ; 7 Sheffield St ; 15h-19h mer-jeu, 12h-19h ven-dim, visites 13h15 et 15h15 sam), l'une des pionnières de la bière artisanale à Wellington.

Wellington

Doté d'un CBD compact, Wellington se parcourt aisément à pied. Ses excellents musées et galeries, ses boutiques tendance et ses bars et restaurants, très fréquentés le soir, pourront vous occuper plusieurs jours de long.

À VOIR

Wellington a la fibre artistique, ce dont témoignent ses galeries et musées de premier ordre. Elle compte aussi des coins de nature, des édifices anciens à l'architecture intéressante et des belvédères offrant de somptueux panoramas.

Funiculaire Funiculaire

(☎04-472 2199 ; www.wellingtoncablecar.co.nz ; Cable Car Lane, rear 280 Lambton Quay ; adulte/enfant aller simple 4/2 $, aller-retour 7,50/3,50 $; ⏲toutes les 10 minutes, 7h-22h lun-ven, 8h30-22h sam, 9h-21h dim ; 👪). Ce petit funiculaire rouge (*cable car*) gravit la pente raide qui mène de Lambton Quay à Kelburn. En haut, on rejoint les jardins botaniques (p. 188), le **Carter Observatory** (Space Place ; ☎04-910 3140 ; www.carterobservatory.org ; 40 Salamanca Rd, Kelburn ; adulte/enfant/famille 12,50/8/39 $; ⏲16h-23h mar et jeu, 10h-23h sam, 10h-17h30 dim) et l'excellent **Cable Car Museum** (☎04-475 3578 ; www.museumswellington.org.nz ; Upland St, Kelburn ; ⏲9h30-17h) GRATUIT, qui retrace l'histoire du funiculaire, construit en 1902 afin de favoriser le peuplement du quartier vallonné de Kelburn. Redescendez en funiculaire, ou à pied à travers les jardins.

City Gallery Wellington Musée

(☎04-913 9032 ; www.citygallery.org.nz ; Civic Sq, Wakefield St ; ⏲10h-17h). GRATUIT Installée dans l'ancienne et monumentale bibliothèque de Civic Square, cette galerie très appréciée accueille des expositions d'art contemporain internationales, tout en soutenant la création néo-zélandaise.

Wellington

À voir

1 Beehive ... C1
2 Cable Car Museum ... A3
3 Carter Observatory ... A3
4 City Gallery Wellington ... C4
5 Nga Taonga Sound & Vision ... C5
6 Parliament House ... C1
7 Te Papa ... D4
8 Wellington Botanic Gardens ... A3
9 Funiculaire ... B3
10 Wellington Museum ... C3

Activités

11 Ferg's Kayaks ... C3
12 On Yer Bike ... B6

Achats

13 City Market ... D5
14 Harbourside Market ... D5
15 Kura ... D5
16 Moore Wilson Fresh ... C6
17 Ora Gallery ... D5
18 Slow Boat Records ... B6
19 Victoria Street Farmers Market ... B5
20 Wellington Night Market ... C5

Où se restaurer

21 Fidel's ... B6
22 Gelissimo Gelato ... C4
23 Logan Brown ... B6
Loretta ... (voir 18)
24 Mt Vic Chippery ... D5
25 Nikau Cafe ... C4
26 Ombra ... B6
27 Ortega Fish Shack ... D5

Où prendre un verre et faire la fête

28 Fork & Brewer ... B4
29 Garage Project ... A6
30 Golding's Free Dive ... C5
31 Hashigo Zake ... C5
32 Hawthorn Lounge ... C6
33 Laundry ... B6
34 Little Beer Quarter ... B5
35 Matterhorn ... C5
36 Thief ... B4

Où sortir

37 BATS ... D5
38 Bodega ... B5
39 Circa Theatre ... C4
40 Michael Fowler Centre ... C4
San Fran ... (voir 18)

Wellington

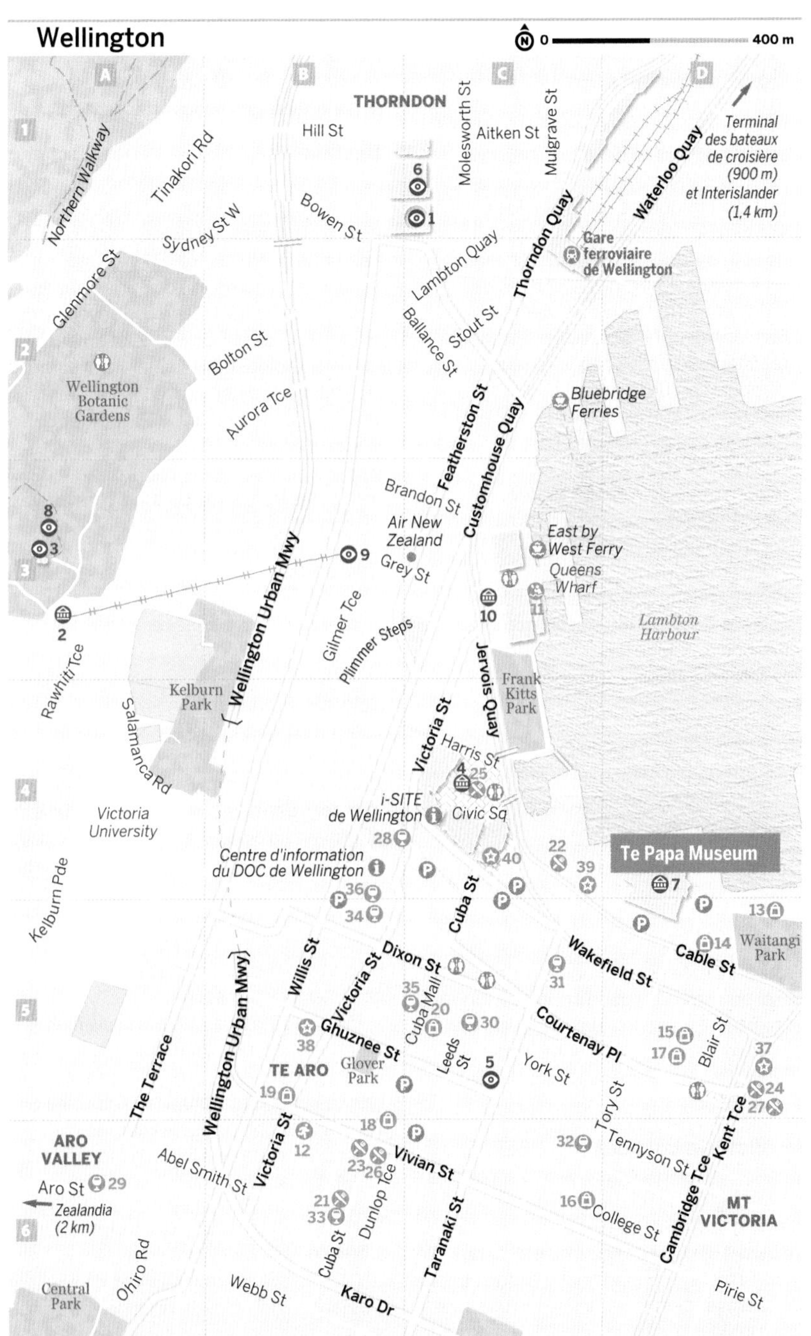

0 — 400 m
THORNDON
Hill St
Aitken St
Molesworth St
Mulgrave St
Tinakori Rd
Northern Walkway
Sydney St W
Bowen St
Lambton Quay
Thorndon Quay
Waterloo Quay
Terminal des bateaux de croisière (900 m) et Interislander (1,4 km)
Gare ferroviaire de Wellington
Glenmore St
Bolton St
Ballance St
Stout St
Aurora Tce
Wellington Botanic Gardens
Featherston St
Customhouse Quay
Bluebridge Ferries
Brandon St
Air New Zealand
Grey St
East by West Ferry
Queens Wharf
Lambton Harbour
Wellington Urban Mwy
Gilmer Tce
Plimmer Steps
Jervois Quay
Frank Kitts Park
Rawhiti Tce
Kelburn Park
Salamanca Rd
Victoria St
Harris St
i-SITE de Wellington
Civic Sq
Victoria University
Centre d'information du DOC de Wellington
Te Papa Museum
Kelburn Pde
Cuba St
Wakefield St
Cable St
Waitangi Park
Dixon St
Willis St
Cuba Mall
Courtenay Pl
Ghuznee St
Leeds St
York St
Blair St
TE ARO
Glover Park
The Terrace
Tory St
Kent Tce
Tennyson St
ARO VALLEY
Abel Smith St
Vivian St
Dunlop Tce
Aro St
Zealandia (2 km)
Taranaki St
College St
Cambridge Tce
MT VICTORIA
Cuba St
Ohiro Rd
Central Park
Webb St
Karo Dr
Pirie St

Bienvenue à Wellywood

Ces dernières années, Wellington s'est affirmé comme le fief d'une industrie cinématographique néo-zélandaise très dynamique, ce qui lui a valu le surnom de "Wellywood". Le succès de la trilogie du *Seigneur des Anneaux*, puis de *King Kong*, des *Aventures de Tintin* et du triptyque *Le Hobbit* ont fait du réalisateur Peter Jackson une figure reconnue de Hollywood et renforcé la réputation de la ville.

C'est en Nouvelle-Zélande que le cinéaste canadien James Cameron, propriétaire d'un domaine dans la région rurale de Wairapa, a prévu de tourner les trois suites d'*Avatar* actuellement en préparation.

Des tour-opérateurs locaux proposent aux cinéphiles de découvrir la **Weta Cave** (p. 189) ou les nombreux lieux de tournage des environs dans le cadre de circuits organisés.

Un droit d'entrée s'applique parfois pour les événements majeurs. Le Nikau Cafe (p. 191) sur place donne l'occasion d'une pause agréable.

Dowse Art Museum Musée

(04-570 6500 ; www.dowse.org.nz ; 45 Laings Rd, Lower Hutt ; 10h-17h ;). GRATUIT Ce remarquable musée consacré à l'art, l'artisanat et le design néo-zélandais vaut aussi pour son architecture. Accessible et familial, il comporte un joli café (et une patinoire en hiver !). Du centre, comptez 15 minutes en voiture ou un court trajet à bord du bus n°83.

Mt Victoria Lookout Belvédère

(Lookout Rd). Ce belvédère, le plus accessible de Wellington, se trouve au sommet du Mt Victoria (196 m), à l'est du centre-ville. Le bus n°20 couvre le gros du parcours, mais l'ascension à pied tient presque du rite de passage (demandez le chemin ou suivez votre intuition). Avec un véhicule, empruntez Oriental Parade sur le front de mer, puis gravissez Carlton Gore Rd. Une vue spectaculaire et des panneaux explicatifs plutôt intéressants vous attendent en haut.

Beehive Architecture

(04-817 9503 ; www.parliament.nz ; Molesworth St ; 10h-16h). GRATUIT Une foule d'employés de bureau fourmillent autour de la "Ruche" (1980), laquelle fait partie du complexe du Parlement de Nouvelle-Zélande. Œuvre controversée du britannique Basil Spence, ce bâtiment à la forme caractéristique constitue désormais le symbole architectural du pays. Des visites guidées incluant la **Parliament House** (04-817 9503 ; www.parliament.nz ; Molesworth St ; 10h-16h) GRATUIT partent du hall toutes les heures de 10h à 16h ; arrivez 15 minutes avant.

Zealandia Réserve naturelle

(04 920 9213 ; www.visitzealandia.com ; 53 Waiapu Rd, Karori ; exposition uniquement adulte/enfant/famille 9/5/21 $, exposition et vallée 18,50/10/46 $; 9h-17h, dernière entrée 16h). Cette réserve naturelle innovante est nichée dans les collines à quelque 2 km à l'ouest de la ville : le bus pour Karori (n°3) passe non loin et il existe une navette gratuite (voir site Internet). Dans une vallée "clôturée", plus de 30 espèces d'oiseaux endémiques (dont les rares takahé, créadion rounoir, hihi et kaka), des tuataras (lézards endémiques) et des kiwis y vivent à l'état sauvage. Une excellente exposition présente l'histoire naturelle du pays et ses efforts mondialement reconnus en matière de protection.

Plus de 30 km de sentiers peuvent être empruntés en individuel. Autrement, des visites guidées ont lieu régulièrement, dont un circuit nocturne, propice à l'observation, entre autres créatures, de kiwis, de grenouilles et de vers luisants (adulte/enfant 75/36 $). Café et boutique sur place.

Wellington Botanic Gardens Jardins

(04-499 4444 ; www.wellington.govt.nz ; 101 Glenmore St, Thorndon ; en journée). GRATUIT Ces jardins botaniques vallonnés de 25 ha sont accessibles en funiculaire (p. 186)

Wellington Harbour Board Wharf Office Building

presque sans effort, mais les plus sportifs préféreront les aborder par l'une des autres entrées à flanc de colline. Ils englobent une parcelle de forêt indigène originelle, une roseraie, 25 000 tulipes au printemps et une collection de plantes des quatre coins du globe. Des fontaines, un terrain de jeux, des sculptures, une mare aux canards, un café et une vue magique sur la ville en font par ailleurs une sortie appréciée.

Nga Taonga Sound & Vision Cinéma

(☎04-384 7647 ; www.ngataonga.org.nz ; angle Taranaki St et Ghuznee St ; séances à partir de 8 $; ⏲bibliothèque 12h-17h mar-ven). GRATUIT Ce centre d'archives audiovisuelles néo-zélandaises rassemble plus de 30 000 longs et courts-métrages, documentaires, films d'amateur, actualités cinématographiques, programmes TV, spots publicitaires, etc., en visionnage gratuit. Il projette aussi des films dans son cinéma (voir site Internet).

Weta Cave Musée

(☎04-909 4100 ; www.wetanz.com ; angle Camperdown Rd et Weka St, Miramar ; entrée et visite guidée adulte/enfant 25/12 $, avec transport aller-retour 65/40 $; ⏲9h-17h30). GRATUIT Les cinéphiles ne manqueront pas le mini-musée de la compagnie responsable, entre autres effets spéciaux, de ceux du *Seigneur des Anneaux, de King Kong,* des *Aventures de Tintin* et du *Hobbit*. Des visites guidées de 45 minutes débutent toutes les demi-heures. L'endroit se situe à 9 km à l'est du centre-ville. On peut s'y rendre en voiture, à vélo, avec le bus pour Miramar (n°2) ou en achetant le transport en ligne en même temps que le billet d'entrée. Réservez sur le site Internet.

ACTIVITÉS

Ferg's Kayaks Kayak, location de vélos

(☎04-499 8898 ; www.fergskayaks.co.nz ; Shed 6, Queens Wharf ; ⏲10h-20h lun-ven, 9h-18h sam-dim). Escalade en salle (adulte/enfant 15/10 $), roller sur le front de mer (20 $/2 heures) et sorties en kayak ou en stand-up paddleboard (à partir de 20 $/heure). Également : location de vélos (à partir de 20 $/heure) et excursions guidées en kayak.

Te Wharewaka o Poneke Waka Tours Bateau
(☎04-901 3333 ; www.wharewakaoponeke.co.nz ; à partir de 45 $/pers). Sorties culturelles de 2 heures le long du front de mer de Wellington à bord d'un *waka* (pirogue maorie) et visites à pied (35 $/pers). Horaires et réservations par téléphone. Nombre minimum de participants requis.

CIRCUITS ORGANISÉS

Kiwi Coastal Tours Circuits en 4x4
(☎027 252 0099, 021 464 957 ; www.kiwicoastaltours.co.nz ; excursions de 3/5 heures 150/250 $). Exploration en 4x4 de la côte sud accidentée en compagnie d'un guide maori avec quantité d'histoires à vous raconter.

Flat Earth Circuits thématiques
(☎04-472 9635, 0800 775 805 ; www.flatearth.co.nz ; demi-journée/journée 175/385 $). Un choix de circuits guidés, par petits groupes, sur des thèmes divers : sites phares de Wellington, trésors maoris, art, nature, lieux de tournage du *Seigneur des Anneaux*. Excursions dans les vignobles de Martinborough.

Walk Wellington Circuits guidés à pied
(☎04-473 3145 ; www.walkwellington.org.nz ; adulte/enfant 20/10 $). Circuits à pied de 2 heures, instructifs et bon marché, en ville et sur le front de mer. Départs de l'i-SITE à 10h tous les jours, ainsi qu'à 17h30 les lundis, mercredis et vendredis de décembre à février. Réservation en ligne, par téléphone ou rendez-vous sur place.

Wellington Movie Tours Circuits cinématographiques
(☎027 419 3077 ; www.adventuresafari.co.nz ; circuits adulte/enfant à partir de 45/30 $). Décors du *Seigneur des Anneaux*, extraits de films et accessoires figurent au programme de ces circuits d'une demi-journée ou d'une journée.

Zest Food Tours Balades gourmandes
(☎04-801 9198 ; www.zestfoodtours.co.nz ; circuits à partir de 179 $). Visites à pied du Wellington gourmand en petits groupes (3 heures-5 heures 30) et journées d'excursion dans les vignobles du Wairarapa Wine Country.

ACHATS

Kura Art et artisanat
(☎04-802 4934 ; www.kuragallery.co.nz ; 19 Allen St ; ⏲10h-18h lun-ven, 11h-16h sam-dim). Cette belle galerie d'art indigène contemporain (peinture, céramiques, bijoux et sculptures) vaut le coup d'œil, même sans intention d'achat.

Ora Gallery Art
(☎04-384 4157 ; 23 Allen St ; ⏲9h-18h lun-ven, 9h-17h sam, 10h-16h dim). Sculptures, tissages, objets en verre, bijoux et autres créations modernes, originales et audacieuses. Profitez-en pour prendre un café sur place.

Slow Boat Records Musique
(☎04-385 1330 ; www.slowboatrecords.co.nz ; 183 Cuba St ; ⏲9h30-17h30 lun-jeu, 9h30-19h30 ven, 10h-17h sam et dim). Entre country, folk, pop, indé, métal, blues, soul, rock ou flûte nasale hawaïenne, on trouve de tout chez ce disquaire établi de longue date, qui a rang de véritable pilier de Cuba St et où l'on peut faire également le plein de musique néo-zélandaise.

Moore Wilson Fresh Alimentation
(☎04-384 9906 ; www.moorewilsons.co.nz ; 93 Tory St ; ⏲7h30-19h lun-ven, 7h30-18h sam, 9h-18h dim). On ne saurait trouver mieux, pour s'approvisionner, que cette épicerie. Au nombre des plus ardents défenseurs des produits du terroir néo-zélandais, elle vend le meilleur en matière d'alimentation, de bières et de vins locaux. Démonstrations culinaires.

OÙ SE RESTAURER

Trois excellents marchés se tiennent de l'aube jusque vers 14h le dimanche : le **Farmers Market** (angle Victoria St et Vivian St ; ⏲6h30-14h30 dim) vendant surtout des fruits et légumes, et le **Harbourside Market** (☎04-495 7895 ;

www.harboursidemarket.co.nz ; angle Cable St et Barnett St ; 7h30-14h dim), plus diversifié, à côté du Te Papa. Dans le même quartier, les gourmets vont au **City Market** (04-801 8158 ; www.citymarket.co.nz ; Chaffers Dock Bldg, 1 Herd St ; 8h30-12h30 dim), attirés par les marchandises de petits producteurs.

Fidel's Café $
(04-801 6868 ; www.fidelscafe.com ; 234 Cuba St ; plats 10-24 $; 7h30-tard lun-ven, 8h-tard sam, 9h-tard dim ;). Une institution de Cuba St. Œufs accommodés de mille façons, pizzas et salades sortent de la cuisine minuscule, accompagnés des meilleurs milk-shakes de Wellington. Salle ornée de souvenirs révolutionnaires et espaces extérieurs plus gais. L'équipe gère avec brio le chaos ambiant. Comptoir de café à emporter donnant sur la rue.

Mt Vic Chippery Fish and Chips $
(04-382 8713 ; www.mtvicchippery.co.nz ; 5 Majoribanks St ; plats 8-16 $; 12h-20h45 ;). Des *fish and chips* "sur mesure" : choisissez votre poisson (au moins 3 variétés), votre enrobage (pâte à frire à la bière, chapelure, tempura...) et vos frites (5 variétés !) ; ajoutez aïoli, coleslaw, salade ou sauce ; et accompagnez votre plat d'une boisson sans alcool de qualité. À déguster sur place ou à emporter. Burgers et saucisses-frites figurent aussi à la carte.

Loretta Néo-zélandais moderne $$
(04-384 2213 ; www.loretta.net.nz ; 181 Cuba St ; plats 10-28 $; 7h-22h mar-ven, 8h-22h sam, 8h-21h dim). Du petit-déjeuner (gaufres, *crumpets*, müesli) au dîner (pizzas, pâtes, grosses salades) en passant par le déjeuner (sandwichs, beignets, soupe), l'offre équilibrée de ce restaurant clair, spacieux et bon enfant lui vaut une foule d'adeptes. Le risotto se révèle particulièrement réussi. Réservation uniquement à midi.

Nikau Cafe Café $$
(04-801 4168 ; www.nikaucafe.co.nz ; City Gallery, Civic Sq ; plats 15-27 $; 7h-16h lun-ven, 8h-16h sam ;). Un grand café lumineux parmi les plus raffinés de la ville. Renouvelée quotidiennement, la carte bio de saison comporte des apéritifs rafraîchissants, des plats aussi simples que délicieux (haloumi poêlé, œufs à la sauge, *kedgeree* réputé) et des desserts gourmands. La cour ensoleillée constitue un atout supplémentaire.

En passant par Palmerston North

En route pour la capitale *via* le Manawatu-Wanganui, une visite s'impose au **Te Manawa Museum** (06-355 5000 ; www.temanawa.co.nz ; 326 Main St ; 10h-17h ven-mer, 10h-19h30 jeu ;) GRATUIT de Palmerston North. Les vastes collections, qui accordent une large place aux Maoris, font le lien entre les arts, les sciences et l'histoire. Les expositions temporaires changent fréquemment. Les enfants adoreront les présentations interactives et l'aire de jeux.

Logé dans le même complexe, le **New Zealand Rugby Museum** (rugbymuseum.co.nz ; Te Manawa Complex, 326 Main St ; adulte/enfant/famille 12,50/5/30 $; 10h-17h), empli d'objets en lien avec le rugby – maillot des All Blacks en 1905, simulateur de mêlées, sifflet servant à marquer le coup d'envoi du premier match de toutes les Coupes du monde –, ravira les fans du ballon ovale... La Nouvelle-Zélande ayant de surcroît remporté les deux dernières éditions de la Coupe du monde, en 2011 et 2015, le personnel se fera un plaisir de vous parler des chances de 2019.

Statue en mémoire de Charles John Monro, qui introduisit le rugby en Nouvelle-Zélande
RAFAEL BEN-ARI ©

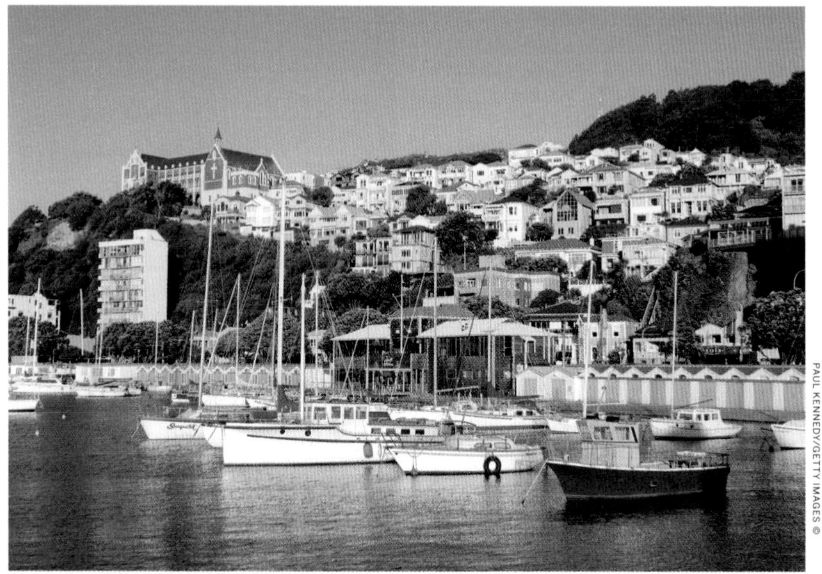

PAUL KENNEDY/GETTY IMAGES ©

Oriental Bay, Wellington Harbour

Ombra Italien $$

(☎04-385 3229 ; www.ombra.co.nz ; 199 Cuba St ; en-cas 5-14 $, plats 12-19 $; ⏰10h-tard lun-ven, 8h-tard sam-dim ;). Ce *bacaro* (taverne) à la vénitienne sert des spécialités italiennes appétissantes dans une ambiance gaie et chaleureuse. Admirez le cadre patiné très tendance en sirotant un apéritif, avant de partager des plats savoureux tels qu'*arancini* (boules de riz panées et frites), *pizzette* (mini-pizzas) et gnocchis végétariens. Un somptueux tiramisu ou une *panna cotta* aux myrtilles et au basilic conclura le repas en beauté.

Ortega Fish Shack Produits de la mer $$$

(☎04-382 9559 ; www.ortega.co.nz ; 16 Majoribanks St ; plats 34-39 $; ⏰17h30-tard mar-sam). Les murs bleus, le carrelage à motifs, les trophées de truites et les tableaux marins confèrent une touche méditerranéenne à cette adresse de rêve. Le poisson se décline de multiples façons (rôti sauce malaise, avec chutney de mangue et raita...), le plateau de fromages est remarquable et les desserts, comme la crêpe catalane à l'orange, sont la touche finale de mémorables repas.

Logan Brown Néo-zélandais moderne $$$

(☎04-801 5114 ; www.loganbrown.co.nz ; 192 Cuba St ; plats 37-42 $; ⏰12h-14h mar-sam, 17h-tard tlj ;). Désigné à juste titre comme la table numéro un de Wellington, Logan Brown a beaucoup de classe sans pour autant être guindé. Le décor, une ancienne banque des années 1920, a de quoi laisser un souvenir durable, tout comme les mets de la carte, à l'image du chevreuil du Fiordland au boudin noir, aux panais et aux griottes. Si le menu bistrot de trois plats (45 $) ne vous ruinera pas, la carte des vins, exceptionnelle, pourrait bien grever votre budget.

OÙ PRENDRE UN VERRE ET FAIRE LA FÊTE

Les habitants de Wellington aiment sortir tard le soir. Le centre-ville compte nombre de bars, en particulier sur Courtenay Pl, Cuba St et le front de mer.

Hawthorn Lounge Bar à cocktails
(☎04-890 3724 ; www.hawthornlounge.co.nz ; L1, 2 Tory St ; ⏰17h-3h). Une adresse aux allures de speakeasy des années 1920 où l'on s'attend presque à croiser des gangsters en Borsalino. Sirotez un *whisky sour* en jouant au poker ou observez le spectacle des barmen qui transforment les cocktails classiques en chefs-d'œuvre d'aujourd'hui.

Laundry Bar musical
(☎04-384 4280 ; www.laundry.net.nz ; 240 Cuba St ; ⏰16h30-tard lun-ven, 9h-tard sam-dim). On peut débouler à n'importe quelle heure dans ce bar à la devanture vert pomme pour frayer avec la jeunesse branchée devant un verre ou un plat du sud des États-Unis. Les concerts et les DJ encouragent les libations au milieu du décor festif de bric et de broc – une caravane trône même dans l'arrière-cour.

Thief Bar à vins
(☎04-384 6400 ; www.thiefbar.co.nz ; 19 Edward St ; ⏰15h-tard). Si prendre du bon temps rime pour vous avec vins, cocktails et conversations de qualité, direction ce bar en brique et bois évoquant une cave. Des volumes de l'*Encyclopaedia Britannica* s'alignent derrière le comptoir et l'éclairage avantage les clients qui viennent ici après leur travail. L'un des trésors cachés de Wellington.

Matterhorn Bar
(☎04-384 3359 ; www.matterhorn.co.nz ; 106b Cuba St ; ⏰15h-tard lun-sam, 13h-tard dim). Depuis son ouverture au début des années 2000, le 'Horn doit sa réputation sans faille à sa cuisine (tapas et dîner), à son service efficace et à ses concerts réguliers. Le design intérieur, empreint de sensualité, tient toujours la route et la carte des vins est longue comme le bras. Bref : il n'y a pas mieux pour boire un verre dans le Cuba Mall.

OÙ SORTIR

Consultez l'agenda des spectacles et événements sur www.eventfinder.co.nz.

Days Bay et Matiu-Somes Island

Le charmant petit **East by West Ferry** (☎04-499 1282 ; www.eastbywest.co.nz ; Queens Wharf) navigue entre Queens Wharf et Days Bay *via* Matiu-Somes Island, ainsi que *via* Petone et Seatoun le week-end quand il fait beau.

Les locaux effectuent la traversée depuis des décennies. La baie abrite une plage, un parc, un café et un hangar à bateaux où l'on peut louer kayaks et vélos. À 10 minutes de marche de Days Bay, la station balnéaire d'Eastbourne possède des cafés, un pub ravissant, une piscine estivale et un terrain de jeu.

Certains ferries s'arrêtent aussi à Matiu-Somes Island, au milieu de la baie. Cette réserve naturelle gérée par le DOC donne à voir des animaux tels que wetas, tuataras, kakarikis et manchots pygmées. Chargée d'histoire, l'île fut jadis un camp de prisonniers de guerre et une station de quarantaine. Apportez de quoi pique-niquer à midi, voire passez la nuit sur place.

Il y a 16 départs en semaine et 8 le week-end (20-30 minutes ; aller-retour adulte/enfant 22/12 $).

Les billets sont souvent disponibles *via* Ticketek (Michael Fowler Centre ; ☎0800 842 538, 04-801 4231 ; www.ticketek.co.nz ; 111 Wakefield St ; ⏰billetterie 9h-17h lun-ven, 10h-16h sam-dim) ou TicketDirect (www.ticketdirect.co.nz).

Bodega Concerts
(☎04-384 8212 ; www.bodega.co.nz ; 101 Ghuznee St ; ⏰16h-tard). Fondé en 1991, le bon vieux "Bodge" demeure le fer de lance de la scène musicale de Wellington avec un programme varié incluant souvent des têtes d'affiche internationales. Ambiance rock et excellente acoustique.

Le cap Palliser

Aux environs de Palliser Bay et du cap Palliser, la côte du Wairarapa (au sud de Martinborough) est isolée et peu peuplée. Son phare emblématique vaut le détour si vous possédez votre propre véhicule. Il faut à peine plus d'une heure pour rejoindre le cap, mais vous pouvez prévoir une demi-journée à une journée pour effectuer quelques étapes.

Depuis Martinborough, la route chemine à travers un paysage agricole pittoresque avant d'atteindre la côte sur Cape Palliser Rd. Cette partie de l'itinéraire est très belle, longeant le littoral entre l'océan bordé de plages de sable noir et d'abruptes falaises. Par temps clair, on aperçoit l'île du Sud.

À proximité, l'**Aorangi (Haurangi) Forest Park** est un parc naturel où l'on peut faire de la randonnée sauvage et du camping. Le Department of Conservation (DOC) y propose la location d'une maison. Vous trouverez des informations auprès de l'i-SITE de Martinborough. Au sein du parc se dressent les **Putangirua Pinnacles**, cimes rocheuses sculptées mises à nu par la pluie qui a drainé la boue et le sable. On y accède par la Putangirua Scenic Reserve, qui est dotée d'un camping du DOC et d'un parking, après une marche facile de 1 heure 30 ou une boucle de 3 heures 30 via les collines et les points de vue sur la côte.

Plus au sud, **Ngawi** est un village de pêcheurs battu par les vents. On remarque d'emblée les bulldozers rouillés sur la plage, qui servent à hisser les bateaux de pêche sur le rivage.

Prochaine étape : la **colonie de phoques** installée dans la plus grande zone de reproduction de l'île du Nord.

Enfin, vous pourrez mettre votre souffle à l'épreuve en gravissant les 250 marches conduisant au pied du phare du cap Palliser.

San Fran — Concerts

(☎04-801 6797 ; www.sanfran.co.nz ; 171 Cuba St ; ⏰15h-tard mar-sam). Cette salle de taille moyenne, très appréciée, a adopté une nouvelle approche en suivant la vogue de la bière artisanale, accompagnée ici de plats carnés. Mais les concerts où l'on danse restent de rigueur. Terrasse ensoleillée l'après-midi.

BATS — Théâtre

(☎04-802 4175 ; www.bats.co.nz ; 1 Kent Tce ; billets à partir de 10 $; ⏰billetterie 17h-tard mar-sam). Lieu alternatif très accessible, fraîchement rénové, présentant des pièces de théâtre néo-zélandaises expérimentales et avant-gardistes. Spectacles variés et à prix modique.

Circa Theatre — Théâtre

(☎04-801 7992 ; www.circa.co.nz ; 1 Taranaki St ; ⏰billetterie 10h-14h lun, 10h-18h30 mar, 10h-16h mer, 10h-20h jeu-sam, 13h-19h dim). Situé sur le front de mer, le Circa (2 salles) couvre tous les genres, depuis les œuvres récentes les plus pointues, jusqu'aux spectacles de Noël pour enfants. Billets de dernière minute (1 heure avant la représentation). Formules avec dîner (*dinner-and-show*) envisageables.

RENSEIGNEMENTS

i-SITE de Wellington (☎04-802 4860 ; www.wellingtonnz.com ; Civic Sq, angle Wakefield St et Victoria St ; ⏰8h30-17h lun-ven, 9h-17h sam-dim). Le personnel peut se charger de tous types de réservations et distribue l'*Official Visitor Guide* de Wellington, ainsi que d'autres cartes et des brochures utiles.

DEPUIS/VERS WELLINGTON

AVION

L'**aéroport de Wellington** (p. 365) se situe à Rongotai, une banlieue à 5 km au sud-est de la ville.

Air New Zealand (☎04-474 8950 ; www.airnewzealand.co.nz ; 154 Fetherstone St ; ⏰9h-17h lun-ven, 10h-13h sam) dessert la plupart des grandes destinations néo-zélandaises, dont

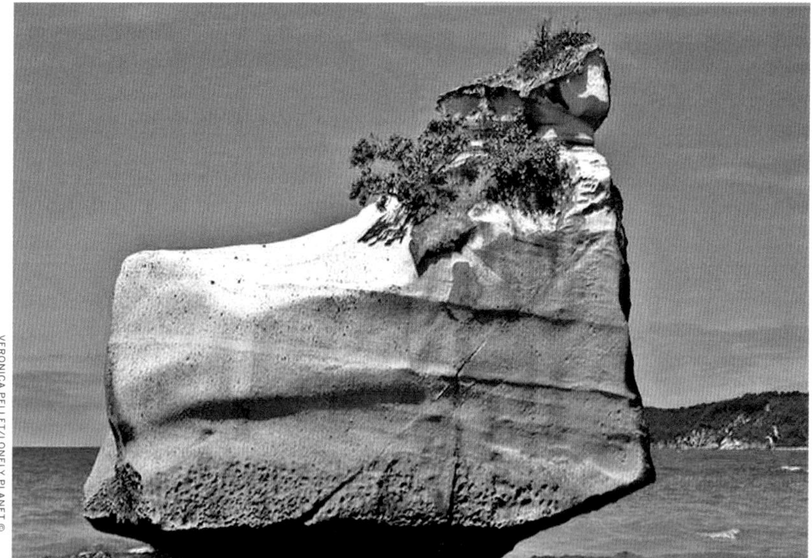

VERONICA PELLET/LONELY PLANET ©

The Woman of the Sea, Raumati Beach, face à Kapiti Island

Auckland, Nelson, Christchurch et Queenstown, et assure des liaisons directes avec les principales villes australiennes.

Jetstar (www.jetstar.com). Vols économiques depuis/vers Auckland et Christchurch, plus liaisons directes avec la Gold Coast et Melbourne en Australie.

Soundsair (www.soundsair.com). Rallie Picton et Nelson dans l'île du Sud.

Qantas (www.qantas.com.au). Wellington, Auckland, Wellington, Christchurch, Sydney, Melbourne et la Gold Coast sans escale.

BATEAU

Deux compagnies maritimes relient Wellington à Picton, dans l'île du Sud :

Bluebridge Ferries (☎ 04-471 6188, 0800 844 844 ; www.bluebridge.co.nz ; 50 Waterloo Quay). La traversée dure 3 heures 30 (jusqu'à 4 ferries par jour dans les deux sens). Comptez à partir de 120 $/voiture ou camping-car, 51 $/moto, 10 $/vélo et 53/27 $ par passager adulte/enfant.

Interislander (☎ 04-498 3302, 0800 802 802 ; www.interislander.co.nz ; Aotea Quay). La traversée dure 3 heures 10 (jusqu'à 5 ferries/jour dans les deux sens). Comptez à partir de 119 $/voiture, 153 $/camping-car, 56 $/moto, 15 $/vélo et 55/28 $ par passager adulte/enfant.

Bluebridge est basée au Waterloo Quay, en face de la gare ferroviaire. Le terminal Interislander se situe à **Aotea Quay,** 2 km au nord-est du centre-ville ; une navette (2 $) s'y rend depuis le quai 9 de la gare ferroviaire (d'où démarrent aussi les bus InterCity).

BUS

Services pour Auckland, Rotorua et Taupo.

COMMENT CIRCULER

Compact et globalement plat, le centre de Wellington se parcourt aisément à pied ou en pédalant. **On Yer Bike** (☎ 04-384 8480 ; www.onyerbikeavantiplus.co.nz ; 181 Vivian St ; vélo de ville/VTT 30/40 $/jour ; 8h30-17h30 lun-ven, 9h-17h sam), près de Cuba St, loue des vélos.

Vignobles près de Blenheim (p. 200)

NELSON ET MARLBOROUGH

DOUG PEARSON/GETTY IMAGES ©

Dans ce chapitre

Nelson et Marlborough

Nelson et le Marlborough ont, entre autres points communs, des stations côtières réputées, notamment dans les Marlborough Sounds et l'Abel Tasman National Park. On y trouve aussi abondance de produits frais, allant du gibier aux produits de la mer en passant par les fruits estivaux, dont un célèbre raisin duquel sont tirés des vins de premier ordre. C'est également ici que pousse la majeure partie du houblon néo-zélandais, lequel alimente d'excellentes brasseries artisanales, sources de réconfort après avoir exploré en kayak la somptueuse côte, très découpée, des Marlborough Sounds.

En 2 jours

Consacrez le premier jour à la ville ensoleillée de **Nelson** (p. 206), entre galeries artisanales, succulente cuisine et ambiance balnéaire. Le soir venu, offrez-vous un dîner au luxueux restaurant **Hopgood's** (p. 210).

Le lendemain, la détente sera de mise, avec la découverte des **vignobles du Marlborough**. **Saint Clair Estate** (p. 200) et **Framingham** (p. 201) comptent au nombre des plus remarquables, tandis que **Rock Ferry** (p. 201) allie parfaitement décontraction néo-zélandaise et raffinement culinaire.

En 4 jours

Les troisième et quatrième jours, renouez avec l'action en visitant les spectaculaires **Marlborough Sounds** (p. 213) ou l' **Abel Tasman National Park** (p. 202) en bateau, à pied ou en kayak, ou en combinant les trois. Grâce aux liaisons en bateau-taxi, c'est un jeu d'enfant que de parcourir à pied une partie du chemin, puis d'emprunter un kayak pour découvrir tranquillement criques et plages. Vous pourrez ensuite rejoindre votre taxi et retrouver votre point de départ.

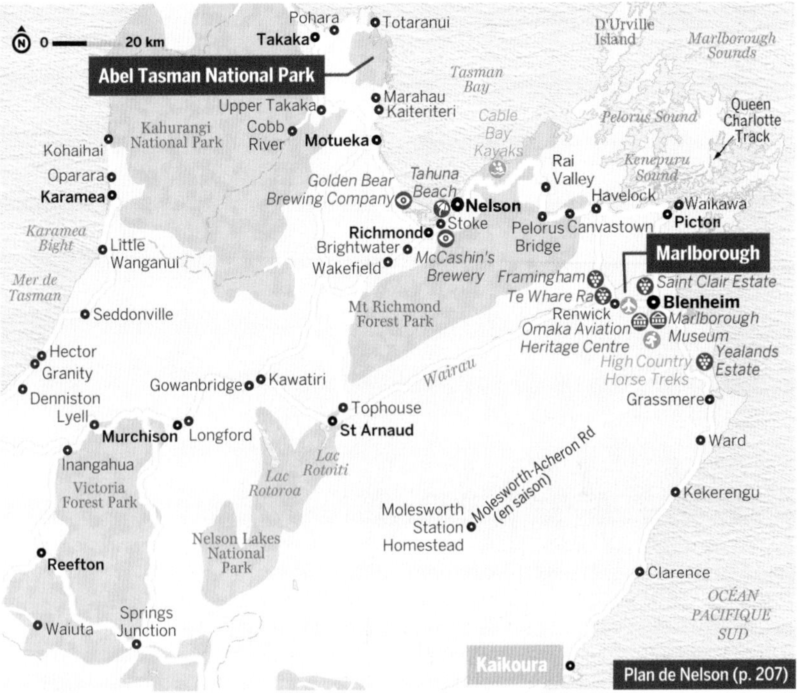

Plan de Nelson (p. 207)

Comment s'y rendre

Picton Ferry Terminal Terminus des car-ferries traversant le détroit de Cook depuis Wellington. Des bus et des navettes pour Christchurch, Kaikoura et Nelson partent du terminal ou de l'i-SITE, tout proche.

Gare ferroviaire de Picton Les trains Coastal Pacific desservent Picton et Christchurch.

Nelson Vols depuis/vers Auckland, Hamilton, Wellington, Christchurch et Dunedin. Bus en provenance de Queenstown, Christchurch, Picton, Greymouth et Kaikoura.

Où se loger

La région est bien équipée pour recevoir les voyageurs et le choix d'hébergements comprend aussi bien des refuges pour randonneurs, des auberges de jeunesse et des parcs de loisirs que des B&B raffinés et des locations de vacances.

Vignobles du Marlborough

La visite à votre rythme des vignobles du Marlborough est une expérience incontournable, tout comme l'est un dîner parmi les vignes.

Pour ceux qui aiment...

☑ Ne ratez pas

Découvrez que l'excellence des vins du Marlborough ne se cantonne pas au sauvignon blanc.

Le Marlborough produit environ les trois quarts du vin néo-zélandais ; son ensoleillement et ses nuits vivifiantes offrent des conditions optimales aux cépages de climat frais. Il a pour fleurons un sauvignon blanc mondialement connu, un pinot noir d'élite et des chardonnay, riesling, gewurztraminer, pinot gris et vin mousseux remarquables.

Top des dégustations

Quelque 35 domaines sont ouverts au public. Les adresses ci-après assurent un excellent accueil dans les chais mêmes. Procurez-vous la carte *Marlborough Wine Trail* au i-SITE de Blenheim (p. 217), principale bourgade au cœur de la région des vins.

Saint Clair Estate (www.saintclair.co.nz ; 13 Selmes Rd, Rapaura ; 9h-17h)

DANITA DELIMONT/GETTY IMAGES ©

Framingham (www.framingham.co.nz ; 19 Conders Bend Rd, Renwick ; 10h30-16h30)

Yealands Estate (03-575 7618 ; www.yealandsestate.co.nz ; angle Seaview Rd et Reserve Rd, Seddon ; 10h-16h30)

Te Whare Ra (www.twrwines.co.nz ; 56 Anglesea St, Renwick ; 11h-16h30 lun-ven, 12h-16h sam-dim nov-mars)

Meilleures tables

Les horaires indiqués sont valables en été, période où il est recommandé de réserver.

Rock Ferry — Café $$

(03-579 6431 ; www.rockferry.co.nz ; 80 Hammerichs Rd, Blenheim ; plats 23-27 $; 11h30-15h). Dans un cadre agréable, la carte, succincte – saumon rôti aux poivrons, sandwich à la viande bio –, s'accompagne de vins du Marlborough et de l'Otago.

Infos pratiques

Wine Marlborough (www.wine-marlborough.co.nz) recense tous les vignobles de la région et affiche une carte interactive.

Une petite faim ?

Au cœur des vignobles du Renwick, le restaurant **Arbour** (03-572 7989 ; www.arbour.co.nz ; 36 Godfrey Rd, Renwick ; plats 31-38 $; 15h-tard mar-sam toute l'année, 18h-tard lun jan-mars ;) met à l'honneur les produits locaux, assortis d'une belle carte des vins.

★ Bon plan

Faites coïncider votre voyage avec le **Marlborough Wine Festival** (www.wine-marlborough-festival.co.nz ; 57 $), en février.

Wither Hills — Néo-zélandais moderne $$

(03-520 8284 ; www.witherhills.co.nz ; 211 New Renwick Rd, Blenheim ; plats 24-33 $, plateau 38-68 $; 11h-16h). Cuisine simple, servie dans un cadre élégant. Installé sur une pelouse, savourez de l'agneau fumé, du travers de porc à l'asiatique ou un plateau dégustation avant d'aller profiter, depuis la plateforme, d'une vue spectaculaire par-delà la Wairau.

Visite des vignobles

Highlight Wine Tours — Vin

(03-577 9046, 027 434 6451 ; www.highlightwinetours.co.nz). On peut également visiter une chocolaterie ou demander un circuit sur mesure.

Bubbly Grape Wine Tours — Vin

(027 672 2195, 0800 228 2253 ; www.bubblygrape.co.nz). Trois visites dont une avec déjeuner gastronomique.

Bike2Wine — Vin

(03-572 8458, 0800 653 262 ; www.bike2wine.co.nz ; 9 Wilson St, Renwick ; vélo/tandem 30/60 $/jour, ramassage à partir de 10 $). Parcourez les vignobles à deux roues avec cet organisme proposant des circuits autoguidés, avec équipement complet et assistance.

Waiharakeke Beach

Abel Tasman National Park

Le kayak de mer, le bateau et la randonnée sont les meilleurs moyens de découvrir les plages et les criques boisées de ce parc national à la pointe nord-ouest de l'île du Sud.

Pour ceux qui aiment...

☑ Ne ratez pas

L'abondante faune sauvage – phoques, manchots pygmées, dauphins, orques, tuis cravate-frisée, méliphages carillonneurs – qui peuple les lieux.

L'agglomération d'importance la plus proche d'Abel Tasman est Motueka, avec Marahau comme porte d'entrée, au sud. Tous les points d'accès sont desservis par **Abel Tasman Coachlines** (✆03-548 0285; www.abeltasmantravel.co.nz) et **Golden Bay Coachlines** (✆03-525 8352; www.gbcoachlines.co.nz).

Abel Tasman Coast Track

Probablement le plus beau des "Great Walks" de Nouvelle-Zélande, ce sentier littoral bien balisé traverse de superbes paysages sur 60 km de mer scintillante, de sable doré, de forêt côtière et de surprises cachées, comme la Cleopatra's Pool.

La totalité du sentier peut être parcourue en 3 à 5 jours, mais en empruntant des bateaux-taxis, vous multiplierez les possibilités, notamment pour une étape

en kayak. Vous ne serez pas déçus par le détour dans la pointe septentrionale du parc (2 jours) : venez à pied de Totaranui, passez par Anapai Bay et Mutton Cove, dormez au Whariwharangi Hut, puis rentrez à Totaranui par le Gibbs Hill Track. Vous profiterez ainsi des plus beaux côtés (plages, phoques, paysages côtiers) tout en restant à l'écart de la foule.

Le sentier fonctionne avec le Great Walks Pass du DOC. Les enfants ne paient pas mais il faut réserver leur place. Réservez en ligne (www.doc.govt.nz), contactez le **Nelson Marlborough Bookings Helpdesk** (☎ 03-546 8210), ou rendez-vous aux i-SITES ou aux bureaux du DOC de Nelson, Motueka ou Takaka, où le personnel vous aidera à choisir un itinéraire selon votre hébergement et à organiser votre transport au départ et à l'arrivée.

Infos pratiques

Quelques tarifs de bateau-taxi (aller simple) au départ de Marahau ou de Kaiteriteri, par personne : Anchorage et Torrent Bay (35 $), Bark Bay (40 $), Awaroa (45 $) et Totaranui (47 $).

Une petite faim ?

On peut acheter des vivres à Marahau et à Kaiteriteri. Dans le parc, il faut faire soi-même sa cuisine, mais on peut déjeuner au Awaroa Lodge.

★ Bon à savoir

Réservez longtemps à l'avance votre parcours sur l'Abel Tasman Coast Track, en particulier pour la période de décembre à mars.

Abel Tasman en kayak

Si l'Abel Tasman Coast Track attire depuis longtemps les randonneurs sur les terres du parc national, la beauté de son littoral en fait aussi une destination séduisante à découvrir en kayak – que l'on peut aisément associer à de la marche et du camping. Au programme : excursion en kayak d'une demi-journée à 3 jours, camping ou hébergement dans des refuges du DOC, au bord de la plage ou même sur l'eau, en pension complète ou non. L'une des alternatives consiste à pagayer une journée, à camper pour la nuit, puis à revenir, ou à poursuivre à pied plus loin dans le parc et à rentrer en bateau-taxi.

La plupart des opérateurs proposent des circuits identiques aux mêmes prix. Marahau est le principal point de départ, mais des circuits partent aussi de Kaiteriteri. Les visiteurs ayant peu de temps plébiscitent l'excursion de quelques heures en kayak dans la réserve marine de Tonga Island, suivie d'une marche entre Tonga Quarry et Medlands Beach. Comptez 195 $/pers, bateau-taxi inclus. Les circuits de 3 jours partent généralement de l'extrémité nord du parc, et il faut ensuite pagayer pour rentrer (ou *vice versa*). Comptez au moins 620 $, repas compris.

Abel Tasman National Park

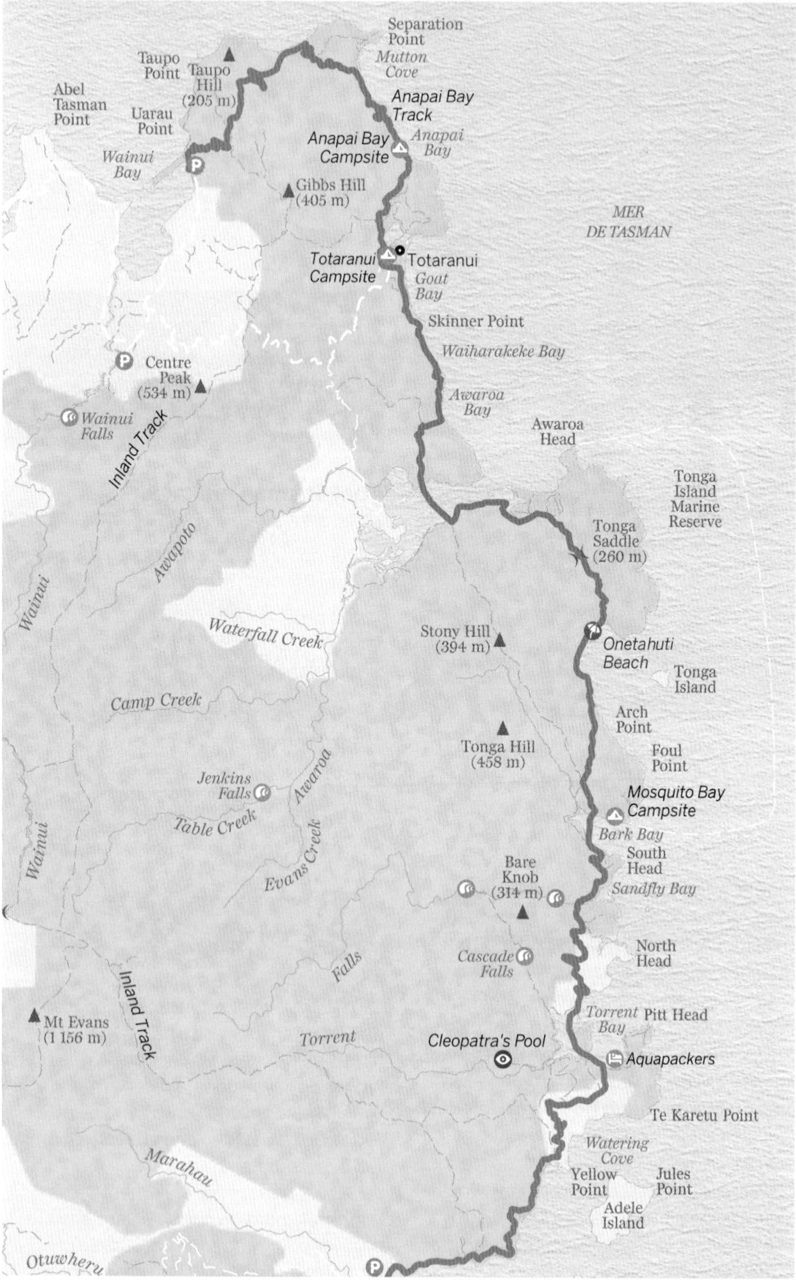

N 0 5 km

Separation Point
Mutton Cove
Taupo Point
Taupo Hill (205 m)
Abel Tasman Point
Uarau Point
Anapai Bay Track
Anapai Bay Campsite
Anapai Bay
Wainui Bay
Gibbs Hill (405 m)
MER DE TASMAN
Totaranui Campsite
Totaranui
Goat Bay
Skinner Point
Waiharakeke Bay
Centre Peak (534 m)
Awaroa Bay
Wainui Falls
Inland Track
Awaroa Head
Tonga Island Marine Reserve
Tonga Saddle (260 m)
Awapoto
Wainui
Waterfall Creek
Stony Hill (394 m)
Onetahuti Beach
Tonga Island
Camp Creek
Arch Point
Tonga Hill (458 m)
Foul Point
Jenkins Falls
Awaroa
Mosquito Bay Campsite
Table Creek
Bark Bay
Evans Creek
South Head
Bare Knob (314 m)
Sandfly Bay
Wainui
North Head
Cascade Falls
Falls
Inland Track
Mt Evans (1 156 m)
Torrent Bay
Pitt Head
Torrent
Cleopatra's Pool
Aquapackers
Te Karetu Point
Marahau
Watering Cove
Yellow Point
Jules Point
Adele Island
Otuwheru

Les sorties guidées d'une journée coûtent quelque 200 $. Location libre (kayak biplace et matériel) : environ 70/110 $ par personne pour 1/2 jours. La haute saison court de novembre à Pâques, avec un fort pic entre décembre et février. On peut toutefois pagayer toute l'année.

Voici les principaux acteurs de ce marché concurrentiel. Comparez les prix.

Abel Tasman Kayaks (03-527 8022, 0800 732 529 ; www.abeltasmankayaks.co.nz ; Main Rd, Marahau)

Kahu Kayaks (0800 300 101, 03-527 8300 ; www.kahukayaks.co.nz ; 11 Marahau Valley Rd). Basé à Marahau.

Kaiteriteri Kayaks (0800 252 925, 03-527 8383 ; www.seakayak.co.nz). Basé à Kaiteriteri Beach.

Marahau Sea Kayaks (03-527 8176, 0800 529 257 ; www.msk.co.nz ; Abel Tasman Centre, Franklin St)

Sea Kayak Company (0508 252 925, 03-528 7251 ; www.seakayaknz.co.nz ; 506 High St, Motueka). Basé à Motueka.

Autres activités

Abel Tasman Canyons — Sports d'aventure

(0800 863 472, 03-528 9800 ; www.abeltasmancanyons.co.nz ; sortie 1 journée 259 $). Rares sont les visiteurs de l'Abel Tasman à voir Torrent River ; saisissez l'occasion de parcourir ce canyon de granite d'une beauté stupéfiante en combinant les plaisirs de la nage, du canyoning, des descentes en rappel, et des plongeons dans des bassins étincelants.

Abel Tasman Sailing Adventures — Catamaran

(0800 467 245, 03-527 8375 ; www.sailingadventures.co.nz ; Kaiteriteri ; sortie 1 journée 185 $). Sorties en catamaran programmées et sur demande, avec possibilité de combiner des sorties voile, marche et kayak. Les excursions d'une journée, assez prisées, incluent un déjeuner à Anchorage Beach.

Wilsons Abel Tasman — Randonnée, kayak

(03-528 2027, 0800 223 582 ; www.abeltasman.co.nz ; 409 High St, Motueka). Cette adresse établie de longue date, gérée par une famille, affiche un choix impressionnant de croisières, de randonnées, de sorties en kayak et autres circuits combinés, dont une randonnée d'une journée à 36 $. On peut passer la nuit dans leurs lodges de la ravissante localité d'Awaroa et à Torrent Bay.

Abel Tasman Tours & Guided Walks — Randonnées guidées

(03-528 9602 ; www.abeltasmantours.co.nz ; circuits à partir de 245 $). Randonnées d'une journée en petit groupe (minimum 2 pers), panier-repas et bateau-taxi inclus.

Abel Tasman Sea Shuttle — Bateau

(0800 732 748, 03-527 8688 ; www.abeltasmanseashuttles.co.nz ; Kaiteriteri). Navettes et croisières, plus abondance de circuits, dont certains combinant marche, kayak et observation de la faune sauvage.

Nelson

Combinaison gagnante de cadre splendide, d'art raffiné et de gastronomie, sans compter du soleil à foison, Nelson est considérée comme une des villes les plus agréables à vivre de Nouvelle-Zélande. En été, les visiteurs y affluent, aussi bien locaux qu'étrangers.

À VOIR

Nelson regroupe une extraordinaire quantité de musées, recensés pour la plupart dans la brochure *Art & Crafts Nelson City* (avec carte des sentiers de randonnée), disponible à l'i-SITE (p. 210). Pour une balade enrichissante, partez de la coopérative lainière **Fibre Spectrum** (☎03-548 1939 ; www.fibrespectrum.co.nz ; 280 Trafalgar St), puis rendez-vous chez **Jens Hansen** (☎03-548 0640 ; www.jenshansen.com ; 320 Trafalgar Sq), joaillier du *Seigneur des Anneaux* ; chez le souffleur de verre **Flamedaisy Glass Design** (☎03-548 4475 ; www.flamedaisy.co.nz ; 324 Trafalgar Sq) et, au coin de la rue, dans la **South Street Gallery** (☎03-548 8117 ; www.nelsonpottery.co.nz ; 10 Nile St W), l'antre de la céramique locale. On trouve les créations les plus intéressantes au marché de Nelson (p. 209), le samedi.

Tahuna Beach Plage

Le principal terrain de jeux de Nelson est sa plage sablonneuse (surveillée en été), bordée par un vaste parc verdoyant – aire de jeux, marchand d'expressos, piscine et nombreuses autres infrastructures de loisirs, ainsi qu'une allée bordée de restaurants tout près. L'endroit est bondé le week-end.

Nelson Provincial Museum Musée

(☎03-548 9588 ; www.nelsonmuseum.co.nz ; angle Hardy St et Trafalgar St ; adulte/enfant 5/3 $; ⏲10h-17h lun-ven, 10h-16h30 sam-dim). Un espace moderne dédié au patrimoine culturel et à l'histoire naturelle de la province. Il accueille également des expositions temporaires régulières (prix d'entrée variable). Belle terrasse verdoyante sur le toit.

Cathédrale Christ Church, Nelson (page ci-contre)

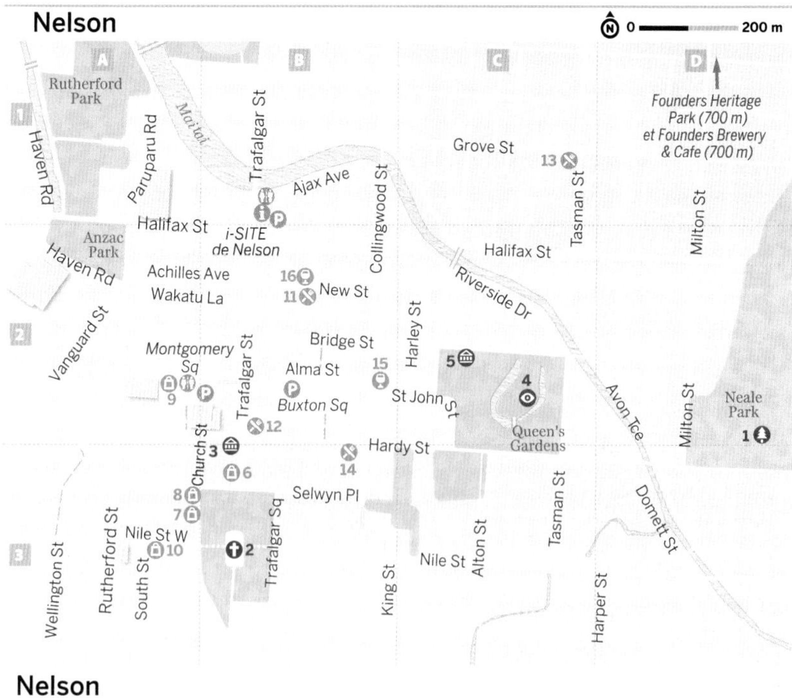

Nelson

À voir

1 Botanical Reserve D2
2 Cathédrale Christ Church B3
3 Nelson Provincial Museum B3
4 Queens Gardens C2
5 Suter Art Gallery C2

Achats

6 Fibre Spectrum B3
7 Flamedaisy Glass Design A3
8 Jens Hansen A3
9 Marché de Nelson A2
10 South Street Gallery A3

Où se restaurer

11 DeVille B2
12 Falafel Gourmet B2
Ford's ..... (voir 6)
Hopgood's ..... (voir 6)
13 Nelson Organic Co-op C1
14 Urban Oyster B3

Où prendre un verre et faire la fête

15 Free House B2
16 Rhythm and Brown B2

Cathédrale Christ Church Église

(www.nelsoncathedral.org ; Trafalgar Sq ; 9h-18h). GRATUIT Symbole éternel de Nelson, la cathédrale Christ Church, de style Art déco, domine la ville du haut de Trafalgar St. Visitez-la plutôt pendant les services dominicaux (10h et 19h).

Botanical Reserve Parc

(Milton St). Des sentiers de randonnée grimpent sur Botanical Hill, où une flèche indique le **Centre de la Nouvelle-Zélande**. Le tout premier match de rugby disputé dans le pays le fut au pied de la colline, le 14 mai 1870 : le Nelson Rugby Football Club y écrasa les joueurs de Nelson College 2 à 0.

Founders Heritage Park Musée

(03-548 2649 ; www.founderspark.co.nz ; 87 Atawhai Dr ; adulte/enfant/famille 7/5/15 $; 10h-16h30). À 2 kilomètres du centre-ville, ce parc comprend la réplique d'un

Un musée ébouriffant

Nelson fourmille de créativité, et la ville est le berceau du festival de mode le plus intéressant de Nouvelle-Zélande. On peut admirer quelque 70 modèles actuels ou passés dans les salles du **World of WearableArt & Classic Cars Museum** (03-547 4573 ; www.wowcars.co.nz ; 1 Cadillac Way ; adulte/enfant 24/10 $; 10h-17h), dont certaines jouent sur la saturation sensorielle, comme la salle des fluorescences. Ne manquez pas les "Bizarre Bras" (soutiens-gorge bizarres).

Vous êtes plutôt porté sur les voitures ? Sous le même toit sont réunies plus d'une centaine d'automobiles et de motos classiques en parfait état. Les expositions, changeantes, intègrent souvent la Cadillac rose de 1959 ou la Bullet Nose Studebaker jaune décapotable de 1950.

Le spectacle *World of WearableArt Awards Show* a débuté modestement en 1987 lorsque Suzie Moncrieff a organisé un défilé décalé montrant des œuvres d'art pouvant être portées et présentées par des mannequins. L'idée n'a pas tardé à faire son chemin et d'aucuns ont démontré qu'on pouvait façonner des vêtements en bois, en métal, en coquillages, en colliers de serrage, en feuilles sèches, en balles de ping-pong... Cet événement a désormais lieu à Wellington.

Si possible, prévoyez plusieurs heures pour la visite, le café et la boutique.

World of WearableArt Fashion Show
DOUGLAS PEEBLES/GETTY IMAGES ©

village historique avec musée, expositions et produits artisanaux, tels du chocolat et des vêtements. Une balade passionnante, à compléter d'une visite du **Founders Brewery & Cafe** (03-548 4638 ; www.foundersbrewery.co.nz ; 87 Atawhai Dr ; 9h-16h30, plus tard l'été).

McCashin's Brewery Brasserie
(03-547 5357 ; www.mccashins.co.nz ; 660 Main Rd, Stoke ; 7h-18h lun et mar, 7h-21h30 mer-sam, 9h-18h dim). Établissement pionnier du renouveau de la brasserie artisanale néo-zélandaise, mouvement qui débuta dans les années 1980. Rendez-vous à la cidrerie historique pour une dégustation, un repas au café ou une visite.

Queens Gardens Jardin
(Bridge St). Plongée de 125 ans en arrière dans l'histoire botanique, ce jardin d'ornement fut aménagé en célébration du jubilé de la reine Victoria. Idéal pour un pique-nique ou une sieste sur la pelouse.

Suter Art Gallery Galerie
(www.thesuter.org.nz ; 208 Bridge St ; 9h30-16h30). GRATUIT À côté des Queens Gardens, la galerie publique de Nelson accueille des expositions temporaires, des conférences, des représentations musicales et théâtrales, ainsi que des projections de films. La réouverture de cette galerie, au sortir d'un remarquable réaménagement, est prévue pour fin 2016. Consultez le site Internet pour la date de réouverture et le lieu où sont transférées les expositions.

CIRCUITS ORGANISÉS

Bay Tours Circuits guidés
(0800 229 868, 03-540 3873 ; www.baytoursnelson.co.nz ; circuits demi-journée/journée à partir de 85/145 $). Circuits au choix : ville de Nelson, la région, le vin, la bière, la cuisine et l'art. L'un des circuits d'une journée comprend une croisière dans l'Abel Tasman National Park, des visites de vignobles et une halte à Mapua.

Gentle Cycling Company Vélo
(0800 932 453, 03-929 5652 ; www.gentlecycling.co.nz ; circuit journée 95-105 $).

Circuits autoguidés à vélo le long du Great Taste Trail, avec arrêts (et dégustations) dans des caves, brasseries, cafés et, parfois, galeries. Location simple de vélo (45 $/j) et navettes disponibles.

ACTIVITÉS

Cable Bay Kayaks Kayak
(03-545 0332 ; www.cablebaykayaks.co.nz ; Cable Bay Rd, Hira ; circuits guidés demi-journée/journée 85/145 $). À 50 minutes de route de Nelson, Nick et Jenny organisent des circuits en kayak de mer intéressants, menés le long de la côte, où vous aurez des chances de faire connaissance avec la faune marine (grâce à l'équipement de snorkeling gardé à bord) et pourrez peut-être même pénétrer dans une grotte.

ACHATS

Marché de Nelson Marché
(03-546 6454 ; www.nelsonmarket.co.nz ; Montgomery Sq ; 8h-13h sam). Ne ratez pas ce gros marché hebdomadaire très fréquenté où l'on trouve des produits frais, des stands de restauration, des articles de mode, des œuvres d'artistes locaux, de l'artisanat et des musiciens de rue.

OÙ SE RESTAURER

Falafel Gourmet Moyen-oriental $
(03-545 6220 ; 195 Hardy St ; repas 11-19 $; 9h30-17h30 lun-sam, 9h30-20h ven ;). Ce nouveau venu prépare les meilleurs kebabs des environs ; diététiques de surcroît !

Nelson Organic Co-op Bio $
(www.nelsonorganiccoop.nz ; 40 Tasman St ; 10h-17h30 lun-ven, 10h-16h30 sam ;). Boutique coopérative dynamique, avec denrées fraîches ou pérennes, alcools bio et produits de toilette naturels. Plats à emporter, bon café et restauration.

DeVille Café $$
(03-545 6911 ; www.devillecafe.co.nz ; 22 New St ; repas 12-21 $; 8h-16h00 lun-sam, 8h30-14h30 dim ;). La plupart des tables sont installées dans un charmant jardin clos, oasis bohème nichée en pleine ville, idéale pour prendre un thé ou un repas. Qu'il s'agisse des pâtisseries fraîches, du brunch chorizo-burrito, de la salade César ou des burgers, accompagnés de vins et bières régionaux, tout ici est bon et issu de la production locale. Ferme tard l'été pour les concerts du vendredi.

Ford's Néo-zélandais moderne $$
(03-546 9400 ; www.fordsnelson.co.nz ; 276 Trafalgar St ; midi 17-22 $; 8h-tard lun-ven, 9h-tard sam-dim). Une adresse prisée à midi pour ses tables installées au soleil en haut de Trafalgar St et pour sa carte de classiques tels la délicieuse soupe de fruits de mer, le steak sandwich, et la salade niçoise au saumon fumé maison. Passez prendre un café et un scone ou attardez-vous devant un dîner (comptez environ 10 $ de plus).

Urban Oyster Néo-zélandais moderne $$
(03-546 7861 ; www.urbaneatery.co.nz ; 278 Hardy St ; plats 13-27 $; 16h-tard lun, 11h-tard mars-sam). Gobez des huîtres, faites le plein de vitalité avec des sashimis et du *ceviche*, puis calmez votre appétit avec des spécialités de cuisine de rue comme le poulet frit à la coréenne ou les tacos aux beignets de crevette accompagnés d'une poutine (frites assaisonnées de miettes de fromage et d'une sauce). Les dalles de boucherie noires, les œuvres d'art tourmentées et les boissons raffinées affirment l'identité métropolitaine de l'endroit.

Hopgood's Néo-zélandais moderne $$$
(03-545 7191 ; www.hopgoods.co.nz ; 284 Trafalgar St ; plats 27-40 $; 17h30-tard lun-sam). Voici l'adresse idéale pour un dîner romantique ou un festin en vacances. La cuisine simple et gourmande exalte la qualité des ingrédients régionaux. Goûtez le confit de canard aux cerises aigres ou le travers de porc et son beurre aux pignons. Carte des vins alléchante, majoritairement néo-zélandaise. Réservation conseillée.

Le Great Taste Trail

Inspirée par une météo clémente et une topographie facile, la région de Tasman a aménagé l'un des sentiers cyclables les plus en vue de Nouvelle-Zélande. La raison de cet engouement ? Nul autre itinéraire n'est autant ponctué de haltes dédiées à la gastronomie, au vin, à la bière artisanale et à l'art, tout en traversant des paysages variés allant de la campagne bucolique à la promenade en planches le long d'un estuaire.

Le Great Taste Trail (grande route du goût ; www.heartofbiking.org.nz) s'étend sur 174 km de Nelson à Kaiteriteri et il est question de le prolonger dans l'arrière-pays. Si l'on peut facilement le parcourir en quelques jours, en s'arrêtant çà et là pour la nuit, il est encore plus facile de le découvrir en plusieurs excursions plus ou moins longues d'une journée. Mapua est un bon camp de base où l'on peut louer des vélos chez **Wheelie Fantastic** (03-543 2245 ; www.wheeliefantastic.co.nz ; circuit auto-guidé à partir de 95 $, location vélo à partir de 30 $/jour) et chez **Trail Journeys** (03-540 3095 ; www.trailjourneysnelson.co.nz ; circuit 1 journée à partir de 89 $) sur le quai ; un ferry rejoint les sentiers de Rabbit Island. L'itinéraire traverse aussi le palpitant Kaiteriteri Mountain Bike Park.

À Nelson, beaucoup d'autres organisateurs de circuits à vélo ou de loueurs de vélo pourront vous conduire jusqu'au sentier en venant vous chercher et vous déposer à vélo.

OÙ PRENDRE UN VERRE ET SORTIR

Free House Bar à bières
(03-548 9391 ; www.freehouse.co.nz ; 95 Collingwood St ; 15h-tard lun-ven, 12h-tard sam, 10h30-tard dim). Dans cette ancienne église reconvertie est servi un choix souvent renouvelé de bières artisanales néo-zélandaises. Vous pourrez boire dedans, dehors ou dans une yourte, où ont régulièrement lieu des concerts.

Rhythm and Brown Bar
(03-546 56319 ; www.facebook.com/rhythmandbrown ; 19 New St ; 16h-tard mars-sam). Le bar nocturne le plus en vue de Nelson. Cocktails chics, vins fins et bière artisanale sur fond de douces mélodies. Souvent des mini-concerts le samedi soir, donnés dans un espace intimiste.

RENSEIGNEMENTS

i-SITE de Nelson (03-548 2304 ; www.nelsonnz.com ; angle Trafalgar St et Halifax St ; 8h30-17h lun-ven, 9h-16h sam-dim). Le comptoir d'information du DOC vous renseignera sur les parcs nationaux et les possibilités de randonnée (y compris sur les sentiers de l'Abel Tasman et de Heaphy). Retirez-y un exemplaire du *Nelson/Tasman Region Visitor Guide*.

DEPUIS/VERS NELSON

AVION

L'aéroport de Nelson est à 5 km au sud-ouest de la ville, près de Tahunanui Beach. **Air New Zealand** (0800 737 000 ; www.airnewzealand.co.nz) assure des vols directs depuis/vers Auckland, Wellington et Christchurch, et **Jetstar** (09-975 9426, 0800 800 995 ; www.jetstar.com) des dessertes depuis/vers Auckland et Wellington.

BUS

Des bus et des navettes desservent les principales destinations de l'île du Sud dont Picton (30 minutes) – d'où partent les ferries traversant le détroit de Cook jusqu'à Wellington

Centre-ville de Nelson

–et Christchurch, Greymouth et Queenstown. Des bus InterCity rallient quotidiennement Blenheim (1 heure 45), d'où l'on découvre le meilleur de la région des vignobles du Marlborough, et pour Kaikoura (3 heures 45), pour l'observation de la faune marine (p. 218).

COMMENT CIRCULER

On peut louer des vélos chez **Nelson Cycle Hire & Tours** (03-539 4193 ; www.nelsoncyclehire.co.nz ; aéroport de Nelson ; vélo 45 $/jour). Il y a largement de quoi pédaler à Nelson et dans les environs. L'i-SITE dispose de cartes.

Picton

À moitié assoupie en hiver, hyperactive en été (où elle accueille quotidiennement jusqu'à 8 ferries bondés), Picton s'enroule autour d'une anse profonde au fond du Queen Charlotte Sound. C'est le principal port de voyageurs de l'île du Sud, et la meilleure base pour explorer les Marlborough Sounds et s'attaquer au Queen Charlotte Track (p. 213).

À VOIR

Edwin Fox Maritime Museum Musée

(www.edwinfoxsociety.co.nz ; Dunbar Wharf ; adulte/enfant 10/4 $; 9h-17h). Le bateau en bois *Edwin Fox* a été construit à Calcutta et mis à l'eau en 1853. Au cours de sa carrière, il a emmené des soldats à la guerre de Crimée, des détenus en Australie et des immigrés en Nouvelle-Zélande. Ce musée contient des pièces maritimes, dont ce doyen des mers.

Eco World Picton Aquarium Centre animalier

(www.ecoworldnz.co.nz ; Dunbar Wharf ; adulte/enfant/famille 23/12/63 $; 9h30-17h30 oct-avr, 9h30-16h mai-sep). L'objectif premier de ce centre est la réhabilitation des animaux ; toutes sortes de créatures sont recueillies ici pour être soignées, se reposer et, parfois, se reproduire. On peut y voir des spécimens comme le tuatara, ou "dinosaure vivant" néo-zélandais (lézard endémique menacé), le manchot pygmée, le gecko et le weta géant. Le nourrissage (11h et 14h) est un spectacle impressionnant.

OÙ SE RESTAURER

Picton Village Bakkerij Boulangerie $

(46 Auckland St ; articles 3-8 $; 6h-16h mer-sam). Les propriétaires néerlandais préparent des délices européens, dont des bons pains, des petits pains garnis, des gâteaux et des tartes crémeuses. Idéal pour un en-cas avant ou après le trajet en ferry.

Gusto Café $

(33 High St ; repas 14-20 $; 7h-14h30 ;). Ce café accueillant, toujours animé, sert d'excellents petits-déjeuners (copieux "Morning Glory" à l'anglaise, œufs brouillés au saumon, etc.) et des plats simples, comme des moules locales ou des sandwichs chauds, au déjeuner.

Le Café Café $$

(www.lecafepicton.co.nz ; 12-14 London Quay ; déj 12-24 $, dîner 20-34 $; 7h30-22h30 ;). Adresse populaire pour son emplacement sur les quais, sa cuisine correcte et son café de La Havane. Appétissant assortiment d'antipasti, plats de pâtes, moules locales, agneau et plats de poisson à la carte, ainsi que des sandwichs au salami et diverses douceurs en vitrine. Ambiance détendue, bière artisanale et concerts occasionnels : une bonne soirée en perspective !

RENSEIGNEMENTS

i-SITE de Picton (03-520 3113 ; marlborough.nz.com ; The Foreshore ; 9h-17h lun-ven, 9h-16h sam-dim). Tout ce dont les visiteurs ont besoin : cartes, renseignements sur le Queen Charlotte Track, réservations de transports, consigne… Comptoir du DOC en été.

DEPUIS/VERS PICTON

Réservez vos transports dans tout le pays à l'i-SITE de Picton.

AVION

Soundsair (03-520 3080, 0800 505 005 ; www.soundsair.com ; 3 Auckland St). Vols quotidiens entre Picton et Wellington (adulte/enfant à partir de 99/89 $). Une navette depuis/vers l'aérodrome de Koromiko, à 8 km au sud, coûte 7 $.

BATEAU

Deux compagnies assurent la traversée du détroit de Cook entre Picton et Wellington, et, même si tous les ferries partent plus ou moins du même endroit, chacune a son propre terminal. Le principal carrefour des transports (avec dépôt de voitures louées) se trouve au terminal Interislander, qui abrite aussi des douches publiques, un café et un service Internet.

Bluebridge Ferries (0800 844 844, à Wellington 04-471 6188 ; www.bluebridge.co.nz ; adulte/enfant à partir de 51/26 $;). Jusqu'à 4 traversées par jour dans chaque sens (3 heures 30). Voitures et camping-cars à partir de 118 $, motos/vélos 51/10 $. Le ferry couchettes arrive à Picton à 6h.

Interislander (0800 802 802 ; www.interislander.co.nz ; adulte/enfant 55/28 $). Jusqu'à 5 traversées par jour dans chaque sens (durée 3 heures 10). Voitures à partir de 118 $, camping-cars (jusqu'à 5,50 m) à partir de 133 $, motos/vélos 56/15 $.

BUS

Les bus desservant Picton partent du terminal du ferry *Interislander* ou de l'i-SITE voisin.

InterCity (03-365 1113 ; www.intercity.co.nz) dessert, au sud, Christchurch (5 heures 30) *via* Blenheim (30 minutes), Kaikoura (2 heures 30), avec des correspondances pour Dunedin, Queenstown et Invercargill. Il existe aussi des liaisons depuis/vers Nelson (2 heures 15), avec correspondances pour Motueka et la côte ouest. Sur chacune de ces lignes, au moins un bus par jour permet une correspondance avec un ferry pour Wellington.

D'autres compagnies plus petites font la navette entre Picton et Christchurch, dont **Atomic Shuttles** (03-349 0697 ; www.atomictravel.co.nz), que l'on peut aussi réserver *via* **Naked Bus** (nakedbus.com).

TRAIN

Le *Coastal Pacific* de **KiwiRail Scenic** (04-495 0775, 0800 872 467 ; www.kiwirailscenic.co.nz) relie chaque jour (entre octobre et mai) Picton à

Christchurch *via* Blenheim et Kaikoura (et traverse 22 tunnels et 175 ponts !). Départ de Christchurch à 7h et de Picton à 13h. L'aller adulte Picton-Christchurch va de 79 à 159 $. La correspondance est assurée avec le ferry *Interislander*.

Queen Charlotte Track

Ce sentier très populaire (www.qctrack.co.nz ; certaines portions fermées en été), qui serpente sur 70 km de l'historique Ship Cove à Anakiwa, en passant par des terres privées et des réserves du DOC, dévoile un magnifique paysage côtier. Il est bien délimité et accessible aux personnes de condition physique moyenne. Desservi par de nombreux tour-opérateurs et compagnies de bateaux, vous pourrez parcourir tout le sentier (3-5 jours), ou commencer et finir où vous le souhaitez, à pied, à vélo ou en kayak.

Si quantité d'excursions peuvent se faire à la journée et permettent donc de séjourner à Picton, nombre d'hébergements n'en sont pas moins présents tout au long du sentier (les compagnies de bateaux pourront transporter vos bagages). À moins de camper, il est plus sage de réserver votre chambre très tôt, surtout l'été.

Les cafés sont aussi nombreux ; la majorité n'affiche complet qu'au cœur de l'été. Liste complète des hébergements et des lieux où se restaurer sur www.qctrack.co.nz.

RENSEIGNEMENTS

Le meilleur endroit pour obtenir informations et conseils est l'i-SITE de Picton (page ci-contre), qui s'occupe aussi des réservations pour les transports et les hébergements. Voir aussi sur www.qctrack.co.nz.

Marlborough Sounds

Les Marlborough Sounds se composent d'un dédale de pics, de baies, de plages et d'étendues d'eau, formés lorsque la mer inonda les profondes vallées du détroit après la dernière période glaciaire. Les routes sont généralement étroites et parfois non goudronnées – prévoyez du temps pour le trajet et restez vigilant.

Les déplacements sont *beaucoup* plus rapides en bateau (il faut ainsi 2-3 heures pour aller de Picton à Punga Cove en voiture, et seulement 45 minutes en bateau). Heureusement, une myriade de bateaux assure des liaisons (à horaire fixe ou sur demande), la plupart partant de Picton pour le Queen Charlotte Sound, et certains reliant Havelock au Kenepuru Sound et au Pelorus Sound.

Kenepuru et Pelorus Sounds

Le Kenepuru Sound et le Pelorus Sound, à l'ouest du Queen Charlotte Sound, moins peuplés, offrent moins de services, notamment en termes de transports. Vous serez cependant récompensé par de magnifiques paysages.

Le point névralgique de la région est **Havelock**, à l'extrémité ouest des 35 km de Queen Charlotte Drive (l'extrémité est étant Picton), autoproclamée "capitale mondiale de la moule verte". Si la ville n'est pas des plus animées, vous y trouverez tout ce dont vous avez besoin – hébergement, carburant, nourriture.

Pour plus de détails, dont une liste complète des services touristiques, consultez le site www.pelorusnz.co.nz, qui couvre Havelock, le Kenepuru Sound et le Pelorus Sound, ainsi que les extrémités du French Pass et de D'Urville Island.

Havelock, Pelorus Sound
SIMON GREENWOOD/GETTYIMAGES ©

Marlborough Sounds

Circuits organisés et moyens de transport :

Cougar Line (☎03-573 7925, 0800 504 090 ; www.cougarline.co.nz ; Town Wharf ; pass aller-retour 105 $, excursion 1 journée à partir de 80 $). Transport pour le Queen Charlotte Track et diverses croisières/randonnées à la demi-journée/journée, dont la très originale écocroisière jusqu'à Motuara Island, avec pique-nique à Ship Cove.

Marlborough Sounds Adventure Company (☎03-573 6078, 0800 283 283 ; www.marlboroughsounds.co.nz ; London Quay ; circuits demi-journée/3 jours 85/545 $). Excursions à vélo, à pied ou en kayak, avec des options pour satisfaire tous les goûts et les disponibilités. Excellente excursion kayak et randonnée à la journée (175 $).

Dolphin Watch EcoTours (☎03-573 8040 ; www.e-ko.nz ; 1 Wellington St ; nager avec/voir les dauphins 165/99 $, autres circuits à partir de 75 $). Sorties d'une demi-journée pour nager avec les dauphins et excursions d'observation de la faune, notamment à Motuara Island.

Myths & Legends Eco-Tours (☎03-573 6901 ; www.eco-tours.co.nz ; croisières demi-journée/journée 200/250 $). L'occasion de naviguer avec une famille maorie – des conteurs écologistes, là depuis longtemps.

Picton Water Taxis (☎027 227 0284, 03-573 7853 ; www.pictonwatertaxis.co.nz). Bateaux-taxis et circuits touristiques autour de Queen Charlotte, sur demande.

Blenheim

Blenheim est une ville agricole à 29 km au sud de Picton dans les Wairau Plains, entre les Wither Hills et les Richmond Ranges. Au cours de la dernière décennie, la ville a connu des travaux d'embellissement et l'arrivée à maturité de l'industrie vinicole ; l'installation d'un remarquable musée a également renforcé son attractivité.

À VOIR

Omaka Aviation Heritage Centre Musée

(☎03-579 1305 ; www.omaka.org.nz ; 79 Aerodrome Rd ; adulte/enfant 30/12 $, famille à partir de 45 $; ⌚9h-17h déc-mars, 10h-16h avr-nov). Ce mémorable musée abrite la collection d'aéronefs de la Grande Guerre du réalisateur Peter Jackson, constituée aussi bien d'originaux que de copies. Des dioramas y retracent des épisodes marquants, comme la mort du Baron rouge. Une nouvelle aile accueille Dangerous Skies, une exposition portant sur la Seconde Guerre mondiale. Baptêmes de l'air à bord de vieux biplans (20 minutes, 390 $ pour 2 personnes). Café et boutique.

Marlborough Museum Musée
(☎03-578 1712 ; www.marlboroughmuseum.org.nz ; 26 Arthur Baker Pl, près de Renwick Rd ; adulte/enfant 10/5 $; ⏰10h-16h). Reconstitution d'une petite ville ancienne, machines d'époque, collections historiques bien présentées et exposition sur le vin pour qui souhaite approfondir sa visite des vignobles.

Omaka Classic Cars Musée
(☎03-577 9419 ; www.omakaclassiccars.co.nz ; adulte/enfant 10 $/gratuit ; ⏰10h-16h). Regroupe plus de 100 véhicules des années 1950 à 1980. Juste à côté de l'Omaka Aviation Heritage Centre.

ACTIVITÉS

Driftwood Eco-Tours Kayak, Écotour
(☎03-577 7651 ; www.driftwoodecotours.co.nz ; 749 Dillons Point Rd ; circuits kayak 70-180 $, circuits 4×4 pour 2/3 pers à partir de 440/550 $). Ces captivantes sorties en kayak ou en 4 × 4 avec Will et Rose, des passionnés, soulignent toute la valeur écologique et historique du lagon de Wairau et de ses environs, juste à 10 minutes de voiture de Blenheim. On peut même apercevoir des oiseaux rares et des spatules royales. La "retraite" à louer près de l'Opawa River peut accueillir jusqu'à 4 personnes (d/qua 190/310 $; petit-déj 15 $/pers).

High Country Horse Treks Équitation
(☎03-577 9424 ; www.high-horse.co.nz ; 961 Taylor Pass Rd ; sortie 1-2 heures 60-100 $). Ces amis des animaux organisent des randonnées équestres pour tous niveaux depuis leur base à 11 km au sud-ouest de Blenheim (appelez pour vous faire expliquer l'itinéraire).

ACHATS

Wino's Vin
(www.winos.co.nz ; 49 Grove Rd ; ⏰10h-19h dim-jeu, 10h-20h ven-sam). Si vous disposez de peu de temps, direction Wino's, une excellente boutique réunissant certains des crus les plus fins et les moins courants du Marlborough.

La route du houblon

Nelson et sa région peuvent prétendre au titre de capitale de la bière en Nouvelle-Zélande. On y cultive les meilleurs houblons depuis les années 1840 et des dizaines de brasseries sont installées dans le secteur.

Munis de la carte *Nelson Craft Beer Trail* (disponible à l'i-SITE, dans d'autres points de vente et en ligne sur www.craftbrewingcapital.co.nz), naviguez de brasseurs en pubs, parmi lesquels le **Free House** (p. 210), **McCashin's** (p. 208), le **Moutere Inn** (☎03-543 2759 ; www.moutereinn.co.nz ; 1406 Moutere Hwy, Upper Moutere), le **Golden Bear** (www.goldenbearbrewing.com ; Mapua Wharf, Mapua ; repas 10-16 $), et la **Mussel Inn** (☎03-525 9241 ; www.musselinn.co.nz ; 1259 SH60, Onekaka ; en-cas toute la journée 5-17 $, dîner 13-30 $; ⏰11h-tard, fermé juil-août).

Houblonnières
STIRLING ADAMS/GETTY IMAGES ©

Le Farewell Spit

Tel un grand trait de sable exposé au vent filant sur la mer depuis la pointe nord de l'île du Sud, Farewell Spit est une zone humide d'importance internationale et une réserve ornithologique réputée – résidence d'été de milliers d'échassiers migrateurs, dont la barge (qui vole depuis la lointaine toundra de l'Arctique), la sterne caspienne et le fou austral. La plage de 35 km de long se caractérise par ses immenses dunes en forme de croissants, qui offrent une vue panoramique sur la Golden Bay et un vaste marais salant à marée basse. Les marcheurs peuvent explorer les 4 premiers kilomètres de la pointe grâce à un réseau de sentiers (consultez la brochure *Farewell Spit* du DOC), mais, au-delà, l'accès n'est possible que lors de circuits programmés en fonction des marées.

Farewell Spit Eco Tours (03-524 8257, 0800 808 257 ; www.farewellspit.com ; Tasman St, Collingwood ; circuits 120-155 $). Depuis près de 70 ans, Paddy et ses guides expérimentés proposent une gamme de circuits (2 heures à 6 heures 30) partant de Collingwood, comprenant la pointe, le phare, et l'observation de 20 espèces d'oiseaux, pouvant inclure des fous et des barges. Histoires fantastiques assurées.

Farewell Spit Nature Experience (03-524 8992, 0800 250 500 ; www.farewellspittours.com ; Pakawau Rd, Collingwood ; circuits 120-145 $). Cette agence organise un circuit de 4 heures au départ du centre d'information de Farewell Spit, et un autre de 6 heures au départ de l'Old School Cafe, à Pakawau.

OÙ SE RESTAURER

Burleigh Traiteur $

(03-579 2531 ; 72 New Renwick Rd ; tourtes 6 $; 7h30-15h lun-ven, 9h-13h sam). L'humble tourte atteint des sommets chez ce traiteur ; goûtez celle (sucrée) au travers de porc ou celle (salée) au steak et au fromage persillé – voire les deux. Outre les sandwichs baguette garnis de produits frais et la saucisse locale, des fromages français et un excellent café font aussi des apparitions alléchantes. Forte affluence le midi.

Gramado's Brésilien $$

(03-579 1192 ; www.gramadosrestaurant.com ; 74 Main St ; plats 26-38 $; 16h-tard mar-sam). Ce restaurant plaisant ajoute une touche latino-américaine à la scène culinaire de Blenheim. Attaquez-y des plats roboratifs décomplexés comme l'*assado* d'agneau, la *feijoada* (ragoût aux haricots et au porc fumé) ou encore du poisson épicé à la brésilienne. Après une *caipirinha*, naturellement.

Wairau River Restaurant Néo-zélandais moderne $$

(03-572 9800 ; www.wairauriverwines.com ; angle Rapaura Rd et SH6, Renwick ; plats 21-27 $; 12h-15h). Bistrot à la mode avec murs en brique, vaste véranda et beau jardin, ombragé à souhait. Nous recommandons la soupe épaisse aux moules ou le soufflé renversé au bleu. Relaxant et extrêmement agréable.

OÙ PRENDRE UN VERRE ET SORTIR

Dodson Street Bar à bières

(03-577 8348 ; www.dodsonstreet.co.nz ; 1 Dodson St ; 11h-23h). Ce pub avec jardin tire avantage de son ambiance de brasserie et de sa carte teutonne à l'avenant (plats 17-27 $) avec jarret de porc, *bratwurst* et escalope viennoise. Les vedettes maison sont les 24 bières artisanales pression de qualité, régulièrement renouvelées, dont des bières de Renaissance, la brasserie primée voisine.

RENSEIGNEMENTS

i-SITE de Blenheim (03-577 8080 ; www.marlboroughnz.com ; 8 Sinclair St, Railway

Station ; 9h-17h lun-ven, 9h-15h sam, 10h-15h dim). Renseigne sur le Marlborough et au-delà. Carte de la route des vins et réservations d'activités.

COMMENT S'Y RENDRE ET CIRCULER

AVION

L'**aéroport du Marlborough** (www.marlboroughairport.co.nz ; Tancred Cres, Woodbourne) est à 6 km à l'ouest de la ville, sur Middle Renwick Rd. **Air New Zealand** (0800 747 000 ; www.airnewzealand.co.nz). Vols directs depuis/vers Wellington, Auckland et Christchurch avec correspondances possibles. **Soundsair** (0800 505 005, 03-520 3080 ; www.soundsair.co.nz ; 3 Auckland St). Relie Blenheim à Wellington, Paraparaumu et Napier.

BUS

InterCity (03-365 1113 ; www.intercity.co.nz). Bus quotidiens de l'i-SITE de Blenheim à Picton (30 minutes) et à Nelson (1 heure 45). D'autres se rendent à Christchurch (2/j), au sud, *via* Kaikoura. **Naked Bus** (0900 625 33 ; www.nakedbus.com) brade des places sur certaines de ces lignes ainsi qu'à bord de ses propres bus sur les lignes principales.

NAVETTES

Blenheim Shuttles (03-577 5277, 0800 577 527 ; www.blenheimshuttles.co.nz). Navettes autour de Blenheim et ailleurs dans le Marlborough.

TRAIN

KiwiRail Scenic (0800 872 467 ; www.kiwirailscenic.co.nz) assure le trajet quotidien Coastal Pacific (oct-mai), avec arrêt à Blenheim en direction du nord et de Picton (à partir de 29 $), ou à Kaikoura (à partir de 59 $) en direction de Christchurch (à partir de 79 $), vers le sud.

Le Nelson Lakes National Park

Le Nelson Lakes National Park est centré sur deux lacs (Rotoiti et Rotoroa), à la lisière d'une forêt de hêtres, avec des montagnes de grauwacke en toile de fond. Ces majestueux sommets, aux paysages sculptés de glaciers, sont situés à l'extrémité nord des Alpes du Sud. Le parc abrite de nombreux oiseaux et est réputé pour la pêche à la truite brune.

Des randonnées spectaculaires vous permettront d'apprécier ce paysage sauvage, mais, avant de vous lancer, faites une halte au **centre d'information du DOC** (03-521 1806 ; www.doc.govt.nz ; View Rd, St Arnaud ; 8h-16h30 en hiver, 8h-17h en été) pour prendre des cartes, vérifier les prévisions météo et payer votre refuge ou votre emplacement de camping.

Le **Mt Robert Circuit Track** (5 heures) débute au sud de St Arnaud et contourne la montagne. Le détour éventuel le long du Robert Ridge offre des vues spectaculaires sur le cœur du parc national. Sinon, le **St Arnaud Range Track** (5 heures aller-retour), sur la rive est du lac, monte progressivement vers la crête qui jouxte Parachute Rocks.

Des marches plus courtes, au dénivelé moindre, existent aussi au départ de Kerr Bay, au lac Rotoiti, et de l'extrémité de la route menant au lac Rotoroa. Toutes les randonnées sont décrites dans la brochure *Walks in Nelson Lakes National Park* (2 $) éditée par le DOC.

Randonneuse admirant le lac Rotoiti depuis le St Arnaud Range, dans le Nelson Lakes National Park
DAVID CHADWICK /GETTY IMAGES ©

Dauphins obscurs

KIM WESTERSKOV/GETTY IMAGES ©

Observation de la faune à Kaikoura

Sur la côte, entre Marlborough et Christchurch, prenez part à un circuit d'observation des baleines, dauphins et phoques de Kaikoura.

Pour ceux qui aiment...

☑ Ne ratez pas

Le snorkeling parmi les bébés phoques curieux qui plongent autour de vous.

À 243 km de Nelson *via* Blenheim – ou à 180 km au nord de Christchurch –, la ville péninsulaire de Kaikoura est adossée au massif de Seaward Kaikoura Range.De nombreux mammifères marins vivent ici, dont des baleines, des dauphins et des otaries à fourrure de Nouvelle-Zélande ; on peut aussi voir des pingouins, des puffins, des pétrels et des albatros.

Cette abondance de créatures est due à la présence simultanée d'un courant océanique et d'une plaque continentale, qui provoque une remontée des nutriments du fond de l'océan jusque dans la zone de nourrissage. On en retire, en bout de chaîne, de succulents produits de la mer, en particulier les célèbres langoustes de Kaikoura.

Whale Watch Kaikoura Écotour

(☎0800 655 121, 03-319 6767 ; www.whalewatch.co.nz ; Railway Station ; circuit 3h30 adulte/enfant

Manchot antipode

NATALIA KHALAMAN/SHUTTERSTOCK ©

150/60 $). Aidé de guides bien informés et d'une animation sur les baleines présentée à bord, le plus gros opérateur de Kaikoura propose des excursions en bateau à la découverte de ces mastodontes.

Wings over Whales Écotour
(03-319 6580, 0800 226 629 ; www.whales.co.nz ; vol 30 minutes adulte/enfant 180/75 $). Vols en avion léger au départ de l'aéroport de Kaikoura, à 8 km au sud de la ville. Vous aurez 95% de chances de voir des baleines.

Kaikoura Helicopters Vols panoramiques
(03-319 6609 ; www.worldofwhales.co.nz ; Whaleway Station Rd ; vols 15-60 min 100-490 $). Vols d'observation des baleines (sortie de 30 minutes, 220 $/pers à partir de 3 pers) et balades au-dessus de la péninsule, du Mt Fyffe et des sommets au-delà.

Infos pratiques

i-SITE de Kaikoura (03-319 5641 ; www.kaikoura.co.nz ; West End ; 9h-17h lun-ven, 9h-16h sam-dim, horaires prolongés déc-mars).

Une petite faim ?

Les denrées locales comme les produits de la mer, l'agneau et le chevreuil sont au menu du **Green Dolphin** (03-319 6666 ; www.greendolphinkaikoura.com ; 12 Avoca St ; plats 26-39 $; 17h-tard), à Kaikoura.

★ Bon à savoir

Les sorties d'observation des baleines en mer étant parfois annulées en raison du mauvais temps, prévoyez un créneau de secours dans votre emploi du temps.

Dolphin Encounter Écotour
(03-319 6777, 0800 733 365 ; 96 Esplanade ; www.encounterkaikoura.co.nz ; nage avec les dauphins adulte/enfant 175/160 $, observation des dauphins 95/50 $; circuits 8h30 et 12h30 toute l'année, plus 5h30 nov-avr). Cet opérateur propose des circuits de 3 heures, au cours desquels on croise souvent d'imposants bancs de dauphins obscurs, la spécialité de Kaikoura.

Seal Swim Kaikoura Écotour
(0800 732 579, 03-319 6182 ; www.sealswimkaikoura.co.nz ; 58 West End ; circuits 70-110 $, observation adulte/enfant 55/35 $; oct-mai). Nagez (vêtu d'une combinaison chaude) avec la colonie florissante de phoques de Kaikoura lors de sorties de plongée (en bateau) avec guide (2 heures).

Albatross Encounter Ornithologie
(0800 733 365, 03-319 6777 ; 96 Esplanade ; www.encounterkaikoura.co.nz ; adulte/enfant 125/60 $; circuits 9h et 13h toute l'année, plus 6h nov-avr). Même si vous n'êtes pas un passionné d'oiseaux, vous apprécierez cette rencontre avec des espèces pélagiques comme les puffins, cormorans huppés, thalassarches et pétrels. Les diverses espèces d'albatros sont le clou du spectacle.

UP TO 70%
THE
GENERAL
STORE

Boutiques et cafés aménagés dans des conteneurs à Christchurch, dévastée par le séisme

Dans ce chapitre

Christchurch et Canterbury

Visiter la deuxième ville du pays, capitale de la région du Canterbury, alors qu'elle renaît et se reconstruit à la suite des séismes, est aussi émouvant qu'édifiant. À courte distance en voiture, la péninsule de Banks, avec son lot de baies et de plages secrètes, se prête aux croisières d'observation de la faune, avec, au retour, une escale à Akaroa, belle ville portuaire dont le patrimoine témoigne d'une présence française. Vers l'ouest, de somptueux paysages de montagnes feront le bonheur des contemplatifs comme des amateurs de sports de glisse.

En 2 jours

Cette cité, qui fait montre, au sortir des récentes catastrophes naturelles, d'une remarquable vitalité, vaut bien d'y passer deux jours. Offrez-vous le **Red Bus Rebuild Tour** (p. 225), puis visitez **Quake City** (p. 224) et la **Transitional Cathedral** (p. 225). Chez **Addington Coffee Co-op** (p. 239) ou **Caffeine Laboratory** (p. 239) vous pourrez vous sustenter en journée, avant de siroter un verre, en soirée, au pittoresque **Smash Palace** (p. 240) ou de dîner au **Twenty Seven Steps** (p. 239).

En 4 jours

Les troisième et quatrième jours, rejoignez la charmante **péninsule de Banks** (p. 226) et la ville portuaire d'**Akaroa** (p. 242), pour en découvrir l'héritage français et observer la faune sauvage. Accordez-vous, le temps d'une sortie en bateau, une petite chance d'apercevoir des spécimens de dauphins d'Hector, une espèce rare. Les plus téméraires se lanceront quant à eux à l'assaut du massif de l'**Aoraki/ Mt Cook** (p. 230), ou des pentes enneigées des domaines skiables de **Methven** et du **Mt Hutt** (p. 246).

0 — 40 km

Hokitika
Jacksons
Otira
Lac Sumner
Culverden
Hanmer Springs
Hawarden
Hurunui
Kakapotahi
Ross
Mer de Tasman
Pukekura
Arthur's Pass
Arthur's Pass National Park
Bealey
Cass
Craigieburn Forest Park
Waipara
Amberley
Hari Hari
Okarito
The Forks
Whataroa
Pegasus Bay
Amberley
Oxford
Cust
Woodend
Springfield
International Antarctic Centre
Lac Heron
Lac Coleridge
Franz Josef Glacier
Orana Wildlife Park
Christchurch
Fox Glacier
Aoraki/Mt Cook National Park
Aéroport de Christchurch
Gondola
Okains Bay Maori & Colonial Museum
Riccarton House & Bush
Mt Hutt
Pioneer Women's Memorial
Aoraki
Mesopotamia
Methven
Rakaia
Dunsandel
Tai Tapu
Mt Somers
Lyndhurst
Mt Cook Village
Rakaia
Centre d'information de l'Aoraki/Mt Cook National Park
Sir Edmund Hillary Alpine Centre
Chertsey
Lac Ellesmere
Little River
Akaroa
Mayfield
Tekapo Springs
Peel Forest
Ashburton
Tinwald
Glentanner
Lake Tekapo
Péninsule de Banks
Mackenzie Alpine Horse Trekking
Church of the Good Shepherd
Rangitata
Hakatere
Fairlie
Geraldine
Lac Pukaki
Albury
Canterbury Bight
Temuka
Twizel
Pleasant Point
Clearburn
Timaru
Lac Benmore
Glenburn

Plan de Christchurch (p. 234)
Plan d'Akaroa (p. 243)

Comment s'y rendre

Aéroport international de Christchurch Situé à 10 km de Christchurch. Vols depuis/vers Auckland, Wellington, Hamilton, Nelson, Queenstown, l'Australie, Singapour et la Chine.

Rolleston Ave Les bus et navettes pour Akaroa et le lac Tekapo partent devant le Canterbury Museum.

Christchurch Bus Interchange Navettes pour Greymouth.

Gare ferroviaire de Christchurch Terminus des trains Coastal Pacific en provenance de Picton et du TranzAlpine qui part vers l'ouest et traverse les Alpes du Sud pour rejoindre Greymouth.

Où se loger

Avec la reconstruction, les lits disponibles dans le centre de Christchurch et dans la périphérie intérieure se font de plus en plus nombreux. Merivale, Riccarton et le quartier de Colombo St sont ponctués de bons motels, tandis que le faubourg historique de Fendalton regroupe des B&B de charme. Les jolies rues d'Akaroa et les collines environnantes comptent également leur lot de B&B, de motels et de logements à louer.

Galerie marchande Re:START

Renaissance post-séisme

Résilience et créativité animent la population de Christchurch depuis le séisme de 2011. Si la reconstruction avance lentement, des initiatives originales donnent un nouvel élan à la seconde ville néo-zélandaise.

Pour ceux qui aiment...

☑ Ne ratez pas

L'utilisation originale des conteneurs transformés en bars et en boutiques.

Après le séisme du 22 février 2011, diverses initiatives et autres entreprises ont vu le jour, la ville ayant entamé une reconstruction prévue pour durer quelque 20 ans et coûter jusqu'à 50 milliards de dollars néo-zélandais. Tandis que prennent lentement forme un centre-ville compact aux bâtiments peu élevés, des espaces verts, des parcs et des pistes cyclables le long de l'Avon, les habitants de Christchurch mettent tout leur cœur, malgré les nombreuses répliques du séisme, à rendre à la ville son attrait de naguère, voire à l'accroître.

À voir

Quake City Musée

(www.quakecity.co.nz ; 99 Cashel St ; adulte/enfant 20 $/gratuit ; 10h-17h). Consacrée au séisme, cette exposition, installée dans la galerie marchande Re:START Mall livre des récits à base de photos, de vidéos et d'objets

divers, notamment des fragments tombés de la cathédrale. Un film bouleversant y est projeté, dans lequel des habitants racontent leur expérience personnelle.

Transitional Cathedral Église
(www.cardboardcathedral.org.nz ; 234 Hereford St ; don à l'entrée ; 9h-17h, 9h-19h été).
Connu dans le monde entier sous le nom de Cardboard Cathedral (cathédrale en carton), par référence aux 98 colonnes de carton de sa structure, cet édifice tient à la fois lieu de cathédrale anglicane provisoire et de salle de concert. Conçu par le Japonais Shigeru Ban, "l'architecte des désastres", il fut érigé en 11 mois seulement.

Circuits organisés

Red Bus Rebuild Tour Circuits en bus
(0800 500 929 ; www.redbus.co.nz ; adulte/enfant 35/17 $). Les commentaires s'attardent sur le passé et le devenir des sites du centre, ravagés par les séismes. Les circuits comprennent une vidéo où les rues sont montrées telles qu'elles étaient avant.

Achats

Re:START Mall Galerie marchande
(www.restart.org.nz ; Cashel St ; 10h-17h ;). Ce dédale de boutiques aménagées dans des conteneurs a été le premier commerce à rouvrir dans le centre des affaires (CBD) après le séisme. Avec ses cafés, ses *food trucks*, ses boutiques et ses passants, c'est toujours un endroit agréable où se poser, particulièrement par beau temps.

Combler le vide

Partis de rien après les séismes, les membres de Gap Filler (www.gapfiller.org.nz) s'attaquent, à grand renfort de couleurs et de créativité, aux espaces à l'abandon de leur ville bien aimée. Les chantiers vont des installations artistiques provisoires aux jardins en passant par les espaces de spectacle, le minigolf éparpillé entre des chantiers de construction déserts et le "Grandstandium", une tribune mobile, véritable concentré de bonne humeur. Vous trouverez la carte des projets du moment sur le site Internet de Gap Filler.

Infos pratiques

Vous trouverez sur www.rebuildchristchurch.co.nz un point de vue indépendant sur la progression de la reconstruction.

Une petite soif ?

Revival (03-379 9559 ; www.revivalbar.co.nz ; 92-96 Victoria St ; 15h-tard lun-jeu, 12h-tard ven-dim) est le conteneur-bar le plus branché de Christchurch.

★ Bon à savoir

Consultez www.neatplaces.co.nz pour connaître les dernières boutiques, bars et restaurants éclos dans cette ville en constant remaniement.

Akaroa Harbour

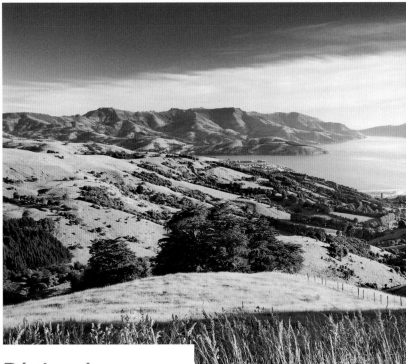

Péninsule de Banks

Deux éruptions volcaniques géantes sont à l'origine de la formation, il y a près de 8 millions d'années, de la péninsule de Banks (Horomaka), jalonnée de baies et de ports naturels.

Pour ceux qui aiment...

☑ Ne ratez pas

La superbe Summit Rd, qui longe la lèvre d'un des cratères volcaniques d'origine de la péninsule de Banks.

La ville historique d'Akaroa, à 80 km de Christchurch, est un joyau, à l'instar de l'itinéraire longeant, sur Summit Rd, la lèvre d'un des anciens cratères. Les petites baies essaimées sur le pourtour de la péninsule valent également d'être explorées.

Les eaux qui baignent la péninsule de Banks abritent la plus petite et l'une des plus rares espèces de delphinidés : le dauphin d'Hector, présent uniquement en Nouvelle-Zélande. Divers circuits partant d'Akaroa donnent espoir d'en croiser, ainsi que d'autres créatures, dont les manchots à ailerons blancs, les orques et les phoques.

À voir

Okains Bay Maori & Colonial Museum — Musée

(www.okainsbaymuseum.co.nz ; 1146 Okains Bay Rd ; adulte/enfant 10/2 $; 10h-17h). Ce musée, au nord-est d'Akaroa, expose une collection

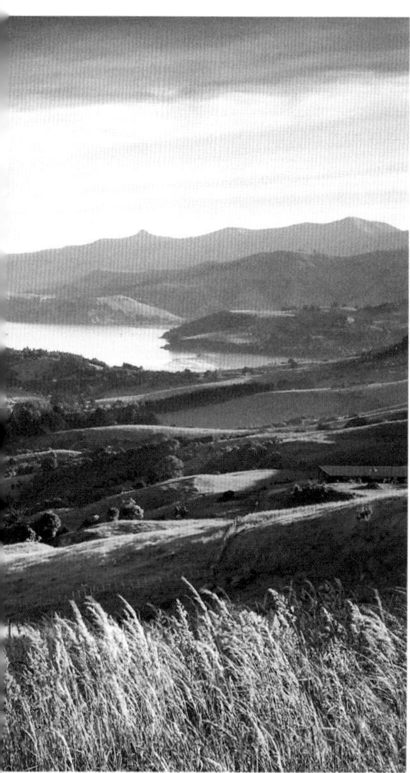

Infos pratiques

Passez à l'**i-SITE & Adventure Centre d'Akaroa** (p. 245) pour réserver, vous renseigner et découvrir des activités.

Une petite faim ?

Le **Little Bistro** (p. 244) d'Akaroa sert des produits de la mer locaux, des vins de l'île du Sud et des bières artisanales du Canterbury.

★ Bon plan

Passez la nuit à Akaroa pour profiter de la ville après le départ des excursionnistes – et des bateaux de croisière en été.

d'artefacts liés aux pionniers européens, mais c'est avant tout pour le fonds maori qu'il faut s'y rendre, notamment la réplique de *wharenui* (maison de rassemblement), les wakas (canoës), les tabourets en pierre et les ornements corporels.

Activités

Black Cat Cruises — Observation des dauphins

(03-304 7641 ; www.blackcat.co.nz ; Main Wharf ; croisière nature adulte/enfant 74/30 $, nage avec les dauphins 155/120 $). Croisière de 2 heures, ou de 3 heures avec nage parmi les dauphins. Les combinaisons de plongée et équipement de snorkeling sont fournis et il y a des douches chaudes au retour sur la terre ferme. On peut embarquer comme simple observateur (adulte/enfant 80/40 $) et seules 12 personnes peuvent nager à chaque sortie – réservez bien à l'avance !

Les chances de croiser ces aimables créatures, voire de nager à leurs côtés, sont très grandes (on vous remboursera 50 $ si la baignade n'a pas lieu et que vous deviez en être).

Akaroa Dolphins — Bateau

(03-304 7866 ; www.akaroadolphins.co.nz ; 65 Beach Rd ; adulte/enfant 75/35 $; 12h45 toute l'année, plus 10h15 et 15h15 oct-avr). Sorties d'observation de la faune (2 heures) à bord d'un confortable catamaran de 15 m, avec boisson offerte, pâtisseries maison et la présence de Sydney, un chien très doué pour repérer les animaux sauvages.

Akaroa Guided Sea Kayaking Safari — Kayak

(021 156 4591 ; www.akaroakayaks.com ; 3 heures/demi-journée 125/159 $). Départ à 7h30 en kayak pour la Sunrise Nature Safari (3 heures), ou à 11h30 pour la Bays & Nature Paddle. L'expédition d'une demi-journée Try Sea Kayaking Experience est plus sportive.

Lac Tekapo

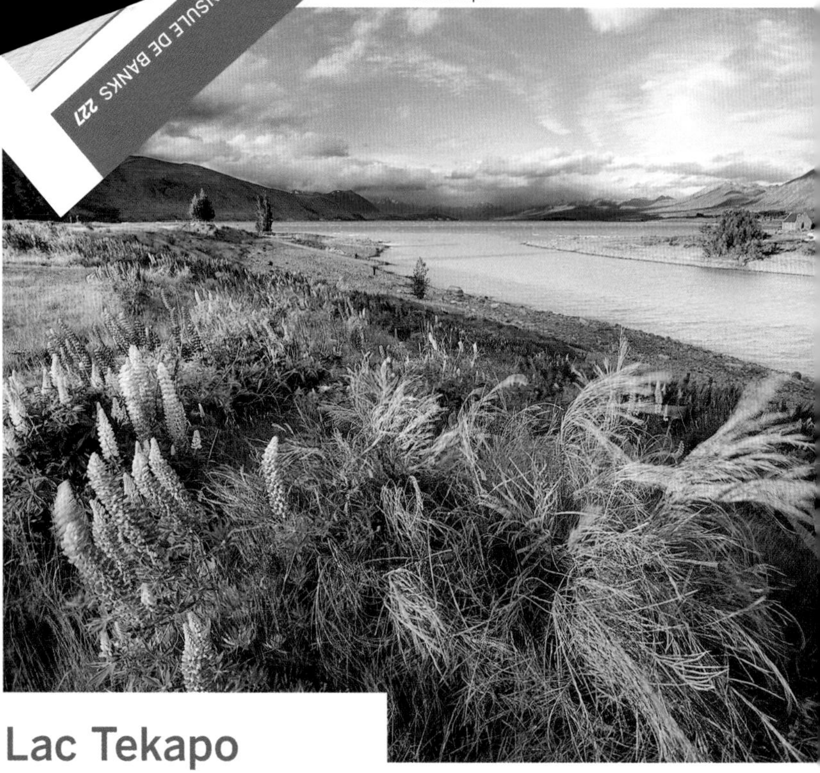

Lac Tekapo

En rejoignant Queenstown et les lacs du Sud depuis Christchurch, vous traverserez le cœur du bassin de Mackenzie. Le lac Tekapo a non seulement l'attrait de superbes paysages, mais aussi celui d'un accès facile à l'Aoraki/ Mt Cook National Park.

Pour ceux qui aiment...

☑ Ne ratez pas

L'**Astro Café** (Mt John University Observatory ; plats 7-12 $; 9h-17h), situé sur le Mt John, qui a vue à 360° sur tout le bassin de Mackenzie.

C'est autour du magnifique lac Tekapo que gravitent les voyageurs dans le bassin de Mackenzie, le plateau d'où s'élèvent les sommets de l'Aoraki/Mt Cook National Park. L'endroit tient son nom du célèbre James "Jock" McKenzie qui, dans les années 1840, faisait paître ses troupeaux volés dans cette région alors inhabitée.

En 2012, la zone Aoraki Mackenzie a été labellisée International Dark Sky Reserve ; le Mt John, près du lac Tekapo, dépourvu de toute pollution, est le meilleur endroit pour découvrir dans toute sa splendeur le ciel nocturne de la région.

Le secteur du lac Tekapo recèle d'autres opportunités comme la randonnée équestre, avec **Mackenzie Alpine Horse Trekking** (0800 628 269 ; www.maht.co.nz), ainsi que la détente revitalisante dans les bassins chauds, les saunas et les thermes

Vue sur l'Aoraki/Mt Cook

MATTEO COLOMBO/GETTY IMAGES ©

de **Tekapo Springs** (☎03-680 6550 ; www.tekaposprings.co.nz ; 6 Lakeside Dr ; ⏰10h-21h).

Church of the Good Shepherd Église (Pioneer Dr ; ⏰9h-17h). Bâtie au bord du lac en 1935, cette église interconfessionnelle en pierre et en chêne est le premier arrêt des circuits en bus. Derrière l'autel, une baie vitrée distrait les fidèles en leur offrant une vue divine sur le lac et la montagne majestueux ; c'est naturellement un lieu privilégié pour les mariages. Pour éviter la foule qui brise la paix des lieux, venez tôt le matin ou en fin d'après-midi.

Earth & Sky Circuits guidés nocturnes (☎03-680 6960 ; www.earthandsky.co.nz ; SH8). C'est l'endroit rêvé pour visiter un observatoire et scruter le ciel nocturne. Des guides vous emmèneront, de nuit, observer les étoiles depuis l'observatoire de l'University of Canterbury, au sommet du Mt John (adulte/enfant 145/80 $). Des visites des installations le jour sont organisées à la demande en hiver, tandis qu'il y a généralement un guide sur place en été de 12h à 15h environ (adulte/enfant 20/10 $).

Dans les environs

À la pointe nord du lac Pukaki – et à 124 km du lac Tekapo – se dresse l'Aoraki/Mt Cook (3 754 m) . Le **centre d'information de l'Aoraki/Mt Cook National Park** (☎03-435 1186 ; www.doc.govt.nz ; 1 Larch Grove ; ⏰8h30-16h30, 8h30-17h oct-avr) GRATUIT vous indiquera des randonnées courtes dans les environs immédiats. Le temps est parfois très changeant. Dans l'Hermitage, le **Sir Edmund Hillary Alpine Centre** (www.hermitage.co.nz ; The Hermitage, Terrace Rd ; adulte/enfant 20/10 $; ⏰7h-20h30 oct-mars, 8h-19h avr-sept), hôtel emblématique, renferme une exposition sur l'alpinisme,des souvenirs de Sir Hillary et un film passionnant de 1 heure 15 sur sa première ascension de l'Everest en 1953. On peut aussi explorer le lac terminal du Tasman Glacier en kayak ou en bateau gonflable.

Glentanner
Lac Pukaki
Lac Tekapo
Fairlie
Albury

Infos pratiques

Découvrez le bassin de Mackenzie et l'Aoraki/Mt Cook National Park sur le site www.mtcooknz.com.

Une petite soif ?

La bière glacée se sirote avec vue sur le lac au **Mackenzie's Bar & Grill** (SH8 ; ⏰11h30-tard lun-ven, 10h-tard sam-dim).

★ Le saviez-vous ?

Le lac Tekapo doit sa teinte turquoise à un sédiment appelé "farine glaciaire".

Aoraki/Mt Cook

Aoraki/Mt Cook National Park

Les 700 km² de l'Aoraki/Mt Cook National Park, font partie de la zone du sud-ouest de la Nouvelle-Zélande (Te Wahipounamu) inscrite au patrimoine mondial.

Pour ceux qui aiment...

☑ Ne ratez pas

La vue sur la montagne qu'offre l'**Old Mountaineers** (www.mtcook.com/restaurant ; Bowen Dr ; petit-déj 10-15 $, déj 15-26 $, dîner 18-35 $; ⏲10h-21h tlj nov-avr, mar-dim mai et juil-oct ; 📶).

Sur les 23 sommets du pays dépassant 3 000 m, 19 se trouvent dans ce parc. Le plus haut, l'Aoraki/Mt Cook (3 754 m), est aussi le point culminant de l'Australasie.

Par temps clair, sa silhouette est magnifique. Généralement, les bus touristiques déversent leur lot de visiteurs à l'hôtel Hermitage, le temps, pour eux, de prendre des photos, et repartent aussitôt par la State Highway 80 (SH80). Attardez-vous sur place pour profiter de ce pic spectaculaire et des paysages environnants, à découvrir au gré de courtes balades.

Avec ses 27 km de long et ses 3 km au point le plus large, le **Tasman Glacier** est le plus grand de Nouvelle-Zélande. Il fond néanmoins très vite et perd chaque année plusieurs centaines de mètres. À sa base, le **lac Tasman**, qui a commencé à se

former au début des années 1970, s'étend désormais sur 7 km. Sa surface est couverte d'immenses icebergs qui se détachent continuellement du bord du glacier.

Il y a 17 000 ans, lors de sa plus importante avancée, le glacier s'étendait beaucoup plus au sud, où il a creusé le lac Pukaki. Lors d'une autre période de glaciation, plus tardive, il s'est rétracté, ce qui explique le "fossé" entre les bords de la vallée et les moraines latérales qui marquent cette deuxième avancée. La Tasman Valley Rd, non stabilisée, qui bifurque de la Mt Cook Rd à 800 m au sud du village, circule dans ce fossé. Depuis l'abri des Blue Lakes, le **Tasman Glacier View Track** (40 minutes aller-retour), une marche de 8 km le long de la route et des Blue Lakes, mène à un point de vue au sommet de la moraine.

Infos pratiques

Le centre d'information du DOC (p. 229) est la meilleure source de renseignements sur la région. Supermarché et DAB les plus proches à Twizel.

Une petite faim ?

Au cœur du village, à l'étage du Mt Cook Backpacker Lodge, le **Chamois Bar & Grill** (www.mountcookbackpackers.co.nz ; Bowen Dr ; 16h-tard) est apprécié pour sa cuisine de pub, sa table de billard et sa TV grand écran. Concerts à l'occasion.

★ Bon à savoir

Des bus InterCity (03-365 1113 ; www.intercity.co.nz) quotidiens assurent la liaison avec Christchurch (à partir de 67 $, 5 heures 15), Geraldine (à partir de 38 $, 3 heures), le lac Tekapo (à partir de 30 $, 1 heure 30), Cromwell (à partir de 59 $, 2 heures 45) et Queenstown (à partir de 64 $, 4 heures).

L'une des meilleures balades à la journée, le **Hooker Valley Track** (3 heures aller-retour depuis le Mt Cook Village) remonte la Hooker Valley et franchit 3 ponts suspendus pour rejoindre le cours du Stocking Stream et s'achever au Hooker Glacier. Après le deuxième pont, la silhouette de l'Aoraki/Mt Cook domine entièrement la vallée et l'on voit souvent des icebergs flotter sur le lac Hooker.

Jalonné de plantes endémiques, le **Kea Point Track** (2 heures aller-retour depuis le Mt Cook Village) débouche sur un belvédère avec une belle vue sur l'Aoraki/Mt Cook, la Hooker Valley et les versants glacés du Mt Sefton et du Footstool.

Christchurch

Bienvenue dans une cité électrisante et en pleine transition, dont la créativité lui permet de se relever après l'une des pires catastrophes naturelles du pays. Le centre historique de la ville, par tradition l'une des plus anglaises de Nouvelle-Zélande, a été presque entièrement détruit par les séismes de 2010 et 2011, qui ont fait 185 victimes. Aujourd'hui, Christchurch tient, par endroits, d'un parterre de chantiers, avec ses cônes de signalisation et ses conteneurs reconvertis. Le centre-ville renferme plusieurs institutions culturelles, ainsi que le superbe jardin botanique et le Hagley Park. Les quartiers moins en vue, sont, quant à eux, ponctués de projets artistiques et autres jardins de poche.

À VOIR

Cathedral Square Place

Sur cette grand-place, isolée parmi les chantiers de reconstruction, trônent les ruines de la cathédrale, devenues emblématiques de la récente catastrophe. Le séisme de février 2011 a fait s'effondrer sa flèche, alors haute de 63 m, tandis que ceux de juin et décembre de la même année ont détruit son précieux vitrail en rosace. D'autres bâtiments historiques des abords de la place ont aussi été gravement endommagés, mais un monument moderne est, quant à lui, resté intact : il s'agit de la sculpture métallique Chalice, haute de 18 m, conçue par Neil Dawson et érigée en 2001 pour le nouveau millénaire.

Très aimé, cet édifice néogothique est au centre d'une bataille entre partisans de la conservation du patrimoine, pragmatiques budgétaires et férus de nouveauté. Ainsi, bien que la nef soit sortie pour grande part intacte du séisme, le diocèse anglican a annoncé, en mars 2012, la démolition de la cathédrale. Les opposants au projet ont obtenu un sursis par des recours juridiques, et un médiateur indépendant a été affecté aux négociations entre parties adverses. Les conclusions d'un rapport, suivant lequel le remplacement de la cathédrale ne représenterait pas de défi particulier du point de vue de l'ingénierie, n'ont fait

Hagley Park

que troubler le débat. Au moment de l'écriture de ce guide, aucune décision concrète n'avait encore été prise quant à la reconstruction, la démolition, le remplacement ou la transformation de la cathédrale, et la situation pourrait en rester là des années encore.

Christchurch Art Gallery Musée

(☎03-941 7300 ; www.christchurchartgallery.org.nz ; angle Montreal St et Worcester Blvd ; ⏱10h-17h jeu-mar, 10h-21h mer). GRATUIT Rénové suite aux séismes, l'excellent musée de Christchurch a rouvert. Y sont présentées des expositions essentiellement néo-zélandaises.

Botanic Gardens Jardins botaniques

(www.ccc.govt.nz ; Rolleston Ave ; ⏱7h-20h30 oct-mars, 7h-18h30 avr-sept). GRATUIT Balade de rigueur à travers ces 30 ha de jardins au bord de l'eau, plantés d'arbres et de fleurs. Magnifiques en toute saison, ils éclatent de couleurs au printemps, quand fleurissent rhododendrons, azalées et jonquilles. Il y a des jardins à thème, des pelouses où lézarder et une aire de jeux à côté du **centre d'information des Botanic Gardens** (☎03-941 8999 ; ⏱9h-16h lun-ven, 10h15-16h sam-dim).

Les visites guidées (10 $) partent à 13h30 (mi-sep à mi-mai) du Canterbury Museum, et on peut emprunter le **petit train "Caterpillar"** (p. 237).

Hagley Park Parc

(Riccarton Ave). Entourant les Botanic Gardens, Hagley Park est le plus vaste espace vert de Christchurch (165 ha). Traversé par Riccarton Ave, l'Avon serpente dans sa moitié nord. C'est un endroit agréable pour se balader par une matinée d'automne brumeuse ou par une chaude journée de printemps, quand les cerisiers bordant Harper Ave sont en fleur. Toute l'année, les joggers profitent de ses allées bordées d'arbres.

Canterbury Museum Musée

(☎03-366 5000 ; www.canterburymuseum.com ; Rolleston Ave ; ⏱9h-17h). GRATUIT S'il recèle, entre autres pièces exposées,

Les séismes du Canterbury

4 septembre 2010, 4h35 : un séisme de 40 secondes et de magnitude 7,1, dont l'épicentre se situe à 40 km à l'ouest de Christchurch, surprend dans leur sommeil les habitants du Canterbury. Il ébranle sérieusement les édifices les plus anciens du centre-ville. Près de l'épicentre, dans la localité rurale de Darfield, d'immenses failles déchirent les pâturages et la principale ligne de chemin de fer de l'île du Sud est tordue et soulevée.

22 février 2011, 12h51 : par une chaude journée d'été, les habitants de Christchurch font leurs courses, c'est pour beaucoup la pause déjeuner. Cette fois-ci, l'épicentre du tremblement de terre, de magnitude 6,3, ne se trouve qu'à 10 km au sud-est de la ville, et son hypocentre à seulement 5 km de profondeur. La secousse est beaucoup plus forte et de nombreux habitants se rappellent avoir été projetés violemment et presque verticalement en l'air. L'accélération maximale du sol dépasse 1,8, soit presque deux fois l'accélération de la pesanteur.

Quand la poussière retombe, après 24 secondes traumatisantes, le visage de la deuxième ville de Nouvelle-Zélande est à jamais modifié. La flèche de la célèbre cathédrale Christ Church s'est effondrée. Murs et vérandas écroulés jonchent les rues commerçantes et deux grands immeubles ne sont plus que ruines. Ailleurs, la vieille ville portuaire de Lyttelton est sérieusement endommagée, routes et ponts s'effondrent et des banlieues résidentielles de l'est sont inondées par des tonnes de vase dues à un processus de liquéfaction du sol.

Le séisme coûte la vie à 185 personnes de 20 nationalités différentes.

Christchurch

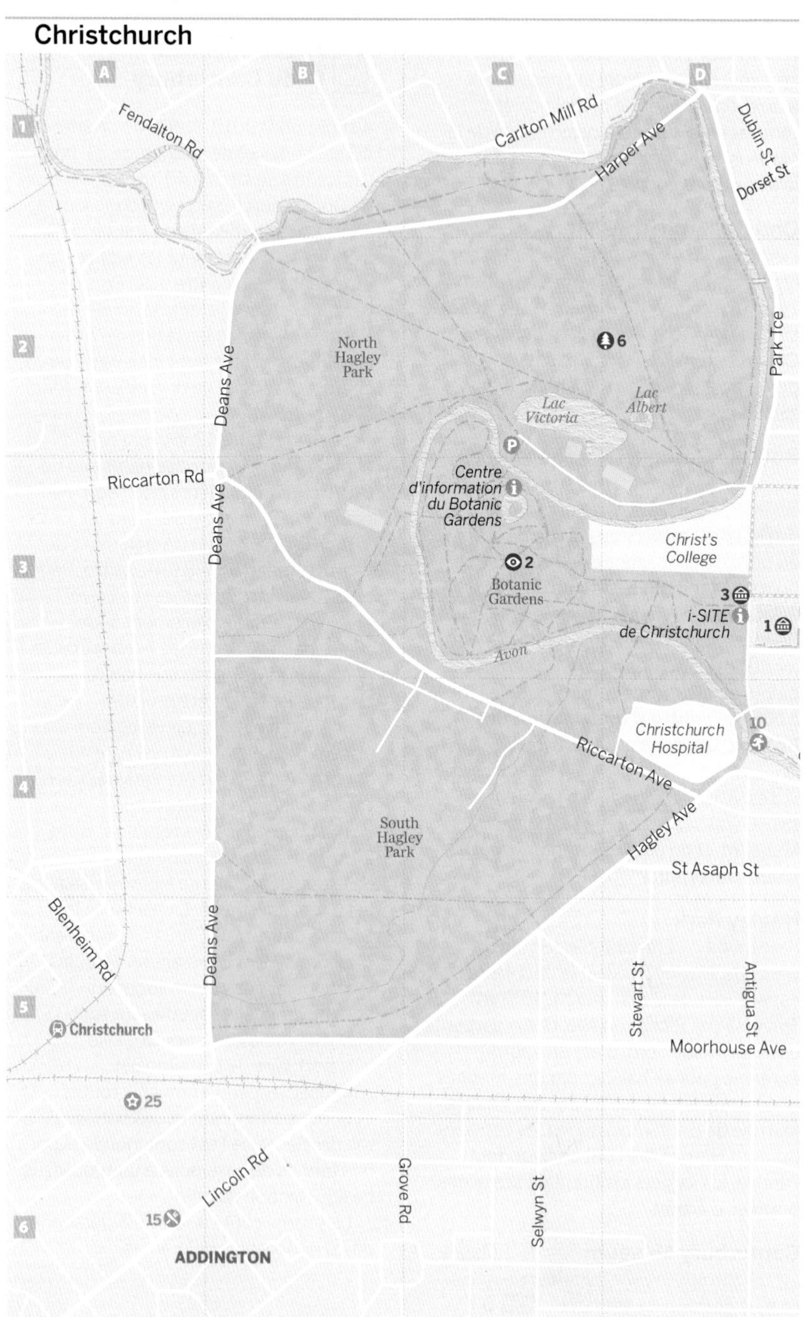

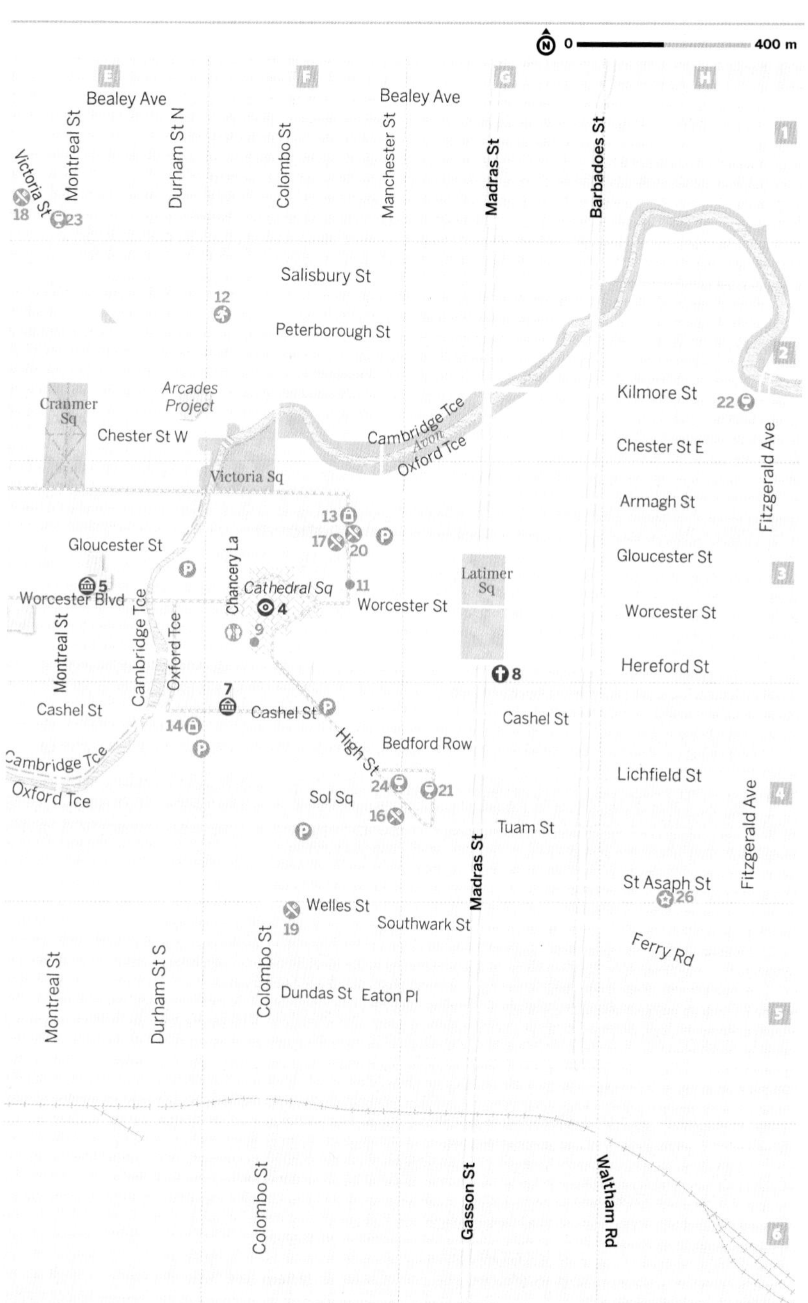
0
400 m
E
F
G
H
1
2
3
4
5
6
Bealey Ave
Bealey Ave
Victoria St
Montreal St
Durham St N
Colombo St
Manchester St
Madras St
Barbadoes St
18
23
Salisbury St
12
Peterborough St
Arcades
Project
Cranmer
Sq
Chester St W
Cambridge Tce
Avon
Oxford Tce
Victoria Sq
Kilmore St
22
Chester St E
Fitzgerald Ave
Armagh St
13
17
20
Gloucester St
Gloucester St
Chancery La
Latimer
Sq
5
Cathedral Sq
11
Worcester Blvd
Worcester St
Worcester St
4
Montreal St
Cambridge Tce
Oxford Tce
9
Hereford St
8
7
Cashel St
Cashel St
Cashel St
14
High St
Bedford Row
Cambridge Tce
Lichfield St
Oxford Tce
24
21
Sol Sq
16
Tuam St
Fitzgerald Ave
Madras St
St Asaph St
26
Welles St
19
Southwark St
Ferry Rd
Montreal St
Durham St S
Colombo St
Dundas St
Eaton Pl
Colombo St
Gasson St
Waltham Rd

Christchurch

À voir
1 Arts Centre ... D3
2 Botanic Gardens ... C3
3 Canterbury Museum ... D3
4 Cathedral Square ... F3
5 Christchurch Art Gallery ... E3
6 Hagley Park ... D2
7 Quake City ... F4
8 Transitional Cathedral ... G3

Activités
9 Christchurch Free Tours ... F3
10 Punting on the Avon ... D4
11 Tram ... F3
12 Vintage Peddler Bike Hire Co ... F2

Achats
13 New Regent St ... F3
14 Re:START Mall ... E4

Où se restaurer
15 Addington Coffee Co-op ... A6
16 C1 Espresso ... F4
17 Caffeine Laboratory ... F3
18 King of Snake ... E1
19 Supreme Supreme ... F5
20 Twenty Seven Steps ... F3

Où prendre un verre et faire la fête
21 Dux Central ... G4
22 Pomeroy's Old Brewery Inn ... H2
23 Revival ... E1
24 Smash Palace ... F4

Où sortir
25 Court Theatre ... A5
26 darkroom ... H4

une momie et des os de dinosaures, les véritables atouts de ce musée sont plus récents et de nature locale. Les galeries maories sont remarquables – beaux objets en *pounamu* (jade) tout comme Christchurch Street, une promenade dans une rue de l'époque coloniale. La reproduction de la Paua Shell House, par Fred et Myrtle, est une ode à l'esprit néo-zélandais et les enfants adoreront l'exposition du Discovery Centre (2 $). Visites guidées (1 heure) mardi et jeudi à 15h30.

Arts Centre — Édifice historique

(www.artscentre.org.nz ; 2 Worcester Blvd). Construite en 1877, cette enclave néogothique abritait à l'origine le Canterbury College, ancêtre de la Canterbury University. L'ancien élève le plus célèbre de cet établissement est le physicien néo-zélandais Ernest Rutherford, père de la physique nucléaire et prix Nobel de chimie en 1908 (il figure sur les billets de 100 $).

Il vous faudra vous contenter d'en admirer l'architecture de la rue, l'ensemble ayant été gravement endommagé par les séismes. Certaines parties ont rouvert en octobre 2016 et il est prévu que l'ensemble soit rénové pour 2019.

International Antarctic Centre — Centre éducatif

(0508 736 4846 ; www.iceberg.co.nz ; 38 Orchard Rd, aéroport de Christchurch ; adulte/enfant 39/19 $; 9h-17h30). Ce centre fait partie d'un vaste complexe bâti pour l'administration de programmes de recherches néo-zélandais, américains et italiens sur l'Antarctique. C'est l'occasion de voir des manchots et de s'informer sur le continent de glace. Parmi les présentations, la chambre Antarctic Storm permet d'expérimenter le souffle des vents glacés par -18°C.

Une navette gratuite part de devant le Canterbury Museum (p. 233) à l'heure pile, de 10h à 16h, et depuis l'Antarctic Centre à la demie.

Le forfait Xtreme (adulte/enfant 59/29 $) comprend l'accès à un "ciné en 4D" (projection d'un film en 3D avec sièges mobiles et vaporisation d'eau) et une balade en Hagglund, véhicule antarctique tout-terrain et amphibie. En option, le Penguin Backstage Pass (adulte/enfant 25/15 $) permet de découvrir les coulisses de l'animation Penguin Encounter.

Orana Wildlife Park — Zoo

(03-359 7109 ; www.oranawildlifepark.co.nz ; McLeans Island Rd, McLeans Island ; adulte/

enfant 34,50/9,50 $; ⌚10h-17h). Ce parc se définit comme un "zoo en liberté", ce dont vous mesurerez la portée si vous décidez de vous faire enfermer dans une cage de protection pour approcher des lions (supplément 45 $). Outre une volière, où l'on peut entrer pour découvrir les oiseaux endémiques, il y a ici une maison nocturne pour les kiwis et une collection de reptiles dont un *tuatara* (sphénodon). La majorité de ces 80 ha est dévolue à la faune africaine dont un rhinocéros, une girafe, des zèbres, des chimpanzés et même des gorilles.

Gondola Téléphérique
(www.gondola.co.nz ; 10 Bridle Path Rd ; aller-retour adulte/enfant 28/12 $; ⌚10h-17h). Ce téléphérique long de 945 m rejoint le sommet du Mt Cavendish (500 m), avec vue magnifique sur la ville, Lyttelton, la péninsule de Banks et les plaines du Canterbury. Un café est ouvert au point d'arrivée, où les enfants pourront également parcourir les scènes historiques du *Time Tunnel*. Balades jusqu'au point de vue de Cavendish Bluff (30 minutes aller-retour) ou au Pioneer Women's Memorial (1 heure aller-retour).

ACTIVITÉS

Tram Tramway
(☎03-377 4790 ; www.tram.co.nz ; adulte/enfant 20 $/gratuit ; ⌚9h-18h oct-mars, 10h-17h avr-sept). Ces vieux engins, bien restaurés, partent toutes les 15 minutes et parcourent une boucle commentée, ponctuée de 17 arrêts à des points d'intérêt de la ville, dont Cathedral Sq et New Regent St. Le circuit dure un peu moins d'une heure au total et l'on peut le fractionner sur la journée.

Punting on the Avon Navigation
(www.punting.co.nz ; 2 Cambridge Tce ; adulte/enfant 28/20 $; ⌚9h-18h oct-mars, 10h-16h avr-sept). Les Antigua Boat Sheds sont le point de départ de balades au fil de l'eau (30 minutes) à travers les jardins botaniques. Installé dans une barque à fond plat, on se laisse conduire par un solide gaillard en costume édouardien équipé d'une longue perche. Un autre circuit part du Worcester St Bridge et traverse le centre-ville dévasté.

Les débuts de Christchurch

Les premiers habitants de Christchurch furent des chasseurs de moas qui arrivèrent sur place vers 1250. Juste avant la colonisation, la tribu Ngai Tahu occupait un petit village saisonnier appelé Otautahi sur les rives de l'Avon.

Lorsque les Britanniques y débarquèrent en 1850, ce fut sur les menées de l'Église d'Angleterre ; la presse britannique surnomma les passagers des quatre premiers vaisseaux "les pèlerins de Canterbury". Loin de devenir une énième colonie britannique en déshérence, Christchurch restitua, dans le Pacifique Sud, la société anglaise et sa structure de classes. On construisit des églises plutôt que des pubs, les terres agricoles fertiles furent, à dessein, placées entre les mains de la bourgeoisie et la laine apporta la richesse aux élites de Christchurch.

En 1856, Christchurch devint officiellement la première ville de Nouvelle-Zélande, une ville particulièrement britannique de surcroît. Sa planification urbaine et son architecture affectaient une grande ressemblance avec la mère patrie et l'on aménagea des jardins à l'anglaise, d'où le surnom de "ville jardin". Aujourd'hui encore, Christchurch est un enchantement au printemps.

Caterpillar Train Circuit
(☎0800 88 22 23 ; www.welcomeaboard.co.nz ; adulte/enfant 20/9 $; ⌚11h-15h). Visitez les Botanic Gardens à bord de petites navettes collectives, à flancs ouverts et à propulsion électrique.

CIRCUITS ORGANISÉS

Christchurch Free Tours Visite à pied (www.freetours.co.nz ; Cathedral Sq ; 11h). GRATUIT Présentez-vous devant la sculpture Chalice, sur Cathedral Sq, et repérez la personne au tee-shirt rouge. Si cette balade de 2 heures vous a plu, songez à laisser un pourboire à votre guide.

Garden City Helicopters Vols panoramiques (03-358 4360 ; www.helicopters.net.nz ; 515 Memorial Ave ; 20 minutes 199 $). Ces survols de Christchurch et de Lyttelton permettent de prendre la mesure à la fois de l'impact du séisme et des travaux de reconstruction.

ACHATS

New Regent St Rue commerçante (www.newregentstreet.co.nz). Précurseur des galeries marchandes modernes, cet alignement de jolies petites boutiques pastel, de style colonial espagnol, a été désigné comme la plus belle rue de Nouvelle-Zélande lors de son achèvement, en 1932. Entièrement restauré après le séisme, c'est redevenu un lieu propice à la balade, entre boutiques et cafés.

Tannery Galerie marchande (www.thetannery.co.nz ; 3 Garlands Rd, Woolston ; 10h-17h lun-mer, ven-sam, 10h-20h jeu). Dans une ville en deuil de son patrimoine, la reconversion de cette tannerie du XIXe siècle fut une excellente idée. Les bâtiments victoriens, restaurés dans leur aspect originel, accueillent des boutiques de charme, aussi bien de livres que de vêtements ou de planches de surfs. Ne manquez pas les chapeaux en laine. Quitte à ne rien acheter, on peut se faufiler jusqu'à The Brewery (p. 240) ou regarder un film dans l'un des cinémas flambant neufs.

OÙ SE RESTAURER

Supreme Supreme Café $ (03-365 0445 ; www.supremesupreme.co.nz ; 10 Welles St ; petit-déj 7-18 $, midi 10-20 $; 7h-16h lun-ven, 8h-16h sam-dim ;). Il y a ici tant de bonnes choses qu'on ne

Galerie marchande de Cashell St

sait par où commencer. Peut-être par un Bloody Mary au kimchi, un milk-shake ou encore un expresso pour accompagner un müesli aux céréales anciennes ou des pommes sautées à l'effiloché de corned-beef. Ce café moderne appartient à l'un des meilleurs torréfacteurs d'origine de Nouvelle-Zélande.

Addington Coffee Co-op Café $

(03-943 1662 ; www.addingtoncoffee.org.nz ; 297 Lincoln Rd ; repas 8-21 $; 7h30-16h lun-ven, 9h-16h sam-dim ;). La plupart du temps, ce café, au nombre des meilleurs et des plus grands de Christchurch, est plein comme un œuf. Une petite boutique, où sont vendus des cadeaux du commerce équitable, le dispute ici aux délicieuses pâtisseries, aux tourtes gourmandes et aux célèbres petits-déjeuners maison (jusqu'à 14h). Les voyageurs pressés peuvent utiliser la laverie sur place.

Christchurch Farmers Market Marché $

(www.christchurchfarmersmarket.co.nz ; 16 Kahu Rd, Riccarton ; 9h-13h sam). Installé dans le ravissant parc de Riccarton House, ce marché fermier aligne un choix savoureux de fruits et légumes bio, de fromages et de saumon de l'île du Sud. Également bières artisanales locales et autres douceurs équitables.

Caffeine Laboratory Café $

(www.caffeinelab.co.nz ; 1 New Regent St ; en-cas 4-12 $, repas 14-26 $; 8h-tard mer-sam, 8h-16h mar et dim ;). Ce petit café d'angle propose, en plus de ce breuvage, des délices addictifs comme le saumon fumé sur place, l'écrasé de fèves et les burgers aux steaks hachés maison. Le soir, optez pour la bière artisanale et les tapas.

C1 Espresso Café $

(www.c1espresso.co.nz ; 185 High St ; plats 10-21 $; 7h-22h ;). Installé dans un ancien bureau de poste ayant miraculeusement survécu au cataclysme, le C1 a rouvert ses portes, plus fringant que jamais. L'intérieur est aménagé avec des matériaux de récupération (panneaux en chêne de l'époque victorienne, luminaires des années 1970) et des tables sont installées sur une petite place. Bagels et petits-déjeuners avec œufs y sont servis toute la journée, tandis que les petits hamburgers figurent sur la carte de l'après-midi/du soir.

Bodhi Tree Birman $$

(03-377 6808 ; www.bodhitree.co.nz ; 399 Ilam Rd, Bryndwr ; plats 13-21 $; 18h-22h mar-sam ;). Voilà plus d'une décennie que ce restaurant doit son succès à ses saveurs birmanes et ses plats à partager. Le *le pet thoke* (salade de feuilles de thé en saumure) et l'*ameyda nut* (curry de bœuf en cuisson lente) sont particulièrement remarquables.

Kinji Japonais $$

(03-359 4697 ; www.kinjirestaurant.com ; 279b Greers Rd, Bishopdale ; plats 16-24 $; 17h30-22h lun-sam). Quoique caché dans une banlieue, ce restaurant japonais renommé attire une clientèle fidèle : il est donc sage d'y réserver. Passé les sashimis, les encornets grillés au gingembre et le *tataki* de chevreuil, restera à goûter le tiramisu au thé vert.

Twenty Seven Steps Néo-zélandais moderne $$$

(03-366 2727 ; www.twentysevensteps.co.nz ; 16 New Regent St ; plats 30-40 $; 17h-tard mar-sam). À l'étage dans Edwardian New Regent St, ce restaurant à l'élégance minimaliste fait la part belle aux produits locaux. Outre des interprétations modernes à base d'agneau, de bœuf, de chevreuil et de produits de la mer en plats de résistance, il y a aussi un excellent risotto et des desserts, à l'exemple de la tarte au citron caramélisée.

King of Snake Asiatique $$$

(03-365 7363 ; www.kingofsnake.co.nz ; 145 Victoria St ; plats 27-43 $; 11h-tard lun-ven, 16h-tard sam-dim). Bois foncé, faïences dorées et papier peint violet imprimé de têtes de mort participent du décor de ce restaurant-bar à cocktails branché avec juste ce qu'il faut d'opulence sinistre. La carte s'aventure du côté de l'Asie – de l'Inde à la Corée – et le résultat est délicieux, quoiqu'un peu cher.

L'ambiance bohème de Lyttelton

Au sud-est de Christchurch, les Port Hills sont d'imposantes collines descendant jusqu'au port de la ville, Lyttelton Harbour. Lyttelton a été très endommagée par les séismes de 2010 et 2011 et nombre des édifices historiques qui bordaient London St ont dû être démolis. Cela n'a pas empêché la ville de renaître et de devenir l'une des communautés les plus intéressantes de Christchurch. Son âme bohème et indépendante est plus vivante que jamais, et il y a de nouveau quantité de bars, de cafés et de restaurants agréables. Cela vaut la peine de prendre un bus depuis Christchurch pour venir s'imprégner de l'ambiance locale, en particulier le samedi matin, jour de marché animé.

Les bus n^os^28 et 535 relient Christchurch à Lyttelton (adulte/enfant 3,50/1,80 $, 25 minutes). Lors de la rédaction de ce guide, la Summit Rd vers Christchurch et la route menant à Sumner étaient fermées ; leur réouverture est annoncée pour début 2018.

Lyttelton possède un **centre d'information** (☎03-328 9093 ; www.lytteltonharbour.info ; 20 Oxford St ; ⏰10h-16h).

OÙ PRENDRE UN VERRE ET FAIRE LA FÊTE

Smash Palace Bar
(☎03-366 5369 ; www.thesmashpalace.co.nz ; 172 High St ; ⏰16h-tard lun-ven, 12h-tard sam-dim). Incarnation de l'esprit, marqué de résilience et de débrouillardise, qui fait désormais la renommée de Christchurch, ce *beer garden* joue à dessein sur le recyclage à la va-vite et le style délabré, en un réjouissant mélange de garage graisseux, de camping pour caravanes, de repaire pour *hipsters*, de jardin potager et de roseraie en fleur. Il y a de la bière artisanale, des frites, des céréales et des burgers (11-15 $).

Pomeroy's Old Brewery Inn Pub
(☎03-365 1523 ; www.pomspub.co.nz ; 292 Kilmore St ; ⏰15h-23h mar-jeu, 12h-23h ven-dim). Pour les amateurs de bonne bière, rien ne vaut cet endroit où l'on sirote sa mousse devant une assiette de couenne de porc frite. Au nombre des attraits de ce pub de style britannique, figurent des concerts réguliers, un jardin ensoleillé et douillet et le restaurant Victoria's Kitchen, qui propose une cuisine de pub roborative (plats 24-30 $). Le ravissant café **Little Pom's**, sa nouvelle annexe, sert une cuisine raffinée (repas 14-22 $) jusqu'en milieu d'après-midi.

Dux Central Bar
(☎03-943 7830 ; www.duxcentral.co.nz ; 6 Poplar St ; ⏰11h-tard). Véritable souffle de vie dans le quartier dévasté de High St, la nouvelle mouture du Dux regroupe un bar à bières servant son brassin maison et d'autres mousses artisanales, le bar à vins Emerald Room bar, le restaurant Upper Dux et le cocktail bar à cocktails Poplar Social Club, le tout dans un seul et même bâtiment, joliment restauré.

The Brewery Brasserie
(www.casselsbrewery.co.nz ; 3 Garlands Rd, Woolston ; ⏰7h-tard). Cette brasserie produit, dans une cuve chauffée au feu de bois, des bières au caractère bien trempé. Plateaux de dégustation pour les curieux et les indécis, concerts presque chaque soir et nourriture (dont des pizzas cuites au feu de bois, 20-24 $) de qualité.

OÙ SORTIR

Court Theatre Théâtre
(☎03-963 0870 ; www.courttheatre.org.nz ; Bernard St, Addington). Le Court Theatre d'origine, qui faisait partie intégrante de l'Arts Centre, a dû déménager, suite aux séismes, dans cet entrepôt bien plus spacieux. Pièces internationales à succès et œuvres d'auteurs néo-zélandais.

darkroom Musique live
(www.darkroom.bar ; 336 St Asaph St ; ⏰19h-tard mer-dim). À la fois salle de concert et bar, ce

lieu branché affiche de nombreuses bières néo-zélandaises et d'excellents cocktails. En sus d'être fréquents, les concerts y sont souvent gratuits.

RENSEIGNEMENTS

i-SITE de Christchurch (03-379 9629 ; www.christchurchnz.com ; Botanic Gardens, Rolleston Ave ; 8h30-17h, horaires étendus en été). Toujours utile et invariablement fréquenté, cet i-SITE a maintenant une annexe dans le Re:START Mall, ouverte tous les jours de novembre à mars.

DEPUIS/VERS CHRISTCHURCH

AVION

L'**aéroport de Christchurch** (p. 365) est le principal accès international à l'île du Sud. **Air New Zealand** (0800 737 000 ; www.airnewzealand.co.nz) assure des vols directs depuis/vers Auckland, Wellington, Dunedin et Queenstown. **Jetstar** (0800 800 995 ; www.jetstar.com) se fend de liaisons depuis/vers Auckland et Wellington. Liaisons internationales avec l'Australie, Singapour et Canton (Chine).

BUS

Des bus et des navettes réguliers relient Christchurch à diverses destinations, dont le lac Tekapo, Akaroa, Picton, Queenstown et Te Anau.

TRAIN

La **gare ferroviaire de Christchurch** (www.kiwirailscenic.co.nz ; Troup Dr, Addington ; billetterie 6h30-15h) est le terminus du TranzAlpine, qui traverse les Alpes du Sud pour rejoindre Greymouth (p. 266), à l'ouest, et du Coastal Pacific, qui circule tous les jours de septembre à avril le long de la côte est, rejoignant Picton, au nord, via Kaikoura.

COMMENT CIRCULER

Sa topographie plane et son plan quadrillé permettent de circuler aisément, à pied ou à vélo, dans Christchurch. On peut louer des vélos rétro chez **Vintage Peddler Bike Hire Co** (03-365 6530 ; www.vintagepeddler.co.nz ; 7/75 Peterborough St ; heure/journée à partir de 15/30 $).

Péninsule de Banks (p. 226)

Akaroa

C'est à Akaroa ("long port" en maori) que s'installa la première communauté française, et des descendants de ces vaillants pionniers y vivent encore. Comme beaucoup de ces "bouts du monde" marqués par la France, cette ville charmante est à la fois ponctuée de détails familiers (tels que les noms de rues) et singulière en diable.

À VOIR

Akaroa Museum Musée
(www.akaroamuseum.org.nz ; angle rues Lavaud et Balguerie ; 10h30-16h30). GRATUIT Rénové, sur le temps long, après le séisme, ce musée régional est, dans son genre, un des mieux conçus du pays. Vous y découvrirez les phases successives de peuplement de la péninsule, ainsi que sa passionnante histoire naturelle et industrielle. Un film de 20 minutes comble quelques lacunes et les bâtiments historiques adjacents constituent autant de témoignages concrets. Il y a une urne pour les dons.

Giant's House Jardin
(www.thegiantshouse.co.nz ; 68 Rue Balguerie ; adulte/enfant 20/10 $; 12h-17h jan-avr, 14h-16h mai-déc). Œuvre de l'artiste Josie Martin, cet ensemble espiègle de sculptures et de mosaïques s'étage à flanc de colline dans un jardin, au-dessus d'Akaroa. On trouve des réminiscences de Gaudí et de Miró dans les collages de miroirs, de faïences et de débris de porcelaine, et il y a de nombreux recoins étonnants à découvrir.

St Peter's Anglican Church Église
(46 Rue Balguerie). Joliment restauré en 2015, ce bijou anglican de 1864, fort de nombreux bois apparents, de vitraux et d'un orgue historique, a beaucoup à raconter.

ACTIVITÉS

L'i-SITE tient à disposition des fascicules sur les promenades à faire à Akaroa, à la recherche des cottages anciens, des églises et des jardins qui font sa personnalité. Le Skyline Circuit (6 heures) part aussi de l'i-SITE.

Akaroa Cooking School Cuisine
(021 166 3737 ; www.akaroacooking.co.nz ; 81 Beach Rd ; à partir de 225 $ par pers). Plusieurs options sont ici envisageables, dont les stages prisés "Gourmet in a Day" (10h-16h) ainsi que des cours spécialisés dans le barbecue. À la fin de chaque cours, on consomme ce qu'on a préparé accompagné de vins locaux. Des cours sont parfois consacrés aux cuisines étrangères (thaïlandaise, française ou espagnole, par exemple) : consultez le site Internet.

Akaroa Adventure Centre Kayak, vélo
(03-304 7784 ; www.akaroa.com ; 74a rue Lavaud ; 9h-18h). Location de kayaks de mer et de planches de stand-up paddle (heure/journée 20/60 $), de pédalos (30 $/heure), de vélos (heure/journée 15/65 $) et de cannes à pêche (10 $/journée). Basé à l'i-SITE.

Akaroa Sailing Cruises Bateau
(0800 724 528 ; www.aclasssailing.co.nz ; Main Wharf ; adulte/enfant 75/37,50 $). Partez pour une croisière de 2 heures 30 à bord d'un superbe yacht classe A de 1946 où vous jouerez les matelots.

CIRCUITS ORGANISÉS

Akaroa Farm Tours Ferme
(03-304 8511 ; www.akaroafarmtours.com ; adulte/enfant 80/50 $). Ces visites partent de l'i-SITE d'Akaroa pour rejoindre une ferme dans les collines près de Paua Bay, où vous attendent des démonstrations de tonte et des ruses des chiens de berger, des jardins et des scones maison ; prévoyez 2 heures 45.

Coast Up Close Bateau
(0800 126 278 ; www.coastupclose.co.nz ; Main Wharf ; adulte/enfant à partir de 75/25 $; départs 10h15 et 13h45 oct-avr). Excursions

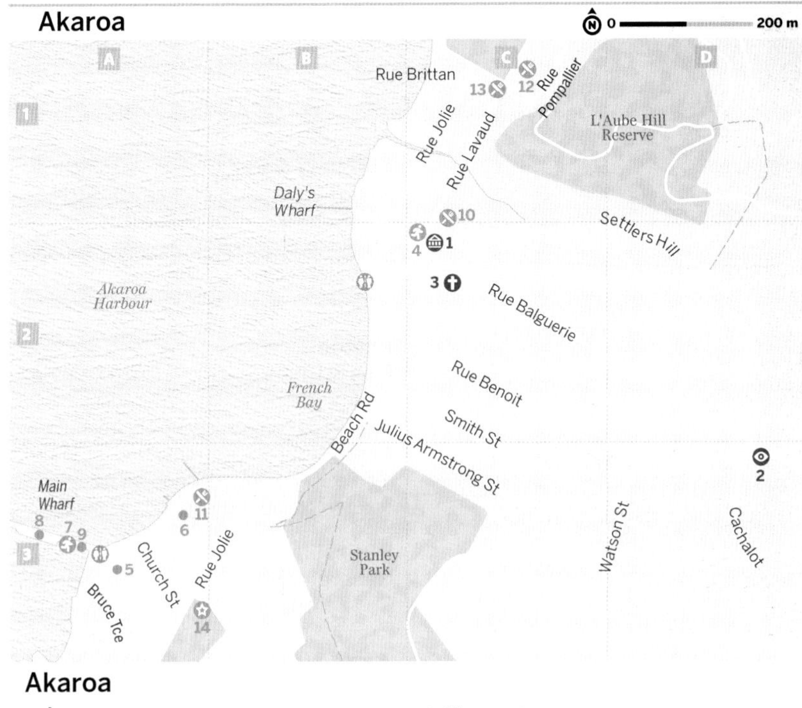

Akaroa

À voir

1 Akaroa Museum ... C2
2 Giant's House ... D3
3 St Peter's Anglican Church ... C2

Activités

4 Akaroa Adventure Centre ... C2
5 Akaroa Cooking School ... A3
6 Akaroa Dolphins ... A3
7 Akaroa Sailing Cruises ... A3
8 Black Cat Cruises ... A3
9 Coast Up Close ... A3

Où se restaurer

10 Akaroa Butchery & Deli ... C1
11 Akaroa Fish & Chips ... A3
12 Little Bistro ... C1
13 Peninsula General Store ... C1

Où sortir

14 Akaroa Cinema & Café ... A3

Renseignements

i-SITE & Adventure Centre d'Akaroa ... (voir 4)

en bateau axées sur l'observation de la faune sauvage. On peut aussi organiser des sorties de pêche.

Eastern Bays Scenic Mail Run Tournée en voiture
(03-304 8526 ; circuit 80 $; 9h lun-ven).
Accompagnez le facteur dans sa tournée des villages (5 heures, 120 km) et des baies isolées. Départ de l'i-SITE ; réservation indispensable car il n'y a que 8 sièges disponibles.

Pohatu Plunge Observation des manchots
(03-304 8542 ; www.pohatu.co.nz).
Sortie en soirée au départ d'Akaroa jusqu'à la colonie de manchots à ailerons blancs de Pohatu (adulte/enfant 75/55 $) ; on peut également s'y rendre soi-même en voiture (adulte/enfant 25/12 $). La saison de la reproduction (août-janvier) est la plus propice, mais on peut les observer toute l'année. Des circuits nature en kayak de mer et en 4 × 4 sont par

L'Arthur's Pass

Les Maoris franchissaient déjà ce col pour traverser les Alpes du Sud bien avant sa "découverte" par Arthur Dobson, en 1864. La ruée vers l'or du Westland rendit nécessaire la création d'un axe fiable pour traverser les Alpes depuis Christchurch ; un an plus tard, la route était achevée. Par la suite, le commerce du bois et du charbon nécessita la création d'une ligne de chemin de fer, qui fut inaugurée en 1923.

Aujourd'hui, un incroyable voyage vous attend, avec une succession de vallées et leurs sites remarquables, à commencer par la spectaculaire Waimakariri River Valley, que l'on atteint à l'entrée de l'**Arthur's Pass National Park** (www.doc.govt.nz).

Cette vaste étendue de terres sauvages (1148 km²), que les Maoris appellent Ka Tiriti o Te Moana ("pic escarpé d'un blanc étincelant"), fut le premier parc national créé sur l'île du Sud, en 1923. Il existe de nombreuses balades à la journée bien balisées, notamment autour du **village d'Arthur's Pass** (62 habitants) – le plus haut de Nouvelle-Zélande, situé à 4 km du col, à une altitude de 900 m. C'est une base pratique pour partir en randonnée, faire de l'escalade ou skier. Toutefois, le temps est un peu rude : attendez-vous à trouver de la pluie !

La brochure intitulée *Discover Arthur's Pass* publiée par le **DOC** (☎03-318 9211 ; www.doc.govt.nz ; SH73 ; 🕗8h30-16h30) présente les principaux itinéraires.

Viaduc d'Otira (SH73), près de l'Arthur's Pass
PETER UNGER/GETTY IMAGES ©

ailleurs proposés, ainsi que la possibilité de passer une nuit dans un cottage isolé.

OÙ SE RESTAURER

Akaroa Butchery & Deli Traiteur $
(67 rue Lavaud ; 🕗10h-17h30 lun-ven, 9h-16h sam). Cette boucherie promeut de nombreux produits locaux : pain, saumon, fromage, légumes en saumure, tourtes exquises, charcuterie et viande à griller.

Akaroa Fish & Chips Fish & Chips $
(59 Beach Rd ; plats 8-18 $; 🕗11h-20h). Une adresse de bord de mer où commander, à manger sur place ou emporter, de la morue, des huîtres, des noix de Saint-Jacques et autres délices frits à souhait.

Peninsula General Store Café, traiteur $
(www.peninsulageneralstore.co.nz ; 40 rue Lavaud ; 🕗9h-16h lun-sam). En plus de vendre du pain frais, des produits bio locaux et de l'épicerie, on sert ici le meilleur expresso du village.

Hilltop Tavern Cuisine de pub $$
(☎03-325 1005 ; www.thehilltop.co.nz ; 5207 Christchurch-Akaroa Rd ; pizzas 24-26 $, plats 23-30 $; 🕗10h-tard, horaires restreints en hiver). Vue sublime, bières artisanales, pizzas au feu de bois et table de billard. Il y a parfois dans ce pub historique de la musique live qui séduit autochtones et voyageurs. Savourez la vue grandiose du port d'Akaroa auquel la péninsule sert de toile de fond.

Little Bistro Français $$$
(☎03-304 7314 ; www.thelittlebistro.co.nz ; 33 rue Lavaud ; plats 22-40 $; 🕗11h-14h et 17h-tard mar-sam). Un bistrot chic et classique servant des produits de la mer locaux, des vins de l'île du Sud et des bières artisanales du Canterbury. Le menu varie avec les saisons, mais y figurent souvent de l'agneau en croûte ou une terrine au saumon d'Akaroa.

OÙ SORTIR

Akaroa Cinema & Café Cinéma
(03-304 8898 ; www.cinecafe.co.nz ; angle Rue Jolie et Selwyn Ave ; adulte/enfant 15/13 $;). Prenez une bière et installez-vous pour regarder un film d'art et d'essai, un grand classique ou une œuvre étrangère, le tout avec un son et une image de grande qualité.

RENSEIGNEMENTS

Centre d'information d'Akaroa (03-304 8600 ; www.akaroa.com ; 74a Rue Lavaud ; 9h-17h). Petit bureau utile, où sont proposés renseignements et réservations pour les activités, les transports, etc. Tient également lieu de guichet de poste.

DEPUIS/VERS AKAROA

De novembre à avril, l'**Akaroa Shuttle** (0800 500 929 ; www.akaroashuttle.co.nz ; aller simple/aller-retour 35/50 $) assure des liaisons quotidiennes entre Christchurch et Akaroa (départ 8h30 retour à Christchurch à 15h45). Consultez le site Internet pour vous enquérir des possibilités de transport de porte-à-porte. Des excursions dans la péninsule de Banks au départ de Christchurch sont également proposées.

French Connection (0800 800 575 ; www.akaroabus.co.nz ; aller-retour 45 $) assure toute l'année un départ quotidien de Christchurch à 9h, avec retour d'Akaroa à 16h.

Hanmer Springs

Cernée de montagnes sculpturales, Hanmer Springs est la principale station thermale de l'île du Sud. C'est un agréable village, sans prétention, où se détendre dans des sources chaudes, dîner en extérieur ou se faire dorloter dans le spa.

À VOIR ET À FAIRE

Hanmer Springs Animal Park Ferme, zoo
(03-315 7772 ; www.hanmer-animal-park.nz ; 108 Rippingale Rd ; adulte/enfant/famille 12/6/35 $; 10h-17h mer-dim nov-mars, 10h-16h mer-dim avr-oct, tlj durant les vacances scolaires). Lamas, yacks du Tibet, cerfs, lapins, cochons d'Inde et chèvres... Les nombreux animaux qui vivent ici font le bonheur des enfants. Certains peuvent même être nourris à la main. Également promenades à cheval pour les petits (à partir de 50 $).

Hanmer Springs Thermal Pools Sources chaudes
(03-315 0000 ; hanmersprings.co.nz ; 42 Amuri Ave ; adulte/enfant 22/11 $; 10h-21h). Selon une légende maorie, ces sources seraient nées après que des braises du Mt Ngauruhoe, dans l'île du Nord, furent tombées du ciel. Les bains principaux consistent en une série de grands bassins de températures différentes. Également des bassins plus petits entourés de rochers, une piscine de nage de 25 m jouxtant un bassin d'hydromassage, des bassins d'eau chaude privatifs (30 $ les 30 minutes) et un café. Les enfants adorent les toboggans aquatiques, notamment le Super Bowl (10 $).

Au **Hanmer Springs Spa** (0800 873 529, 03-315 0029 ; hanmersprings.co.nz/spa ; 10h-19h) : massages et rituels beauté à partir de 75 $. Les clients du spa bénéficient d'un accès aux bassins à tarif réduit (12 $).

Welcome Aboard Sports et aventure
(0800 661 538 ; welcomeaboard.co.nz ; 839 Hanmer Springs Rd). Saut à l'élastique depuis un pont de 35 m (169 $), *jet-boat* dans la Waiau Gorge (adulte/enfant 125/70 $), rafting en eaux vives (niveaux II et III) le long de la rivière Waiau ou excursions en quad (adulte/enfant 169/99 $).

Hanmer Springs Adventure Centre Sports et aventure
(03-315 7233 ; www.hanmeradventure.co.nz ; 20 Conical Hill Rd ; 8h30-17h30). Sorties en quad (à partir de 129 $), à VTT depuis le sommet du Jack's Pass où une navette vous dépose (115 $), ball-trap (35 $) et tir à l'arc (35 $). Visites guidées de la région et location de VTT (à partir de 19/45 $ par heure/j), de cannes à pêche (29 $/j), de matériel de ski et de snowboard.

Domaine skiable de Hanmer Springs Ski
(☎027 434 1806 ; www.skihanmer.co.nz ; forfait journalier adulte/enfant 60/30 $). À seulement 17 km de Hanmer Springs par une route non stabilisée, cette petite station dispose de pistes de tous niveaux.

Mt Lyford Alpine Resort Ski
(☎infos neige 03-366 1220 ; www.mtlyford.co.nz ; forfait journalier 70/35 $). Station de ski située à 60 km de Hanmer, le long de l'Inland Rd menant à Kaikoura.

OÙ SE RESTAURER ET PRENDRE UN VERRE

Powerhouse Café Café $$
(☎03-315 5252 ; www.powerhousecafe.co.nz ; 8 Jacks Pass Rd ; plats 14-22 $;). Pour un copieux petit-déjeuner, un déjeuner plus sophistiqué à base de salades élaborées, ou un dîner avec saumon d'Akaroa à déguster dans le patio en été. Options végétariennes en nombre également. Wi-Fi.

Monteith's Brewery Bar Pub
(www.mbbh.co.nz ; 47 Amuri Ave ; 9h-23h). Le meilleur pub du coin, apprécié pour ses bières Monteith's et sa carte alléchante : petits-déjeuners (12-17 $), en-cas (10-17 $) et repas complets (23-35 $). Concerts le dimanche à 16h.

RENSEIGNEMENTS

i-SITE de Hanmer Springs (☎03-315 0020 ; visithanmersprings.co.nz ; 40 Amuri Ave ; 10h-17h). Réservation de transport, d'hébergement et d'activités.

DEPUIS/VERS HANMER SPRINGS

Hanmer Connection (☎0800 242 663 ; www.hanmerconnection.co.nz ; aller simple/aller-retour 30/50 $). Bus quotidien depuis/vers Christchurch *via* Waipara et Amberley.

Methven

Methven est surtout animée l'hiver, lorsque les amateurs de neige s'y pressent pour profiter du Mt Hutt voisin. En été, son ambiance décontractée et ses tarifs abordables en font une bonne base pour les randonneurs, les amateurs de VTT et de pêche.

ACTIVITÉS

Methven Heliski Héliski
(☎03-302 8108 ; www.methvenheli.co.nz ; Main St ; sorties 1 journée avec 5 descentes 1065 $/pers ; juil-sep). Services d'un guide, matériel de sécurité et déjeuner inclus dans le tarif.

Aoraki Balloon Safaris Vols en montgolfière
(☎03-302 8172 ; www.nzballooning.com ; vols 385 $). Survol matinal des sommets enneigés avec petit-déjeuner arrosé.

Skydiving NZ Chute libre
(☎03-302 9143 ; www.skydivingnz.com ; Pudding Hill Airfield). Sauts en tandem à 3 700 m (335 $) et 4 600 m (440 $).

OÙ SE RESTAURER ET PRENDRE UN VERRE

Aqua Japonais $
(112 Main St ; plats 11-17 $; 17h-21h jan-oct). Un minuscule restaurant à l'ambiance détendue, où le personnel, en kimono, apporte *yakisoba* (nouilles sautées), *ramen* (soupe de nouilles) et autres *izakaya* (plats en petites portions à partager autour d'un verre) à des hôtes ravis. À compléter par une glace au sésame ou au thé vert.

Blue Pub Pub
(www.thebluepub.co.nz ; 2 Barkers Rd ; plats 20-35 $;). Installez-vous pour un verre au bar, taillé dans une énorme planche de bois de la région, ou profitez du café, plus calme, pour un copieux repas. Vous pourrez ensuite proposer une partie de billard aux gens du coin ou regarder un match de rugby sur grand écran.

Snowboard et ski sur le Mt Hutt

RENSEIGNEMENTS

i-SITE de Methven (03-302 8955 ; www.amazingspace.co.nz ; 160 Main St ; 7h30-18h juil-sep, 9h-17h lun-ven, 10h-15h sam-dim oct-juin ;). Dans le Heritage Centre, où se trouvent aussi un café, une galerie d'art (entrée libre) et le NZ Alpine & Agriculture Encounter (adulte/enfant 18/10 $), espace d'exposition sur les activités de la région.

COMMENT S'Y RENDRE ET CIRCULER

Methven Travel (03-302 8106, 0800 684 888 ; www.methventravel.co.nz). Ces navettes circulent entre Methven et l'aéroport de Christchurch (42 $) 3-4 fois par semaine (3 fois/j pendant la saison).

Domaine skiable du Mt Hutt

Principale destination de ski du Canterbury, le **Mt Hutt** offre le plus vaste domaine skiable exploité de Nouvelle-Zélande (365 ha) – sa plus longue piste s'étend sur 2 km –, la moitié accessible aux skieurs de niveau moyen. Skieurs débutants et performants se partagent la seconde moitié. La saison va de mi-juin à mi-octobre.

À seulement 26 km de Methven, comptez cependant 40 minutes de voiture pour vous y rendre en hiver (2 heures depuis Christchurch). Des bus **Methven Travel** (ci-contre) desservent la station en hiver (20 $).

RENSEIGNEMENTS

03-302 8811 ; www.nzski.com ; forfait remontées à la journée adulte/enfant 95/50 $; 9h-16h

Fox Glacier (p. 256)

CÔTE OUEST

UPDOGDESIGNS/GETTY IMAGES ©

Dans ce chapitre

Côte ouest

Coincée entre la mer de Tasman et les Alpes du Sud, la côte ouest a connu une histoire rythmée par les fortunes fluctuantes de l'or, du charbon et du bois. Ses attraits majeurs sont le Franz Josef Glacier et le Fox Glacier. De fait, nulle part ailleurs, à cette latitude, les glaciers ne descendent aussi près de la mer. Leur présence est largement liée aux abondantes précipitations, entraînant des chutes de neige dans de vastes zones d'accumulation, se transformant en d'épaisses couches de glace.

En 2 jours

On ne saurait manquer les glaciers de la côte ouest. Le vol panoramique constitue la meilleure manière d'apprécier le **Franz Josef** (p. 252) et le **Fox** (p. 256) dans toute leur ampleur, et d'en constater la singulière proximité avec la mer. Le temps pouvant soudainement se couvrir, mieux vaut s'accorder un emploi du temps pas trop serré.

En 4 jours

Après la découverte des glaciers – idéalement complétée d'une randonnée guidée avec **Franz Josef Glacier Guides** (p. 253) –, rejoignez **Okarito** (p. 258) pour guetter des kiwis à la nuit tombée et faire du kayak sur l'**Okarito Lagoon** (p. 258). Les passionnés d'histoire et de littérature auront plaisir à visiter **Hokitika** (p. 264). Si vous êtes motorisé, accordez-vous un détour par les **Pancake Rocks** (p. 260).

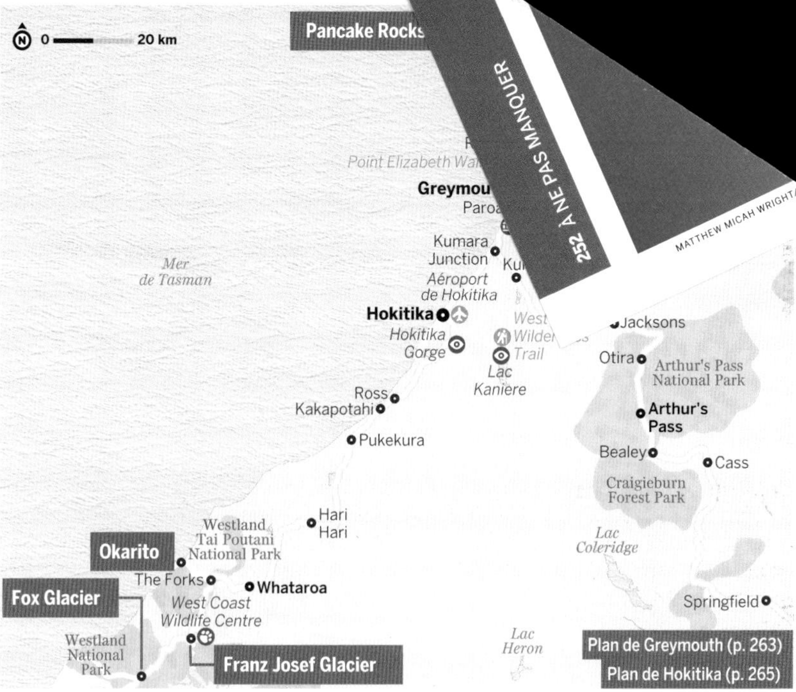

MATTHEW MICAH WRIGHT/G

0 20 km
Pancake Rocks
Point Elizabeth Wa
Greymou
Paroa
Kumara Junction
Ku
Aéroport de Hokitika
Mer de Tasman
Hokitika
Hokitika Gorge
West Wilder Trail
Lac Kanière
Jacksons
Otira
Arthur's Pass National Park
Arthur's Pass
Ross
Kakapotahi
Pukekura
Bealey
Cass
Craigieburn Forest Park
Hari Hari
Westland Tai Poutani National Park
Okarito
Lac Coleridge
The Forks
Whataroa
Fox Glacier
West Coast Wildlife Centre
Springfield
Westland National Park
Franz Josef Glacier
Lac Heron
Plan de Greymouth (p. 263)
Plan de Hokitika (p. 265)

Comment s'y rendre

Gare ferroviaire de Greymouth
Le **TranzAlpine** (p. 266), un des plus mémorables trajets ferroviaires du monde, relie Christchurch à Greymouth en traversant les Alpes du Sud. Des bus et navettes au départ de Nelson, du Franz Josef Glacier et de Christchurch desservent aussi la côte ouest.

Aéroport de Hokitika Vols presque quotidiens depuis/vers Christchurch.

i-SITE de Hokitika Bus et navettes réguliers depuis Greymouth et Nelson.

Où se loger

Si Greymouth, compte nombre d'hébergements, entre auberges de jeunesse et résidences pour vacanciers, les adresses haut de gamme y sont en revanche rares. De fait, c'est à Hokitika et dans les environs que l'on trouve certains des établissements les plus charmants de la côte ouest. Le Franz Josef offre quant à lui de nombreux hébergements, mais il est recommandé de réserver de novembre à mars, période de son pic d'affluence.
Le Fox Glacier, 24 km au sud, a aussi son lot d'établissements.

Hélicoptère sur le champ de neige du glacier

Franz Josef Glacier

Les premiers Maoris l'appelaient Ka Roimata ou Hine Hukatere ("les larmes de la fille des avalanches"). La légende raconte que le flot de larmes d'une jeune fille, en deuil de son amoureux, avait formé, en se figeant, le glacier.

Pour ceux qui aiment...

☑ Ne ratez pas

L'atterrissage dans la neige au sommet du glacier – cher, mais incomparable.

Randonnées en indépendant

Les sentiers partent du parking du glacier et tous ont leur charme propre. Le **Sentinel Rock** (20 minutes aller-retour) est une option courte, tandis que le **Ka Roimata o Hine Hukatere Track** (1 heure 30 aller-retour), principal sentier de la vallée glaciaire, a l'attrait de la plus belle vue qui soit sur le pied du glacier. La brochure *Region Walks* (2 $) publiée par le DOC indique d'autres sentiers et comprend des cartes.

Au lieu de rejoindre (5 km) le parking du glacier en voiture, on peut emprunter le sentier pédestre et cyclable **Te Ara a Waiau Walkway/Cycleway** traversant la forêt pluviale, qui démarre près de la caserne de pompiers à l'extrémité sud du village. Le trajet dure 1 heure (aller) à pied et moitié moins à vélo – on peut en louer

Randonneuse dans une grotte de glace

LINGXIAO XIE/GETTY IMAGES ©

Okarito
The Forks
Whataroa
Mer de Tasman
Franz Josef Glacier
Fox Glacier
Westland Tai Poutini National Park

Infos pratiques

Vous trouverez sur www.glaciercountry.co.nz plus d'informations sur le Franz Josef Glacier et le Fox Glacier.

Une petite faim ?

Réchauffez-vous en savourant burger, steak ou pizza au **Landing Bar & Restaurant** (03-752 0229 ; www.thelandingbar.co.nz ; Main Rd ; plats 20-42 $; 7h30-tard ;). Ce pub animé, à la carte bien fournie, dispose aussi d'un patio ensoleillé – avec chauffe-terrasse au gaz –, tout indiqué après une journée passée sur la glace..

★ Bon à savoir

Le temps peut tourner : prévoyez un créneau de secours si vous souhaitez effectuer un vol panoramique.

chez **Across Country Quad Bikes** (p. 255) ou au **YHA** (03-752 0754 ; www.yha.co.nz ; 2-4 Cron St ; dort 26-33 $, s 85 $, d 107-135 $;). Laissez ensuite les vélos au parking : on ne peut pas circuler avec sur les allées du glacier.

Randonnées guidées

Des randonnées en petit groupe, sous l'égide de guides expérimentés (chaussures, gilets et matériel fournis) sont organisées par les **Franz Josef Glacier Guides** (0800 484 337, 03-752 0763 ; www.franzjosefglacier.com ; 63 Cron St). Pour les 2 circuits standards, un hélicoptère assure le transfert vers/depuis le glacier : la randonnée "Ice Explorer" (339 $) inclut le vol de 4 minutes (à l'aller et au retour) et environ 3 heures de marche sur la glace. Plus facile, l'"Heli Hike" (435 $) s'aventure plus en haut sur le glacier : comptez 2 heures sur place et des vols de 10 minutes chacun. La "Glacier Valley Walk" (3 heures environ, 75 $) longe la Waiho jusqu'à la moraine et permet d'observer le glacier de plus près. Tarif enfant : 10-30 $ de moins.

Vols panoramiques

Troquez le bourdonnement des phlébotomes et des moustiques contre celui d'un aéronef survolant les glaciers et allant jusqu'à l'Aoraki/Mt Cook.
Un vol en hélicoptère (220-240 $) dure généralement 20 minutes et rejoint le sommet du Franz Glacier, où il se pose sur la neige. Le vol “twin glacier” – qui survole le Fox et le Franz en 30 minutes environ – coûte aux alentours de 300 $, tandis que le vol de 40 minutes (qui pousse

jusqu'à l'Aoraki/Mt Cook) coûte 420 $ minimum. Les moins de 12 ans paient 50% à 70% du prix adulte. Comparez les tarifs : la plupart des opérateurs sont installés dans la rue principale du Franz Josef Village.

À voir

West Coast Wildlife Centre

Observation des kiwis

(www.wildkiwi.co.nz ; angle Cron St et Cowan St ; forfait journalier adulte/enfant/famille 35/20/85 $, forfait "Backstage" 55/35/145 $). Ce centre se consacre à l'élevage de deux des espèces de kiwis les plus rares : le rowi et le tokoeka de Haast.

Le forfait journalier, qui permet de voir les expositions sur la protection, le glacier et l'histoire, et d'approcher des kiwis dans leur enclos, vaut vraiment la peine. Le forfait "backstage", avec accès à la zone d'incubation et aux coulisses, donne une idée du travail complexe qu'implique la sauvegarde d'une espèce au bord de l'extinction.

Activités

Glacier Hot Pools

Sources chaudes

(03-752 0099 ; www.glacierhotpools.co.nz ; 63 Cron St ; adulte/enfant 26/22 $; 13h-21h, dernière entrée 20h). Aménagés dans un cadre de la forêt pluviale à la limite de la localité, ces bassins en plein air se prêtent au délassement après une randonnée. Massages et bassins privatifs.

Chemin conduisant au Franz Josef Glacier

Glacier Valley Eco Tours Écotour

(☎ 0800 999 739, 03-752 0699 ; www.glaciervalley.co.nz). Randonnées tranquilles et très instructives, de 3 à 8 heures, vers les sites des environs (75-170 $) ; navettes régulières jusqu'au parking du glacier (12,50 $ aller-retour).

Glacier Country Kayaks Kayak

(☎ 0800 423 262, 03-752 0230 ; www.glacierkayaks.com ; 64 Cron St ; 3 heures kayak 115 $). Sorties guidées en kayak sur le lac Mapourika (à 7 km au nord du glacier Franz), avec commentaire passionnant, observation des oiseaux, vue sur les montagnes et détour par un paisible canal. Randonnée dans le bush en option. Renseignez-vous sur les nouvelles croisières en bateaux.

★ Le saviez-vous ?

Les Européens furent les premiers à grimper sur le glacier en 1865 ; l'Autrichien Julius Haast lui donna le nom de son souverain.

STOCKPHOTO MANIA/SHUTTERSTOCK ©

Across Country Quad Bikes Quad

(☎ 0800 234 288, 03-752 0123 ; www.acrosscountryquadbikes.co.nz ; Air Safaris Bldg, Main Rd). Sorties en quad dans la forêt pluviale (chauffeur/passager 160/70 $, 2 heures) et option buggy pour les plus petits. Location de VTT (demi-journée/journée 25/40 $).

Eco-Rafting Rafting

(☎ 03-755 4254, 021 523 426 ; www.ecorafting.co.nz ; excursion en famille adulte/enfant 135/110 $, excursion 7 heures 450 $). Sorties rafting tout le long de la côte, allant de l'excursion tranquille en famille jusqu'à celle, dite "Grand Canyon", de 7 heures sur la Whataroa (bordée d'imposantes parois de granite), avec parcours de 15 minutes en hélicoptère.

Randonnée sur le Fox Glacier

NIRADJ/SHUTTERSTOCK ©

Fox Glacier

Plus petit et moins fréquenté que le Franz Josef, ce glacier paraît plus accessible. Ne ratez surtout pas le très beau lac Matheson, les sites historiques et la plage, à Gillespies Beach.

Pour ceux qui aiment...

☑ Ne ratez pas

Avec de la chance, vous verrez l'Aoraki/ Mt Cook se refléter parfaitement dans le lac Matheson.

Randonnées en indépendant

Comptez 1,5 km de marche du Fox Village à la bifurcation vers le glacier, et 2 km de plus jusqu'au parking, que l'on rejoint aussi à pied ou à vélo par le Te Weheka Walkway/ Cycleway, agréable sentier forestier qui part au sud du motel Bella Vista. Le périple vous prendra, dans un sens comme dans l'autre, un peu plus d'une heure à pied, ou 30 minutes à vélo (laissez les vélos au parking, car ils sont inutiles sur les allées du glacier). On peut louer des vélos au motel **Westhaven** (☎0800 369 452, 03-751 0084 ; www.thewesthaven.co.nz ; SH6 ; d 145-185 $; wifi).

Du parking, on atteint, moyennant quelque 40 minutes de marche, le front du glacier, dont il est possible de s'approcher en fonction des conditions météorologiques. Respectez les consignes indiquées : le glacier est bien vivant et mouvant !

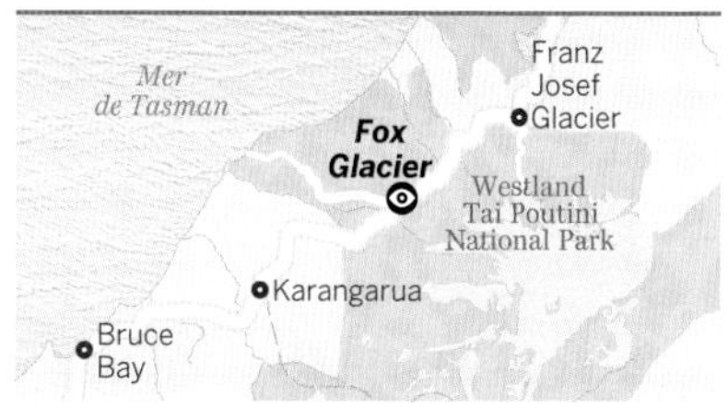

Parmi les balades figurent la Moraine Walk (au-dessus d'une avancée survenue au XVIIIe siècle) et la Minnehaha Walk. Très accessible, le River Walk Lookout Track (20 minutes aller-retour) part du parking de Glacier View Rd et permet aux marcheurs de tout niveau d'aller admirer le glacier. Procurez-vous l'excellente brochure *Glacier Region Walks* (2 $) publié par le DOC.

Randonnées guidées

Le seul moyen d'aller jusqu'à la glace est la sortie en hélicoptère, organisée par **Fox Glacier Guiding** (03-751 0825, 0800 111 600 ; www.foxguides.co.nz ; 44 Main Rd). Les randonnées en indépendant permettent toutefois d'explorer la vallée – sauvage et d'une beauté saisissante même dans sa partie inférieure, dépourvue de glace – et de s'approcher du pied du glacier dans la mesure où les conditions s'y prêtent.

Infos pratiques

Il n'y a pas de DAB au Fox Glacier (donc, aucune possibilité de retirer des espèces avant Wanaka en allant vers le sud), et Fox Glacier Motors est votre dernière chance de faire le plein avant Haast, 120 km plus loin.

Une petite soif ?

Juste à côté du lac Matheson, le **Matheson Cafe** (03-751 0878 ; www.lakematheson.com ; Lake Matheson Rd ; petit-déj et midi 10-21 $, soir 17-33 $; 8h-tard nov-mars, 8h-16h avr-oct) conjugue vue sur la montagne, café fort et bières artisanales.

★ Bon à savoir

Renseignez-vous sur l'hébergement et les activités sur le site www.glaciercountry.co.nz

Vols panoramiques

Un vol simple en hélicoptère dure environ 20 minutes (220-240 $) et rejoint le sommet du Fox Glacier, où il se pose sur la neige. Le vol "twin glacier" – qui survole le Fox et Franz Josef en 30 minutes – revient aux alentours de 300 $, tandis que celui de 40 minutes (qui pousse jusqu'à l'Aoraki/Mt Cook) coûte 420 $ au minimum. Les moins de 12 ans paient 50% à 70% du prix. Comparez les tarifs : la plupart des opérateurs sont installés dans la rue principale du Fox Glacier Village.

Dans les environs

Célèbre "lac miroir" reflétant l'Aoraki/Mt Cook par beau temps, le **lac Matheson** se trouve à environ 6 km sur Cook Flat Rd. Il faut 1 heure 30 pour en faire le tour. Mieux vaut partir de bonne heure le matin, ou lorsque le soleil baisse en fin d'après-midi.

Okarito Lagoon

Okarito

Souvent négligé par les visiteurs de la côte ouest, le village côtier d'Okarito est un lieu où l'on a de grandes chances d'apercevoir des kiwis à l'état sauvage, et d'où il est possible d'entamer de belles sorties en kayak.

Pour ceux qui aiment...

☑ Ne ratez pas

Une sortie à la nuit tombée, à l'affût des kiwis.

À 15 km au sud de Whataroa, l'embranchement appelé The Forks part à l'ouest pour rejoindre, 13 km plus loin, Okarito (une trentaine d'habitants), hameau magique en bord de mer, à la lisière de l'Okarito Lagoon. Plus vaste zone humide vierge de Nouvelle-Zélande, cette lagune est peuplée d'oiseaux, dont certaines espèces rares comme le kiwi et le majestueux kotuku.

Okarito Kiwi Tours Observation de la faune (03-753 4330 ; www.okaritokiwitours.co.nz ; excursion 3 heures 75 $). Expéditions nocturnes d'observation d'espèces aviaires rares (95% de chances d'en apercevoir), avec des commentaires instructifs tout au long du chemin. Effectif limité à 8 personnes.

Kiwi

NEIL FARRIN/GETTY IMAGES ©

Okarito Boat Tours Observation de la faune (☎03-753 4223 ; www.okaritoboattours.co.nz). Sorties d'observation des oiseaux dans le lagon. La plus fructueuse est l'Early Bird Tour (80 $, 1 heure 30, 7h30). L'EcoTour, très prisé, permet de découvrir en profondeur cet espace naturel remarquable (90 $, 9h et 11h30). Établis de longue date sur place et enjoués de nature, Paula et Swade pourront aussi vous arranger un hébergement au village.

Andris Apse Okarito Gallery Galerie (☎03-753 4241 ; www.andrisapse.com ; 109 The Strand). Andris Apse, photographe paysager de renommée mondiale, vit à Okarito. Dans sa galerie, sont exposées plusieurs de ses œuvres, tirées sur place. On peut en faire l'emplette, ainsi que de livres, autrement plus abordables.

Hari Hari
Mer de Tasman
Okarito
The Forks
Whataroa
Franz Josef Glacier

Infos pratiques

Il faut être motorisé pour rejoindre Okarito.

Une petite faim ?

Ravitaillez-vous pour la route à Hokitika ou au Franz Josef.

★ Bon à savoir

Faites le plein de provisions avant de rejoindre Okarito. L'endroit ne compte aucune boutique et n'a que peu d'équipements touristiques.

Dans les environs

Whataroa, petite localité posée le long de la SH6 – à environ 24 km à l'est d'Okarito vers l'intérieur des terres – est le point de départ des visites du Kotuku Sanctuary, seul site néo-zélandais de nidification du kotuku (grande aigrette), qui y niche de novembre à février. Unique opérateur autorisé à accéder au site, **White Heron Sanctuary Tours** (☎0800 523 456, 03-753 4120 ; www.whiterontours.co.nz ; SH6, Whataroa ; adulte/enfant 120/55 $; ⏲4 excursions/jour fin août-mars) propose un circuit de 2 heures avec trajet en *jet-board* et débarquement sur une allée en planches conduisant à un affût.

Glacier Country Scenic Flights (☎03-753 4096, 0800 423 463 ; www.glacieradventures.co.nz ; SH6, Whataroa ; vols 195-435 $) offre un choix de vols panoramiques et de déposes en hélicoptère, avec randonnée au départ de Whataroa Valley.

Si elle est ouverte, arrêtez-vous à la **Peter Hlavacek Gallery** (☎03-753 4199 ; www.nzicescapes.com ; SH6, Whataroa ; ⏲9h-17h lun-ven) sur la route. Beaucoup le tiennent pour le meilleur photographe paysager de Nouvelle-Zélande.

Pancake Rocks de Punakaiki

Les Pancake Rocks de Punakaiki témoignent de la puissance de la nature. Le paysage côtier alentour est empreint de la même sauvage beauté, et des sentiers de randonnée sillonnent la forêt.

Pour ceux qui aiment...

☑ **Ne ratez pas**

Le Fox River Cave Walk (3 heures aller-retour), 12 km au nord de Punakaiki ; apportez votre lampe-torche.

Desservi par une superbe route côtière, Punakaiki est à 45 km au nord de Greymouth. À Dolomite Point, un processus d'érosion lié au climat a donné à la pierre calcaire la forme de piles de crêpes. À marée haute (horaires des marées affichés au centre d'information), la mer s'engouffre dans les grottes sous-marines et jaillit des cavités dans un fracas menaçant. Par temps agité, on réalise immédiatement la puissance des forces de la nature. Une balade facile (15 minutes) décrit une boucle de la route jusqu'aux rochers et aux trous de souffleur.

La plupart des voyageurs se contentent de s'arrêter le long de la route pour admirer les Pancake Rocks, mais les amateurs auront plaisir à séjourner ici plus longtemps pour découvrir l'extraordinaire forêt et le paysage côtier des environs, ainsi que le Paparoa National Park, tout proche.

Infos pratiques

Centre d'information du Paparoa National Park (☎03-731 1895 ; www.doc.govt.nz ; SH6 ; ⏰9h-17h oct-nov, 9h-18h déc-mars, 9h-16h30 avr-sep)

Une petite soif ?

Protégez-vous des rigueurs du climat au **Pancake Rocks Cafe** (☎03-731 1122 ; www.pancakerockscafe.com ; 4300 Coast Rd, Punakaiki ; repas 10-22 $; ⏰8h-17h).

★ Bon à savoir

Les bus traversant la côte ouest *via* Westport et Franz Josef marquent l'arrêt pour que leurs passagers puissent admirer les Pancake Rocks.

Près du pont sur la Pororari River, **Punakaiki Canoes** (☎03-731 1870 ; www.riverkayaking.co.nz ; SH6 ; location kayak 2 heures/journée 40/60 $, possibilité de tarif familial) loue des kayaks, à bord desquels les pagayeurs de tous niveaux pourront se fendre de balades tranquilles dans un paysage superbe. **Punakaiki Horse Treks** (☎03-731 1839 ; www.pancake-rocks.co.nz ; SH6 ; randonnée 2 heures 30 170 $; ⏰nov-mai), basé aux Hydrangea Cottages, organise des treks dans la Punakaiki Valley, avec traversées de rivières et arrivée à la plage.

Parmi les randonnées mémorables aux environs de Punakaiki, citons le Truman Track (30 minutes aller-retour) et la Punakaiki-Pororari Loop (3 heures 30), qui monte le long des spectaculaires gorges de la Pororari, rejoint le sommet d'une colline, puis redescend vers la Punakaiki et ses rochers avant de retrouver la route.

Les autres randonnées du parc national sont détaillées dans la brochure *Paparoa National Park* (1 $) du DOC. De nombreux parcours dans l'arrière-pays pouvant être entravés par des crues de rivières, il est primordial de s'informer sur leur état auprès du centre d'information du Paparoa National Park à Punakaiki.

Dans les environs

La route qui relie Punakaiki à Greymouth est bordée, d'un côté, de baies rocheuses ourlées d'écume, et, de l'autre, du massif abrupt, couvert de maquis, des Paparoa Ranges.

À Barrytown, à 17 km au sud de Punakaiki, fabriquez votre propre couteau à l'atelier **Barrytown Knifemaking** (☎0800 256 433, 03-731 1053 ; www.barrytownknifemaking.com ; 2662 SH6, Barrytown ; cours 150 $; ⏰fermé lun). Ce stage d'une journée comprend déjeuner, tir à l'arc et lancer de hachette. Réservation indispensable. Possibilité de transport depuis Punakaiki.

Greymouth

Bienvenue à "Big Smoke", ville recroquevillée à l'embouchure de la Grey River. Également nommée Mawhera par les Maoris, la plus grande ville de la côte ouest (Westland) doit de longue date sa fluctuante prospérité à l'exploitation de ses veines aurifères, même si elle tire désormais le plus gros de son revenu de l'agriculture laitière et du tourisme. Bien pourvue en infrastructures d'accueil, elle affiche tous les services indispensables et compte quelques attractions touristiques, dont la plus fameuse est Shantytown.

À VOIR

Left Bank Art Gallery Galerie

(www.leftbankarts.org.nz ; 1 Tainui St ; don apprécié ; 11h-16h30 mar-ven, 11h-14h sam). Dans cette ancienne banque, bâtie voici près d'un siècle, sont exposées des œuvres contemporaines néo-zélandaises, entre jade sculpté, gravures, peintures, photographies et céramiques. La galerie accueille et soutient également une importante association d'artistes de la côte ouest.

Monteith's Brewing Co Brasserie

(03-768 4149 ; www.monteiths.co.nz ; angle Turumaha St et Herbert St ; visite guidée 22 $; 11h-20h). Si la production a pour l'essentiel été déplacée, la brasserie Monteith's d'origine continue de faire vivre son histoire à travers des visites guidées (25 minutes, généreux échantillons inclus ; 4 visites/jour). La salle de dégustation est désormais le bar le plus branché de Greymouth (bons en-cas, 9-22 $) – dommage qu'il ferme tôt.

Shantytown Musée

(www.shantytown.co.nz ; Rutherglen Rd, Paroa ; adulte/enfant/famille 33/16/78 $; 8h30-17h). À 8 km au sud de Greymouth et à 2 km de la SH6 vers l'intérieur des terres, Shantytown promeut l'histoire locale en donnant à découvrir une ville de chercheurs d'or des années 1860, avec ses balades en train à vapeur, son pub et sa *Rosie's House of Ill Repute* (maison close). On peut également y pratiquer l'orpaillage, visiter une scierie ou un inquiétant hôpital, et visionner des courts-métrages holographiques au Princess Theatre.

History House Museum Musée

(www.greydc.govt.nz ; 27 Gresson St ; adulte/enfant 6/2 $; 10h-16h lun-ven). Installé dans un bâtiment historique, ce musée plutôt désuet, dont les pièces exposées sont pour l'essentiel des illustrations, ne s'en révèle pas moins une mine d'informations quant aux épreuves traversées, au fil des ans, par la région. L'endroit fait un bon point de chute par temps pluvieux.

ACTIVITÉS

Floodwall Walk Promenade

Accordez-vous une balade de 10 minutes en bord de rivière sur Mawhera Quay – point de départ du **West Coast Wilderness Trail** (www.westcoastwildernesstrail.co.nz) – ou poursuivez environ 1 heure pour rejoindre le port de pêche, Blaketown Beach et le brise-lames – un bon endroit pour contempler, depuis le bord de mer, les célèbres couchers de soleil de la côte ouest.

Point Elizabeth Walkway Promenade

(www.doc.govt.nz). Accessible depuis Dommett Esplanade, à Cobden, à 6 km au nord de Greymouth, cette agréable promenade (3 heures aller-retour) longe un promontoire boisé situé au pied du Rapahoe Range jusqu'à un spectaculaire point de vue sur la mer, avant de rejoindre l'extrémité nord du sentier à Rapahoe (à 11 km de Greymouth), bourgade forte d'une grande plage et d'un pub accueillant.

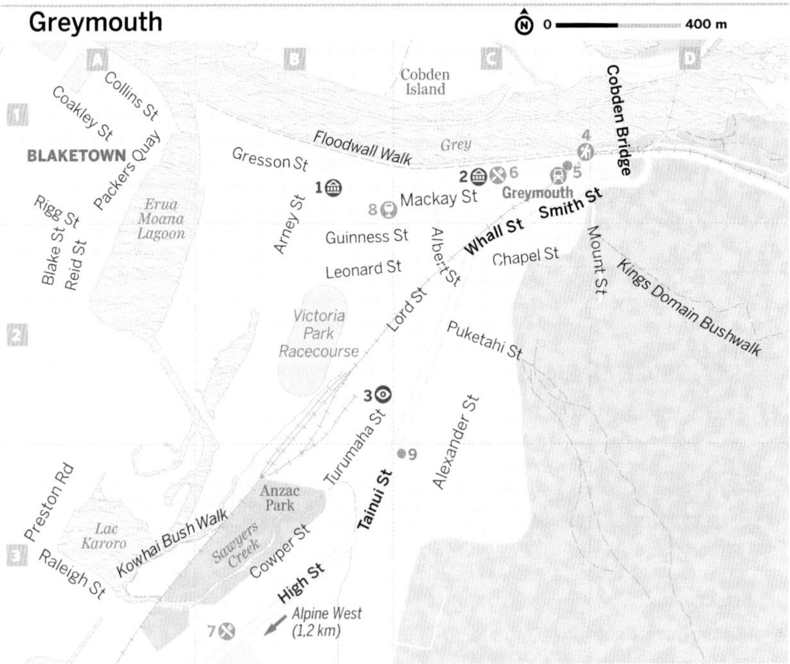

Greymouth

À voir
1 History House Museum B1
2 Left Bank Art Gallery C1
3 Monteith's Brewing Co B2

Activités
4 Floodwall Walk C1
5 TranzAlpine C1

Où se restaurer
6 DP1 Cafe C1
7 Recreation Hotel B3

Où prendre un verre et faire la fête
8 Ferrari's B1

Renseignements
i-SITE de Greymouth .... (voir 5)
West Coast Travel Centre .... (voir 5)

Transports
9 NZ Rent-a-Car C3

OÙ SE RESTAURER

DP1 Cafe Café $

(104 Mawhera Quay ; repas 7-23 $; 8h-17h lun-ven, 9h-17h sam-dim ;). Valeur sûre parmi les cafés de Greymouth, cette adresse tendance sert un excellent expresso et des plats d'un bon rapport qualité-prix. Musiques tendance, Wi-Fi, œuvres d'art néo-zélandaises et tables en bord de quai. Le matin, il en coûte 6 $ pour un muffin et un café.

Recreation Hotel Restaurant $$

(03-768 5154 ; www.rechotel.co.nz ; 68 High St ; plats 17-26 $; 11h-tard). Une clientèle d'habitués fréquente cette adresse pour son bar, où est servie, entre tables de billard et machines à sous, une bonne cuisine de pub – rôti du jour, burgers, *fish and chips*. À l'arrière, le restaurant Buccleugh's propose des spécialités plus raffinées – selle de chevreuil, filet de porc bardé de jambon de Parme (plats 18-34 $).

OÙ PRENDRE UN VERRE ET SORTIR

Ferrari's Bar

(☎03-768 4008 ; www.ferraris.co.nz ; 6 Mackay St ; ⏰17h-tard jeu-sam, 12h-18h dim). Aménagé dans le Regent Cinema, ce bar s'emploie comme il peut à restituer, à l'aune de Greymouth, le glamour de l'âge d'or de Hollywood. Une adresse pittoresque et confortable pour prendre un verre ou deux calé dans un canapé en cuir.

RENSEIGNEMENTS

i-SITE de Greymouth (☎03-768 5101, 0800 473 966 ; www.westcoasttravel.co.nz ; 164 Mackay St, gare ferroviaire ; ⏰9h-17h lun-ven, 9h30-16h sam-dim ; 📶). Le personnel, serviable, vous conseillera et pourra effectuer vos réservations, y compris s'agissant de l'hébergement et des randonnées du DOC. Consultez aussi www.westcoastnz.com.

West Coast Travel Centre (☎03-768 7080 ; www.westcoasttravel.co.nz ; 164 Mackay St, gare ferroviaire ; ⏰9h-17h lun-ven, 10h-16h sam-dim ; 📶). Ce centre qui partage l'ancienne gare ferroviaire avec l'i-SITE, assure les réservations pour tout type de transports, notamment les bus, trains et ferries entre les îles. Il dispose aussi d'une consigne à bagages et tient lieu de dépôt de bus.

DEPUIS/VERS GREYMOUTH

Partageant les locaux de l'i-SITE, le West Coast Travel Centre se charge des réservations pour tous types de transports. Des bus et des navettes relient Greymouth à Nelson, Christchurch et, au sud, aux glaciers Franz Josef et Fox.

COMMENT CIRCULER

Plusieurs enseignes de location de voitures ont un bureau dans la gare ferroviaire. Parmi les entreprises néo-zélandaises, citons **Alpine West** (☎0800 257 736, 03-768 4002 ; www.alpinerentals.co.nz ; 11 Shelley St) et **NZ Rent-a-Car** (☎03-768 0379 ; www.nzrentacar.co.nz ; 170 Tainui St).

Hokitika

Connue des passionnés d'histoire, cette localité sert de décor à de nombreux romans néo-zélandais – dont *Les Luminaires* d'Eleanor Catton, récompensé par Booker Prize en 2013. Les richesses de Hokitika sont multiples. D'abord dédiée au négoce de l'or, elle est aujourd'hui le bastion du *pounamu* (jade néo-zélandais), lequel, associé à d'autres formes d'art et d'artisanat, attire maints visiteurs dans ses larges rues.

À VOIR

Hokitika Museum Musée

(www.hokitikamuseum.co.nz ; 17 Hamilton St ; adulte/enfant 6/3 $; ⏰10h-17h nov-mars, 10h-14h avr-oct). Aménagé dans l'imposant Carnegie Building (1908), ce musée de province propose des expositions intelligemment conçues, présentées dans un style clair et moderne. Ne manquez pas la passionnante expo *Whitebait!* et la salle Pounamu – une introduction idéale avant d'aller traquer la pierre verte dans les galeries de Hokitika.

Glowworm Dell Site naturel

À la lisière nord de la ville, une courte balade à pied depuis la SH6 conduit à ce vallon boisé, hanté de larves du diptère connu sous le nom d'*arachnocampa luminosa*. C'est l'occasion d'en apprendre davantage sur le ver luisant néo-zélandais (lequel n'a, du reste, rien d'un ver). Un panneau d'information, assez détaillé, est affiché à l'orée du site.

Hokitika Glass Studio Galerie

(www.hokitikaglass.co.nz ; 9 Weld St ; ⏰8h30-17h). Verreries allant du tape-à-l'œil au somptueux ; en semaine, regardez les souffleurs travailler devant le four.

Hokitika Craft Gallery Galerie

(www.hokitikacraftgallery.co.nz ; 25 Tancred St ; ⏰8h30-17h). Boutique au choix le plus complet de Hokitika, cette coopérative affiche un vaste choix d'artisanat local, notamment des *pounamu*, des bijoux, des textiles, des céramiques et des objets en bois.

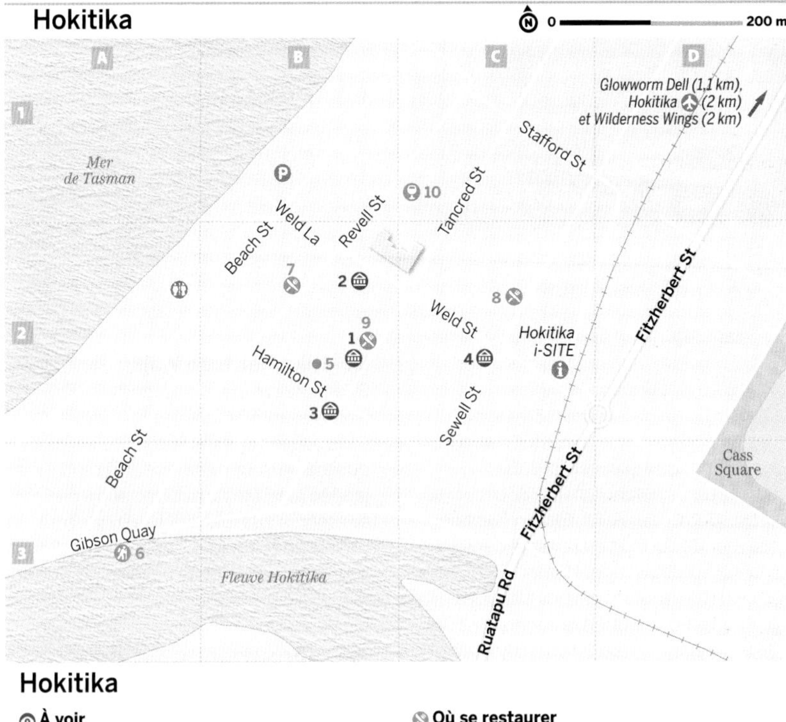

Hokitika

À voir

1 Hokitika Craft Gallery B2
2 Hokitika Glass Studio B2
3 Hokitika Museum...B2
4 Waewae Pounamu C2

Activités

5 Bonz 'N' Stonz..B2
6 Hokitika Heritage Walk.................................A3

Où se restaurer

7 Fat Pipi Pizza... B2
8 Ramble + Ritual C2
9 Sweet Alice's Fudge Kitchen B2

Où prendre en verre et faire la fête

10 West Coast Wine Bar C1

Waewae Pounamu — Galerie

(www.waewaepounamu.co.nz ; 39 Weld St ; 8h-17h). Ce bastion du *pounamu* présente des modèles traditionnels et contemporains dans sa galerie de la rue principale.

Hokitika Gorge — Gorges

(www.doc.govt.nz). Une route pittoresque de 35 km conduit à Hokitika Gorge, charmant ravin tapissé d'une eau turquoise qui doit son incroyable couleur à sa "farine glaciaire" (formée de particules de roche). On peut le photographier sous tous les angles le long d'une courte allée forestière et d'un pont suspendu. Les gorges sont bien indiquées depuis Stafford St (après la laiterie). Chemin faisant, vous passerez devant Kowhitirangi, site de la première tuerie de masse de l'histoire néo-zélandaise récente, et d'une grande chasse à l'homme de 12 jours (immortalisée en 1982 par le film *Bad Blood*). Un émouvant monument en pierre marque le site en bord de route.

Lac Kaniere — Lac

(www.doc.govt.nz.) Au cœur d'une réserve de 7 000 ha, le magnifique lac Kaniere mesure 8 km de long et 2 km de large, pour une

Le TranzAlpine

Le **TranzAlpine** (☎0800 872 467, 03-341 2588 ; www.kiwirailscenic.co.nz ; aller simple adulte/enfant à partir de 99/69 $; ⏲départ Christchurch 8h15, Greymouth 13h45), un des plus mémorables trajets ferroviaires au monde, traverse les Alpes du Sud entre Christchurch (p. 232) et Greymouth, pour relier l'océan Pacifique à la mer de Tasman en passant dans l'Arthur's Pass National Park.

Le trajet inclut les plaines alluviales du Canterbury, d'étroites gorges de montagne, un tunnel de 8,5 km, des rivières et des vallées couvertes de hêtres, et longe un lac bordé de cordylines australes. Ce périple de 4 heures 30 est inoubliable, même par mauvais temps (s'il pleut sur une côte, le ciel est sans doute dégagé sur l'autre).

On peut en faire une excursion d'une journée en partant de Christchurch à 8h15 puis en repartant de Greymouth à 13h45, mais c'est aussi un excellent moyen de rejoindre la côte ouest, avant de gagner les glaciers en bus ou en voiture.

profondeur de 195 m – et une température glaciale, comme vous le découvrirez si vous y nagez. On peut toutefois se contenter de camper ou de pique-niquer à Hans Bay ou d'entreprendre une des nombreuses randonnées des environs, allant du Canoe Cove Walk de 15 minutes jusqu'à l'aller-retour de 7 heures au Mt Tuhua. L'itinéraire historique **Kaniere Water Race Walkway** (3 heures 30 aller) fait partie du West Coast Wilderness Trail (p. 262).

ACTIVITÉS

Bonz 'N' Stonz Sculpture
(www.bonz-n-stonz.co.nz ; 16 Hamilton St ; atelier journée 85-180 $). Dessinez, sculptez et polissez votre propre œuvre en *pounamu*, en os ou en *paua* (coquillages), aidé des conseils de Steve. Les tarifs diffèrent selon le matériau et la complexité du modèle. Réservation recommandée.

Hokitika Heritage Walk Randonnée
Demandez au personnel de l'i-SITE l'intéressante brochure à 50 c avant de vous aventurer dans la zone de l'ancien quai ou renseignez-vous sur la randonnée guidée avec Mr Verrall. Une autre carte est consacrée au **Hokitika Heritage Trail**, une boucle de 11 km (2 à 3 heures) croisant des sites historiques et de beaux points de vue sur la ville.

CIRCUITS ORGANISÉS

Wilderness Wings Vols panoramiques
(☎0800 755 8118 ; www.wildernesswings.co.nz ; aéroport de Hokitika ; vols à partir de 285 $). Opérateur réputé, proposant des vols panoramiques au-dessus de Hokitika et au-delà, jusqu'à l'Aoraki/Mt Cook et aux glaciers.

OÙ SE RESTAURER

Ramble + Ritual Café $
(☎03-755 6347 ; 51 Sewell St ; en-cas 3-8 $, repas 8-15 $; ⏲8h-16h lun-ven, 9h-13h sam ; 📶). Niché près de la Clock Tower, ce café-galerie est une belle adresse où s'attarder devant un expresso, de délicieuses pâtisseries du jour ou des salades préparées à la demande. Son *ginger oaty* (barre de flocons d'avoine au gingembre recouverte de caramel) pourrait bien être le meilleur de l'île.

Sweet Alice's Fudge Kitchen Confiserie $
(27 Tancred St ; fudge 7 $ la part ; ⏲10h-17h). Offrez-vous une part de fudge (pâte

Pont suspendu à Hokitika Gorge (p. 265)

à base de beurre, de sucre et de biscuits compressés) maison, une crème glacée aux vrais fruits ou un sachet de bonbons durs – voire les trois.

Fat Pipi Pizza Pizza $$
(89 Revell St ; pizzas 20-30 $; 12h-14h30 mer-dim, 17h-21 tlj ;). Tous, des végétariens aux amateurs de viande, plébiscitent ces pizzas (dont une à la friture de poisson) confectionnées avec amour en présence du client. Il y a aussi de jolis gâteaux, des petits pains au miel et des jus de fruits Benger. À déguster sur la terrasse – une des meilleures adresses de Hokitika (sinon de la côte ouest).

OÙ PRENDRE UN VERRE ET S'AMUSER

West Coast Wine Bar Bar à vins
(www.westcoastwine.co.nz ; 108 Revell St ; 8h-tard mar-sam, 8h-14h lun). Plus raffiné que la moyenne locale, ce tout petit bar comprend un comptoir extérieur et un frigo rempli de vins fins et de bières artisanales. Possibilité de commander une pizza chez Fat Pipi Pizza, plus loin dans la rue.

RENSEIGNEMENTS

i-SITE de Hokitika (03-755 6166 ; www.hokitika.org ; 36 Weld St ; 8h30-18h lun-ven, 9h-17h sam-dim). Un des meilleurs i-SITE de Nouvelle-Zélande. On peut y réserver une foule de choses, notamment n'importe quel trajet en bus. Il y a aussi de la documentation du DOC, mais il faut réserver en ligne ou dans les Visitor Centres du DOC plus loin. Consultez aussi www.westcoastnz.com.

DEPUIS/VERS HOKITIKA

L'aéroport de Hokitika (www.hokitikaairport.co.nz ; Airport Dr, près de Tudor St) est à 1,5 km à l'est du centre-ville. **Air New Zealand** (0800 737 000 ; www.airnz.co.nz) assure 3 vols quotidiens presque tous les jours depuis/vers Christchurch.

COMMENT CIRCULER

On peut louer des voitures en ville chez **NZ Rent A Car** (027 294 8986, 03-755 6353 ; www.nzrentacar.co.nz) ; quelques autres loueurs sont présents à l'aéroport de Hokitika.

35
35
Skyline

Skyline Gondola (p. 282) et Ledge Bungy (p. 273)

QUEENSTOWN ET ENVIRONS

AJ Hackett BUNGY

GERARD WALKER/GETTY IMAGES ©

Dans ce chapitre

Queenstown et environs

Entourée des sommets indigo des Remarkables et bordée par les anses du lac Wakatipu, Queenstown porte fièrement son surnom de "capitale mondiale de l'aventure". Mais la ville a un autre visage, plus policé, avec ses restaurants et sa scène artistique cosmopolites, ses vignobles excellents et ses cinq parcours de golf. Après vous être accordé une pause en bord de lac, face à l'une des plus belles vues de Nouvelle-Zélande, profitez de votre séjour dans la région pour partir à la découverte de son passé minier à Arrowtown. Enfin, les adeptes de sports extrêmes ne manqueront pas de faire aussi un détour par Wanaka, plus au nord.

En 2 jours

Brunchez chez **Bespoke Kitchen** (p. 288) pour prendre des forces avant de connaître l'excitation du célèbre **saut à l'élastique de Kawarau Bridge** (p. 272). Puis offrez-vous un délassement bien mérité aux **Onsen Hot Pools** (p. 286). Le lendemain, partez à la découverte de la **Gibbston Valley** et de ses vins avec **Cycle de Vine** (p. 275), et terminez la journée par un dîner au bord du lac au **Public Kitchen & Bar** (p. 288).

En 4 jours

Le troisième jour, découvrez le **lac Wakatipu**, soit en rejoignant Walter Peak Farm à bord du ***TSS Earnslaw*** (p. 277), soit en embarquant pour la **Million Dollar Cruise** (p. 277), avec, à la clef, le spectacle des riches domaines de Kelvin Heights. Si vous en avez le temps, louez une voiture pour rejoindre la ravissante **Glenorchy** (p. 277) au nord du lac. Le quatrième jour, passez la matinée à **Arrowtown** (p. 280) avant de consacrer l'après-midi à quelques nouvelles activités excitantes dans le secteur de **Wanaka** (p. 291).

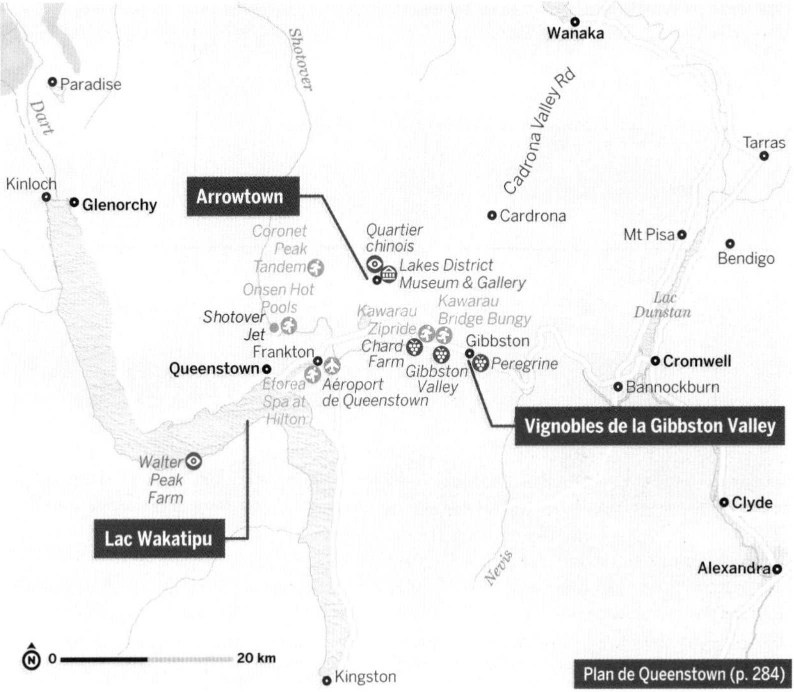

Wanaka
Shotover
Paradise
Dart
Cadrona Valley Rd
Tarras
Kinloch
Glenorchy
Arrowtown
Cardrona
Coronet Peak Tandem
Quartier chinois
Lakes District Museum & Gallery
Mt Pisa
Bendigo
Onsen Hot Pools
Kawarau Bridge Bungy
Lac Dunstan
Shotover Jet
Kawarau Zipride
Gibbston
Frankton
Chard Farm
Peregrine
Cromwell
Queenstown
Gibbston Valley
Bannockburn
Eforea Spa at Hilton
Aéroport de Queenstown
Vignobles de la Gibbston Valley
Walter Peak Farm
Clyde
Lac Wakatipu
Nevis
Alexandra
0 20 km
Kingston
Plan de Queenstown (p. 284)

Comment s'y rendre

Aéroport de Queenstown À 7 km à l'est du centre de Queenstown. Vols depuis/vers Auckland, Wellington et Christchurch. Vols pour l'Australie, notamment à destination de Sydney, Melbourne, Brisbane et la Gold Coast.

i-SITE de Queenstown La plupart des bus et des navettes s'arrêtent ici ou dans Athol St, tout près. Ils desservent notamment Christchurch, Te Anau, le lac Tekapo et Franz Josef.

Où se loger

Queenstown dispose d'hébergements de toute sorte, mais les chambres de catégorie moyenne y sont rares. Les auberges de jeunesse, extrêmement compétitives, proposent toujours plus d'extras pour séduire la clientèle – une option à considérer, même pour qui ne fréquente pas, en temps normal, ce genre d'établissement. Les hébergements sont complets et les prix s'envolent en haute saison (de Noël à février) et pendant la saison de ski (juin-septembre) ; réservez largement à l'avance.

Saut à l'élastique sur le Kawarau Bridge

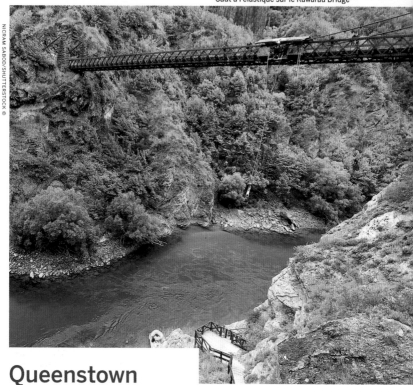

Queenstown extrême

La majorité des visiteurs s'adonnent ici à des activités qu'ils n'avaient jamais osé pratiquer avant, en profitant au passage des splendides paysages du centre de l'Otago.

Pour ceux qui aiment...

☑ **Ne ratez pas**

Le saut de l'ange du Kawarau Bridge, où s'est installé en 1988 le premier saut à l'élastique commercial.

Pour les amateurs de sports d'aventure, le *jet-boat*, le parachutisme et le parapente sont aussi très en faveur à Queenstown.

AJ Hackett Bungy — Saut à l'élastique

(☎03-450 1300, 0800 286 4958 ; www.bungy.co.nz ; The Station, angle Camp St et Shotover St). Les initiateurs du saut à l'élastique sont basés dans la région de Queenstown, sur 3 sites, avec "balancelles" vertigineuses sur 2 d'entre eux. Le site le plus prisé est le **Kawarau Bridge** (Gibbston Hwy ; adulte/enfant 190/145 $), construit en 1880, à 23 km de Queenstown (transport inclus).

Près du Kawarau Bridge, le **Kawarau Zipride** (Gibbston Hwy ; adulte/enfant 50/40 $, 3/5 parcours 105/150 $) dispose de trois tyroliennes de 130 m, lesquelles, destinées aux enfants, réjouissent également les adultes. Les forfaits de plusieurs parcours

Rafting sur la Shotover River

ℹ Infos pratiques

La plupart des opérateurs peuvent vous transporter du centre de Queenstown aux sites de saut. Renseignez-vous au moment de réserver.

✕ Une petite soif ?

Racontez vos exploits palpitants autour d'une bière artisanale à l'**Atlas Beer Cafe** (p. 288).

★ Bon plan

Si vous envisagez plusieurs activités, des tickets combinés sont en vente dans certains bureaux de réservation à Queenstown.

peuvent être partagés au sein d'un groupe, ce qui revient moins cher que le saut à l'élastique.

Les sites les plus proches de Queenstown sont le **Ledge Bungy** (adulte/enfant 195/145 $) et le **Ledge Swing** (adulte/enfant 160/110 $) au sommet de la Skyline Gondola ; ici, le saut est de seulement 47 m, mais on domine la ville de quelque 400 m. L'hiver venu, on peut même, suivant l'heure, sauter dans le noir.

Enfin, le **Nevis Bungy** (275 $/pers) est le saut à l'élastique le plus haut d'Australasie. Des bus 4×4 vous achemineront dans un domaine agricole privé où l'on peut sauter d'une cabine construite tout spécialement, à 134 m au-dessus de la Nevis River. Le **Nevis Swing** (solo/tandem 195/350 $) s'élance de 160 m au-dessus de la rivière pour décrire un arc de 300 m dans le canyon au bout d'un câble plus long qu'un terrain de rugby.

Shotover Canyon Swing — Sports extrêmes

(☎03-442 6990 ; www.canyonswing.co.nz ; 35 Shotover St ; 219 $/pers, saut supp 45 $). Cet opérateur propose divers types de saut (en arrière, sur une chaise, la tête en bas). Il y a aussi une chute libre de 60 m et une balançoire dans un canyon à 150 km/h. Le prix inclut le transfert depuis/vers le bureau de réservation à Queenstown.

Queenstown Rafting — Rafting

(☎03-442 9792 ; www.rafting.co.nz ; 35 Shotover St ; rafting/hélirafting 209/309 $). Rafting toute l'année sur les rapides de la tumultueuse Shotover (classes III à V) et la plus calme Kawarau (classes II et III). Sorties de 4-5 heures, avec 2-3 heures sur l'eau. Les sorties d'hélirafting sont aussi électrisantes. Il faut avoir au moins 13 ans et peser plus de 40 kg.

Serious Fun River Surfing — Sports extrêmes

(☎03-442 5262 ; www.riversurfing.co.nz ; 215 $/pers). Seul prestataire pour la terrible section Chinese Dogleg de la Kawarau, sur une planche de bodyboard.

Chai souterrain dans la Gibbston Valley

Vignobles de la Gibbston Valley

Occupés à se lancer, harnachés à un élastique, au-dessus de la Kawarau River, les amateurs de frisson ignorent parfois qu'ils se trouvent là au cœur de la Gibbston Valley, l'une des principales zones viticoles du centre de l'Otago.

Pour ceux qui aiment...

☑ **Ne ratez pas**

Les 2 km de route gravillonnée et vertigineuse menant à la pittoresque Chard Farm.

La Gibbston Valley, dans les environs de Queenstown, compte son lot de superbes adresses gastronomiques et œnologiques. Presque en face du Kawarau Bridge, une route gravillonnée abrupte de 2 km mène au **Chard Farm** (☎03-441 8452 ; www.chardfarm.co.nz ; Chard Rd, Gibbston ; ⌚11h-17h), le plus beau des domaines viticoles de la région. Huit cents mètres plus loin sur la Gibbston Hwy (SH6), **Gibbston Valley** (☎03-442 6910 ; www.gibbstonvalley.com ; 1820 Gibbston Hwy (SH6), Gibbston ; dégustations 5-12 $, visite avec dégustation 15 $; ⌚10h-17h) produit un excellent pinot noir et dispose d'un vaste complexe d'accueil avec restaurant et fruitière. On aime à visiter le domaine et ses chais.

Le très réputé **Peregrine** (☎03-442 4000 ; www.peregrinewines.co.nz ; 2127 Gibbston Hwy (SH6), Gibbston ; ⌚10h-17h), 3 km plus loin sur la SH6, produit d'excellents crus

Taille de la vigne, Gibbston Valley

KEES SMANS/GETTY IMAGES ©

(sauvignon blanc, pinot gris, riesling et, bien sûr, pinot noir). L'architecture du chai est également impressionnante : le bâtiment ressemble à un bunker coiffé d'un toit rappelant les ailes déployées d'un faucon.

Circuits organisés

Appellation Central Wine Tours Vin (03-442 0246 ; www.appellationcentral.co.nz ; visites 185-230 $). Visites de domaines vinicoles à Gibbston, Bannockburn et Cromwell, avec plateau dégustation à midi chez un producteur de vin.

Cycle de Vine Vélo (0800 328 897 ; www.cycledevine.co.nz ; circuit 155 $; oct-mai). Circulez dans la Gibbston Valley sur un vélo rétro. Les visites comprennent trois domaines vinicoles, et un petit pique-nique au bord de la Kawarau River.

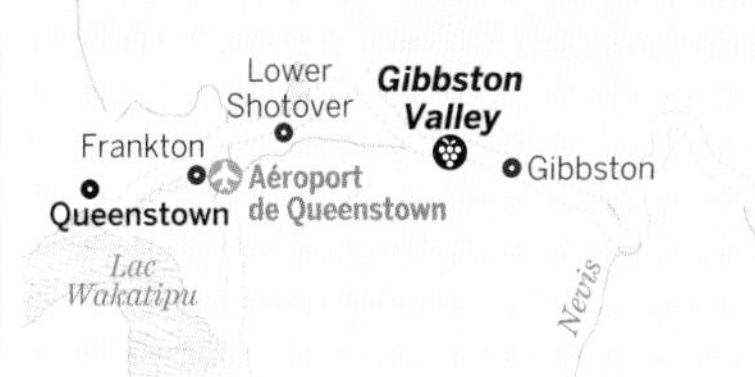

Infos pratiques

Renseignez-vous à l'**i-SITE de Queenstown** (p. 290) sur les sentiers VTT de la Gibbston Valley.

Une petite soif ?

À la **Gibbston Tavern** (03-409 0508 ; www.gibbstontavern.co.nz ; Coal Pit Rd, Gibbston ; 11h30-19h dim-jeu, 11h30-22h30 ven-sam oct-avr, fermé lun mai-sep), demandez à goûter les Moonshine Wines maison.

★ Bon à savoir

Gibbston s'expose en mars au Gibbston Wine & Food Festival (gibbstonwineandfood.co.nz), dans les Queenstown Gardens.

Dans les environs

Cromwell, à 60 km à l'est de Queenstown, est au cœur même de la prestigieuse région vinicole du centre de l'Otago (www.cowa.org.nz), réputée pour son excellent pinot noir et, dans une moindre mesure, pour ses riesling, pinot gris et chardonnay. Le bassin de Cromwell représente plus de 70% de la production de vin du centre de l'Otago. La carte *Central Otago Wine Map* comporte des informations sur plus de 50 domaines viticoles.

Créateur d'un merveilleux pinot noir, **Mt Difficulty** (03-445 3445 ; www.mtdifficulty.co.nz ; 73 Felton Rd, Bannockburn ; plats 30-35 $; dégustations 10h30-16h30, restaurant 12h-16h) est un endroit charmant pour déjeuner tranquillement en surplomb de la vallée. Ici, sont servis de grands plateaux dégustation, en belle alliance avec le vin, mais gardez une place pour les desserts gourmands.

Lac Wakatipu vu depuis le massif des Remarkables

ANDREW PEACOCK/GETTY IMAGES ©

Lac Wakatipu

Etiré en "S" et bordé au sud-est par le spectaculaire massif des Remarkables, le lac Wakatipu, parcouru de navires de croisière, fait une belle entrée en matière pour des aventures bon enfant dans la bourgade de Glenorchy.

Pour ceux qui aiment...

☑ Ne ratez pas

L'observation, à Bob's Cove, du mystérieux mouvement "respiratoire" du lac, dont le niveau varie de 12 cm toutes les 5 minutes.

Ce lac magnifique totalise 212 km de berges et atteint 379 m en son point le plus profond (sa profondeur moyenne dépasse d'ailleurs les 320 m). Cinq rivières s'y jettent mais il n'a qu'un seul effluent (la Kawarau), ce qui occasionne parfois des crues spectaculaires.

Si son eau semble propre, c'est qu'elle l'est vraiment. Des chercheurs l'ont notée pure à 99,9%, ce qui fait du Wakatipu le deuxième lac le plus pur au monde. En fait, il vaut mieux remplir son verre dans le lac que de boire de l'eau en bouteille. Elle est aussi très froide. La plage proche de Marine Parade est peut-être tentante par des températures caniculaires, mais on ne barbote pas dans une eau dont la température avoisine à l'année les 10°C.

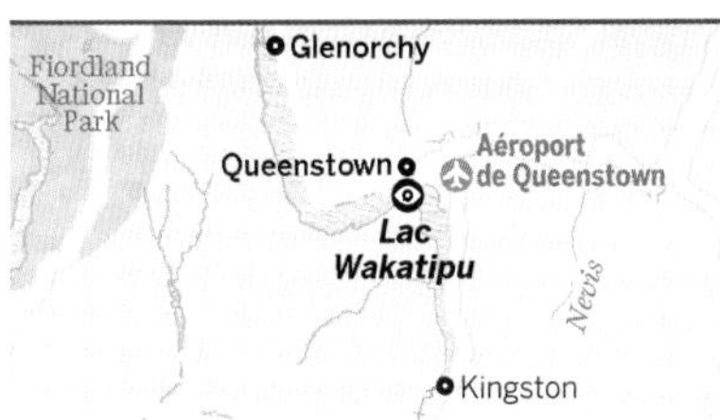

Croisières sur le lac

Million Dollar Cruise Circuit en bateau

(☎ 03-442 9770 ; www.milliondollarcruise.co.nz ; croisière 35 $; ⏱ 11h, 14 et 16h). Des croisières de 1 heure 30, instructives et d'un bon rapport qualité-prix, remontent le bras Frankton du lac en passant devant le domaine pour multimillionnaires de Kelvin Heights.

TSS Earnslaw Croisières lacustres

(☎ 0800 656 501 ; www.realjourneys.co.nz ; Steamer Wharf, Beach St ; adulte/enfant 57/22 $). L'imposant bateau à vapeur TSS *Earnslaw* a fêté ses cent ans de service ininterrompu en 2012. Jadis moyen de transport principal sur le lac, son nuage de suie semble aujourd'hui un peu incongru dans un cadre aussi immaculé. Circuits standards sur

ℹ Infos pratiques

Centre d'information de Glenorchy et boutique (☎ 03-409 2049 ; www.glenorchy-nz.co.nz ; 42-50 Mull St, Glenorchy ; ⏱ 8h30-18h)

Une petite soif ?

Glenorchy comprend quelques cafés et pubs, ainsi que le café/bistrot de **Kinloch Lodge** (☎ 03-442 4900 ; www.kinlochlodge.co.nz).

> **★ Bon à savoir**
>
> La plupart des opérateurs de Glenorchy proposent la navette depuis/vers Queenstown pour un supplément modique.

le lac Wakatipu (1 heure 30) ou excursion de 3 heures 30 jusqu'à la **Walter Peak Farm** (1 Mount Nicholas-Beach Bay Rd ; tonte et croisière adulte/enfant 77/22 $) pour une démonstration de tonte des moutons et du travail des chiens de berger.

Dans les environs

Sise dans un cadre d'une beauté stupéfiante, la petite localité de **Glenorchy** est d'une discrétion aux antipodes de Queenstown. Des opérateurs, toujours plus nombreux, proposent des sports d'aventure sur le lac et dans les vallées de montagne environnantes, en kayak, à cheval ou en *jet-boat* ; si vous préférez vous activer sur deux jambes, la région montagneuse à l'extrémité nord du lac Wakatipu regroupe des sentiers parmi les plus beaux de l'île du Sud.

Glenorchy se situe à l'extrémité nord du lac Wakatipu, à 40 minutes de voiture (46 km) au nord-ouest de Queenstown.

Longeant des paysages majestueux et les eaux limpides du lac, la route est une merveille – quoique trop ardue pour les cyclistes ! Elle n'est pas desservie par les bus, mais il y a des navettes pour les randonneurs pendant la saison des Great Walks (de fin octobre à mars).

Équipé de pneus robustes, on peut explorer les superbes vallées au nord de Glenorchy. La route non asphaltée conduisant à Paradise traverse un beau paysage agricole encadré de montagnes majestueuses. Vous y reconnaîtrez peut-être les abords d'Isengard et de la Lothlorien, tels que filmés dans *Le Seigneur des Anneaux*.

Dart Stables (03-442 5688 ; www.dartstables.com ; Coll St) propose des randonnées équestres dont certaines traversent des décors naturels filmés pour les besoins des adaptations du roman de Tolkien, notamment les balades "River Wild Ride" (2 heures, 145 $) et "Ride of the Rings" (1 heure 30, 165 $).

Dart River Wilderness Jet (03-442 9992 ; www.dartriver.co.nz ; 45 Mull St ; adulte/enfant 229/129 $; départs 9h et 13h) vous fera traverser en bateau un paysage sauvage spectaculaire, avec, à la clef, une brève marche dans une forêt de hêtres et une excursion sur une petite route. Le retour depuis Glenorchy dure 3 heures. Vous pourrez aussi combiner une sortie en *jet-boat* à une descente de la rivière en Funyak, un pneumatique de 3 places (départs 8h30, adulte/enfant 330/230 $). Transfert depuis Queenstown inclus.

Bord de lac à Queenstown

On peut aussi effectuer des visites à la ferme, pêcher à la mouche, suivre des circuits photo guidés et des cours de cuisine ; renseignez-vous à l'i-SITE de Queenstown (p. 290).

Traversant une grande variété de paysages avec des panoramas époustouflants, la piste de 32 km de **Routeburn Track** (www.doc.govt.nz), à parcourir en 2 à 4 jours, est l'un des sentiers forestiers de moyenne montagne les plus fréquentés de Nouvelle-Zélande.

★ Bon à savoir

Les brochures *Head of Lake Wakatipu* et *Wakatipu Walks* du DOC (5 $ chacune, téléchargement gratuit) détaillent des randonnées d'une journée embrassant la Routeburn Valley, le lac Sylvan, la Dart River et le lac Rere.

MATTEW MICAH WRIGHT/GETTY IMAGES ©

C'est aussi l'une des 9 Great Walks du pays, et nombre de randonneurs la considèrent comme la meilleure.

Le sentier peut être arpenté dans les deux directions. En chemin, vous jouirez d'une vue magnifique depuis Harris Saddle et depuis le sommet de Conical Hill voisin, d'où l'on peut voir les vagues de Martins Bay. Du haut de Key Summit, la vue s'étend sur la Hollyford Valley, ainsi que jusqu'à l'Eglinton Valley et la Greenstone River.

Une marche en boucle de 5 heures depuis Greenstone, à 1 heure de Glenorchy, emmène les randonneurs au lac Rere, un lieu magique d'où les mouches des sables (à la fois le fléau et le protecteur de la région) sont absentes : assez rares à Glenorchy, elles prolifèrent néanmoins dans le bush. Comptez plutôt 6-7 heures pour pique-niquer au bord du lac.

Arrowtown

Née vers 1860, à la suite de la découverte d'or dans l'Arrow River, cette localité conserve aujourd'hui encore plus d'une soixantaine d'édifices en bois et en pierre d'origine, le long de jolies avenues arborées.

Pour ceux qui aiment...

☑ Ne ratez pas

Une bière fraîche au **New Orleans Hotel** (03-442 1748 ; www.neworleanshotel.co.nz ; 27 Buckingham St ; 8h-23h ;), plébiscité depuis 1866.

Il peut être intéressant de se baser à Arrowtown pour visiter Queenstown et sa région, afin d'en apprécier, outre le patrimoine historique, le charme propre et les bons restaurants, ce que l'on ne saurait faire mieux qu'une fois les bus touristiques repartis pour Queenstown.

À voir

Quartier chinois Site historique

(Buckingham St ; 24h/24). GRATUIT Le quartier chinois d'Arrowtown est sans doute le plus représentatif d'une époque de tout le pays. Des panneaux d'information évoquent la vie des mineurs chinois pendant et après la ruée vers l'or (le dernier résident est mort en 1932), que les cabanes et les boutiques restaurées permettent de mieux se représenter. Victimes de discrimination, les Chinois n'avaient souvent d'autre choix que

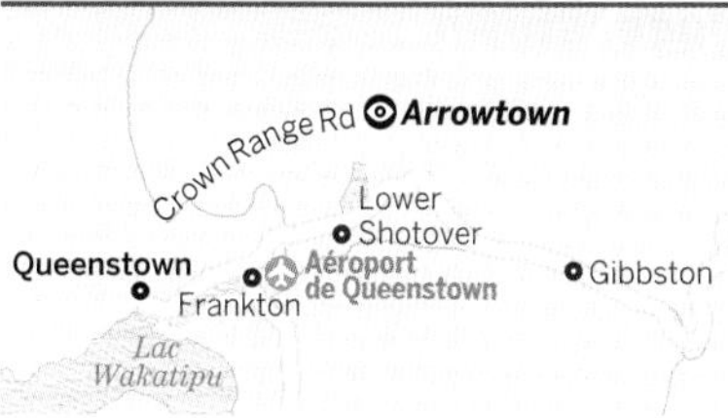

de réexploiter de vieux résidus de mine plutôt que de prétendre à une nouvelle concession.

Lakes District Museum & Gallery Musée
(www.museumqueenstown.com ; 49 Buckingham St ; adulte/enfant 10/3 $; 8h30-17h). Les expositions évoquent la ruée vers l'or et le début des quartiers chinois à Arrowtown. On peut aussi louer des tamis d'orpailleur pour tenter sa chance dans l'Arrow River (3 $) ; la probabilité de trouver des paillettes grandit à mesure qu'on s'éloigne du centre-ville.

Activités

Arrowtown Time Walks Circuit à pied
(021 782 278 ; www.arrowtowntimewalks.com ; adulte/enfant 20/12 $; 13h30 oct-avr). Ces circuits guidés (1 heure 30) partant du musée rallient les lieux remarquables en évoquant la ruée sur l'or à Arrowtown.

Infos pratiques

Centre d'information d'Arrowtown
(03-442 1824 ; www.arrowtown.com ; 49 Buckingham St ; 8h30-17h)

Une petite faim ?

Goûtez un *sticky bun* (petit pain roulé recouvert d'un glaçage à base de cannelle, cassonade et noix de pécan) chez **Provisions** (03-445 4048 ; www.provisions.co.nz ; 65 Buckingham St ; plats 8,50-24 $; 8h30-17h ;).

★ Bon à savoir

À Queenstown, prenez le Connectabus n°10 pour Frankton, puis le bus n°11 pour Arrowtown.

Arrowtown Bike Hire VTT
(0800 224 473 ; www.arrowtownbikehire.co.nz ; 59 Buckingham St ; location demi-journée/journée 38/55 $). Location de vélos et conseils sur les sentiers. S'il vous entreprenez l'Arrow River Bridges Ride, puis sillonnez les domaines vinicoles de Gibbston, on pourra venir vous chercher avec votre vélo (60 $). Location de plusieurs jours également.

Dudley's Cottage Orpaillage
(03-409 8162 ; www.dudleyscottagenz.com ; 4 Buckingham St ; 9h-17h). Rendez-vous dans ce cottage historique pour une leçon d'orpaillage (10 $, plus 5 $ pour louer un tamis). Si vous connaissez déjà la chanson, louez un tamis et une pelle (6 $) ou une boîte écluse (25 $), et allez-y seul.

Spa at Millbrook Spa
(03-441 7017 ; www.millbrook.co.nz ; Malaghans Rd ; soins à partir de 79 $). Situé dans le Millbrook Resort, ce spa est considéré comme l'un des meilleurs du pays.

Queenstown

Avec un cadre grandiose de montagnes et de lacs, et un fantastique panel d'activités de plein air, pas étonnant que Queenstown soit la destination première de nombreux voyageurs dans le pays. Si l'on y ajoute un accès facile à certains des plus beaux domaines viticoles de Nouvelle-Zélande, de bons restaurants et probablement la vie nocturne la plus animée de l'Île du Sud, cette ville flanquée du lac Wakatipu et du massif des Remarkables est une destination incontournable du pays.

À VOIR

Queenstown Gardens Parc
(Park St). Sis sur une petite langue de terre longeant Queenstown Bay, ce joli parc fut construit en 1876 à l'époque victorienne, amoureuse des jardins comme lieu de promenade. Cette péninsule verdoyante attire toujours les amateurs de balade, de pique-nique et de flânerie. Les plus actifs vont tout droit au parcours de disc golf (www.queenstowndiscgolf.co.nz ; Queenstown Gardens) GRATUIT.

Skyline Gondola Télécabines
(03-441 0101 ; www.skyline.co.nz ; Brecon St ; adulte/enfant aller-retour 32/20 $; 9h-tard). Vue fantastique depuis les télécabines. En haut vous attendent café, restaurant, boutique de souvenirs et terrasse d'observation, ainsi que le **Queenstown Bike Park** (page ci-contre), le **Skyline Luge** (page ci-contre), le **Ledge Bungy** (p. 273), le **Ledge Swing** (p. 273) et le **Ziptrek Ecotours** (p. 285). En soirée, spectacles culturels maoris de **Kiwi Haka** (p. 290) et circuits d'observation des étoiles (télécabine incluse adulte/enfant 85/45 $).

Kiwi Birdlife Park Zoo
(03-442 8059 ; www.kiwibird.co.nz ; Brecon St ; adulte/enfant $45/23 ; 9h-17h, spectacles 11h et 15h). Ces 2,5 ha abritent quelque 10 000 plantes indigènes, des sphénodons et des dizaines d'espèces d'oiseaux, notamment des kiwis, des nestor kéa, ninoxes boubouks, des perruches et de très

Queenstown vu du Skyline Gondola

rares échasses noires. Baladez-vous parmi les volières, admirez le spectacle animalier et glissez-vous sur la pointe des pieds dans le logis obscur des kiwis.

St Peter's Anglican Church Église
(☎03-442 8391 ; www.stpeters.co.nz ; 2 Church St). Ce bel édifice en pierre et poutres en bois (1932) est orné de vitraux colorés et d'un imposant orgue doré et peint. Admirez le lutrin en cèdre en forme d'aigle, sculpté et offert en 1874 par Ah Tong, un immigré chinois.

Underwater Observatory Point de vue
(☎03-409 0000 ; www.kjet.co.nz ; jetée principale ; adulte/enfant 10/5 $; ⌚9h-19h nov-mars, 9h-17h avr-oct). Six fenêtres donnent sur la vie sous-marine dans cet aquarium inversé (ce sont les humains qui sont enfermés derrière les vitres). Les grosses truites communes sont légion ; repérez les anguilles et les fuligules (canards plongeurs), qui passent à ras des vitres – surtout quand on met une pièce dans le distributeur automatique de nourriture.

ACTIVITÉS

Si vous prévoyez plusieurs activités, il existe plusieurs tickets combinés, dont ceux de **Queenstown Combos** (☎03-442 7318 ; www.combos.co.nz ; The Station, angle Shotover St et Camp St).

Coronet Peak Tandem Parapente
(☎0800 467 325 ; www.tandemparagliding.com ; à partir de 199 $). Décollages spectaculaires en parapente ou en deltaplane depuis Coronet Peak. On viendra vous chercher gratuitement à votre hôtel à Queenstown.

Skyline Luge Sports d'aventure
(☎03-441 0101 ; www.skyline.co.nz ; Skyline ; 2/3/4/5 descentes, trajet en télécabine inclus 45/48/49/55 $; ⌚10h-20h oct-mars, 10h-17h avr-sep). Une fois au sommet, prenez une luge à trois roues pour une descente sur 800 m. Après avoir fait une fois la piste bleue, vous aurez le droit de faire la rouge, plus difficile, avec virages relevés et tunnel.

Le Gibbston River Trail

Le sentier panoramique pour randonneurs et vététistes Gibbston River Trail suit la Kawarau River entre le Kawarau Bridge et le domaine viticole Peregrine (1 à 2 heures, 5 km). Depuis ce domaine, les marcheurs (mais pas les cyclistes) pourront enchaîner avec le Wentworth Bridge Loop (1 heure, 2,7 km), lequel enjambe divers sites miniers grâce à plusieurs ponts en bois et en acier.

Kawarau River
OLGA KATRYCHENKO/GETTY IMAGES ©

Queenstown Bike Park VTT
(☎03-441 0101 ; www.skyline.co.nz ; Skyline ; demi-journée/journée télécabine incluse 60/85 $; ⌚10h-18h, 10h-20h pour autant que la lumière le permette oct-avr). Vingt pistes différentes – de facile (vert) à extrême (2 signes noirs) – *via* le Bob's Peak, bien au-dessus du lac. Une fois que vous êtes descendu à vélo, remontez en télécabine et recommencez. Le meilleur sentier pour débutants est le Hammy's Track (6 km), jalonné de vues sur le lac et d'aires de pique-nique. Apportez votre VTT.

Ben Lomond Track Randonnée
(www.doc.govt.nz). Le sentier escarpé menant au sommet du Ben Lomond (1748 m, 6 à 8 heures aller-retour) exige une excellente condition physique et ne doit pas être pris à la légère. Neige et glace peuvent le compliquer ; en hiver, renseignez-vous auprès du DOC ou de l'i-SITE avant de partir. Le sentier démarre au sommet des télécabines.

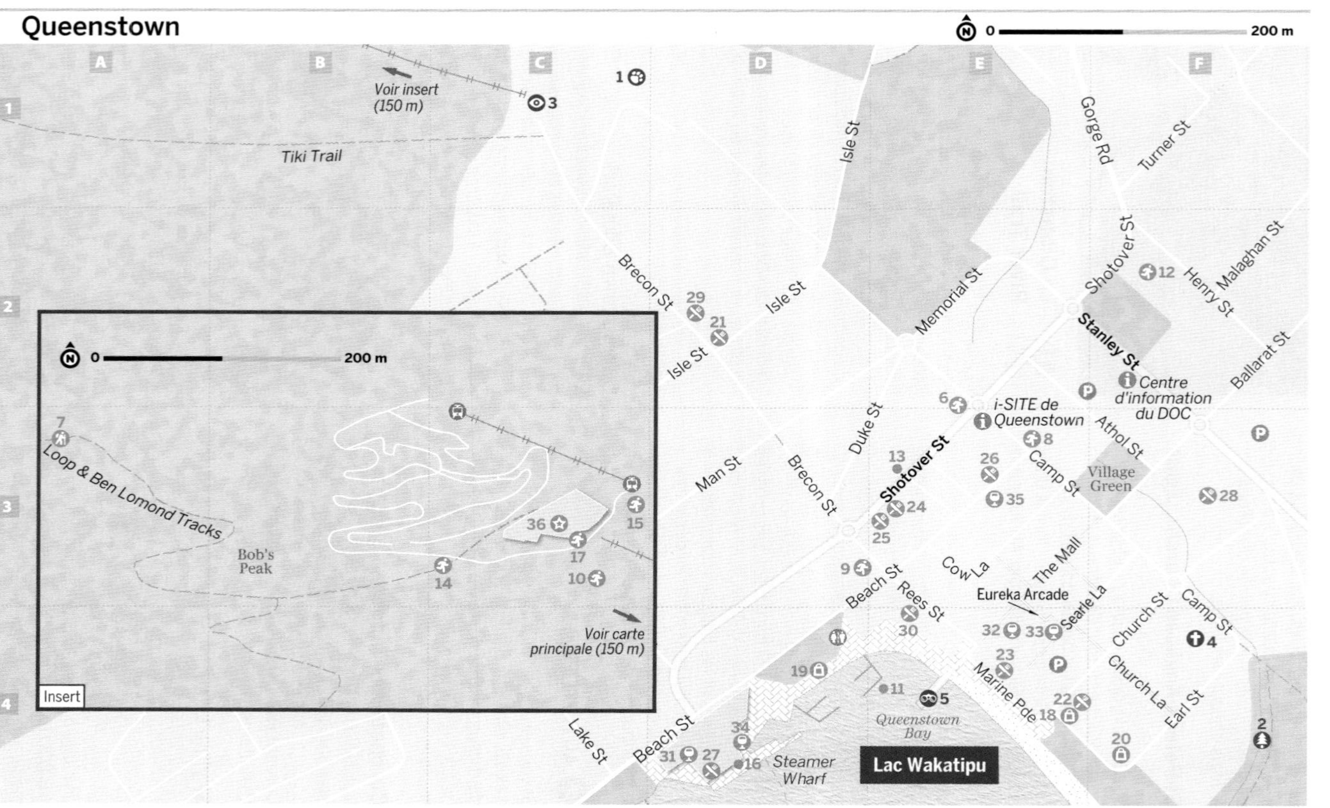
Queenstown
0
200 m
Voir insert (150 m)
Tiki Trail
Brecon St
Isle St
Memorial St
Gorge Rd
Turner St
Shotover St
Malaghan St
Henry St
Stanley St
Ballarat St
Centre d'information du DOC
i-SITE de Queenstown
Athol St
Duke St
Man St
Camp St
Village Green
Cow La
The Mall
Beach St
Rees St
Eureka Arcade
Searle La
Church St
Church La
Earl St
Marine Pde
Queenstown Bay
Lac Wakatipu
Steamer Wharf
Lake St
Loop & Ben Lomond Tracks
Bob's Peak
Voir carte principale (150 m)
Insert

Queenstown

Canyoning Queenstown Sports d'aventure
(☎03-441 3003 ; www.canyoning.co.nz ; 39 Camp St). Expéditions de canyoning dans les 19 km des Delta Canyons (199 $) ou les vallées de Routeburn (299 $) et de la Dart River (450 $), plus éloignées.

Shotover Jet Jet-boat
(☎03-442 8570 ; www.shotoverjet.com ; Gorge Rd, Arthurs Point ; adulte/enfant 135/75 $). Expéditions (30 minutes) au milieu des rochers des Shotover Canyons, avec moult volte-face à 360 degrés.

NZone Sports d'aventure
(☎03-442 5867 ; www.nzoneskydive.co.nz ; 35 Shotover St ; à partir de 299 $). Sautez d'un avion avec un spécialiste du parachute tandem.

Ziptrek Ecotours Sports d'avanture
(☎03-441 2102 ; www.ziptrek.co.nz ; Skyline). Ponctué de plusieurs tyroliennes, ce parcours palpitant en harnais vous conduira de cime d'arbre en cime d'arbre au-dessus de Queenstown. Conception ingénieuse et valeurs écologiques sont ici une valeur ajoutée. Vous aurez le choix entre le circuit "Moa" (2 heures, 4 tyroliennes ; adulte/enfant 135/85 $) et le circuit "Kea" plus tortueux (3 heures, 6 tyroliennes ; 185/135 $).

Family Adventures Rafting
(☎03-442 8836 ; www.familyadventures.co.nz ; adulte/enfant 179/120 $;). Sorties plus faciles (classes I et II) sur la Shotover (enfants à partir de 3 ans), en été uniquement.

Guided Walks New Zealand Balades guidées
(☎03-442 3000 ; www.nzwalks.com ; adulte/enfant à partir de 107/67 $). Balades dans les environs de Queenstown, allant des randonnées nature d'une demi-journée au Hollyford Track de 3 jours. Balades en raquettes l'hiver.

Les cinq meilleures manières de se détendre

Voici les meilleures adresses pour lever le pied, reprendre des forces et rappeler à votre corps que le voyage ne se résume pas à des poussées d'adrénaline. C'est aussi cela, les vacances !

Onsen Hot Pools (03-442 5707 ; www.onsen.co.nz ; 160 Arthurs Point Rd, Arthurs Point ; 1/2/3/4 pers 46/88/120/140 $; 11h-22h). Bains chauds privés dans le style japonais, avec vue sur la montagne. Réservez et l'on vous en fera chauffer un.

Mobile Massage Company (0800 426 161 ; www.queenstownmassage.co.nz ; 2c Shotover St ; 1 heure à partir de 120 $; 9h-21h). Pour relancer votre organisme après plusieurs jours de ski, de vélo et de *jet-boat*, offrez-vous un massage et des soins à domicile.

Hush Spa (03-442 9656 ; www.hushspa.co.nz ; 1er ét, 32 Rees St ; massage 30 minutes/1 heure à partir de 70/128 $; 9h-18h ven-lun, 9h-21h mar-jeu). Levez encore plus le pied en demandant un massage ou une séance de pédicure.

Spa at Millbrook (p. 281). Pour des soins de grande classe, fendez-vous de la petite marche jusqu'à Millbrook, près d'Arrowtown, où vous attend un des meilleurs spas de Nouvelle-Zélande.

Eforea Spa at Hilton (03-450 9416 ; www.queenstownhilton.com ; 79 Peninsula Rd, Kelvin Heights ; soins à partir de 70 $; 9h-tard). Rejoignez en bateau-taxi ce spa luxueux de l'autre côté du lac.

Sunrise Balloons Vols en montgolfière
(03-442 0781 ; www.ballooningnz.com ; adulte/enfant 495/295 $). Vol au soleil levant (1 heure, petit-déjeuner au champagne inclus) ; comptez 4 heures pour l'ensemble de l'expérience.

CIRCUITS ORGANISÉS

Queenstown Heritage Tours Circuits organisés
(03-409 0949 ; www.queenstown-heritage.co.nz ; adulte/enfant 160/80 $). Ces circuits en minibus 4 × 4, spectaculaires mais riches en émotions, rejoignent Skippers Canyon par une route étroite et sinueuse construite par les orpailleurs dans les années 1800. L'itinéraire démarre près de Coronet Peak et se déroule au-dessus de la Shotover River en passant par des sites liés à la ruée vers l'or. Circuits œnologiques également disponibles.

Queenstown Wine Trail Route des vins
(03-441 3990 ; www.queenstownwinetrail.co.nz). Circuit de 5 heures avec dégustations dans 4 vignobles (155 $) ou circuit *Summer Sampler* plus court (176 $ déjeuner inclus).

Nomad Safaris Circuits en 4×4
(03-442 6699 ; www.nomadsafaris.co.nz ; 37 Shotover St ; adulte/enfant à partir de 175/89 $). Découvrez un paysage spectaculaire et des points de vue difficiles d'accès dans l'arrière-pays à Skippers Canyon et Macetown, ou choisissez le "Safari of the Scenes", dans les décors de la Terre du milieu, autour de Glenorchy et dans le bassin de Wakatipu. On peut aussi faire du quad dans un élevage de brebis sur Queenstown Hill (245 $).

ACHATS

Artbay Gallery Arts
(03-442 9090 ; www.artbay.co.nz ; 13 Marine Pde ; 11h-18h lun-mer, 11h21h jeu-dim). Aménagée dans une loge maçonnique construite en 1863 au bord du lac, il est toujours intéressant de venir y jeter un œil, même quand on n'a pas une fortune à mettre dans une tête de bélier gravée. Cette

galerie expose des artistes néo-zélandais contemporains liés à la région pour la plupart.

Vesta Art et artisanat
(☎03-442 5687 ; www.vestadesign.co.nz ; 19 Marine Pde ; ⏰10h-18h). Vitrine d'objets d'art et d'artisanat néo-zélandais vraiment sympas, cette boutique est remplie de gravures, tableaux verreries et cadeaux intéressants. Elle occupe le Williams Cottage (1864), plus ancienne demeure de Queenstown. Admirez le papier peint des années 1930 et le jardin des années 1920.

Marché artisanal Marché
(www.marketplace.net.nz ; Earnslaw Park ; ⏰9h30-15h30 sam). Cadeaux et souvenirs fabriqués localement. Au bord du lac près de Steamer Wharf.

OÙ SE RESTAURER

Le centre de Queenstown est jalonné de restaurants animés. Beaucoup sont des adresses touristiques mais, en cherchant un peu, vous découvrirez les tables préférées des Néo-Zélandais, qui correspondent à des cuisines de tous horizons. Il est sage de réserver dans les plus prisés de ces restaurants.

Fergbaker Boulangerie $
(42 Shotover St ; 5-9 $/pièce ; ⏰6h30-4h30). Le petit frère de Fergburger prépare toutes sortes de gourmandises et, si toutes semblent savoureuses à 3 heures du matin après quelques bières, elles soutiennent admirablement la lumière du jour. Il y a notamment des tourtes à la viande, des roulés, des pâtisseries danoises et des tartes banane-caramel. Si vous cherchez une glace, allez chez Mrs Ferg, juste à côté.

Taco Medic Restauration rapide $
(www.tacomedic.co.nz ; 11 Brecon St ; tacos 7 $; ⏰11h-21h nov-avr, 10h-18h30 mai-oct). Dans un *food truck* près du loueur de vélos de Brecon St, ces jeunes distribuent des tacos garnis de poisson, de bœuf, de travers de porc et de haricots noirs à une clientèle fidèle. Un seul pour une petite faim, deux pour un vrai repas. Pendant la saison du ski, ils se transportent sur un parking vide à l'angle de Gorge Rd et de Bowen St.

Steamer Wharf

Fergburger Hamburgers $$
(☎03-441 1232 ; www.fergburger.com ; 42 Shotover St ; hamburgers 11-19 $; ⏲8h30-5h). Ce célèbre restaurant est aujourd'hui une attraction touristique à part entière, si bien que beaucoup de Néo-Zélandais doivent chercher ailleurs leurs burgers gastronomiques. Ceux de Fergburger sont toujours aussi savoureux et nourrissants ; mais un burger mérite-t-il 30 minutes d'attente ? À vous de voir.

Bespoke Kitchen Café $$
(☎03-409 0552 ; www.facebook.com/Bespokekitchenqueenstown ; 9 Isle St ; plats 11-19 $; ⏲7h30-17h ; 📶). Dans un angle de rue lumineux, entre le centre-ville et les télécabines, ce café propose un bon choix de mets de comptoir, des plats à la carte joliment présentés, le Wi-Fi gratuit et, naturellement, un excellent café.

Public Kitchen & Bar Néo-zélandais moderne $$
(☎03-442 5969 ; www.publickitchen.co.nz ; Steamer Wharf, Beach St ; plats 15-45 $; ⏲9h-23h). La mode des dîners informels et des plats à partager a gagné Queenstown, en l'espèce avec cet excellent restaurant de front de mer. Les assiettes de viande sont particulièrement bonnes.

Blue Kanu Néo-zélandais moderne $$
(☎03-442 6060 ; www.bluekanu.co.nz ; 16 Church St ; plats 27-39 $; ⏲16h-tard). Ce restaurant de style paillote est non seulement de bon goût mais élégant. La carte, qui mêle de robustes saveurs maories, *pasifika* et asiatiques avec des ingrédients locaux, affiche un mélange exotique de plats délicieux.

Vudu Cafe & Larder Café $$
(☎03-441 8370 ; www.vudu.co.nz ; 16 Rees St ; plats 14-20 $; ⏲7h30-18h). Un établissement cosmopolite réputé pour sa cuisine maison, son délicieux café et ses savoureux petits-déjeuners. À l'intérieur, admirez l'immense photo d'un Queenstown bien moins peuplé, ou profitez de la vue sur le lac et les montagnes depuis le jardin à l'arrière.

Eichardt's Bar Tapas $$
(www.eichardtshotel.co.nz ; 1-3 Marine Pde ; petit-déj 16-18 $, déj 25-26 $, tapas 7,50-12 $; ⏲7h30-tard). Stylé sans être guindé, ce petit bar qui jouxte l'Eichardt's Private Hotel est un merveilleux refuge loin du brouhaha de la rue. Les tapas sont la spécialité de la maison : elles sont délicieuses, même si les saveurs mises en œuvre ne sont pas particulièrement espagnoles.

Fishbone Produits de la mer $$$
(☎03-442 6768 ; www.fishbonequeenstown.co.nz ; 7 Beach St ; plats 26-38 $; ⏲17h-22h). À bonne distance à l'intérieur des terres, ce restaurant n'en propose pas moins les meilleurs produits de la mer néo-zélandais. Ne vous laissez pas décourager par les miroirs kitsch encadrés de coquillages : la cuisine est excellente. Les plats les plus prisés sont le curry de poisson du Sri Lanka, le poulpe grillé et les crevettes à la sauce XO.

Rata Néo-zélandais moderne $$$
(☎03-442 9393 ; www.ratadining.co.nz ; 43 Ballarat St ; plats 36-42 $, midi 2/3 plats 28/38 $; ⏲12h-23h). Après avoir décroché des étoiles au Michelin à Londres, New York et Los Angeles, le chef et propriétaire Josh Emett a rapatrié sa cuisine, à la fois exceptionnelle et singulièrement exempte d'artifices, en ouvrant dans une petite rue ce restaurant haut de gamme. Le bush, sous forme de plantes installées le long des parois vitrées ou d'une immense fresque photographique, tient lieu d'écrin où découvrir une carte concise, dans laquelle sont mis à l'honneur les meilleurs produits de saison néo-zélandais.

OÙ PRENDRE UN VERRE ET FAIRE LA FÊTE

Atlas Beer Cafe Bar
(☎03-442 5995 ; www.atlasbeercafe.com ; Steamer Wharf, Beach St ; ⏲10h-tard). Installé au bout de Steamer Wharf, ce bar de poche est spécialisé dans les bières des brasseries Emerson's de Dunedin et Altitude de Queenstown, ainsi que dans

des bières éphémères d'origine plus lointaine. C'est aussi une des meilleures adresses de Queenstown pour un repas de bon rapport qualité-prix ; on y sert des petits-déjeuners très bien préparés et des mets simples et roboratifs comme les steaks, les burgers et le poulet parmigiana (plats 10-20 $).

Little Blackwood Bar à cocktails
(03-441 8066 ; www.littleblackwood.com ; Steamer Wharf ; 15h-1h). Avec ses faïences de métro aux murs, ses œuvres d'art et ses barmen qui ressemblent aux matelots d'autrefois dans leurs chemises à rayures, ce bar est une nouveauté qui attire le regard dans le complexe Steamer Wharf. Beaucoup plus élégant qu'il n'y paraît, on y sert de bons cocktails.

Bardeaux Bar à vins
(03-442 8284 ; www.goodgroup.co.nz ; Eureka Arcade, Searle Lane ; 15h-4h). Ce petit bar à vins discret aux allures de grotte a beaucoup de classe. Sous son plafond bas sont installés de luxueux fauteuils en cuir et une cheminée en schiste du centre de l'Otago. Sur la carte des vins, extraordinaire, le prix de certaines bouteilles comporte quatre chiffres.

The Winery Bar à vins
(03-409 2226 ; www.thewinery.co.nz ; 14 Beach St ; 10h30-tard). Formule originale, vous créditez une carte à puce, puis vous vous versez une dose de dégustation ou remplissez un verre en choisissant parmi plus de 80 crus néo-zélandais dispensés par un système automatique avec remplissage au gaz. Il y a aussi un coin whisky et des plateaux de fromages.

Ballarat Trading Company Pub
(03-442 4222 ; www.ballarat.co.nz ; 7-9 The Mall ; 11h-4h). Ours et volatiles empaillés, lambris, sièges en cuir, lumières tamisées... Le Ballarat est un superbe établissement traditionnel, avec des tireuses à bière étincelantes, des retransmissions de matchs, parfois de la musique des années 1980, et des plats de pub copieux.

Où skier aux environs de Queenstown

Les habitants de Queenstown profitent de deux domaines skiables, dans les **Remarkables** (03-442 4615, infos neige 03-442 4615 ; www.nzski.com ; forfait journée adulte/enfant 99/52 $) et les **Coronet Peak** (03-450 1970, infos neige 03-442 4620 ; www.nzski.com ; forfait journée adulte/enfant 99/52 $), où l'on peut skier la nuit.

Les amateurs de glisse vont aussi à Cardrona et Treble Cone, près de Wanaka. À son apogée dans les années 1870, lors de la ruée vers l'or, le village de Cardrona est aujourd'hui une localité assoupie, qui s'anime pour la saison de ski.

Le **Cardrona Alpine Resort** (03-443 8880 ; www.cardrona.com ; en retrait de la Cardrona Valley Rd ; forfait journée adulte/enfant 103/52 $; 9h-16h juil-sep), domaine skiable de 345 ha, dispose de pistes de tous niveaux.

Avec 40 km de pistes, **Snow Farm New Zealand** (03-443 7542 ; www.snowfarmnz.com ; près de la Cardrona Valley Rd ; forfait journée adulte/enfant 40/20 $) permet de s'adonner aux activités nordiques : ski de randonnée nordique (SRN), ski de fond, raquettes, traîneau tiré par des chiens et luge.

En dehors de la haute saison (juin-sep), on peut pratiquer l'héliski avec **Over the Top Helicopters** (03-442 2233 ; www.flynz.co.nz ; à partir de 695 $), **Harris Mountains Heli-Ski** (03-442 6722 ; www.heliski.co.nz ; à partir de 990 $) ou **Southern Lakes Heliski** (03-442 6222 ; www.heliskinz.com ; à partir de 995 $).

Domaine skiable de Coronet Peak

OÙ SORTIR

Sherwood Musique live

(03-450 1090 ; www.sherwoodqueenstown.nz ; 554 Frankton Rd, Queenstown East). Non content d'être un excellent endroit pour dîner ou prendre un verre, le Sherwood est vite devenu incontournable pour les musiciens de passage. Beaucoup de grands noms néo-zélandais ont joué ici ; consultez les prochaines dates sur le site Internet.

Kiwi Haka Danse traditionnelle

(03-441 0101 ; www.skyline.co.nz ; Skyline ; adulte/enfant sans la télécabine 39/26 $). Pour une expérience culturelle maorie traditionnelle, cap au sommet des télécabines (3 représentations de 30 minutes par soir). Réservation indispensable.

RENSEIGNEMENTS

i-SITE de Queenstown (03-442 4100 ; www.queenstowninformation.com ; angle Shotover St et Camp St ; 8h30-19h). Sympathique et pratique, malgré l'ambiance invariablement effrénée. Le personnel, très patient, pourra vous informer et vous aider pour vos réservations à Queenstown, Gibbston, Lake Hayes, Arrowtown et Glenorchy.

Centre d'information du DOC (03-442 7935 ; www.doc.govt.nz ; 50 Stanley St ; 8h30-17h). Venez ici pour chercher votre confirmation d'inscription au Routeburn Track et vos pass pour les refuges de l'arrière-pays, et pour connaître les dernières informations météorologiques et l'état des sentiers. On vous conseillera aussi des sentiers selon vos capacités.

DEPUIS/VERS QUEENSTOWN

AVION

Air New Zealand (0800 737 000 ; www.airnewzealand.co.nz) dessert Queenstown depuis Auckland, Wellington et Christchurch. **Jetstar** (0800 800 995 ; www.jetstar.com) assure également des vols pour Auckland.

Plusieurs compagnies aériennes proposent des vols directs pour Queenstown depuis

Parachutiste dans la région de Wanaka

l'Australie, notamment Brisbane, la Gold Coast, Sydney et Melbourne.

BUS

La plupart des bus et des navettes s'arrêtent dans Athol St en face de l'i-SITE. Ils desservent notamment Christchurch, Franz Josef et Te Anau.

COMMENT CIRCULER

Connectabus (☎03-441 4471 ; www.connectabus.com) dessert plusieurs itinéraires signalés par des couleurs différentes, notamment à destination d'Arrowtown. Procurez-vous plan et horaires à l'i-SITE.

Wanaka

Contrairement à sa jumelle effervescente de l'autre côté de la Crown Range, Wanaka conserve une atmosphère de petite localité décontractée. Elle n'a cependant plus rien du village assoupi, et de nouveaux bars et restaurants lui donnent un brin de sophistication.

À VOIR

Puzzling World Parc d'attractions

(www.puzzlingworld.co.nz ; 188 Wanaka Luggate Hwy/SH84 ; adulte/enfant 20/14 $; 8h30-18h nov-avr, 8h30-17h30 mai-oct). Immense labyrinthe et nombreuses illusions visuelles pour visiteurs de tous âges. Sur la route de Cromwell, à 2 km de la ville.

National Transport & Toy Museum Musée

(www.ntmuseumwanaka.co.nz ; 851 Wanaka Luggate Hwy/SH6 ; adulte/enfant 17/5 $; 8h30-17h). Des armadas de Schtroumpfs, de figurines de *Star Wars* et de poupées Barbie partagent la vedette avec des dizaines de voitures et un MiG (avion militaire de construction russe acquis on ne sait comment), clou de cette vaste collection qui occupe 4 hangars géants près de l'aéroport.

ACTIVITÉS

RANDONNÉE

La brochure du DOC *Wanaka Outdoor Pursuits* (3,50 $) recense des balades proches de Wanaka, dont plusieurs au bord du lac. La grimpette jusqu'au sommet du **Mt Iron** (527 m, 1 heure 30 aller-retour) sera récompensée par une vue superbe.

Alpinism & Ski Wanaka Randonnée, ski

(☎03-443 6593 ; www.alpinismski.co.nz ; à partir de 135 $). Randonnées guidées d'un jour ou deux. Également ascension de montagnes, cours et randonnées à ski.

VTT

La brochure *Wanaka Outdoor Pursuits* (3,50 $) du DOC décrit des itinéraires de VTT allant de 2 à 24 km, dont le **Deans Bank Loop Track** (12 km en boucle).

Le nouveau **Newcastle Track** (12 km), particulièrement beau, suit les eaux bleues de la Clutha River de l'Albert Town Bridge au Red Bridge.

Thunderbikes Location de vélos

(☎03-443 2558 ; 16 Helwick St ; 9h-17h30). Location de vélos (demi-journée/journée à partir de 20/35 $) et réparations.

AUTRES ACTIVITÉS

Deep Canyon Canyoning

(☎03-443 7922 ; deepcanyon.co.nz ; à partir de 220 $; oct-avr). Escalade, randonnées et descente en rappel de chutes d'eau dans de petites gorges sauvages.

Paddle Wanaka Chute libre

(☎03-443 7207 ; www.skydivewanaka.com ; à partir de 339 $). Sauts en chute libre de 3 650 m ou 4 570 m de hauteur (soit pour ce dernier une chute de 60 secondes).

Paddle Wanaka Kayak

(☎0800 926 925 ; www.paddlewanaka.co.nz ; à partir de 20 $/h ; 9h-18h déc-mars). Loue des kayaks et des paddles (20 $/h). Sorties guidées sur le lac (demi-journée/journée 135/275 $).

Ville fantôme de la ruée vers l'or

Macetown, à 14 km au nord d'Arrowtown, est une ville fantôme datant de la ruée vers l'or. On la rejoint *via* une route accidentée et sujette aux inondations (l'ancienne voie de chemin de fer des mineurs), laquelle franchit l'Arrow River à plus de 25 reprises.

N'espérez pas y aller avec une voiture de location. Il est beaucoup plus raisonnable de choisir le circuit en 4×4 proposé par Nomad Safaris (p. 286). On peut aussi s'y rendre à pied depuis Arrowtown (16 km aller, 7 heures 30 aller-retour), mais l'itinéraire est particulièrement délicat en hiver et au printemps ; renseignez-vous sur l'état du chemin au centre d'information avant de vous lancer.

Wanaka Paragliding Parapente
(☎0800 359 754 ; wanakaparagliding.co.nz ; vols en tandem 209 $). Tablez sur 20 minutes de vol, près de Treble Cone.

CIRCUITS ORGANISÉS

Wanaka Helicopters Hélicoptère
(☎03-443 1085 ; www.wanakahelicopters.co.nz ; 6 Lloyd Dunn Ave). Moult options, du court vol de 15 minutes (95 $) à celui de 2 heures vers le Milford Sound (995 $).

Wanaka Flightseeing Survols panoramiques
(☎03-443 4385 ; www.flightseeing.co.nz). Survols spectaculaires du Mt Aspiring (270 $), de l'Aoraki/Mt Cook (465 $) et du Milford Sound (520 $).

Adventure Wanaka Croisières, pêche
(☎03-443 6665 ; www.adventurewanaka.com). Croisières et sorties de pêche sur le lac à bord d'un bateau de 8 m.

Wanaka Bike Tours VTT
(☎0800 862 453 ; wanakabiketours.com ; à partir de 80 $). Excursions guidées, dont de l'hélibiking.

OÙ SE RESTAURER

Boaboa Food Company Restauration rapide $
(☎03-443 1234 ; 137 Ardmore St ; plats 10-18 $; 10h-21h). Un bar carrelé de blanc spécialisé dans les hamburgers originaux (porc épicé, saumon sauvage, côte de bœuf) à emporter. Également *fish and chips* et poulet frit. Seulement quelques tables hautes permettent de les déguster sur place, mais le lac, tout proche, s'y prête aussi très bien.

Kai Whakapai Café, bar $
(Angle Helwick St et Ardmore St ; brunch 7-18 $, dîner 17-22 $; 7h-23h). Véritable institution à Wanaka, le Kai ("nourriture" en maori) est le lieu idéal pour un verre au coucher du soleil, accompagné d'un énorme sandwich ou d'une pizza. Bières locales Wanaka Beerworks à la pression et vins du centre de l'Otago.

Francesca's Italian Kitchen Italien $$
(☎03-443 5599 ; fransitalian.co.nz ; 93 Ardmore St ; plats 20-25 $; 12h-15h et 17h-tard). Avec cet élégant restaurant toujours bondé, l'exubérante Francesca a su recréer une trattoria familiale authentique débordant de convivialité. Mets aux saveurs italiennes de rigueur, et même les plats simples (pizzas, pâtes, frites de polenta) sont fameux. Elle a aussi un camion à pizzas sur le parking du New World.

Bistro Gentil Français $$$
(03-443 2299 ; www.bistrogentil.co.nz ; 76a Golf Course Rd ; plats 30-42 $; 17h-21h mar-sam). Vue sur le lac, belles œuvres d'art néo-zélandaises, nombreux vins au verre et délicieuse cuisine française moderne, Le Gentil vous réserve une soirée mémorable. Lorsqu'il fait bon, demandez une table en extérieur.

OÙ PRENDRE UN VERRE ET FAIRE LA FÊTE

Barluga et Woody's Bar
(Post Office Lane, 33 Ardmore St ; 16h-2h30). Niché dans une petite rue, le complexe du Post Office Lane est l'endroit le plus tendance de Wanaka où prendre un verre, même sans vue sur le lac. Partageant une cour et la même direction, ces bars voisins fonctionnent en tandem, surtout lors des soirées DJ. Les fauteuils en cuir et le papier rétro du Barluga rappellent un club raffiné de gentlemen – une impression vite démentie par les cocktails originaux et la musique endiablée. Le Woody's joue le rôle de petit frère, avec des billards et de la musique indé.

Lalaland Bar à cocktails, lounge
(lalalandwanaka.co.nz ; niveau 1, 99 Ardmore St ; 18h-2h30). Gardez un œil sur le lac ou plongez dans l'un des sièges douillets de ce palais des cocktails. Le jeune barman/propriétaire connaît son affaire, concoctant des élixirs qui conviennent à toutes les humeurs, le tout sous un éclairage tamisé. Entrée par l'escalier arrière.

OÙ SORTIR

Cinema Paradiso Cinéma
(03-443 1505 ; paradiso.net.nz ; 72 Brownston St ; adulte/enfant 15/9,50 $). Une salle phare de Wanaka. Installez-vous dans un canapé ou dans une vieille Morris Minor pour regarder les meilleurs films hollywoodiens et d'art et d'essai projetés. L'odeur des cookies sortant du four embaume tout le cinéma ; glaces maison tout aussi appétissantes.

RENSEIGNEMENTS

i-SITE du lac Wanaka (03-443 1233 ; www.lakewanaka.co.nz ; 103 Ardmore St ; 8h30-17h30). Très utile et toujours bondé.

DEPUIS/VERS WANAKA

Alpine Connexions (03-443 9120 ; alpinecoachlines.co.nz). Relie Wanaka à Queenstown, Cromwell, Alexandra, Dunedin et aux localités du Rail Trail dans le centre de l'Otago.

Atomic Travel (03-349 0697 ; www.atomictravel.co.nz). Bus quotidiens depuis/vers Dunedin (35 $, 4 heures 30) *via* Cromwell (15 $, 50 minutes), Alexandra (20 $, 1 heure 45) et Roxburgh (30 $, 2 heures 15).

Connectabus (03-441 4471 ; www.connectabus.com ; aller/aller-retour 35/65 $). Liaisons pratiques (2/j) entre Wanaka et l'aéroport de Queenstown (1 heure 15) et Queenstown (1 heure 30).

InterCity (03-442 4922 ; www.intercity.co.nz). Les bus partent du Log Cabin, au bord du lac. Liaisons journalières pour Cromwell (à partir de 10 $, 44 minutes), Queenstown (à partir de 17 $, 1 heure 30), Lake Hawea (à partir de 10 $, 24 minutes), Makarora (à partir de 12 $, 1 heure 45) et Franz-Josef (à partir de 43 $, 6 heures 30).

Naked Bus (nakedbus.com). Bus pour Queenstown, Cromwell, Franz Josef, le lac Tekapo et Christchurch. Tarifs variables.

COMMENT CIRCULER

Adventure Rentals (03-443 6050 ; www.adventurerentals.co.nz ; 51 Brownston St). Loue des voitures et des 4x4.

Yello (03-443 5555 ; www.yello.co.nz). Taxis et navettes.

Tunnel Beach

DUNEDIN

Dans ce chapitre

Dunedin et Otago

Avec des cités dynamiques, des vignobles mondialement réputés et une nature sauvage remarquablement accessible, l'Otago partage ses attraits entre ville et campagne. Sa capitale historique, Dunedin, est une ville étudiante dotée d'une belle scène artistique. Depuis son imposante gare ferroviaire de style édouardien, la fameuse Taieri Gorge Railway conduit vers l'intérieur des terres, où vous pourrez parcourir à vélo le très bel Otago Central Rail Trail.

En 2 jours

À **Dunedin** (p. 304), passez la matinée sur les plages de St Clair et de St Kilda, idéales pour surfer. Réchauffez-vous ensuite dans un café, avant de partir à la découverte du centre-ville et de ses édifices victoriens. Consacrez quelques heures à la visite de la **Dunedin Public Art Gallery** (p. 304) ou de l'**Otago Museum** (p. 305), puis imprégnez-vous de la dynamique ambiance estudiantine en profitant le soir des bars et de la musique *live*. Le lendemain, cap sur la **péninsule d'Otago** (p. 298), pour découvrir ses petites plages et ses ports de pêche, et observer les phoques, les manchots et les oiseaux marins.

En 3 jours

Le dernier jour, de retour à Dunedin, admirez l'impressionnante **gare ferroviaire** (p. 304), puis flânez en quête des maisons de bois disséminées dans les faubourgs vallonnés de la ville, avant de mettre vos mollets et votre souffle à rude épreuve en gravissant la vertigineuse **Bladwin Street** (p. 305), la rue la plus raide du monde. L'après-midi, laissez-vous tenter par une croisière au départ de la ville, ou par une sortie en kayak de mer dans la baie.

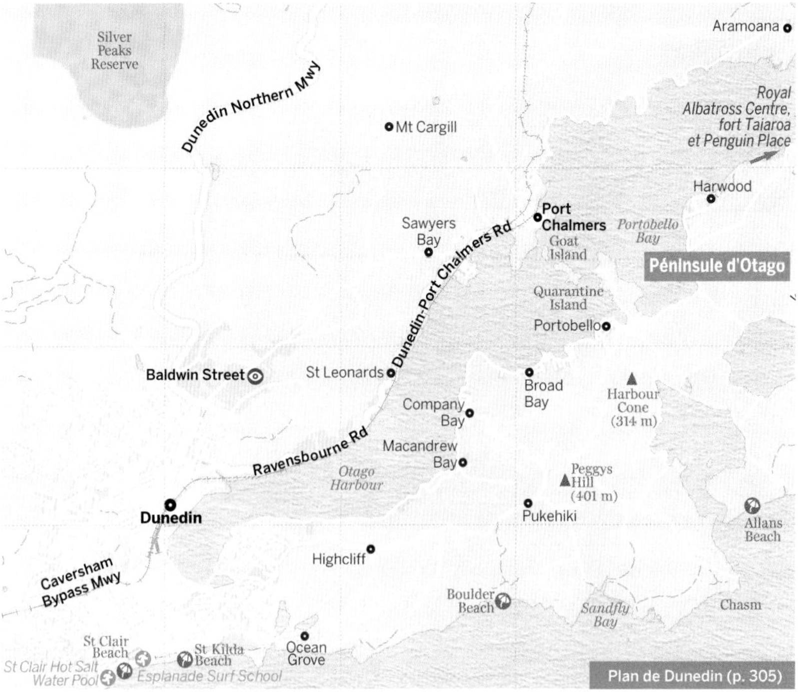

Plan de Dunedin (p. 305)

Comment s'y rendre

Air New Zealand (☎0800 737 000 ; www.airnewzealand.co.nz) relie Dunedin à Christchurch, Wellington et Auckland ; **Jetstar** (☎0800 800 995 ; www.jetstar.com) assure des vols entre Wellington et Auckland.
Il n'y a pas d'autre train que ceux des lignes historiques entre Dunedin et Middlemarch ou Palmerston.

Les principales lignes de bus suivent la SH1 et la SH8.

Où se loger

Malgré son atmosphère jeune et estudiantine, Dunedin offre relativement peu de solutions d'hébergement bon marché, à l'exception de quelques auberges de jeunesse et motels aux chambres confortables. En revanche, la ville compte un grand nombre d'hôtels et d'appartements haut de gamme, souvent logés dans des bâtiments anciens, magnifiquement rénovés.

Taiaroa Head

Péninsule d'Otago

Découvrez la péninsule d'Otago lors d'une escapade à la journée depuis Dunedin : flânez au gré de ses baies, caps et anses au volant de votre voiture de location, en observant albatros royaux, otaries et manchots antipodes.

Pour ceux qui aiment...

☑ Ne ratez pas

À la nuit tombée, en bordure de plage, le retour au nid des manchots qui peuplent également la péninsule.

La faune et la flore variées de cette péninsule sont les plus accessibles de l'île du Sud. Au programme : albatros, manchots, phoques à fourrure, otaries, paysages ruraux, plages et sentiers sauvages, en plus de sites historiques dignes d'intérêt. Passez à l'i-SITE de Dunedin (p. 308) pour vous procurer des brochures et des plans, ou consultez le site www.otago-peninsula.co.nz.

À voir

Larnach Castle Édifice historique

(☎ 03-476 1616 ; www.larnachcastle.co.nz ; 145 Camp Rd ; tarif adulte/enfant château et jardin 31/10 $, jardin 15/4 $; ⏲ 9h-19h oct-mars, 9h-17h avr-sep). Cette somptueuse demeure néogothique se dressant fièrement au faîte d'une colline fut construite en 1871 par William Larnach. Banquier, marchand

Lions de mer de Nouvelle-Zélande à Sandfly Bay

DAVID WALL PHOTO/GETTY IMAGES ©

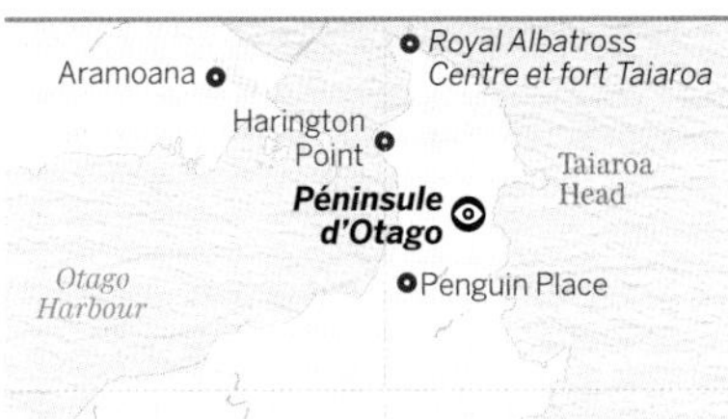

et membre du parlement, Larnach souhaitait impressionner son épouse, issue de la noblesse française.

Royal Albatross Centre et fort Taiaroa

Centre d'observation

(☎03-478 0499 ; albatross.org.nz ; Taiaroa Head ; ⏰10h15-crépuscule). Taiaroa Head, à l'extrémité nord de la péninsule d'Otago, abrite la seule colonie continentale d'albatros royaux de la planète, ainsi qu'un fort militaire de la fin du XIXe siècle, édifié pour défendre le pays d'une invasion russe éventuelle.

Les albatros sont présents toute l'année, mais la meilleure période d'observation s'étale de décembre à février, lorsqu'un parent garde en permanence le petit pendant que l'autre apporte à manger. On voit plus d'albatros l'après-midi, lorsque le vent se lève – ils sont beaucoup moins actifs par temps calme. La principale zone d'observation vitrée est fermée durant la saison de reproduction, de mi-septembre à fin novembre. De fin novembre à décembre, il est difficile de se rendre compte de la splendide envergure de ces oiseaux tout occupés à faire leur nid.

Le public n'a accès à cette zone qu'à l'occasion de visites guidées. Le circuit classique (1 heure ; adulte/enfant 50/15 $) est consacré aux albatros, mais vous pouvez aussi opter pour la visite du fort (30 minutes ; adulte/enfant 25/10 $). Le circuit Unique (55/20 $) combine les deux.

Infos pratiques

En semaine, 13 bus circulent quotidiennement entre Cumberland St à Dunedin et Portobello (adulte/enfant 5,80/3,40 $), localité la plus proche de la colonie d'albatros, à 10 km de là. Le samedi, seuls 10 bus circulent, et le dimanche 4.

Une petite faim ?

Le **Portobello Pub** (www.portobellohotelandbistro.co.nz ; 2 Harington Point Rd, Portobello ; plats déj 15-17 $, dîner 25-29 $; ⏰11h30-23h30), qui rafraîchit les voyageurs depuis 1874, est toujours très fréquenté. Trouvez une place au soleil pour savourer une soupe épaisse de fruits de mer, un burger ou une tourte à l'agneau.

★ Bon à savoir

Il est difficile de se déplacer sans voiture sur la péninsule et il n'y a pas de station-service. La plupart des tour-opérateurs viennent vous chercher à l'hôtel.

Les manchots pygmées nagent au large de Pilots Beach (en contrebas du parking) au crépuscule pour rejoindre leurs nids dans les dunes. Pour leur protection, la plage est fermée au public tous les soirs, mais on peut les observer depuis une plate-forme en bois (adulte/enfant 20/10 $). Selon la saison, vous pourrez voir entre 50 et 500 manchots se dandiner.

Nature's Wonders Naturally Réserve naturelle

(03-478 1150 ; natureswonders.co.nz ; Taiaroa Head ; adulte/enfant 55/45 $; circuits à partir de 10h15). Si les magnifiques plages privées de cette exploitation ovine sont différentes des autres réserves naturelles, c'est qu'elles restent quasiment inexplorées.

Ici, les manchots antipodes peuvent souvent être aperçus (avec des jumelles) à tout moment de la journée, et les phoques à fourrure paressent autour des bassins naturels, imperturbables malgré les visiteurs de passage, il est vrai fort rares. Selon la période de l'année, vous pourrez aussi voir des baleines et des bébés manchots pygmées.

Penguin Place Réserve ornithologique

(03-478 0286 ; www.penguinplace.co.nz ; 45 Pakihau Rd ; adulte/enfant 54/16 $). Faisant partie d'une exploitation privée, cette réserve protège des sites de reproduction du manchot antipode. Les visites (1 heure 30) se concentrent sur la protection des manchots

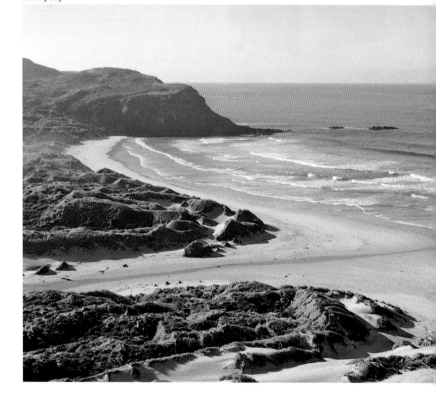

Sandfly Bay

et l'observation rapprochée, depuis un système de cachettes.

Activités

Destination de promenade prisée, la superbe **Sandfly Bay** est accessible par Seal Point Rd (1 heure aller-retour). De l'extrémité de Sandymount Rd, vous pouvez suivre un magnifique sentier jusqu'à l'impressionnant **Chasm** (20 minutes).

Wild Earth Adventures Kayak

(☎03-489 1951 ; wildearthpdmoran.com ; 95 Riccarton Rd E, Dunedin ; sorties à partir de 115 $). Sorties (de 3 à 5 heures) en kayak de mer biplace, permettant d'apercevoir des animaux. Transfert depuis l'Octagon à Dunedin.

Circuits organisés

Elm Wildlife Tours Observation de la faune

(☎03-454 4121 ; www.elmwildlifetours.co.nz ; 19 Irvine Rd, Dunedin ; circuits à partir de 105 $). Des circuits en petits groupes réputés, axés sur la faune, avec possibilité d'ajouter la visite du Royal Albatross Centre ou une croisière avec Monarch Wildlife. Le prix inclut le transfert depuis Dunedin.

Monarch Wildlife Cruises & Tours Croisières

(☎03-477 4276 ; www.wildlife.co.nz ; 20 Fryatt St, Dunedin). Croisières de 1 heure au départ de Wellers Rock (adulte/enfant 49/22 $), ou circuits d'une demi-journée (89/32 $) et d'une journée (235/118 $) partant de Dunedin. Vous verrez peut-être otaries, manchots, albatros et phoques.

Otago Central Rail Trail

Réputé pour ses vignobles (et son remarquable pinot noir), le centre de l'Otago est aussi sillonné de sentiers qui ravissent les vététistes,

Pour ceux qui aiment...

☑ **Ne ratez pas**

La **Central Gourmet Galleria** (☎03-449 3331 ; www.centralgourmetgalleria.co.nz ; 27 Sunderland St ; ⏲10h-16h mar-dim) avec sa sélection de vins locaux primés et ses produits gastronomiques locaux.

Le centre de l'Otago se compose de collines qui servent de toile de fond à une collection de charmants petits villages datant de la ruée vers l'or, aux pubs figés dans le temps.

Du début du XXe siècle aux années 1990, un chemin de fer allant de Dunedin à Clyde reliait de petites localités aurifères de l'intérieur des terres à la grande ville. Après l'abandon définitif des 150 km de voie ferrée entre Middlemarch et Clyde, les rails furent retirés, faisant place à un sentier en grande partie gravillonné, ouvert toute l'année. Cyclistes, marcheurs et cavaliers sillonnent cet itinéraire historique jalonné d'anciens ponts ferroviaires, de viaducs et de tunnels.

Plus de 25 000 visiteurs viennent profiter chaque année des excellentes infrastructures (centres d'information, refuges, toilettes), du relief relativement plat, des paysages époustouflants et de l'isolement de ce sentier.

Le pic de fréquentation est atteint en mars, quand il faut parfois attendre jusqu'à 30 minutes dans les cafés situés sur l'itinéraire pour avoir un panini ! Mieux vaut venir en septembre pour être au calme.

Le sentier se parcourt dans les deux directions (4-5 jours à vélo, 1 semaine à pied), mais vous pouvez vous contenter d'un tronçon plus ou moins long.

Alexandra

Le VTT est la principale activité à pratiquer dans la petite ville d'**Alexandra**. Vététistes et randonneurs apprécient les sentiers datant de la ruée vers l'or qui zigzaguent à flanc de collines. Procurez-vous des cartes à l'i-SITE.

L'**Alexandra-Clyde 150th Anniversary Walk** (12,8 km, 3 heures aller) est un itinéraire plat et arboré qui suit la Clutha River, avec nombre d'endroits où se reposer.

Infos pratiques

Consultez www.otagocentralrailtrail.co.nz et www.otagorailtrail.co.nz pour obtenir des informations sur le sentier, les temps de parcours, l'offre d'hébergement et les tour-opérateurs.

Une petite faim ?

Régalez-vous de gâteaux, de gaufres ou de savoureux burgers au **Bank Cafe** (www.bankcafe.co.nz ; 31 Sunderland St, Clyde ; plats 10-15 $; 9h-16h). Les copieux sandwichs à emporter sont parfaits pour déjeuner en chemin

Bon à savoir

Il est possible de louer des VTT à Dunedin, Middlemarch, Alexandra et Clyde. Les principaux i-SITE de la région vous renseigneront sur le sentier.

Altitude Bikes (03-448 8917 ; www.altitudeadventures.co.nz ; 88 Centennial Ave ; à partir de 25 $/j) loue des vélos et organise la logistique pour les cyclistes qui s'attaquent aux sentiers de l'Otago Central Rail, de Clutha Gold et de la Roxburgh Gorge.

Clyde

À 8 km de là sur la même route, **Clyde** se trouve à l'une des extrémités de l'Otago Central Rail Trail. Bien plus ravissante qu'Alexandra, cette bourgade ressemble plus à un décor de film sur la ruée vers l'or du XIXe siècle qu'à une véritable ville.

Au départ du sentier de l'Otago Central Rail Trail, **Trail Journeys** (03-449 2150 ; www.trailjourneys.co.nz ; 16 Springvale Rd ; circuits sep-avr) loue des vélos (à partir de 40 $/j) et organise des circuits. Il a aussi un dépôt à Middlemarch.

Dunedin

Deux mots viennent immédiatement à l'esprit des Néo-Zélandais lorsqu'ils pensent à la 7e ville de leur pays : "Écosse" et "étudiants". Surnommée "l'Édimbourg du Sud", Dunedin est extrêmement fière de son héritage écossais, ne manquant jamais une occasion de sortir le *haggis* (panse de brebis farcie) et les cornemuses pour les événements publics.

De fait, le nom même de Dunedin provient de Dùn Èideann (Édimbourg en gaélique écossais). Les premiers colons européens furent des Écossais pieux et travailleurs, qui arrivèrent à Port Chalmers en 1848 à bord de deux bateaux ; il y avait parmi eux le neveu de Robbie Burns, poète et "fils préféré de l'Écosse", dont une statue domine la place de l'Octagon. La ville possède même son propre tartan.

Mais s'il fallait trouver un lien entre les Écossais et les étudiants qui peuplent aujourd'hui la ville pendant l'année universitaire, ce serait sans doute… le whisky ! La plus vieille université néo-zélandaise alimente les bars locaux d'une énergie tout estudiantine. Dans les années 1980, la musique indé de Dunedin s'imposa même sur la scène internationale avec le label Flying Nun Records, à l'origine du "Dunedin sound".

Dunedin est un endroit agréable pour passer quelques jours, à la découverte des maisons de bois (tour à tour imposantes ou délabrées) disséminées dans ses faubourgs vallonnés, et des édifices victoriens en pierre bleue du centre-ville compact. C'est en outre une excellente base pour partir explorer les richesses naturelles de la péninsule d'Otago, qui fait officiellement partie de l'agglomération de Dunedin.

Dunedin

À voir

1 Dunedin Public Art Galler.......B5
2 Otago Museum.......D2
3 Gare ferroviaire.......D5
4 Speight's Brewery.......B6
5 Toitu Otago Settlers Museum.......C5

Où se restaurer

6 Circadian Rhythm.......C4
7 Etrusco at the Savoy.......B5
8 Good Oil.......C3
9 Otago Farmers Market.......D5
10 Plato.......C7
11 Scotia.......B5

Où prendre un verre et faire la fête

12 Albar.......C5
Carousel.......(voir 12)
13 Di Lusso.......C5
14 Mou Very.......C3
Speight's Ale House.......(voir 4)
15 Urban Factory.......C4

Où sortir

16 Metro Cinema.......B4
17 Sammy's.......B7

À VOIR

Toitu Otago Settlers Museum Musée

(www.toituosm.com ; 31 Queens Gardens ; 10h-16h ven-mer, 10h-20h jeu ;). GRATUIT Les contes sont au centre de cet excellent musée interactif. La section consacrée aux Maoris donne sur une grande galerie où sont accrochés d'immenses portraits de colons de l'époque victorienne ; cliquez pour en savoir plus sur les portraits qui vous interpellent.

Gare ferroviaire Édifice historique

(Railway Station ; Anzac Ave). La magnifique gare en basalte de Dunedin (construite entre 1903 et 1906), avec ses vitraux et ses sols en mosaïque, serait le bâtiment le plus photographié du pays.

Dunedin Public Art Gallery Galerie

(www.dunedin.art.museum ; 30 The Octagon ; 10h-17h ;). GRATUIT Cet immense musée privilégie la scène artistique néo-zélandaise. Seule une fraction de la collection est présentée, et la majeure partie de l'espace est dédiée aux expositions temporaires, souvent avant-gardistes.

Otago Museum Musée

(www.otagomuseum.govt.nz ; 419 Great King St ; don apprécié ; 10h-17h). Pièce maîtresse de cette auguste institution, *Southern Land, Southern People* s'intéresse au patrimoine

Dunedin

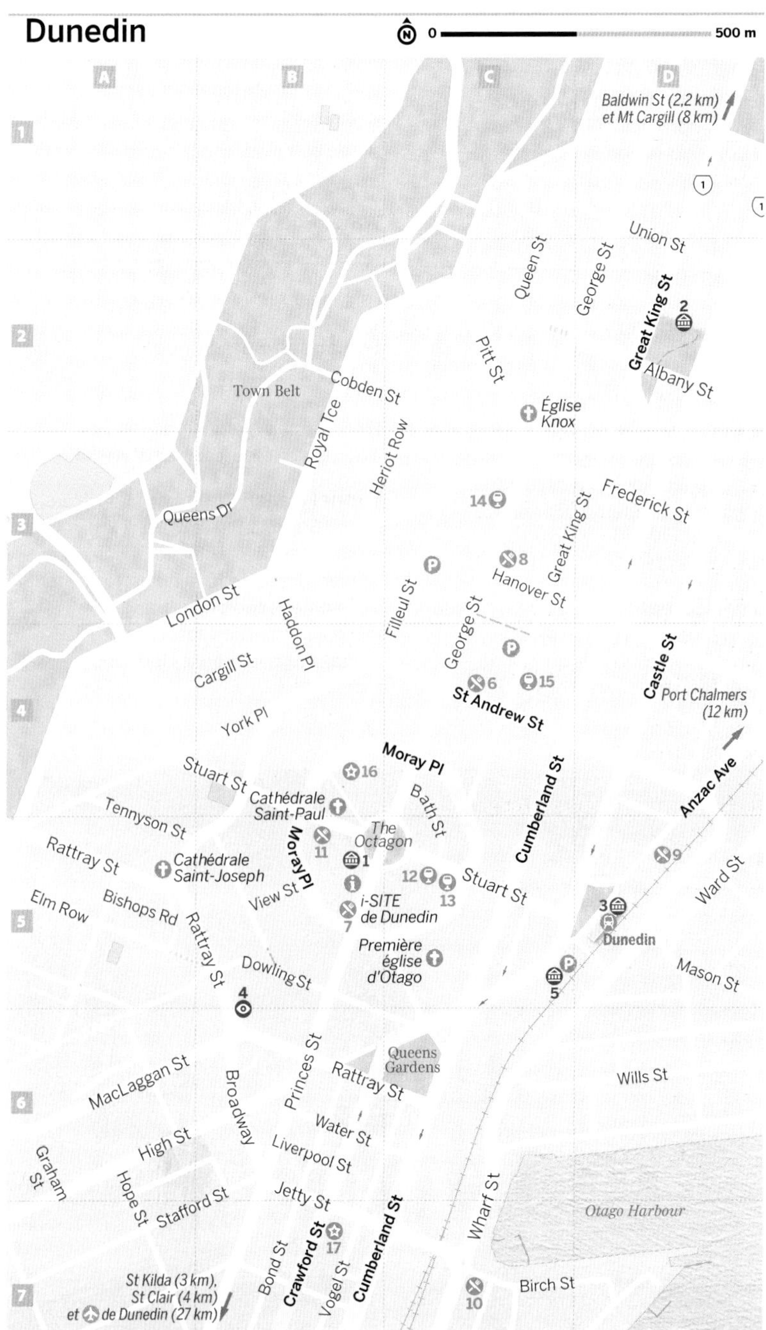
0
500 m
A
B
C
D
1
2
3
4
5
6
7
Baldwin St (2,2 km) et Mt Cargill (8 km)
Union St
Queen St
George St
Great King St
Pitt St
Albany St
Town Belt
Cobden St
Royal Tce
Heriot Row
Église Knox
Frederick St
Queens Dr
Great King St
Hanover St
Filleul St
London St
Haddon Pl
George St
Cargill St
Castle St
Port Chalmers (12 km)
St Andrew St
York Pl
Moray Pl
Stuart St
Cathédrale Saint-Paul
Cumberland St
Anzac Ave
Tennyson St
Bath St
The Octagon
Rattray St
Cathédrale Saint-Joseph
Moray Pl
Stuart St
Ward St
View St
Elm Row
Bishops Rd
Rattray St
i-SITE de Dunedin
Dunedin
Première église d'Otago
Mason St
Dowling St
Queens Gardens
Princes St
Rattray St
MacLaggan St
Broadway
Wills St
Water St
High St
Liverpool St
Graham St
Hope St
Stafford St
Jetty St
Wharf St
Otago Harbour
Bond St
Crawford St
Vogel St
Cumberland St
Birch St
St Kilda (3 km), St Clair (4 km) et de Dunedin (27 km)

naturel et culturel de l'Otago d'hier à aujourd'hui – des dinosaures à la période moderne en passant par la géologie. La galerie maorie Tangata Whenua abrite un impressionnant *waka taua* (canoë de guerre), de magnifiques sculptures anciennes, ainsi que des outils, armes et bijoux en *pounamu* (jade). Vérifiez l'horaire des visites guidées (12 $) et des conférences gratuites sur le site Internet.

Speight's Brewery Brasserie
(☎03-477 7697 ; www.speights.co.nz ; 200 Rattray St ; adulte/enfant 25/10 $; ⏰12h, 14h, 16h et 18h juin-sep, plus 17h et 19h oct-mai). La Speight's produit de la bière sur ce site depuis la fin des années 1800. La visite (1 heure 30) comprend la dégustation de 6 mousses différentes. Possibilité de combiner une visite avec un repas au Ale House (déj/dîner 55/61 $) voisin.

Baldwin Street Rue
Cette rue a une inclinaison de 35%, ce qui en fait la plus raide du monde (d'après le *Livre Guinness des records*).

ACTIVITÉS

Les plages de St Clair et de St Kilda, propices à la baignade (gare aux courants à St Clair), permettent aussi de surfer sur de bonnes gauches.

St Clair Hot Salt Water Pool Baignade
(Esplanade, St Clair ; adulte/enfant 5,70/2,60 $; ⏰7h-19h oct-mars). Piscine extérieure chauffée à St Clair, côté ouest.

Esplanade Surf School Surf
(☎0800 484 141 ; www.espsurfschool.co.nz ; cours collectif 1 heure 30 60 $, cours particulier 120 $). École expérimentée installée à St Clair en été – cours et matériel.

Tunnel Beach Walkway Marche
(Tunnel Beach Rd, Blackhead). À 7 km au sud-ouest du centre de Dunedin, ce sentier (descente 15 minutes, remontée 30 minutes), court mais très abrupt, mène à une portion spectaculaire du littoral, aux nombreuses formations rocheuses.

Gare ferroviaire de Dunedin (p. 304)

CIRCUITS ORGANISÉS

Back to Nature Tours Circuits en bus (☎0800 286 000 ; www.backtonaturetours.co.nz). Le circuit Royal Peninsula (journée adulte/enfant 189/125 $) conduit à différents sites autour de Dunedin avant d'atteindre la péninsule d'Otago. Plusieurs haltes, notamment au jardin du château de Larnach (entrée au château en sus), dans un pub pour le déjeuner, au Penguin Place et au Royal Albatross Centre.

First City Tours Circuits en bus (adulte/enfant 25/15 $; bus au départ de l'i-SITE 9h, 10h30, 13h et 14h30). Découverte de la ville en bus à impériale. Arrêts à l'Otago Museum, à la brasserie Speight's, aux jardins botaniques et à Baldwin St.

Walk Dunedin Circuits pédestres (☎03-434 3300 ; www.toituosm.com ; marche 2 heures 30 $; 10h). Promenades historiques en ville *via* le Toitu Otago Settlers Museum. Départs de l'i-SITE.

OÙ SE RESTAURER

Otago Farmers Market Marché $ (www.otagofarmersmarket.org.nz ; gare ferroviaire de Dunedin ; 8h-12h30 sam). Ce marché très animé vend exclusivement des produits régionaux, principalement bio. Savourez des falafels ou un expresso en vous promenant, et faites le plein de viande, fruits de mer, légumes et fromages pour votre voyage. N'oubliez pas la bière bio locale Green Man !

Good Oil Café $ (314 George St ; plats 9-17 $; 7h30-16h). L'élégant Good Oil est *le* lieu de rendez-vous de Dunedin pour un café et une part de gâteau. Pour un début de journée énergique, prenez un brunch imaginatif, comme la purée de patates douces au saumon fumé chaud.

Circadian Rhythm Végétalien, végétarien $ (www.circadianrhythm.co.nz ; 72 st Andrew St ; plats 9-13 $; 11h-21h lun-sam ;). Spécialisé dans les curries, les falafels et les légumes sautés bio, ce café végétarien est aussi une salle de concerts, avec du jazz le vendredi soir (dès 17h30). Bières locales Emerson et Green Man.

Etrusco at the Savoy Italien $$ (☎03-477 3737 ; www.etrusco.co.nz ; 8a Moray Pl ; plats 17-21 $; 17h30-tard). Peu de tables peuvent rivaliser avec l'élégance édouardienne du Savoy – moulures au plafond, vitraux, lustres en cuivre, colonnes ioniques vertes et fabuleuses lampes. Ici, même les plus simples pizzas et plats de pâtes sont excellents.

Scotia Écossais moderne $$ (☎03-477 7704 ; www.scotiadunedin.co.nz ; 199 Stuart St ; plats 18-32 $; 16h-tard mar-dim). Installé dans une confortable maison de ville d'époque, ce Scotia est dédié à l'Écosse, avec une collection de whiskies single malt et des mets copieux (saumon fumé, lièvre de l'Otago), dont du *haggis* et du pâté au whisky.

Les Maoris à Dunedin et dans l'Otago

L'histoire des Maoris de l'Otago évoque celle du Canterbury (p. 237), où la population était également formée par une majorité de Ngai Tahu à l'arrivée des Britanniques. Parmi les premières terres cédées par les Ngai Tahu, les 1618 km² désignés sous le nom d'"Otago Block" furent vendus 2 400 £ en 1844. Le nom même d'Otago provient d'un petit village appelé Ōtākou par les Ngai Tahu, situé à la lisière de la péninsule d'Otago, où subsiste encore une *marae* (lieu de rassemblement sacré).

L'**Otago Museum** (p. 305) de Dunedin possède la plus belle collection maorie de l'île du Sud, qui comprend notamment un *waka taua* (canoë) sculpté et un *pounamu* (*greenstone* ou jade néo-zélandais) finement taillé. On trouve des exemples d'art rupestre maori *in situ* dans la vallée de Waitaki.

Les Moeraki Boulders

Le nom de Moeraki, qui signifie "ciel assoupi", donne une indication sur le rythme de vie de ce petit village de pêcheurs. Le principal site d'intérêt est l'ensemble de gros rochers sphériques éparpillés sur une magnifique plage, telles les billes d'un enfant géant. Les fameux **Moeraki Boulders** (Te Kaihinaki) se trouvent à proximité de la SH1, à 1 km au nord de l'embranchement pour Moeraki. Essayez d'y aller à marée basse.

Les rochers sont à 45 minutes de marche le long de la plage depuis le village. Vous pouvez partir dans l'autre sens sur le **Kaiks Wildlife Trail** (sentier nature) pour rejoindre un vieux phare en bois. Vous pourrez peut-être y voir des manchots antipodes et des phoques à fourrure (gardez bien vos distances).

Le **Fleur's Place** (03-439 4480; www.fleursplace.com; Old Jetty, 169 Haven St; plats 32-42 $; 9h30-tard mer-dim) a un côté désordonné, mais ce bungalow en bois abrite un succulent restaurant de poisson. Installez-vous sur la terrasse à l'étage et dégustez une soupe de palourdes fraîchement pêchées entre autres délices. Réservation vivement recommandée.

Starfish Café, bar $$

(03-455 5940; www.starfishcafe.co.nz; 7/240 Forbury Rd, St Clair; brunch 14-20 $, dîner 20-30 $; 7h-17h dim-mar, 7h-tard mer-sam). Le Starfish est la table la plus géniale de la scène culinaire de St Clair Beach, en plein essor. En semaine, installez-vous dehors pour savourer une pizza gastronomique accompagnée de vin. Le dîner est plus raffiné.

Plato Néo-zélandais moderne $$$

(03-477 4235; www.platocafe.co.nz; 2 Birch St; brunch 16-22 $, dîner 32-33 $; 11h-14h dim, 18h-tard tlj). Le décor loufoque (dont une collection de jouets et de chopes de bière) ne laisse en rien présager l'excellente cuisine que l'on prépare dans cet établissement décontracté proche du port. La carte met l'accent sur les produits de la mer et les saveurs internationales.

OÙ PRENDRE UN VERRE ET FAIRE LA FÊTE

Mou Very Bar

(www.facebook.com/MouVeryBar; 357 George St; 7h-12h30). Un mouchoir de poche, qui ne mesure que 1,80 m de large mais accueille régulièrement des DJ, des groupes de musique et des lectures de poésie. Il n'y a que 6 tabourets de bar, aussi les habitués envahissent généralement la ruelle attenante.

Albar Bar

(135 Stuart St; 11h-tard). Ancienne boucherie transformée en petit bar bohème qui attire des habitants de tout âge. La plupart viennent pour les single malt, les bières pression et les en-cas bon marché (6-9 $).

Di Lusso Bar à cocktails

(www.dilusso.co.nz; 117 Stuart St; 16h-3h lun-sam). Ce bar stylé – boiseries, briques, lustres –, sert des cocktails à se damner. Sessions DJ du jeudi au samedi.

Carousel Bar à cocktails

(www.carouselbar.co.nz; 141 Stuart St à l'étage; 17h-tard mar-sam). Papier peint au motif tartan, terrasse sur le toit et excellents cocktails pour ce lieu ultra-tendance où la clientèle bien habillée aime se montrer. Le week-end, les DJ mixent de la deep house jusque tard, le vendredi soir ce sont des concerts de jazz.

Speight's Ale House Pub
(www.thealehouse.co.nz ; 200 Rattray St ; 11h30-tard). Cette brasserie fait salle comble même pendant les vacances universitaires. De jeunes costauds amateurs de rugby viennent voir les retransmissions de matchs à la TV en buvant des bières Speight's.

Urban Factory Club
(www.urbanfactory.co.nz ; 101 Great King St ; 22h-3h). Les groupes les plus branchés du pays, les sessions DJ régulières et les cocktails préparés avec soin font la joie des clients.

OÙ SORTIR

Metro Cinema Cinéma
(03-471 9635 ; www.metrocinema.co.nz ; Moray Pl ; adulte/étudiant 13/12 $). À l'intérieur de l'hôtel de ville, le Metro est dédié aux films d'art et d'essai et aux productions étrangères.

Sammy's Musique *live*
(Carte p. 305 ; 65 Crawford St). La première salle de concerts de Dunedin, à la programmation éclectique oscillant entre punk, reggae et dubstep. Groupes néo-zélandais et artistes internationaux prometteurs la plébiscitent.

RENSEIGNEMENTS

Dunedin Hospital (03-474 0999, urgences 0800 611 116 ; www.southerndhb.govt.nz ; 201 Great King St)

i-SITE de Dunedin (03-474 3300 ; www.isitedunedin.co.nz ; 26 Princes St ; 8h30-17h)

Urgent Doctors & Accident Centre (03-479 2900 ; www.dunedinurgentdoctors.com ; 95 Hanover St ; 8h-23h30). Une pharmacie ouverte tard le soir se trouve juste à côté.

DEPUIS/VERS DUNEDIN

AVION

Air New Zealand (0800 737 000 ; www.airnewzealand.co.nz). Vols depuis/vers Auckland, Wellington et Christchurch.

Jetstar (0800 800 995 ; www.jetstar.com). Vols depuis/vers Auckland.

BUS

InterCity (03-471 7143 ; www.intercity.co.nz ; 7 Halsey St). Deux bus par jour circulent depuis/vers Christchurch (à partir de 40 $, 6 heures) et Oamaru (à partir de 14 $, 40 minutes), et un bus rallie Cromwell (à partir de 20 $, 3 heures 15), Queenstown (à partir de 22 $, 4 heures 15) et Te Anau (à partir de 37 $, 4 heures 30).

Alpine Connexions (03-443 9120 ; www.alpineconnexions.co.nz). Navettes depuis/vers Alexandra (40 $), Clyde (40 $), Cromwell (45 $), Queenstown (45 $) et Wanaka (45 $), ainsi qu'aux principaux arrêts de l'Otago Central Rail Trail.

Atomic Shuttles (03-349 0697 ; www.atomictravel.co.nz). Depuis/vers Christchurch (à partir de 30 $, 5 heures 45), Oamaru (20 $, 1 heure 45), Cromwell (30 $, 3 heures 45), Wanaka (35 $, 4 heures 30) et Invercargill (37 $, 3 heures 15).

COMMENT CIRCULER

DEPUIS/VERS L'AÉROPORT

L'**aéroport de Dunedin** (DUD ; 03-486 2879 ; www.flydunedin.com ; Airport Rd, Momona) est à 27 km au sud-ouest de la ville ; la course en taxi coûte 80-90 $. Pour un service de navette porte à porte, essayez **Kiwi Shuttles** (03-487 9790 ; www.kiwishuttles.co.nz ; 20/36/48/60 $ pour 1/2/3/4 passagers) ou **Super Shuttle** (0800 748 885 ; www.supershuttle.co.nz ; 25/35/45/55 $ pour 1/2/3/4 passagers).

BUS

Le réseau des **GoBus** (03-474 0287 ; www.orc.govt.nz ; tarif adulte 2-6,70 $) sillonne toute la ville.

TAXI

Dunedin Taxis (03-477 7777 ; www.dunedintaxis.co.nz) et **Otago Taxis** (03-477 3333)

Cascade, Milford Sound (p. 316)

CHAMELEONSEYE/SHUTTERSTOCK ©

Dans ce chapitre

Fiordland et Southland

Région sauvage spectaculaire – la plus vaste et la plus impénétrable de Nouvelle-Zélande –, le Fiordland, montagneux, escarpé et densément boisé, est entaillé de nombreux fjords qui s'avancent profondément dans les terres. Si des circuits en bateau, assez populaires, parcourent ces détroits, les marcheurs peuvent s'aventurer au long de célèbres pistes à arpenter sur plusieurs jours – Milford Track, Kepler Track et Hollyford Track – ou de sentiers d'excursion à la journée, aisément accessibles depuis la route. À la pointe méridionale de l'île du Sud, le Southland, avec la côte des Catlins et sa Southern Scenic Route, n'est pas en reste.

En 2 jours

Commencez par une excursion d'une journée au **Milford Sound** (p. 316). On peut visiter ce fjord en bateau mais, pour en découvrir pleinement les vastes étendues, les falaises et la forêt, préférez l'excursion en kayak. Ce dernier est également fort prisé dans le **Doubtful Sound** (p. 322), destination nettement moins fréquentée que vous rejoindrez le deuxième jour. Les excursions au Doubtful Sound peuvent s'assortir d'une visite de la centrale hydroélectrique de West Arm.

En 5 jours

Pour mieux découvrir le Fiordland, entreprenez l'un des Great Walks de Nouvelle-Zélande, d'une durée de 4 jours et 3 nuits. Une fois conquis le **Milford Track** (p. 314), prenez le temps de visiter le **Milford Sound** (p. 316) en bateau, avant de regagner **Te Anau** (p. 324) en bord de lac. Vous aurez bien mérité une des douceurs préparées chez **Miles Better Pies** (p. 326), ou une bière glacée au pub.

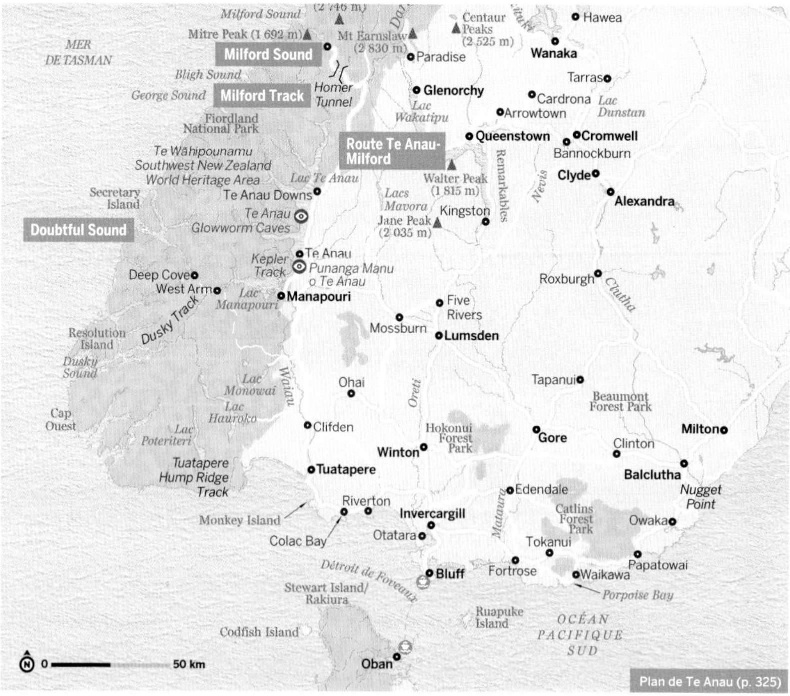

MER DE TASMAN
Milford Sound
Mitre Peak (1 692 m)
Mt Earnslaw (2 830 m)
Centaur Peaks (2 525 m)
Hawea
Wanaka
Milford Sound
Paradise
Bligh Sound
Homer Tunnel
Tarras
George Sound
Milford Track
Glenorchy
Cardrona
Lac Dunstan
Lac Wakatipu
Arrowtown
Fiordland National Park
Queenstown
Cromwell
Te Wāhipounamu Southwest New Zealand World Heritage Area
Route Te Anau-Milford
Bannockburn
Remarkables
Lac Te Anau
Walter Peak (1 815 m)
Clyde
Nevis
Secretary Island
Te Anau Downs
Lacs Mavora
Alexandra
Te Anau Glowworm Caves
Kingston
Doubtful Sound
Jane Peak (2 035 m)
Te Anau
Kepler Track
Punanga Manu o Te Anau
Deep Cove
Roxburgh
Clutha
West Arm
Lac Manapouri
Manapouri
Five Rivers
Dusky Track
Mossburn
Lumsden
Resolution Island
Dusky Sound
Lac Monowai
Waiau
Ohai
Oreti
Tapanui
Beaumont Forest Park
Cap Ouest
Lac Hauroko
Clifden
Hokonui Forest Park
Gore
Milton
Lac Poteriteri
Winton
Clinton
Tuatapere Hump Ridge Track
Tuatapere
Balclutha
Edendale
Nugget Point
Riverton
Mataura
Monkey Island
Invercargill
Catlins Forest Park
Owaka
Colac Bay
Otatara
Tokanui
Détroit de Foveaux
Bluff
Fortrose
Papatowai
Waikawa
Porpoise Bay
Stewart Island/ Rakiura
Ruapuke Island
OCÉAN PACIFIQUE SUD
Codfish Island
Oban
0 50 km

Plan de Te Anau (p. 325)

Comment s'y rendre

Te Anau Tous les bus en provenance de Queenstown, Dunedin et Christchurch s'arrêtent devant le magasin Kiwi Country au centre de Te Anau.

Queenstown Les opérateurs proposent aussi des excursions au Milford Sound depuis Queenstown, mais l'aller-retour représente une longue journée de voyage pour seulement 2 heures sur place.

Où se loger

Te Anau affiche un choix correct de motels, B&B et auberges de jeunesse pour randonneurs. Les hébergements sont parfois complets en haute saison (décembre-février). Réservez, autant que possible, de bonne heure.

Randonneur contemplant la Clinton Valley depuis le Mackinnon Pass

Milford Track

Couramment qualifié de "plus belle randonnée du monde", le Milford Track est une pure merveille. On y chemine à travers la forêt tropicale et les vallées glaciaires, via un impressionnant col de montagne encadré par de hauts sommets, en découvrant au passage d'imposantes chutes d'eau.

Pour ceux qui aiment...

☑ Ne ratez pas

L'intime satisfaction d'avoir franchi le Mackinnon Pass.

Le sentier le plus célèbre de Nouvelle-Zélande est régulièrement qualifié de "plus belle randonnée du monde". Plus de 14 000 randonneurs arpentent chaque année ses 54 km.

Pendant la saison de Great Walks, on ne peut le parcourir que dans un sens, en partant de Glade Wharf. Il faut passer la première nuit au Clinton Hut, qui n'est pourtant qu'à 1 heure de marche du point de départ, et boucler le sentier en 4 jours et 3 nuits.

Pendant cette même saison, le sentier est aussi fréquenté par des randonneurs avec guide, qui descendent dans des refuges tout confort, avec moquette, douches chaudes et vrais repas. Contactez Ultimate Hikes (p. 324), seul opérateur autorisé à organiser des randonnées guidées sur le Milford Track.

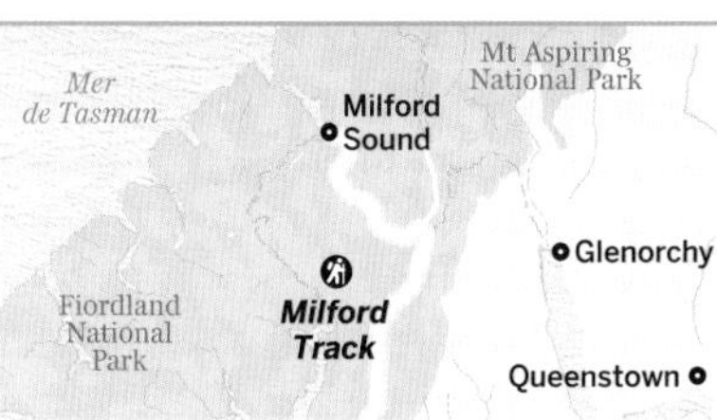

Infos pratiques

Vous trouverez sur www.doc.govt.nz/milfordtrack des conseils importants pour préparer votre voyage et réserver.

Une petite soif ?

De retour à Te Anau, fêtez votre conquête du Milford Track au **Redcliff Cafe** (p. 327).

★ Bon à savoir

Réservez votre randonnée de bonne heure auprès du DOC pour éviter les déceptions, car les places sont vite prises pour toute la saison.

Réservations et transport

De fin octobre à mi-avril, il vous faudra un pass Great Walks (162 $) pour couvrir les trois nuits dans les refuges (*huts*) : Clinton Hut, Mintaro Hut et Dumpling Hut. Ils doivent être obtenus à l'avance (réservez tôt), soit en ligne *via* le service de réservation du DOC, soit en personne dans un centre d'information du DOC.

En basse saison, les refuges sont dotés de personnel (15 $) et l'on peut parcourir le sentier en autant de jours que l'on veut. C'est pourquoi fin avril et début mai sont de bonnes périodes pour se lancer, si la météo le permet. Septembre et fin octobre sont déconseillés en raison du danger important d'avalanches de printemps.

Le sentier démarre au Glade Wharf, sur le lac Te Anau ; on le rejoint moyennant une excursion en bateau de 1 heure 30 au départ de Te Anau Downs, à 29 km de Te Anau sur la route du Milford Sound. Le sentier s'achève à Sandfly Point, à 15 minutes de bateau du village de Milford Sound, d'où l'on peut rentrer à Te Anau (2 heures) par la route. On peut réserver simultanément en ligne ces transports et les nuitées en refuge.

Tracknet (☎ 0800 483 262 ; www.tracknet.net) propose des transports entre Queenstown et Te Anau pour rejoindre les bateaux à Te Anau Downs et au Milford Sound. Autre prestataire, Wings & Water (p. 324) organise des sauts en hydravion entre Te Anau et Glade Wharf. À Te Anau, l'i-SITE du Fiordland et le centre d'information du Fiordland National Park pourront vous conseiller sur tous les modes de déplacement.

Milford Sound

La silhouette emblématique du Mitre Peak, dressée dans Milford Sound, a longtemps dominé l'imagerie touristique néo-zélandaise. Pour visiter cette célèbre étendue aquatique, on peut notamment choisir les croisières en bateau, le kayak ou les vols panoramiques.

Pour ceux qui aiment…

Infos pratiques

Faites le plein à Te Anau (118 km) avant de rejoindre le Milford Sound *via* le Homer Tunnel.

★ Bon à savoir
Milford Sound, un des endroits les plus pluvieux de Nouvelle-Zélande, ce qui ne lui ôte rien de son attrait.

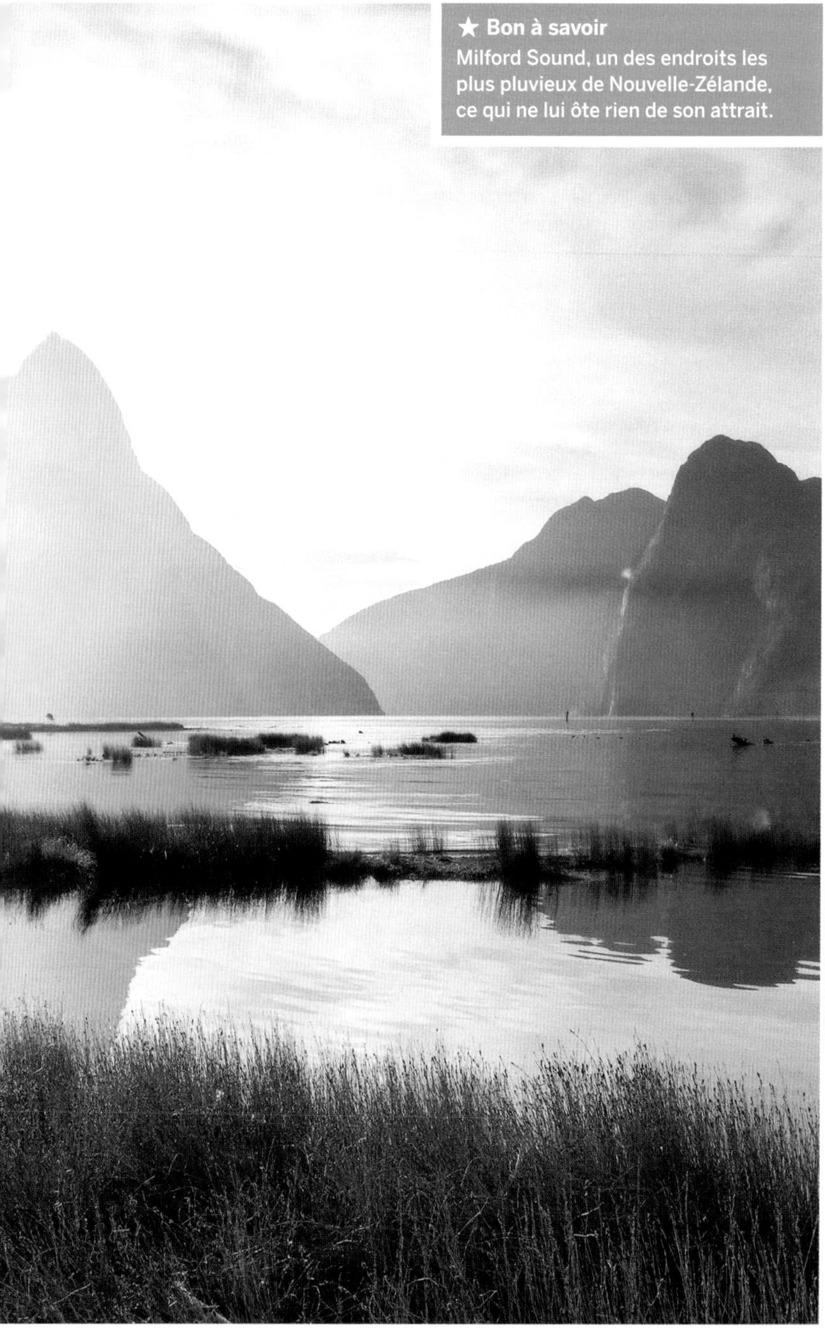

FREEDOM10OM/SHUTTERSTOCK ©

Site à l'aune de l'opéra de Sydney ou de la tour Eiffel, Mitre Peak (Rahotu), haut de 1692 m, domine les eaux sombres du Milford Sound (Piopiotahi).

Quiconque arrive au bout de la route l'aperçoit, dressé au cœur d'un magnifique paysage de falaises rocheuses plongeant dans des eaux noires. Des pans de forêts s'en détachent parfois, provoquant des "avalanches d'arbres" dans le fjord.

Le Milford Sound accueille environ un demi-million de visiteurs annuel, mais, vue depuis le pont d'un bateau, cette foule semble minuscule dans la vaste nature.

Croisières

Tout l'intérêt de Milford Sound réside dans l'eau et dans les reliefs qui l'entourent. Des précipitations annuelles de 7 m en moyenne en alimentent les innombrables cascades. Le milieu océanique unique – engendré par la superposition d'eau douce sur une eau de mer plus chaude – reproduit les conditions de la haute mer, favorisant la présence d'animaux marins comme les dauphins, les phoques et les pingouins.

Real Journeys Croisières
(☎ 0800 656 501, 03-249 7416 ; www.realjourneys.co.nz). La plus grosse compagnie de Milford propose diverses sorties en bateau, dont le très populaire circuit panoramique (1 heure 45 ; adulte 76 $, enfant 22 $) et la croisière "nature" (2 heures 30 ; adulte 88 $, enfant 22 $), commentée par un guide naturaliste. Les croisières de plusieurs jours comprennent des sorties en kayak et des circuits dans la nature à bord de petits bateaux ; le départ

Navigation sur le Milford Sound

s'effectue au terminal des croisières en milieu d'après-midi et le retour a lieu vers 9h30 le lendemain. Le *Milford Wanderer*, construit sur le modèle d'un vieux chaland, accueille 36 passagers dans des cabines de 2 ou 4 couchettes avec salles de bains communes (dort/s/d 305/621/710 $). Le *Milford Mariner* accueille 60 passagers dans des chambres simples (744 $) ou doubles avec salle de bains (850 $), plus haut de gamme. Les tarifs baissent d'avril à septembre ; le transport en bus depuis Te Anau est en supplément.

Infos pratiques

Il est recommandé aux conducteurs de mettre des chaînes en période de risque d'avalanches, de mai à novembre (le cas échéant, des panneaux l'indiquent sur la route). Il est possible d'en louer auprès des stations-service de Te Anau.

Southern Discoveries Croisières
(☎0800 264 536 ; www.southerndiscoveries.co.nz ; adulte/enfant à partir de 59/20 $). Propose notamment une croisière Encounter Nature (2 heures 15) à bord d'un bateau relativement petit (75 passagers).

Cruise Milford Croisières
(☎0800 645 367 ; www.cruisemilfordnz.com ; adulte/enfant à partir de 80/18 $; ⏲10h45, 12h45 et 14h45). Un petit bateau couvre, trois fois par jour, une croisière de 1 heure 45.

Autres activités

C'est à bord d'un kayak que l'on profite le mieux de Milford Sound. Deux opérateurs proposent ce service, et l'un et l'autre ont des bureaux de réservation à Te Anau.

Rosco's Milford Kayaks Kayak
(☎03-249 8500, 0800 476 726 ; www.roscosmilfordkayaks.com ; 72 Town Centre, Te Anau ; excursions 99-199 $; ⏲nov-avr). Sorties guidées en kayak tandem, dont la sportive "Morning Glory" (199 $), qui remonte tout le fjord jusqu'à Anita Bay, ou, plus facile, la "Stirling Sunriser" (195 $), qui passe sous les Stirling Falls (chutes hautes de 151 m). Entre autres options, il y a des sorties tranquilles, et des sorties combinées marche-kayak au gré du Milford Track.

Descend Scubadiving Plongée
(www.descend.co.nz ; 2 plongées avec équipement 299 $). Cet opérateur propose des excursions d'une journée avec 4 heures de croisières dans le Milford Sound à bord d'un catamaran de 7 m, avec deux plongées en route. La réserve marine abrite une vie sous-marine unique, dont de multiples coraux. Transport, équipement, boissons chaudes et en-cas sont fournis.

Une petite soif ?

Il y a un café sommaire au centre d'information Discover Milford Sound et un autre au Milford Sound Lodge.

Le Chasm

Route Te Anau-Milford

Si le Milford Sound est célèbre à juste titre, la route reliant Te Anau à ce détroit a aussi l'attrait de ses prodigieux panoramas et des contrées sauvages qu'elle traverse.

Pour ceux qui aiment...

☑ Ne ratez pas

Empruntez l'un des sentiers conduisant à certains des lacs et rivières cachés qui jalonnent cette route.

Les 119 km de route qui séparent Te Anau de Milford (SH94) sont le moyen le plus simple de découvrir le Fiordland, et ses merveilleux paysages.

Quittez Te Anau de bonne heure (avant 8h) pour éviter les bus touristiques au détroit. Assurez-vous d'avoir fait le plein de carburant avant de partir.

Le trajet dure 2 heures à 2 heures 30 sans pause, mais prenez le temps de profiter des points de vue et des sentiers qui jalonnent la route. Procurez-vous la brochure du DOC *Fiordland National Park Day Walks* (2 $) à l'i-SITE de Fiordland ou au centre d'information du Fiordland National Park, ou téléchargez-le sur www.doc.govt.nz.

Au kilomètre 29, la route passe devant **Te Anau Downs**, d'où partent les bateaux pour le Milford Track. Un sentier facile de 45 minutes aller-retour conduit à

Randonneuse sur le Routeburn Track

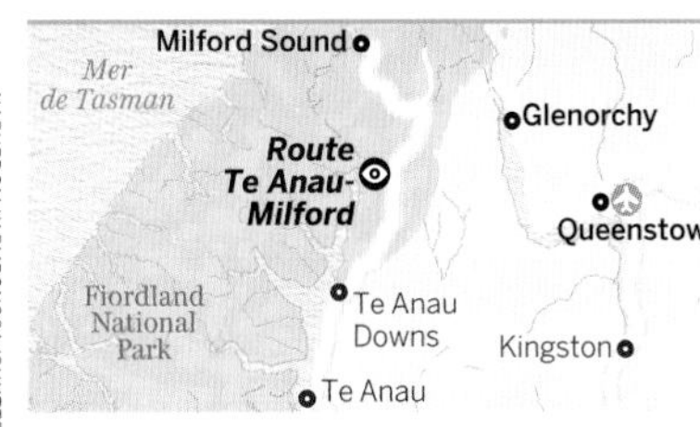

Infos pratiques

Il faut mettre les chaînes les jours de verglas ou de risque d'avalanche de mai à novembre.

Une petite faim ?

Faites des provisions à Te Anau et arrêtez-vous pour pique-niquer le long de cette route splendide.

★ Bon à savoir

Des kéas (perroquets de montagne) rôdent près du Homer Tunnel. Ne les nourrissez pas : leur santé en pâtirait.

travers bois au **lac Mistletoe**, un petit lac glaciaire. La route rejoint ensuite la **vallée d'Eglinton** et traverse un paysage plus sauvage en s'enfonçant dans le Fiordland National Park.

Juste après le camping de **Mackay Creek** (kilomètre 51), admirez la vue sur Pyramid Peak (2 295 m) et Ngatimamoe Peak (2 164 m) devant vous. La promenade en planches de **Mirror Lakes** (kilomètre 58) traverse une forêt de hêtres et des zones marécageuses. Au kilomètre 77, vous découvrirez **Cascade Creek** et le **lac Gunn**. Le **Lake Gunn Nature Walk** (45 minutes aller-retour) forme une boucle à travers une forêt de hêtres rouges d'où partent des sentiers secondaires desservant des plages au bord du lac.

Après 84 km de route, la végétation change au passage du **Divide**, le col est-ouest le plus bas des Alpes du Sud. De là part un sentier de deux bonnes heures aller-retour épousant le commencement du **Routeburn Track** et grimpant à travers une hêtraie jusqu'à la steppe de **Key Summit**. Après le Divide, la route traverse la forêt de hêtres de la **vallée de Hollyford** – arrêtez-vous au Pop's View pour profiter de la vue.

La route monte ensuite dans une vallée spectaculaire jusqu'au **Homer Tunnel**, à 101 km de Te Anau, entouré d'un imposant amphithéâtre creusé par la glace. Ouvert en 1954, ce tunnel à voie unique est équipé des feux de signalisation les plus élevés du monde pour réguler le trafic. Long de 1 270 m, ce tunnel sombre et dégoulinant d'eau émerge au fond de la spectaculaire **vallée de Cleddau**. À l'entrée du tunnel, vous aurez des chances de croiser des kéas (perroquets) peu farouches.

Environ 10 km avant le Milford Sound, le **Chasm Walk** (20 minutes aller-retour) mérite assurément une halte : la Cleddau River dans son écrin forestier se jette dans un gouffre étroit à travers des roches ajourées. Guettez les vues sur le **Mt Tutoko** (2 746 m), plus haut sommet du Fiordland.

Doubtful Sound

Si le Milford Sound concentre tous les regards, les étendues brumeuses du Doubtful Sound impressionnent davantage encore. Leur isolement se fait plus perceptible pour qui passe une nuit sur l'eau.

Pour ceux qui aiment...

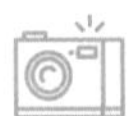

☑ **Ne ratez pas**

La traversée, à la force des pagaies, des anses de Doubtful Sound.

La magnifique Doubtful Sound est une région sauvage de montagnes accidentées, de forêts denses et de chutes d'eau puissantes. C'est l'un des plus grands fjords de Nouvelle-Zélande, trois fois plus long et dix fois plus grand que le Milford Sound. Pourtant, il est beaucoup moins visité. Si vous en avez le temps et bien qu'elle soit coûteuse, c'est une expérience inoubliable.

Jusque récemment encore, seuls les explorateurs ou les marins les plus intrépides exploraient le Doubtful Sound. Le capitaine Cook lui-même se contenta de l'observer depuis la côte en 1770, craignant de ne pas avoir assez de vent pour en ressortir.

C'est à Manapouri, point de départ des croisières dans le Doubtful Sound, que fut menée en 1969 la première grande campagne de l'histoire du pays pour la protection de l'environnement. Le plan original de la centrale hydroélectrique de

STEVE SMITH/GETTY IMAGES ©

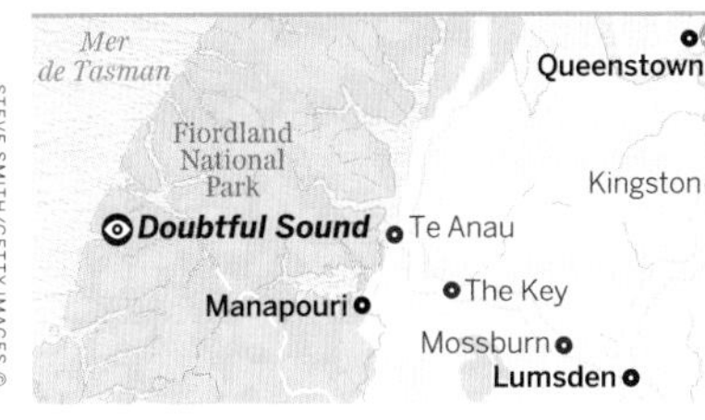

West Arm, construite afin d'alimenter en électricité une fonderie d'aluminium, exigeait de relever le niveau du lac de 30 m. Une pétition contre ce projet recueillit 265 000 signatures et cette polémique contribua à la chute du gouvernement aux élections suivantes. Le bénéfice fut important pour les défenseurs de l'environnement : la centrale fut construite sans hausse du niveau du lac, et ce mouvement entraîna une multiplication des actions de défense de l'environnement dans les années 1970 et 1980.

Circuits organisés

Vous pouvez passer la nuit à bord d'un bateau (un peu cher, mais préférable) ou faire une excursion d'une journée. Les croisières de 2 jours incluent les repas et la possibilité de pratiquer la pêche et le kayak. On peut se joindre à ces circuits à Te Anau.

Infos pratiques

Si vous logez à Te Anau, le prix des excursions comprend généralement le transport en navette jusqu'à Manapouri.

Une petite soif ?

À Manapouri, la pelouse du **Lakeview Café & Bar** (03-249 6652 ; www.manapouri.com ; 68 Cathedral Dr ; plats 20-34 $; 11h-20h30 ;) offre une vue superbe.

★ Bon à savoir

Les organismes de kayak utilisent généralement des embarcations doubles, si bien que les voyageurs seuls se retrouvent appariés à une autre personne.

Real Journeys Croisières
(0800 656 501 ; www.realjourneys.co.nz). La Wilderness Cruise (adulte/enfant 250/65 $), à la journée, inclut une sortie (3 heures) à bord d'un catamaran avec un guide naturaliste. De septembre à mai, une croisière de 2 jours sur le *Fiordland Navigator* accueille 70 passagers dans des cabines avec salle de bains (quadruple adulte/enfant 385/193 $, simple/double 1076/1230 $). Certaines excursions comprennent une visite de la centrale de West Arm.

Fiordland Expeditions Croisières
(0508 888 656 ; www.fiordlandexpeditions.co.nz ; dort/s/d à partir de 595/1270/1350 $). Croisière de 2 jours à bord du *Tutoko II* (maximum 14 passagers).

Adventure Kayak & Cruise Kayak
(0800 324 966 ; www.fiordlandadventure.co.nz ; croisière 1 jour/2 jours 249/295 $; oct-avr). Excursion d'une journée à Doubtful Sound, ou de 2 jours avec camping sur la plage.

Te Anau

Cette paisible localité au bord d'un lac est le principal point d'accès aux sentiers de randonnée du Fiordland National Park et au très fréquenté Milford Sound. C'est un lieu plaisant où passer quelques jours. Assez grande pour compter quelques bons restaurants et hébergements, c'est une destination moins chère que Queenstown, qui retient davantage l'attention.

À l'est s'étendent les zones pastorales du centre de l'île du Sud, tandis qu'à l'ouest, de l'autre côté du lac Te Anau, s'élèvent les montagnes du Fiordland. Le lac, deuxième de Nouvelle-Zélande par la taille, fut creusé par un énorme glacier et comporte plusieurs bras qui s'enfoncent dans la rive ouest, montagneuse et boisée. Sa profondeur maximale est de 417 m, environ deux fois celle du Loch Ness.

À VOIR

Punanga Manu o Te Anau Sanctuaire d'oiseaux
(www.doc.govt.nz ; Te Anau-Manapouri Rd ; lever-coucher du soleil). GRATUIT Près du lac, cet ensemble de volières en plein air abrite des espèces d'oiseaux indigènes difficiles à observer dans la nature, dont le très rare talève takahé du Sud, précieux emblème du Fiordland.

Mavora Lakes Conservation Park Réserve naturelle
(www.doc.govt.nz ; Centre Hill Rd). Cette réserve aménagée dans la Snowdon State Forest occupe la Te Wahipounamu-South West New Zealand World Heritage Area. Au cœur du parc se trouve le sublime camping de Mavora Lakes, formé d'immenses prairies dorées occupant le bord des deux lacs – le North Mavora et le South Mavora –, bordées de forêt et dominées par les monts Thomson et Livingstone, dont les sommets dépassent 1600 m.

Te Anau Glowworm Caves Grottes
(0800 656 501 ; www.realjourneys.co.nz ; adulte/enfant 79/22 $). Autrefois présentes uniquement dans les légendes maories, ces impressionnantes grottes furent redécouvertes en 1948. Accessible uniquement par bateau, ce réseau de salles de 200 m de long est un lieu magique tout en roches sculptées, en chutes d'eau et tourbillons, abritant une grotte scintillante de vers luisants (*glowworms*). Real Journeys (p. 326) propose des circuits guidés de 2 heures 15 rejoignant le cœur des grottes après une croisière sur le lac, un parcours sur une passerelle et un bref trajet en bateau sous la terre. Le départ se fait à leur bureau de Lakefront Dr.

ACTIVITÉS

Te Anau est surtout une porte d'accès aux grandes étendues sauvages de Te Wahipounamu, écrin d'attractions phares comme le Milford Sound. Il y a toutefois une foule de choses à faire dans la ville même, ainsi que sur l'eau et dans les airs.

Wings & Water Survols panoramiques
(03-249 7405 ; www.wingsandwater.co.nz ; Lakefront Dr). Survols des environs de 10 minutes (adulte/enfant 95/55 $) et vols plus longs au-dessus du Kepler Track, du Dusky Sound et des Doubtful Sound et Milford Sound (à partir de 310/190 $).

Ultimate Hikes Randonnée
(0800 659 255, 03-450 1940 ; www.ultimatehikes.co.nz ; randonnée 5 jours avec nourriture dort/s/d 2195/3085/5210 $; nov-avr). Seul opérateur habilité à organiser des randonnées guidées sur le Milford Track, Ultimate Hikes propose à ses clients des refuges douillets avec moquette, douches chaudes et vrais repas.

Hollyford Track Randonnée
(03-442 3000 ; www.hollyfordtrack.com ; adulte/enfant à partir de 1795/1395 $; fin oct-fin avr). Propriété de la tribu Ngai Tahu, Hollyford Track propose d'intéressantes randonnées guidées de 3 jours sur le Hollyford Track avec nuitées dans des chalets ou refuges privés. Le trajet, écourté

Te Anau

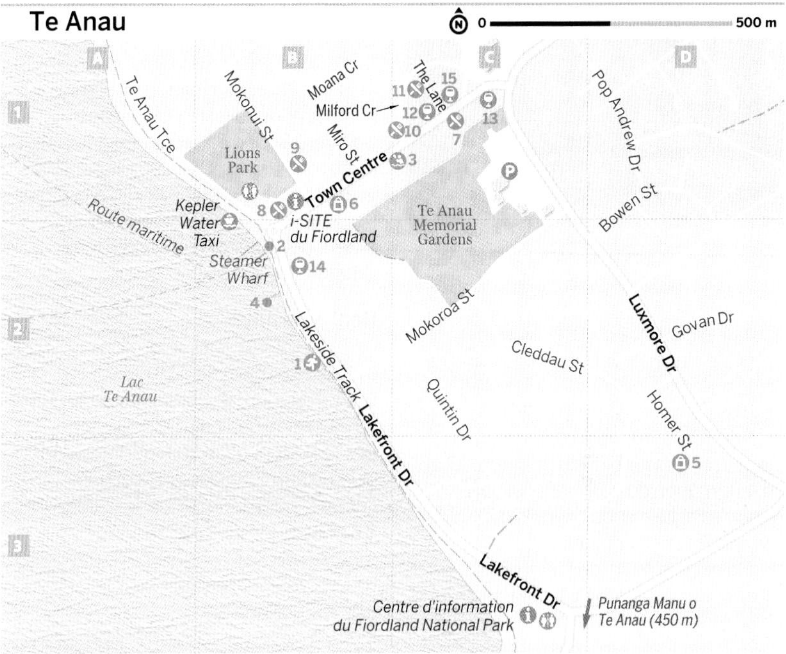

0 — 500 m

A B C D
1 2 3

Te Anau Tce
Mokonui St
Moana Cr
The Lane
Milford Cr
Miro St
Lions Park
Town Centre
Pop Andrew Dr
Bowen St
Te Anau Memorial Gardens
Route maritime
Kepler Water Taxi
i-SITE du Fiordland
Steamer Wharf
Lakeside Track
Lakefront Dr
Mokoroa St
Luxmore Dr
Govan Dr
Cleddau St
Quintin Dr
Homer St
Lac Te Anau
Centre d'information du Fiordland National Park
Punanga Manu o Te Anau (450 m)

Te Anau

Activités

1 Luxmore Jet B2
2 Real Journeys B2
3 Rosco's Milford Kayaks C1
4 Southern Lakes Helicopters B2
Wings & Water .... (voir 1)

Achats

5 Bev's Tramping Gear Hire D3
6 Outside Sports B1

Où se restaurer

7 Mainly Seafood C1
8 Miles Better Pies B1
9 Redcliff Cafe B1
10 Ristorante Pizzeria da Toni C1
11 Sandfly Cafe C1

Où prendre un verre et faire la fête

12 Black Dog Bar C1
13 Fat Duck C1
14 Moose B2
15 Ranch Bar & Grill C1

Où sortir

Fiordland Cinema .... (voir 12)

par une descente de la rivière et du lac McKerrow en *jet-boat* le deuxième jour, se termine par un survol panoramique du Milford Sound.

Luxmore Jet Jet-boat

(0800 253 826 ; www.luxmorejet.com ; Lakefront Dr ; adulte/enfant 99/49 $). Excursions d'une heure sur le cours supérieur de la Waiau River (ou River Anduin).

CIRCUITS ORGANISÉS

Southern Lakes Helicopters Survols panoramiques

(03-249 7167 ; www.southernlakeshelicopters.co.nz ; Lakefront Dr). Vols en hélicoptère au-dessus de Te Anau (25 minutes ; 240 $) et plus longs au-dessus du Doubtful Sound, du Dusky Sound et du Milford Sound (à partir de 685 $), ainsi que diverses autres options.

Excursions à la journée autour de Te Anau

Le Lakeside Track de Te Anau est propice à une agréable marche (ou à un parcours à vélo) vers le nord et la marina, puis jusqu'à l'Upukerora (environ 1 heure aller-retour), ou vers le sud, en passant devant le centre d'information du parc national puis jusqu'à l'écluse et au point de départ du Kepler Track (50 minutes).

On accède facilement aux excursions d'une journée dans le parc national depuis Te Anau. **Kepler Water Taxi** (☎027 249 8365 ; www.facebook.com/keplerwatertaxi ; aller simple 25 $) vous emmène à Brod Bay, d'où vous pourrez escalader le Mt Luxmore (7 à 8 heures) ou emprunter le Lakeside Track pour rejoindre Te Anau (2 à 3 heures). En été, **Trips & Tramps** (☎03-249 7081, 0800 305 807 ; www.tripsandtramps.com) mène des randonnées guidées en petit groupe sur le Kepler Track et le Routeburn Track notamment. Real Journeys organise des randonnées guidées d'une journée (adulte/enfant 195/127 $, nov à mi-avril) sur 11 km du Milford Track. Des randonnées d'une journée peuvent aussi être effectuées en empruntant les bus de Tracknet (p. 315).

Pour des randonnées autoguidées, procurez-vous la brochure *Fiordland National Park Day Walks* du DOC (2 $) à l'i-SITE de Te Anau ou au centre d'information du Fiordland National Park ; vous pouvez aussi la télécharger sur www.doc.govt.nz.

Randonnée sur le Kepler Track
NARUEDOM YAEMPONGSA/SHUTTERSTOCK ©

Fiordland Tours Tour
(☎0800 247 249 ; www.fiordlandtours.co.nz ; adulte/enfant à partir de 139/59 $). Organise des excursions en bus pour petits groupes avec croisière dans le Milford Sound partant de Te Anau, et arrêts pour admirer les sites intéressants en route. Cet opérateur assure aussi le transport jusqu'aux sentiers et des excursions guidées d'une journée sur le Kepler Track.

Real Journeys Croisières
(☎0800 656 501 ; www.realjourneys.co.nz ; 85 Lakefront Dr ; ⌚7h30-20h30 sep-mai, 8h-19h juin-août).  Cette grosse entreprise propose une foule de services, dont des croisières dans le Doubtful Sound et le Milford Sound, des excursions guidées d'une journée sur le Milford Track et des visites des Te Anau Glowworm Caves.

ACHATS

Bev's Tramping Gear Hire Équipement de plein air
(☎03-249 7389 ; www.bevs-hire.co.nz ; 16 Homer St ; ⌚9h-12h et 17h30-19h lun-sam). La charmante Bev, qui prêche par l'exemple, loue des équipements pour la randonnée et le camping et vend des mets déshydratés. De mai à octobre, elle n'ouvre que sur rendez-vous.

Outside Sports Équipement de plein air
(☎03-249 8195 ; www.outsidesports.co.nz ; 38 Town Centre ; ⌚9h-21h tlj nov-mars, 9h-18h lun-sam avr-oct). Équipements de randonnée et de camping à vendre ou à louer, location de vélos (demi-journée/journée 30/50 $).

OÙ SE RESTAURER

Miles Better Pies Restauration rapide $
(☎03-249 9044 ; www.milesbetterpies.co.nz ; 19 Town Centre ; tourtes 5-6,50 $; ⌚6h-15h). À la carte de cet établissement, figurent notamment des tourtes au chevreuil,

à l'agneau à la menthe et aux fruits. S'il y a bien quelques tables sur la chaussée, on gagne à manger côté lac.

Sandfly Cafe Café $

(☎03-249 9529 ; 9 The Lane ; plats 7-20 $; ⏰7h-16h30 ; 📶). Au dire de la clientèle locale, on sert ici le meilleur expresso de la ville. Ce café, simple mais agréable est un excellent endroit pour déguster un petit-déjeuner à toute heure, une soupe, un sandwich ou une douceur tout en écoutant de la musique suave ou en lézardant sur la pelouse.

Mainly Seafood Fish & Chips $

(☎027 516 5555 ; www.mainlyseafood.co.nz ; 106 Town Centre ; plats 7,50-18 $; ⏰11h30-20h30). Ici, sont préparés d'honorables *fish and chips*, ainsi que des burgers avec steaks maison. Si la file d'attente vous a épuisé, il y a un fauteuil massant (2 $).

Ristorante Pizzeria da Toni Italien $$

(☎03-249 4305 ; 1 Milford Cres ; plats 20-29 $; ⏰16h-22h lun-ven, 12h-22h sam-dim ; ✍). Bonne cuisine italienne authentique : les pizzas au feu de bois garnies d'ingrédients simples et de qualité partagent la vedette avec les pâtes maison, entourées d'un service attentionné et de musique de circonstance.

Redcliff Cafe Néo-zélandais moderne $$$

(☎03-249 7431 ; www.theredcliff.co.nz ; 12 Mokonui St ; plats 38-42 $; ⏰16h-22h). Atmosphère conviviale au Redcliff, aménagé dans la réplique d'une maison de pionniers, et cuisine raffinée servie en portions généreuses. L'accent est mis sur les produits régionaux, dont du gibier ou du lièvre. Vous pourrez aussi vous détendre devant un verre dans le bar rustique à l'avant, où se donnent régulièrement de petits concerts.

OÙ PRENDRE UN VERRE ET FAIRE LA FÊTE

Black Dog Bar Bar

(☎03-249 8844 ; www.blackdogbar.co.nz ; 7 The Lane ; ⏰10h-tard ; 📶). Attenant au Fiordland Cinema, c'est le bar le plus raffiné de Te Anau.

Fat Duck Bar

(☎03-249 8480 ; 124 Town Centre ; ⏰12h-tard mar-dim ; 📶). Ce petit bar d'angle, avec sièges en plein air, est un bon choix pour boire une ou deux bières Mac's. De sa cuisine sortent des plats plus ou moins tendance. Ouvert tous les jours pour le petit-déjeuner en été.

Ranch Bar & Grill Pub

(☎03-249 8801 ; www.theranchbar.co.nz ; 111 Town Centre ; ⏰12h-tard). La clientèle locale apprécie la copieuse cuisine de pub servie ici ; venez-y pour le dîner grillade de qualité le dimanche (15 $), la *jam session* du jeudi soir ou un jour de grand match sportif.

Moose Pub

(☎03-249 7100 ; www.themoosebarteanau.com ; 84 Lakefront Dr ; ⏰11h-tard). On aime à venir, en fin d'après-midi, siroter une bière et grignoter des en-cas dans le patio de ce bar en bord de lac.

OÙ SORTIR

Fiordland Cinema Cinéma

(☎03 249 8844 ; www.fiordlandcinema.co.nz ; 7 The Lane ; 📶). Entre les projections en boucle du beau *Ata Whenua/Fiordland on Film* (adulte/enfant 10/5 $) – sorte de publicité de 32 minutes pour le paysage du Fiordland – cette salle sert de cinéma local.

RENSEIGNEMENTS

i-SITE du Fiordland (☎03-249 8900 ; www.fiordland.org.nz ; 19 Town Centre ; ⏰8h30-19h déc-mars, 8h30-17h30 avr-nov). Activités, hébergement et réservations pour les transports.

L'observation des kiwis à Stewart Island

Les voyageurs effectuant la courte traversée jusqu'à Stewart Island/Rakiura ne le regretteront pas. La "troisième" île du pays se prête à l'observation du timide et emblématique kiwi, et les Stewart Islanders (381 habitants) sont charmants.

Le Rakiura National Park protège 85% de l'île : une destination de rêve pour les amateurs de randonnée et d'ornithologie.

Depuis l'extrémité de Leonard Rd, près d'Ayr St à Oban, une raide ascension de 15 minutes mène à l'**Observation Rock**, qui offre un panorama sur Paterson Inlet, le Mt Anglem et le Mt Rakeahua.

Une randonnée de 3 heures aller-retour au départ d'Oban parcourt la baie jusqu'à un sentier passant devant l'historique **Stone House** (bâtie en 1835), à **Harrald Bay**, et atteint le **phare d'Ackers Point**. Beau panorama sur le détroit de Foveaux et éventuels manchots pygmées et colonie de puffins fuligineux (tītī).

Praticable toute l'année et bien fléché, le **Rakiura Track** (www.doc.govt.nz ; 39 km), l'une des neuf Great Walks de Nouvelle-Zélande, réclame 3 jours de marche. Cette boucle tranquille passe le long de belles plages, gravit une crête boisée à 250 m d'altitude, puis traverse la côte abritée de Paterson Inlet/Whaka a Te Wera. Elle permet de voir plusieurs sites historiques et de nombreuses espèces d'oiseaux marins et forestiers.

Petit paradis de 250 ha, **Ulva Island/ Te Wharawhara** est classée réserve ornithologique depuis 1922. Vous pourrez apprécier le chant des oiseaux partout sur les sentiers de randonnée du nord-ouest de l'île. Des bateaux-taxis desservent l'île au départ du quai de Golden Bay, notamment ceux d'**Ulva Island Ferry** (03-219 1013 ; aller-retour adulte/enfant 20/10 $; départs 9h, 12h, 16h ; retours 12h, 16h, 18h).

Centre d'information du parc national du Fiordland (DOC ; 03-249 7924 ; www.doc.govt.nz ; angle Lakefront Dr et Te Anau-Manapouri Rd ; 8h30-16h30). Peut vous aider à réserver vos Great Walks et les billets pour les refuges (*huts*), et fournit des informations. En bonus : exposition sur l'histoire naturelle et vente d'équipement de camping, ainsi que de cartes topographiques pour vos randonnées dans la campagne.

DEPUIS/VERS TE ANAU

Les bus desservant notamment Queenstown et Christchurch partent devant le magasin Kiwi Country dans Miro St.

COMMENT CIRCULER

Pour les navettes rejoignant les départs de sentiers comme le Milford Track et le Kepler Track, adressez-vous à Tracknet (p. 315) ou à **Topline Tours** (03-249 8059 ; www.toplinetours.co.nz).

Catlins

La Southern Scenic Route ("route panoramique du Sud"), tranquille, part de Queenstown vers le sud *via* Te Anau jusqu'à Manapouri, Tuatapere, Riverton et Invercargill. À Invercargill, elle continue au nord-est jusqu'à Dunedin *via* les Catlins. Consultez www.southernscenicroute.co.nz ou procurez-vous la carte gratuite *Southern Scenic Route* pour plus de détails.

L'itinéraire le plus direct entre Invercargill et Dunedin se fait *via* la SH1. Le paysage, très pastoral, est joli, mais pas aussi spectaculaire que celui de la SH92, qui passe par la côte des Catlins. Cette région est véritablement enchanteresse, composée de riches terres agricoles, de forêts et de côtes sauvages aux plages désertes. Idéal pour de belles promenades dans le bush et la découverte de la faune locale. Par une magnifique journée d'été, c'est un vrai régal pour les yeux.

Les transports publics se limitent au **Bottom Bus** (03-477 9083 ; www.bottombus.co.nz ; à partir de 175 $), qui arrive en provenance de Dunedin trois jours par semaine. Mieux vaut donc être motorisé pour explorer la région. Prévoyez plusieurs jours, si possible, et procurez-vous la brochure *Southern Scenic Route*, ainsi que la brochure et carte *Catlins*, qui en détaille chaque point.

ACTIVITÉS

Catlins Surf School Surf
(☎03-246 8552 ; www.catlins-surf.co.nz). Située à Porpoise Bay, cette école propose des cours de surf (1 heure 30, 50 $), et il y a souvent des dauphins en prime. On peut aussi y louer une planche et une combinaison (indispensable) – 40 $ les 3 heures. Nick, le propriétaire, assure aussi des cours de paddle (75 $, 2 heures).

Catlins Horse Riding Équitation
(☎027 269 2904, 03-415 8368 ; www.catlinshorseriding.co.nz ; 41 Newhaven Rd, Owaka ; sorties 1/2/3 heures 60/100/150 $). Explorez le littoral et la nature environnante à cheval. S'adresse à tous les niveaux, du débutant au cavalier émérite.

CIRCUITS ORGANISÉS

Catlins Wildlife Trackers Circuits nature
(☎03-415 8613, 0800 228 5467 ; www.catlins-ecotours.co.nz). Basée près de Papatowai, cette agence ouverte de longue date (1990) propose des promenades guidées personnalisées et des circuits écologiques. Mary et Fergus pourront ainsi repérer pour vous des mohuas, des manchots, des otaries et autres animaux. Leur forfait 3 jours/2 nuits, entièrement guidé, coûte 800 $, repas, hébergement et transports inclus.

RENSEIGNEMENTS

Les i-SITE d'Invercargill et de Balclutha sont une mine de renseignements sur les Catlins. Sur la route, vous passerez devant 2 centres d'information : le petit centre des Catlins, à Owaka, ou, encore plus modeste, le **centre d'information de Waikawa** (☎03-246 8464 ; waikawamuseum@hyper.net.nz ; Main Rd ; 10h-17h). Rendez-vous aussi sur www.catlins.org.nz et www.catlins-nz.com.

Nugget Point, Catlins

Kaikoura (p. 218)

En savoir plus

La cathédrale de Christchurch (p. 232) endommagée par le séisme de 2011

PETER UNGER/GETTY IMAGES ©

La Nouvelle-Zélande aujourd'hui

Les Néo-Zélandais ont traversé de rudes épreuves ces dernières années : plusieurs séismes dévastateurs et une tragédie minière ont endeuillé le pays. Pour autant, le tourisme florissant, le dynamisme de la scène artistique et les succès sportifs inspirent aux Kiwis d'aller de l'avant.

Des raisons de se réjouir

Christchurch se remet des tremblements de terre de 2010 et 2011 avec, au plan du quotidien, autant de corollaires positifs que l'inverse. D'un côté, la gestion des réparations et des indemnisations met à rude épreuve les relations entre les édiles et leurs administrés. D'autre part, sa renaissance renforce les Néo-Zélandais dans l'image qu'ils ont d'eux-mêmes comme population unie par un intense sentiment d'appartenance mêlé de civisme.

Du reste, les motifs de fierté nationale n'ont pas manqué, récemment. Après leur victoire à domicile lors de la Coupe du monde de rugby 2011, les All Blacks ont battu l'équipe d'Australie (34-17), le rival de toujours, à Londres en 2015. Au terme de quatre années de domination sans partage, n'ayant concédé que trois défaites et un match nul en 53 rencontres, la Nouvelle-Zélande est ainsi devenue le premier pays à remporter cette compétition deux fois de suite.

Mais les talents sportifs des Kiwis ne se résument pas au ballon ovale. En 2015, les Black Caps ont gagné leur première Coupe du monde de cricket, enregistrant une impressionnante série de succès avant et après cet exploit. D'autres champions néo-zélandais s'illustrent au niveau international, dont le prodige de la NBA Steven Adams, qui joue actuellement avec le Thunder d'Oklahoma City, le pilote automobile Scott Dixon, quatre fois vainqueur de l'IndyCar Series, et la star du golf Lydia Ko, numéro un mondial en 2015 à l'âge de 17 ans, sans oublier surtout Valerie Adams, la plus grande lanceuse de poids de tous les temps. Ces deux dernières se sont d'ailleurs illustrées en remportant l'argent dans leurs disciplines respectives lors des Jeux olympiques de Rio en 2016, à l'issue desquels le pays s'est classé 19e au tableau des médailles, avec 18 titres.

Sur le front des arts, le cinéaste canadien James Cameron tournera trois suites d'*Avatar* à Wellington à partir de 2016, consolidant ainsi la réputation de l'industrie du film néo-zélandaise.

Enfin, la bière artisanale kiwie – locale, forte, goûteuse et commercialisée par des passionnés – s'impose parmi les meilleures du marché. Aujourd'hui, on ne peut aller nulle part sans tomber sur une micro-brasserie, même si l'industrie viticole demeure florissante.

Le Partenariat transpacifique

En octobre 2015, au terme de sept longues années de négociations, 12 pays – Australie, Brunei, Canada, Chili, États-Unis, Japon, Malaisie, Mexique, Nouvelle-Zélande, Pérou, Singapour et Vietnam – ont ratifié l'Accord de partenariat transpacifique (Trans-Pacific Partnership, TPP). Pour la Nouvelle-Zélande, ce traité multilatéral de libre-échange se traduira par une réduction des taxes et droits de douanes sur les exportations, ce dont profiteront directement certains pans de l'économie néo-zélandais, à commencer par le secteur laitier.

Les détracteurs de l'accord craignent cependant une hausse du prix des médicaments de base et considèrent qu'il accorde trop de marge de manœuvre aux grandes compagnies pour contourner, à des fins de profit, les lois nationales et internationales en matière de travail, de santé, de finance et de sécurité alimentaire. Pour l'heure, l'expectative reste de mise.

Guerrier maori

Histoire

La Nouvelle-Zélande a une histoire courte mais dense. Deux cultures s'y sont développées en moins d'un millénaire, celle des Maoris, d'origine polynésienne, et celle venue d'Europe, avec les "Pakehas" (terme signifiant approximativement "personnes blanches") selon la dénomination maorie. Cette jeune nation, tout empreinte qu'elle soit d'éléments extérieurs, n'en garde pas moins ses spécificités.

1000-1200
Les fouilles archéologiques attestent une arrivée des Maoris en Nouvelle-Zélande vers 1200, voire avant.

1642
Premier contact avec les Européens : arrivée d'Abel Tasman qui repart sans avoir accosté après un accrochage en mer avec les Maoris.

1769
Visites de James Cook et de Jean-François de Surville qui, malgré quelques épisodes violents, établissent des contacts avec les Maoris.

Guerrier maori et son épouse, gravure de Sydney Parkinson (1745-1771) dans le *Journal of a Voyage to the South Sea*

Les Maoris

En dépit de mythes persistants, il ne fait aucun doute que les premiers habitants de la Nouvelle-Zélande furent les ancêtres polynésiens des Maoris. Nul ne sait cependant de quelle partie orientale de la Polynésie ils débarquèrent (des îles Cook, de Tahiti, des îles Marquises ?), ni quand et sous quelle forme (en une ou plusieurs vagues ?). Certains éléments, comme les lignées d'ADN, clairement distinctes, des rats venus avec ces équipages, penchent en faveur de voyages multiples. D'un autre côté, seuls les rats et les chiens amenés par ces colons ont établi des lignées pérennes. Or, le fait qu'ils aient échoué à introduire durablement des porcs et des poulets, autrement utiles, suggérerait au contraire un nombre de tentatives, et donc de traversées, restreint.

Les premières implantations tirèrent parti de la douceur du littoral propice à la culture des plantes importées de Polynésie (*kumara*, calebasse, igname, taro), des gisements lithiques dont la pierre se taillait aisément en couteaux et en haches, et des sites où

Années 1790
Arrivée de chasseurs de baleines et de phoques européens dépendant des Maoris pour l'alimentation, l'eau et la protection.

1818-1836
"Guerres des mousquets" opposant les tribus maories nouvellement équipées d'armes à feu aux autres.

1840
Signature par 40 chefs maoris du traité de Waitangi portant sur la souveraineté. La Nouvelle-Zélande devient une colonie britannique.

abondait le gros gibier. Si la Nouvelle-Zélande ne compte pas de mammifères terrestres indigènes, hormis quelques chauves-souris, elle abritait jadis une douzaine d'espèces de moas, entre autres oiseaux coureurs. La plus imposante d'entre elles faisait deux fois la taille d'une autruche et pesait jusqu'à 240 kg. Parmi les grands mammifères marins figurait l'otarie à fourrure, qui ne voyait pas encore en l'homme un prédateur. Pour les nouveaux arrivants, venus de petites îles du Pacifique, la faune locale fut une véritable manne. Ce régime alimentaire très protéiné semble avoir contribué à la croissance de la population, laquelle se déploya en l'espace d'un siècle du haut de l'île du Nord au bas de l'île du Sud.

Vers 1400, la raréfaction du gibier contraignit les chasseurs maoris à se rabattre sur des espèces plus petites (rongeurs et oiseaux forestiers) et à privilégier la culture et la pêche plutôt que la chasse. Les conditions de subsistance plus difficiles rendirent nécessaire la création d'organisations communautaires complexes, d'où l'émergence des tribus. La compétition accrue autour des ressources et la multiplication des conflits expliquent la construction des *pa* (villages fortifiés), dont il demeure, à travers le pays, des vestiges de la structure en terre (au sommet des collines d'Auckland, par exemple).

L'arrivée des Européens

La Nouvelle-Zélande est devenue une colonie britannique en 1840, mais les premiers contacts authentifiés entre les Maoris et le monde extérieur remontent à 1642. Partis d'Indonésie, deux navires commandés par Abel Tasman jettent l'ancre dans la Golden Bay, au nord de l'île du Sud. Les Maoris arrivent alors en pirogue pour jauger la situation, et lancer, aux nouveaux arrivants, leur traditionnel défi préalable à l'ouverture de pourparlers. Les Hollandais, ne comprenant pas le sens de cette approche, font sonner leurs trompettes. Un bateau est alors descendu entre les deux embarcations, mais il est attaqué par les Maoris et quatre marins sont tués. Tasman lève définitivement l'ancre, ne laissant de néerlandais que le nom du pays, *Statenland*, changé plus tard en *Nieuw Zeeland*. Les Européens ne reviendront que plus d'un siècle en aval.

En 1769, l'arrivée concomitante des explorateurs anglais et français James Cook et Jean-François de Surville marque le second contact entre les deux cultures. Sous des auspices plus favorables, l'exploration se poursuit, commandée par des motivations multiples, à la fois scientifiques, économiques et impérialistes. Cook revient deux fois entre 1773 et 1777, tandis que d'autres expéditions françaises suivent.

Dès les années 1790, le pays reçoit la visite moins officielle de baleiniers (au nord) et de chasseurs de phoques (au sud). Après la création de la première mission religieuse en 1814, dans la Bay of Islands, des dizaines d'autres missions anglicanes, méthodistes ou catholiques voient le jour. Dans les années 1820, le commerce du lin et du bois entraîne la création de communautés où se mêlent Occidentaux et autochtones. Fait singulier : les premiers immigrants d'origine européenne viennent surtout d'Amérique. Ainsi, les baleiniers de Nouvelle-Angleterre plébiscitent-ils la Bay of Islands comme lieu de bordée

1845-1846
La rébellion de Hone Heke, jeune chef des Ngapuhi, contre la souveraineté britannique déclenche la guerre du Northland.

1858
Te Wherowhero, chef de la tribu Waikato, devient le premier roi maori sous le nom de Potatau Ier.

1860-1869
Conflit avec le gouvernement britannique concernant les terres maories à Waitara. S'ensuivent la première et la seconde guerre de Taranaki.

– 271 navires y font escale entre 1833 et 1839 –, en particulier la petite ville de Kororareka (l'actuelle Russell), surnommée par les missionnaires "le bouge du Pacifique".

Jusqu'en 1840, un certain nombre de heurts sanglants se produisent entre Occidentaux et Maoris, mais ils restent limités en regard de la fréquence des visites. Les premiers ont en effet besoin de la protection, de l'approvisionnement et de la main-d'œuvre des seconds, auxquels ils fournissent en échange des objets importés, notamment des armes à feu. Les mariages interethniques contribuent aussi à tisser des relations pacifiques entre baleiniers, missionnaires et Maoris. Les conflits sont surtout tribaux, à l'image des terribles "guerres des mousquets" (1818-1836) qui se soldent par quelque 20 000 morts.

Si certaines importations européennes (cochons, pommes de terre) sont adoptées au bénéfice des populations, les armes et les maladies font des ravages considérables. Le relatif isolement géographique de la Nouvelle-Zélande empêche toutefois certaines affections, dont la variole, de provoquer des hécatombes comme en Amérique du Nord. Amputée ainsi de quelque 20%, la population maorie (initialement estimée à quelque 85 000 à 110 000 âmes pour l'année 1769) ne compte plus en 1840 que 70 000 individus. Mais si le roseau maori plie au contact des Européens, il est loin de se rompre.

Les guerres des mousquets

Dans l'histoire de la Nouvelle-Zélande, plusieurs conflits sanglants ont opposé les Maoris entre eux. Ainsi en alla-t-il des terribles "guerres des mousquets" (1818-1836). Le Northland ayant eu davantage de contacts avec les Européens, la tribu Ngapuhi fut la première à acquérir des armes à feu. Sous la férule de son chef Hongi Hika, elle attaqua les *iwi* du sud et remporta de sanglantes victoires. S'équipant à leur tour, ces tribus défirent les Ngapuhi et allèrent s'en prendre aux populations maories implantées plus au sud. L'effet domino se poursuivit jusqu'à atteindre, en 1836, la pointe méridionale de l'île du Sud. Si les missionnaires prétendirent avoir joué un rôle dans la fin des affrontements, le fait que toutes les forces en présence se trouvèrent enfin équipées du même armement contribua sans doute à l'instauration d'un *statu quo*.

L'émergence des "Pakehas"

À la même époque, plusieurs tribus maories reconnaissent que ceux qu'elles appellent "leurs Pakehas", les colons européens, leur ont apporté prestige et bénéfices et qu'accepter une autorité britannique symbolique ne leur sera que plus profitable encore. Le 6 février 1840, cette convergence d'intérêts se concrétise par le traité de Waitangi, signé dans la localité éponyme, qui fait de la Nouvelle-Zélande une colonie britannique.

1861

Découverte d'or dans l'Otago. En 6 mois, la population passe de 13 000 à plus de 30 000 âmes.

1863-1864

Guerre du Waikato : les Maoris sont vaincus et une grande partie de leurs terres confisquées.

1893

Premier pays au monde à accorder aux femmes le droit de vote, dans la foulée d'une campagne menée par la suffragette Kate Sheppard.

★ Le top des sites historiques

Arrowtown (p. 280)

Document fondateur, ce traité reste contesté, les divergences d'interprétation entre Britanniques et Maoris constituant le nœud du problème. La version anglaise garantit aux Maoris les mêmes privilèges que tout citoyen britannique en échange des pleins pouvoirs accordés au gouvernement, tandis que la version maorie garantit aux Maoris le maintien de la pleine possession de leur territoire, ce qui implique le droit de gouverner localement. Au départ, ces divergences ne posent pas de problèmes majeurs car la version maorie s'applique en dehors des modestes colonies européennes, mais l'essor de celles-ci ne tarde pas à engendrer des conflits.

Si la Nouvelle-Zélande n'abrite en 1840 qu'environ 2000 Européens, essentiellement à Kororareka, la capitale, elle accueille une décennie plus tard 6 nouvelles colonies regroupant à elles seules 22000 personnes, venues pour moitié grâce à la New Zealand Company et à ses associés. Mais le nombre de ces immigrés, en grande partie issus des classes moyennes supérieures, semble dérisoire comparé aux vagues successives qu'apporte, dans les années 1850 à 1880 la diaspora britannique et irlandaise, parallèlement établie en Australie et en Amérique du Nord. Les colons installés en Nouvelle-Zélande se distinguent par une proportion d'Écossais des basses terres plus importante qu'ailleurs, à l'exception peut-être de certaines régions du Canada. Les Irlandais, y compris les catholiques, proviennent majoritairement du nord, tandis que les Anglais sont surtout originaires des comtés proches de Londres.

Les "Land Wars"

La résistance des Maoris au pouvoir britannique est l'une des plus farouches jamais menées contre la colonisation européenne, comparable à celles des Sioux et des Séminoles aux États-Unis. Le premier affrontement a lieu en 1843, dans la Wairau Valley, et sonne le début des Land Wars. En 1845, un conflit plus sérieux éclate dans la Bay of Islands, lorsque le chef maori Hone Heke pille une colonie britannique. Avec son allié Kawiti, Heke déjoue trois expéditions punitives en mettant en place une version modernisée du *pa* (village fortifié) traditionnel, dont des vestiges subsistent à Ruapekapeka (au sud de Kawakawa). Le gouverneur Grey tient en échec les quelques

1901
La Nouvelle-Zélande décline l'offre de rejoindre le Commonwealth d'Australie.

1908
Ernest Rutherford reçoit le prix Nobel de chimie.

1914-1918
Première Guerre mondiale : sur les 100000 soldats néo-zélandais, près de 60000 meurent ou sont blessés, principalement en France.

Maoris de l'île du Sud en arrêtant Te Rauparaha, le chef des Ngati Toa, très influent des deux côtés du détroit de Cook, mais les combats des années 1840 confirment que l'île du Nord reste un bastion maori largement indépendant, bordé d'une frange européenne.

Dans les années 1850, les colons, plus nombreux, nourrissent de nouvelles aspirations. Des conflits éclatent à nouveau en 1860 et sporadiquement jusqu'en 1872 dans une grande partie de l'île du Nord. Les premières années, le mouvement nationaliste maori Kingitanga cristallise la résistance. Puis de remarquables chefs spirituels, dont Titokowaru et Te Kooti, reprennent le flambeau. La plupart des affrontements restent limités, à l'exception de la guerre du Waikato (1863-1864). Contemporaine de la guerre de Sécession, celle-ci mobilise navires à vapeur, artillerie lourde dernier cri, télégraphe et dix régiments britanniques. Contre toute attente, les Maoris remportent plusieurs batailles, comme celle de Gate Pa, près de Tauranga, en 1864. L'invasion en 1916 de l'un des derniers sanctuaires maoris, les Urewera Mountains, par la police sonne le glas d'une indépendance politique déjà en berne à la fin du XIXe siècle.

Conflits et avancées

De 1850 à 1880, malgré les conflits avec les Maoris, on assiste au boom de l'économie pakeha, soutenue par les exportations de laine, les filons d'or et une politique massive d'emprunts extérieurs. Mais vers 1880, la Longue Dépression n'épargne pas la Nouvelle-Zélande. Portés au pouvoir en 1890, les libéraux le conservent jusqu'en 1912, aidés par la reprise économique. Considérée sous leur mandat comme le "laboratoire social du monde", la Nouvelle-Zélande est ainsi le premier pays à accorder le droit de vote aux femmes (1893) et à instaurer des pensions de retraite (1898). Les libéraux mettent aussi en place un système d'arbitrage industriel durable, lequel échouera pourtant à contenir la violente agitation ouvrière qui secoue le monde industriel en 1912-1913, sous le gouvernement conservateur du parti de la Réforme (futur Parti national), aux commandes jusqu'en 1928. La crise de 1929 n'épargne pas les Néo-Zélandais, et nombre de petites fermes abandonnées, encore visibles de nos jours en zones rurales, l'ont été à cette période.

En 1935, une seconde vague de réformes est lancée par le premier gouvernement travailliste, mené par Michael Joseph Savage. Considéré comme bien plus ancré dans le socialisme que son homologue anglais, il n'en soutient pas moins la Grande-Bretagne au tournant de 1939.

Ascendances britanniques

La Nouvelle-Zélande a un côté familier pour les touristes britanniques. Outre les origines anglaise ou irlandaise de nombre de Pakehas, cela tient aux liens étroits tissés avec la Grande-Bretagne depuis 1882, date des premières expéditions de cargaisons alimentaires réfrigérées à destination de Londres. En 1930, de vastes cargos transportant

1931
Un gros tremblement de terre à Napier et Hastings tue 131 personnes.

1939-1945
Seconde Guerre mondiale : les Néo-Zélandais s'engagent avec les Alliés ; des soldats américains sont déployés pour prévenir l'invasion japonaise.

1953
Première ascension du mont Everest par le Néo-Zélandais Sir Edmund Hillary et le népalais Tenzing Norgay.

viande, fromage, beurre et laine effectuent régulièrement la traversée de cinq semaines. L'économie néo-zélandaise s'adapte aux besoins alimentaires de Londres et les liens culturels se renforcent. Les enfants néo-zélandais apprennent à l'école l'histoire et la littérature britanniques plutôt que celle de leur pays, tandis que l'Angleterre a attiré des scientifiques et écrivains locaux comme Ernest Rutherford et Katherine Mansfield.

Cette relation privilégiée a été qualifiée à tort de "recolonisation", la Nouvelle-Zélande bénéficiant en réalité d'un niveau de vie moyen ainsi que d'un régime social et d'un système éducatif (pour les classes de premier degré) supérieurs à ceux de la Grande-Bretagne. Les Néo-Zélandais ont accès aux marchés et à la culture britanniques, à laquelle ils contribuent. D'ailleurs, eux-mêmes se voient parfois, en particulier dans les domaines militaire et sportif, comme un pendant austral amélioré des Britanniques.

Si sa richesse, son modèle égalitariste et sa relative harmonie sociale font alors, à juste titre, la fierté de la Nouvelle-Zélande, cette société n'en est pas moins conformiste, voire puritaine. Jusque vers 1950, la "morale" interdit aux agriculteurs de laisser leur bétail s'accoupler dans les champs au regard des routes publiques. Le film *L'Équipée sauvage* (1953), avec Marlon Brando, y demeure ainsi censuré jusqu'en 1977. La publication dominicale des journaux n'est pas autorisée avant 1969, ni l'ouverture des commerces jusqu'en 1989. Dans les années 1960, les restaurants servant de l'alcool, les supermarchés et la télévision restent rares. De 1917 à 1967, les pubs fermaient passé 18h.

L'alternance

Cette relation privilégiée avec la Grande-Bretagne, plusieurs fois ébranlée après 1935, dure jusqu'en 1973, date à laquelle *Mother England* se recentre sur l'Europe en rejoignant la France et l'Allemagne dans ce qui va devenir l'Union européenne. La Nouvelle-Zélande doit alors conquérir de nouveaux partenaires étrangers et développer d'autres marchés que ceux de la laine, de la viande et des produits laitiers. Les avions gros-porteurs favorisent l'extension commerciale à l'import comme à l'export ainsi que le tourisme, passé de 36 000 visiteurs en 1960 à quelque 2 millions aujourd'hui. Les femmes accèdent à des postes haut placés et à la sphère politique. Les homosexuels ne se cachent plus, malgré la farouche opposition des conservateurs moralistes. L'enseignement universitaire se démocratise et la jeunesse diplômée prend de l'assurance.

Apparu dans les années 1930, le nationalisme culturel fleurit véritablement dans les années 1970, et ce bien au-delà des seuls cercles artistique et littéraire.

À compter de 1945, la population maorie connaît un regain démographique et quitte massivement les campagnes. La proportion de 17% de Maoris urbains contre 83% de ruraux en 1936 s'est inversée un demi-siècle plus tard. L'immigration (principalement blanche avant 1960) s'ouvre aux îles du Pacifique, pour leur main-d'œuvre, puis à l'Asie (de l'Est), pour son argent.

Une troisième vague de réformes est lancée en 1984, après l'élection du quatrième gouvernement travailliste, mené en titre par David Lange, mais dans les faits par le

1981
Opposition déclarée de nombreux Néo-Zélandais à l'apartheid à l'occasion d'un tournoi de rugby prévu en Afrique du Sud.

1985
Sabotage par des espions français du *Rainbow Warrior*.

2010
L'effondrement d'une mine de charbon à Pike River, sur la côte ouest de l'île du Sud, fait 29 victimes.

ministre des Finances Roger Douglas. Sa politique étrangère antinucléaire enthousiasme la gauche et ses directives plus favorables à l'économie de marché lui rallient la droite. Un coup de balai éclair annule les nombreuses restrictions économiques. Certes, le Néo-Zélandais moyen considère que la politique antinucléaire menace le traité militaire ANZUS signé entre la Nouvelle-Zélande, l'Australie et les États-Unis, mais l'attentat perpétré en 1985 par des agents secrets français dans le port d'Auckland contre le *Rainbow Warrior*, fer de lance du combat antinucléaire de Greenpeace, renverse l'opinion. Face à la molle condamnation américaine, la classe moyenne néo-zélandaise approuve le désengagement nucléaire désormais associé à l'indépendance nationale. Libérés de contraintes, les investisseurs néo-zélandais plongent dans une frénésie spéculative telle que la crise de 1987 leur infligera de bien plus lourdes pertes qu'à leurs homologues ailleurs dans le monde.

La Nouvelle-Zélande au XXIe siècle

Le début des années 2000 marque une période faste pour la Nouvelle-Zélande. Le vin, la gastronomie, le cinéma et la littérature n'ont jamais connu un tel développement et le multiculturalisme a une influence toute particulière sur la musique populaire.

Le débat fait rage depuis longtemps sur l'adoption ou non d'un nouveau drapeau national, l'actuel intégrant l'Union Jack du temps de la colonisation britannique. Lors d'un référendum organisé début 2016, la population a toutefois rejeté le modèle de substitution proposé et décidé de conserver l'ancien.

2011
Le séisme de Christchurch tue 185 habitants et endommage gravement le CBD.

2013
La Nouvelle-Zélande devient l'un des 15 pays au monde à reconnaître le mariage entre personnes de même sexe.

2015
Les All Blacks, l'équipe nationale de rugby, remporte leur deuxième Coupe du monde consécutive en battant l'Australie.

Champagne Pool, Wai-O-Tapu Thermal Wonderland (p. 133)

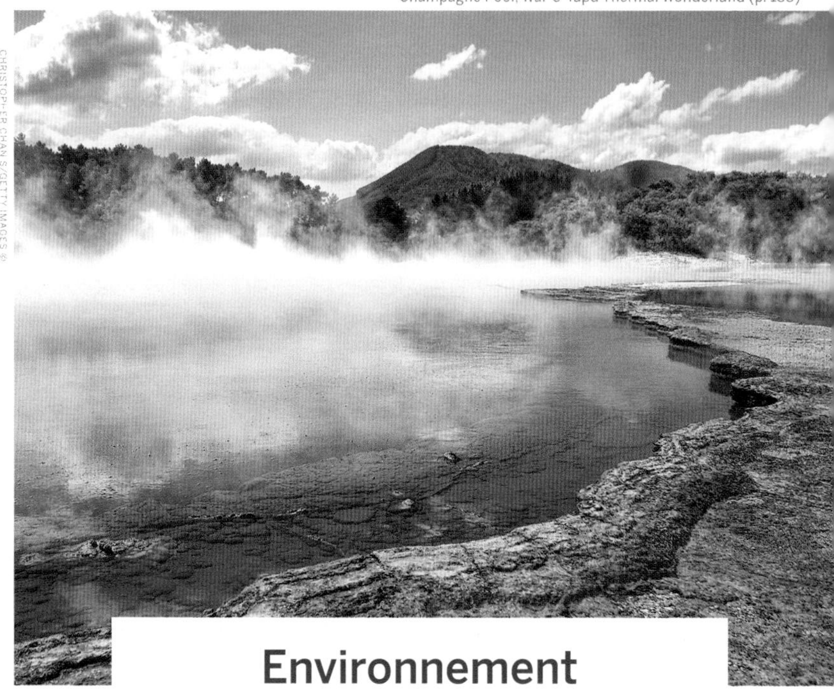

Environnement

Terre jeune, la Nouvelle-Zélande n'existe sous sa forme actuelle que depuis moins de 10 000 ans. Après s'être séparée du Gondwana, supercontinent incluant l'Afrique, l'Australie, l'Antarctique et l'Amérique du Sud, il y a quelque 85 millions d'années, elle a été façonnée par une succession de phénomènes géologiques et la lente fluctuation du niveau de la mer au fil des ères glaciaires.

Géologie

À cheval entre deux grandes plaques tectoniques – la plaque pacifique et la plaque indo-australienne –, la Nouvelle-Zélande subit de plein fouet les forces de la nature.

En résulte une incroyable diversité de paysages spectaculaires, des montagnes enneigées aux vallées glaciaires inondées en passant par les forêts tropicales humides, les champs de dunes et les plateaux volcaniques d'aspect lunaire. Une telle variété est davantage à l'aune d'un continent que d'un petit archipel du Pacifique Sud.

Le passé géologique tumultueux de l'archipel y est partout visible. Les Alpes du Sud, qui forment l'épine dorsale montagneuse de l'île du Sud sur 650 km, ont été produites par la collision des deux plaques et le processus de soulèvement s'accélère aujourd'hui. Bien que le point culminant du pays, l'Aoraki/Mt Cook, ait perdu 10 m lors d'un glissement de terrain en 1991, le massif s'élève rapidement et, sauf érosion et autre glissement de terrain, pourrait atteindre dix fois sa hauteur actuelle dans quelques millions d'années.

Volcans

Les volcans constituent le trait marquant de l'île du Nord. Auckland est construite sur un isthme semé de cratères coniques, dont beaucoup encore ponctués des ouvrages de terre des *pa* (villages fortifiés) construits par les anciens Maoris. Le plus grand et le plus récent d'entre eux, Rangitoto Island, ne date que de 600 ans et se situe à une courte traversée en ferry du centre-ville. Quelque 300 km au sud, le cône caractéristique du Mt Taranaki, couronné de neige, domine de paisibles pâturages.

Mais les volcans se concentrent surtout dans le centre de l'île du Nord, du Mt Ruapehu, à l'intérieur du Tongariro National Park, au nord-est jusqu'au volcan le plus actif du pays, White Island, dans la Bay of Plenty, *via* la région du lac de Rotorua. Appelé zone volcanique de Taupo, ce rift de 250 km de long fait partie de la "ceinture de feu du Pacifique" et a été le théâtre de gigantesques éruptions, lesquelles ont laissé une empreinte autant physique que culturelle. Celles du Taupo, considéré comme le volcan le plus productif en termes de matière éjectée, sont à l'origine de la formation du lac du même nom. La dernière, il y a 1800 ans, fut une des plus violentes répertoriées sur la planète au cours des cinq derniers millénaires. Près de Rotorua, sur la rive du lac Tarawera, on peut découvrir les vestiges partiellement fouillés de Te Wairoa, un village maori du XIXe siècle enseveli par le réveil soudain du Mt Tarawera, qui détruisit aussi les fameuses Pink and White Terraces. La même éruption a créé la Waimangu Volcanic Valley, où les plus grandes sources chaudes du monde côtoient geysers, formations de silice et boues bouillonnantes. Au Whakarewarewa Village, les descendants des Maoris déplacés vivent au milieu des phénomènes géothermiques et cuisent de la nourriture pour les visiteurs dans des bassins d'eau naturellement brûlante.

Le volcanisme est également présent dans l'île du Sud. De fait, sans les volcans anciens de la péninsule de Banks pour arrêter la mer, les vastes plaines du Canterbury, formées par les sédiments transportés par les cours d'eau depuis les Alpes du Sud, auraient disparu depuis longtemps du fait de l'érosion.

Tremblements de terre

L'affrontement des plaques tectoniques s'accompagne de son lot d'activité sismique, ce qui vaut à la Nouvelle-Zélande le surnom de "The Shaky Isles" (les "îles tremblantes"). Si la plupart des tremblements de terre ne provoquent que des bruits de vaisselle, l'un d'eux a été à l'origine d'un nouveau site touristique. En 1931, un séisme de 7,9 sur l'échelle de Richter rasa Napier, dans la région de Hawke's Bay, et fit de nombreuses victimes. Entièrement rebâtie dans le style en vogue à l'époque, la ville attire désormais les amateurs d'architecture Art déco.

L'île du Sud n'est pas épargnée. En septembre 2010, Christchurch a été touchée par un tremblement de terre d'une magnitude de 7,1, suivi en février 2011 d'une secousse de 6,3 qui a largement détruit le centre historique et tué 185 personnes. Aujourd'hui, la deuxième ville du pays se reconstruit, mais connaît toujours des répliques.

Climat

Sur l'île du Sud, les Alpes du Sud dominent le paysage, dictant les règles d'urbanisme et se soldant par de véritables défis en matière d'ingénierie et de formidables possibilités de loisirs. La chaîne de montagnes conditionne aussi le climat, car elle se dresse sur la voie des vents d'ouest arrivant, chargés d'humidité, de la mer de Tasman. Ainsi, ses pentes inférieures, couvertes de broussailles, figurent-elles parmi les lieux les plus humides du

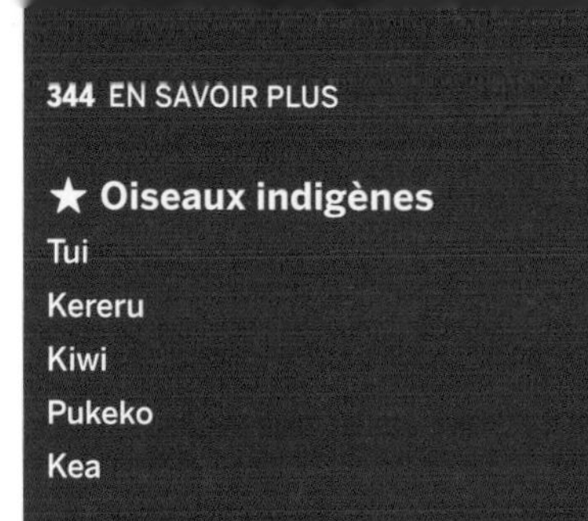

★ Oiseaux indigènes

- Tui
- Kereru
- Kiwi
- Pukeko
- Kea

Pukeko

globe, avec quelque 15 000 mm de précipitations par an. Une fois asséché, le vent balaie les plaines orientales en direction de la côte Pacifique.

L'île du Nord enregistre une pluviométrie plus égale et ne connaît pas les températures extrêmes du Sud, qui peuvent chuter considérablement sous l'effet d'un vent en provenance de l'Antarctique. Il importe de savoir, surtout si vous randonnez à haute altitude, que la Nouvelle-Zélande possède un climat océanique, lequel implique que la météo peut changer en un éclair et vous prendre au dépourvu.

Faune et flore

Malgré son jeune âge géologique, la Nouvelle-Zélande abrite une faune et une flore très anciennes. Le tuatara est un très vieux reptile, survivant du Gondwana apparenté aux dinosaures, que l'on ne trouve qu'ici. De nombreux oiseaux coureurs (ratites) typiquement néo-zélandais ont de lointains cousins africains et sud-américains. Du fait de son long isolement géographique, le pays est devenu le conservatoire d'une flore variée largement endémique. Sa séparation d'avec le continent ayant eu lieu avant l'apparition des mammifères, oiseaux et insectes s'y sont développés de façon spectaculaire.

Aujourd'hui éteint, le moa était un immense oiseau coureur pouvant atteindre 3,5 m de haut et peser plus de 200 kg (l'Auckland Museum en conserve des squelettes). Le kiwi, un oiseau nocturne qui fouille le sol des forêts en quête d'insectes et de vers, a quant à lui survécu. Le weta géant, un insecte de la taille d'une souris, a joué le rôle écologique rempli ailleurs par les rongeurs, mais a, paradoxalement, failli totalement disparaître du fait des rats, venus avec l'homme.

Au nombre des derniers points du globe investis par l'homme, la Nouvelle-Zélande s'est révélée un terrain propice à ce type d'évolution marquée de cas de gigantisme insulaire. L'arrivée des Maoris puis des Européens a hélas rapidement bouleversé l'équilibre naturel. Nombre d'espèces endémiques comme le huia, un charmant oiseau chanteur ou l'aigle géant de Haast (prédateur naturel du moa), ont disparu, et de vastes étendues de forêts ont été défrichées pour l'exploitation du bois et l'agriculture. La destruction de l'habitat et l'introduction d'animaux et de plantes invasifs ont eu un terrible impact environnemental. Les Néo-Zélandais mènent désormais un combat méritoire pour tenter de sauvegarder ce qui subsiste du biotope originel.

Hongi (salut traditionnel maori)

MIKE POWELL/GETTY IMAGES ©

Culture maorie

Spectacles, rencontres, musées, excursions sont autant d'occasions de découvrir la culture maorie en Nouvelle-Zélande. Ce peuple est pluriel : certains de ses membres s'inscrivent dans la tradition, d'autres la mettent au goût du jour, voire regardent résolument vers le futur.

Hier

Il y a trois millénaires, des peuples polynésiens de l'île imaginaire de Hawaiki s'aventurèrent dans la partie est du Pacifique, louvoyant contre vents et courants dominants à bord d'embarcations de haute mer à double coque. Certains s'arrêtèrent aux îles Tonga et Samoa, d'autres sur les îles tropicales centrales de l'est de la Polynésie.

Le premier d'entre eux aurait été le grand navigateur Kupe qui, d'après le mythe, arriva en Nouvelle-Zélande en poursuivant un poulpe du nom de Muturangi. Lorsqu'il débarqua, sa femme Kuramarotini se serait exclamée : "*He ao, he ao tea, he ao tea roa!*" (Un nuage, un nuage blanc, un long nuage blanc !). D'où ce nom d'Aotearoa par lequel les Maoris désignent leur pays.

Kupe et son équipage sillonnèrent le territoire de long en large. Nombre de sites du détroit de Cook, entre l'île du Nord et l'île du Sud, et du Hokianga, dans le Northland,

★ **Collections maories**

Te Papa (p. 178)
Auckland Museum (p. 40)
Canterbury Museum (p. 233)
Hokitika Museum (p. 264)

Auckland Museum (p. 40)

portent d'ailleurs toujours des traces de leur passage et le nom qui leur fut donné alors. De retour à Hawaiki, Kupe transmit des informations précieuses à d'autres marins, qui prirent la mer à leur tour.

Les premiers *waka* (pirogues) de colons et les lieux où leurs occupants débarquèrent ont été immortalisés dans les légendes tribales. Parmi les bateaux les plus célèbres figurent *Tākitimu, Kurahaupō, Te Arawa, Mataatua, Tainui, Aotea* et *Tokomaru*. Les Maoris de toute lignée font remonter leur généalogie aux ancêtres arrivés à bord de ces embarcations.

Originaires de petites îles, les nouveaux venus durent s'adapter à un territoire beaucoup plus vaste, comptant plus de 15 000 km de littoral, dont la faune et la flore abondantes s'étaient développées à l'écart du reste du monde pendant 80 millions d'années. Outre de grandes zones de pêche intactes, on y trouvait aussi des mammifères marins – phoques et otaries – faciles à chasser ainsi que toutes sortes d'oiseaux. Une fois sédentarisés, les Maoris instaurèrent une *mana whenua* (autorité régionale) par le biais de campagnes militaires ou de la diplomatie et des mariages. Ils vivaient dans des *kainga* (villages) avec jardin, qu'ils quittaient parfois pour récolter des produits de saison. Lorsqu'un conflit interrompait cette vie paisible, les Maoris se retiraient dans un *pa* (village fortifié). De tradition orale, leur culture se transmettait de génération en génération à travers contes, chants et psalmodies.

Puis arrivèrent les Européens.

Aujourd'hui

La communauté maorie se distingue par sa diversité. Certains de ses membres perpétuent la tradition comme un référent immuable dans un monde en perte de repères, tandis que d'autres essaient de l'adapter à la globalisation. Le concept de *whanaungatanga* (relations familiales) joue un rôle central : il englobe la *whānau* (famille étendue), l'*hapū* (sous-tribu) et l'*iwi* (tribu) et s'applique même, sur certains plans, aux mondes naturel et spirituel.

Les Maoris sont le *tangata whenua* ("peuple de la terre") de la Nouvelle-Zélande. Jadis essentiellement ruraux, ils vivent désormais souvent en ville, loin de leurs bases traditionnelles. Dans un cadre formel, beaucoup continuent toutefois de se présenter en attachant leur nom à un mont, cours d'eau ou lac ancestral, ou bien à un aïeul. Aujourd'hui, la culture maorie connaît de nouveaux développements dans les domaines artistique, économique, sportif et politique. De nombreux différends historiques perdurent, mais certaines *iwi* (tribus, tels les Ngai Tahu et les Tainui) ont enterré la hache de guerre et représentent des forces majeures de l'économie néo-zélandaise. Pour contrer le déclin de leur langue, les Maoris ont créé des écoles d'immersion linguistique (*kohanga reo, kura kaupapa Maori* et *wananga*). On compte par ailleurs un certain nombre de radios et chaînes de télévision maories.

Religion

Les Églises chrétiennes occupent une place importante entre télévangélisme, églises traditionnelles pour le culte régulier ou occasionnel, et les deux grands courants religieux maoris que sont Ringatu et Ratana.

Mais avant le judéo-christianisme, il y avait les *atua Maori,* les dieux maoris, qui restent aux yeux de maints habitants une importante force vitale. On les invoque sur la *marae* (lieu de rassemblement) ou pour des événements maoris à plus vaste échelle. Ils sont représentés dans l'art, mentionnés dans les *waiata* (chants) et invoqués dans les *karakia* (prières et incantations) lors de l'ouverture d'une maison commune, le lancement d'un *waka* ou plus simplement à l'occasion d'un repas. Largement connue, l'histoire de la Création selon la légende maorie fait l'objet de nombreuses célébrations.

Les *marae*

En Nouvelle-Zélande, vous verrez de nombreuses *marae*. Appartenant à un clan de même ascendance, des groupes de Maoris urbains, des écoles, des universités et des paroisses, elles ne se visitent qu'avec l'autorisation des propriétaires. Celle de Te Papa, le musée national, sis à Wellington, est en revanche ouverte au public.

La *marae* comporte une *wharenui* (maison commune), qui représente souvent un ancêtre – le faîte symbolise la colonne vertébrale, les chevrons les côtes – ce qui renforce la dimension symbolique des réunions qu'y tiennent ses descendants. C'est là qu'ont lieu les *hui* (rassemblements), que ce soit pour discuter des problèmes, organiser des cours, célébrer des événements ou dire adieu aux morts. On y parle majoritairement *Te reo Maori* (langue maorie), voire exclusivement. Si le *hui* dure plus d'une journée, on installe des matelas et les participants dorment sur place dans une ambiance conviviale. Une aire dégagée, la *marae atea*, s'étend devant. D'autres bâtiments complètent parfois l'ensemble : une *wharekai* (salle à manger), un bloc sanitaire, voire des salles de classe, des équipements sportifs, etc.

Art maori

Pour savoir ce qui se passe en matière d'art maori, procurez-vous le magazine *Mana* chez un marchand de journaux, écoutez les stations des *iwi* (www.irirangi.net) ou les podcasts hebdomadaires de Radio New Zealand (www.radionz.co.nz) et regardez Maori TV (www.maoritelevision.com). Le lancement de cette dernière, en 2004, a fait date aux yeux de nombreux Maoris, leur offrant enfin la possibilité de voir leur langue, leur culture et leurs préoccupations promues par un média de masse. Bilingues et sous-titrés, les programmes sont accessibles à tous et réalisés en Nouvelle-Zélande à plus de 90%. Si vous souhaitez entendre exclusivement du maori, branchez-vous sur la chaîne Te Reo (www.maoritelevision.com/tv/te-reo-channel).

Artistes maoris

CHAMELEONSEYE/SHUTTERSTOCK ©

Arts et musique

Il a fallu attendre cent ans pour que la Nouvelle-Zélande développe sa propre identité artistique, distincte de la culture britannique, mais marquée de son influence. Au début du XXe siècle, peintres et écrivains ont ouvert la marche. Dans les années 1970 et 1980, le rock et la musique indé ont fleuri dans les pubs. C'est cependant le cinéma qui a le mieux promu, à l'international, la créativité néo-zélandaise.

Littérature

Après Keri Hulme en 1985 pour *The Bone People*, la jeune Eleanor Catton a été, à 28 ans, le second auteur néo-zélandais à recevoir, en 2013, le prestigieux Booker Prize (un autre Kiwi, Lloyd Jones, avait manqué l'obtenir en 2007 pour *Mister Pip*). Son livre, *Les Luminaires*, se passe lui aussi sur la côte ouest de l'île du Sud, du paysage de laquelle les deux romancières ont su capter l'essence brute et mystérieuse.

Hulme et Catton s'inscrivent dans une fière lignée d'écrivaines néo-zélandaises depuis Katherine Mansfield au début du XXe siècle. Cette dernière a initié la tradition kiwie des courtes œuvres de fiction, longtemps représentée par Janet Frame (1924-2004), dont l'autobiographie *Un ange à ma table* a été adaptée au cinéma par Jane Campion et *The Carpathians* récompensé en 1989 par le Commonwealth Writers' Prize.

Moins connu à l'étranger, Maurice Gee (né en 1931) a remporté six fois le prix national du meilleur roman, la dernière avec *Blindsight* (2005). Son livre pour enfants *Under the Mountain* (1979) a inspiré une série télévisée culte en 1981, puis un film en 2009. En 2004, l'adaptation cinématographique d'un autre de ses romans, *In My Father's Den* (1972), a été distinguée lors de grands festivals internationaux et compte parmi les films ayant généré le plus de recettes en Nouvelle-Zélande.

Enfin, Maurice Shadbolt (1932-2004) a été salué par la critique, notamment pour sa trilogie dont l'action se déroule durant les guerres maories : *Season of the Jew* (1987), *Monday's Warriors* (1990) et *The House of Strife* (1993).

Cinéma et télévision

Si *Le Seigneur des Anneaux* et *Le Hobbit*, du réalisateur Peter Jackson, ont beaucoup fait pour le tourisme en Nouvelle-Zélande, le cinéma kiwi n'est pourtant pas toujours aussi porté à l'évasion. Dans son documentaire *Cinema of Unease*, financé par la BBC, l'acteur Sam Neill décrit une industrie du film produisant des œuvres tristes et austères, telles que le poignant *L'Âme des guerriers* (1994), de Lee Tamahori, où il est question de la vie marquée par la violence et le déracinement des Maoris pauvres de la banlieue d'Auckland. On peut ajouter à la liste *La Leçon de piano* (1993) et *Top of the Lake* (2013) de Jane Campion, *In My Father's Den* (2004) de Brad McGann et *Créatures célestes* (1994) de Peter Jackson, autant d'œuvres où la magie des paysages peine à masquer le mal-être des protagonistes.

Et même quand les Kiwis font de l'humour, celui-ci est résolument aussi noir que le maillot des All Blacks. En témoignent les premiers films de Peter Jackson et *Boy* (2010) de Taika Waititi. De fait, exporter les comédies néo-zélandaises n'a rien d'évident. La série télévisée *Flight of the Conchords* de HBO, qui met en scène les mésaventures d'un duo musical néo-zélandais essayant de percer à New York, n'en a pas moins rencontré un étonnant succès international. C'est la touche comique polynésienne qui semble la plus susceptible de sortir le cinéma national de son pan obscur, avec des films pleins de bonne humeur à l'image de *Sione's Wedding* (2006), qui a fait un tabac dans le pays.

Jadis absents des plateaux de tournage internationaux, les acteurs néo-zélandais se sont peu à peu fait connaître au-delà de leur archipel. Temuera Morrison a ainsi joué le rôle de Jango Fett dans *Star Wars*, tandis que Cliff Curtis et Karl Urban figurent régulièrement dans des films d'action. Beaucoup ont commencé leur carrière dans le feuilleton fleuve *Shortland Street* (diffusé sur TV2 à 19h en semaine).

Arts plastiques

En rendant visite à des Néo-Zélandais, ne soyez pas surpris de voir, au mur, un tableau peint par le propriétaire ou, dans le jardin, la sculpture réalisée par un de ses amis. L'art et l'artisanat sont ici florissants, et chacun peut s'y essayer avec d'autant plus de facilité que sont données, partout dans le pays, des formations de sculpteurs et tisserands traditionnels, fabricants de bijoux, spécialistes du multimédia, fondeurs de métal, verriers, etc. Dans les grandes villes, d'excellentes galeries exposent des artistes locaux qui travaillent sur tous les types de supports.

On comprend qu'avec son cadre naturel, la Nouvelle-Zélande ait d'abord inspiré les paysagistes, dont John Gully (1819-1888) et Petrus van der Velden (1837-1913).

Un peu plus tard, Charles Frederick Goldie (1870-1947) a réalisé une série de portraits de dignitaires maoris d'un réalisme fascinant, tant dans la restitution de leur physionomie que dans celle de leurs tatouages et atours traditionnels. S'il n'a pas toujours été perçu comme politiquement correct, son travail est aujourd'hui reconnu pour sa valeur ethnographique, les Maoris eux-mêmes appréciant la façon dont l'artiste a représenté leurs aïeux.

★ Néo-Zélandais oscarisés

Anna Paquin (meilleur second rôle féminin dans *La Leçon de piano*)

Russell Crowe (meilleur acteur dans *Gladiator*)

Peter Jackson (meilleur réalisateur pour *Le Seigneur des Anneaux : The Return of the King*)

Bret McKenzie (meilleure musique/chanson originale pour *Man or Muppet*, *The Muppets*)

Décor de cinéma de Hobbiton (p. 116)

AARON CHOI/SHUTTERSTOCK ©

À partir des années 1930, la Nouvelle-Zélande a abordé le tournant de l'art moderne avec des figures comme Rita Angus, Toss Woollaston et, surtout, Colin McCahon (1919-1987), largement considéré comme l'artiste phare du pays. Les peintures de McCahon peuvent sembler impénétrables, voire sévères. Mais même lorsqu'il tombe dans le mysticisme catholique ou cite la Bible, sa spiritualité s'enracine toujours dans la géographie, et ses paysages, tout désolés qu'ils puissent tantôt être, ne sont jamais exempts de force.

Musique

L'histoire de la musique néo-zélandaise débute avec le *waiata* (chant) développé par les Maoris après leur arrivée sur le territoire. Ceux-ci utilisaient principalement des instruments à vent en os ou en bois, en particulier le *nguru* ("flûte nasale"), et marquaient le rythme en se frappant la poitrine et les cuisses. Aujourd'hui, les concours de *kapa haka* (spectacles de danse et de chant) constituent la meilleure occasion de découvrir la tradition musicale maorie. Assistez par exemple au Te Matatini National Kapa Haka Festival (www.tematatini.co.nz), lequel se tient, en mars de chaque année impaire, dans des lieux différents (Kahungunu, à Hawke's Bay, en 2017). Du même genre, le Pasifika Festival d'Auckland (www.aucklandnz.com/pasifika) représente toutes les îles du Pacifique. Il permet de découvrir la musique polynésienne sous ses formes traditionnelles, mais aussi modernes : hip-hop, percussions des îles Cook, ukulele, guitare slide...

Musique classique et opéra

Les genres musicaux introduits en Nouvelle-Zélande par les premiers immigrants européens donnèrent naissance, au début du XXe siècle, à des variantes locales. Dans les années 1950, Douglas Lilburn devint l'un des premiers compositeurs kiwis de musique classique à jouir d'une reconnaissance internationale. Le pays a produit depuis bon nombre d'artistes de renom, dont la chanteuse d'opéra Kiri Te Kanawa, la diva pop Hayley Westenra, le compositeur John Psathas (auteur de l'hymne des Jeux olympiques 2004), et le compositeur et percussionniste Gareth Farr (qui se produit aussi en travesti sous le pseudonyme de Lilith Lacroix).

Rock

La Nouvelle-Zélande possède une scène rock dynamique, d'où émergent le duo Finn Brothers et le label indépendant Flying Nun, fondé en 1981 par Roger Shepherd, un disquaire de Christchurch. Beaucoup des premiers groupes produits par Flying Nun venaient de Dunedin, dont les musiciens bricolaient des enregistrements encensés par des magazines tels que *NME* en Angleterre et *Rolling Stone* aux États-Unis.

Nombre d'artistes de cette maison de disques, parmi lesquels David Kilgour (Clean) et Shayne Carter (Straitjacket Fits, puis Dimmer and the Adults), se produisent encore en concert. The Bats continue de sortir des albums et The Chills, le groupe de Martin Phillipps, a fait son retour en 2015 avec *Silver Bullets*.

L'art maori traditionnel

Le style et les thèmes caractéristiques de l'art ancestral des Maoris ont été adoptés par des artistes néo-zélandais de toutes origines. En peinture, citons l'œuvre abstraite de Gordon Walters (1919-1995) et l'approche pop art plus controversée de la série *Tiki* de Dick Frizzell (né en 1943). L'influence des îles du Pacifique se manifeste également, en particulier à Auckland. Élevé dans cette ville mais originaire de Niué, l'artiste et écrivain John Pule (né en 1962) en est un bon exemple.

Reggae, hip-hop et dance

Le reggae et le hip-hop ont été les genres musicaux adoptés avec le plus d'enthousiasme par les Maoris et les Néo-Zélandais d'origine polynésienne, respectivement à partir des années 1970 et 1980.

À Wellington, l'influence du reggae sur une scène jazz florissante a donné une foule de groupes mêlant dub, roots et funk, dont Fat Freddy's Drop est le principal représentant.

Le hip-hop local a pour fief la banlieue de South Auckland, qui abrite aussi Dawn Raid, son plus grand label. Celui-ci peut se targuer d'avoir produit Savage, qui a vendu un million d'exemplaires de son single *Swing*, popularisé par la bande-son du film américain *En cloque, mode d'emploi* (2007). À l'échelon national, les musiciens de hip-hop les plus connus sont Scribe, Che Fu et Smashproof, dont la chanson *Brother* a été numéro un du hit-parade national plus longtemps que n'importe quel autre titre néo-zélandais.

La dance s'est imposée à Christchurch dans les années 1990, notamment avec le groupe de dub/électro Salmonella Dub et son ancien membre Tiki Taane. Dans le domaine du drum and bass, toujours populaire, Concord Dawn et Shapeshifter se distinguent au-delà des frontières du pays.

Musiques actuelles

En 2000, le gouvernement a convaincu les stations de radio commerciales de diffuser de bon gré 20% de musique néo-zélandaise, ce qui a valu à celle-ci un regain de vitalité. Des groupes de rock tels que Shihad, The Feelers et Op-shop en ont ainsi tiré parti, de même que plusieurs musiciennes, toutes d'origine maorie : Bic Runga, Anika Moa et Brooke Fraser (fille du All Black Bernie Fraser). Deux formations de rock garage, The Datsuns et The D4, y ont même gagné une notoriété internationale.

Actuellement, Kimbra (qui a chanté en duo avec Gotye le tube *Somebody That I Used To Know*), The Naked & Famous (rock indé), la talentueuse chanteuse-compositrice Ladyhawke, Lawrence Arabia (indie pop) et Unknown Mortal Orchestra (rock psychédélique) se font aussi connaître à l'étranger.

Le plus grand succès récent, à l'international, de la musique kiwi a cependant été celui de Lorde, chanteuse-compositrice dont le titre *Royals* a occupé la première place du hit-parade américain en 2013. La chanteuse de R&B Aaradhna a également fait un carton avec *Treble & Reverb*, album de l'année aux New Zealand Music Awards la même année. En 2015, les awards ont été dominés par le duo Broods, frère et sœur originaires de Nelson, et par Marlon Williams, chanteur de Christchurch aux accents de Jeff Buckley.

Domaine skiable de Coronet Peak, près de Queenstown

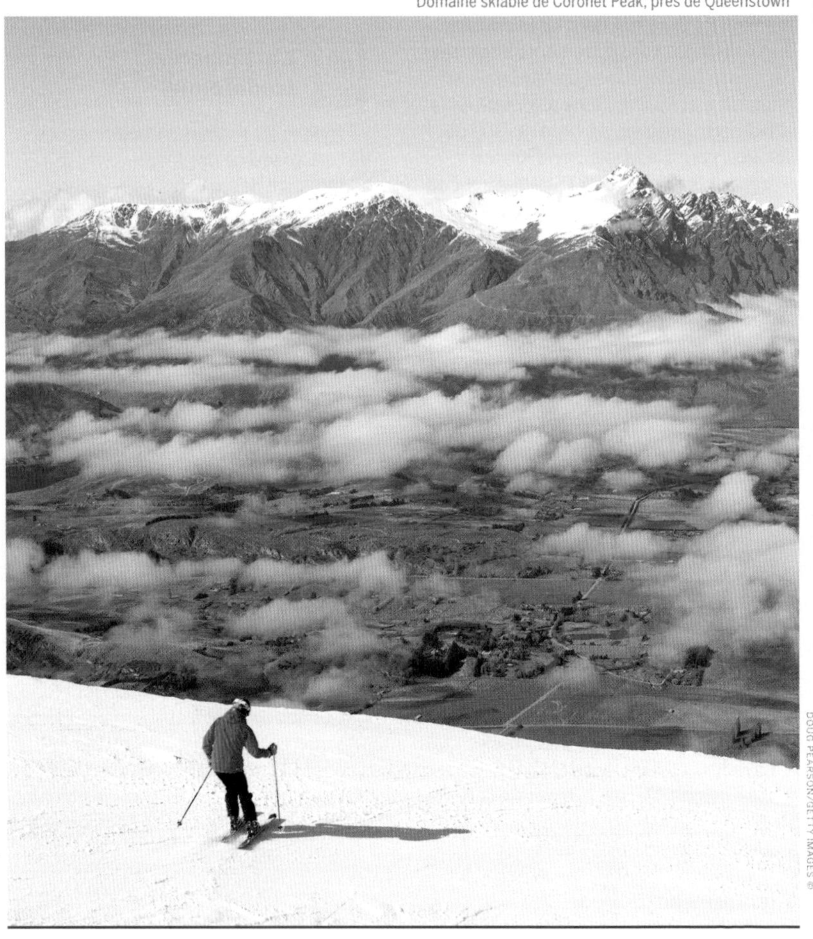

DOUG PEARSON/GETTY IMAGES ©

Carnet pratique

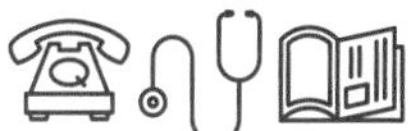

Infos utiles

Alimentation

Dans les restaurants haut de gamme, réservez aussi longtemps à l'avance que possible.

Cafés Café torréfié sur place par des baristas experts, service du petit-déjeuner au déjeuner, et bon accueil des familles avec enfants.

Pubs et bars La plupart proposent aussi à manger, des tapas aux steaks énormes.

Restaurants Ouverts à midi et le soir, ils servent des spécialités des quatre coins du globe. La cuisine néo-zélandaise moderne rime avec haute qualité, produits locaux et plats fusion créatifs.

Supermarchés Présents partout, ils ouvrent souvent jusqu'à 21h.

Vente à emporter *Fish and chips*, kebabs, burgers, etc. Toutes les grandes chaînes de restauration rapide sont représentées, concurrencées toutefois par des enseignes locales de qualité.

Les gammes de prix s'entendent pour le plat de résistance :

$ moins de 15 $
$$ 15-32 $
$$$ plus de 32 $

Ambassades et consulats

Liste des représentations diplomatiques sur www.mfat.govt.nz/en/embassies.

Ambassades et consulats de Nouvelle-Zélande

France (ambassade ☎01 45 01 43 43 ; embassy.nz.fr@gmail.com ; 103 rue de Grenelle, 75007 Paris ; ⏲9h-13h et 14h-17h lun-ven)

Belgique (ambassade ☎02 512 1040 ; nzemb.brussels@mfat.govt.nz ; 9-31 av des Nerviens, 1040 Bruxelles ; ⏲9h-13h et 14h-17h30 lun-ven)

Suisse (consulat ☎022 929 0350 ; mission.nz@bluewin.ch ; 2 chemin des Fins, 1218 Grand-Saconnex, Genève ; ⏲8h30-13h et 14h-17h lun-ven)

Canada (haut-commissariat ☎613 238 5991 ; info@nzhcottawa.org ; 150 Elgin St, Suite 1401, Ottawa, Ontario K2P 1L4 ; ⏲8h30-16h30 lun-ven)

Ambassades et consulats étrangers en Nouvelle-Zélande

France (☎04-384 2555 ; www.ambafrance-nz.org ; 34-42 Manners St, Wellington ; 9h-18h lun-jeu, 9h-16h ven)

Belgique (consulat ☎04-974 9080 ; diplomatie.belgium.be ; PO Box 38324, Wellington)

Suisse (ambassade ☎04-472 1593 ; www.eda.admin.ch/wellington ; Maritime Tower, 10 Customhouse Quay, Wellington ; 7h45-17h05 lun-jeu et 7h45-12h25 ven)

Canada (☎04-473 9577 ; www.nouvelle-zelande.gc.ca ; 125 The Terrace, Wellington ; 8h30-12h30 et 13h30-16h30 lun-ven)

Argent

Les DAB sont très répandus dans les métropoles et les villes moyennes. La plupart des hôtels et des restaurants acceptent les cartes de crédit.

Cartes bancaires

Les cartes de crédit (Visa, MasterCard) sont largement acceptées et presque indispensables pour louer une voiture. Elles permettent d'obtenir des avances auprès des guichets des banques et de retirer aux DAB. Attention, certaines transactions impliquent des frais. Diners Club et American Express sont moins répandues.

Avertissement

Les informations contenues dans ce chapitre sont particulièrement susceptibles de changements. Vérifiez directement auprès de la compagnie aérienne ou de l'agence de voyages les modalités d'utilisation de votre billet d'avion. N'hésitez pas à comparer les prestations. Les détails fournis ici doivent être considérés à titre indicatif et ne remplacent en rien une recherche personnelle attentive.

Toutes les cartes reliées au réseau bancaire international (Cirrus, Maestro, Visa Plus et Eurocard) permettent de retirer de l'argent dans un DAB à l'aide d'un code personnel. Renseignez-vous auprès de votre banque sur la commission appliquée. Sinon, des compagnies comme Travelex proposent des cartes prépayées rechargeables en ligne.

Change

Vous n'aurez aucun mal à changer des devises étrangères (et, dans une moindre mesure, des chèques de voyage) dans les banques de tout le pays ou les bureaux de change agréés, tel Travelex, des grandes villes, des zones touristiques et des aéroports.

DAB et Eftpos

Les agences des principales banques du pays, présentes sur tout le territoire, disposent de DAB mais pas partout (notamment dans les villages).

De très nombreux commerces offrent l'Electronic Funds Transfer at Point Of Sale (Eftpos), permettant de régler vos achats par carte bancaire et, souvent, de retirer des espèces dans le même temps. Disponible quasiment n'importe où, ce système nécessite un code personnel comme les DAB.

Monnaie

La monnaie est le dollar néo-zélandais, divisé en 100 cents. Il existe des pièces de 10 c, 20 c, 50 c, 1 $ et 2 $, et des billets de 5 $, 10 $, 20 $, 50 $ et 100 $. Les prix sont souvent affichés au cent près, mais arrondis à la dizaine la plus proche pour les paiements en espèces.

Pourboire

Pas obligatoire au restaurant, mais laissez 5 à 10% de la note si vous êtes satisfait du service. Notez que le service est parfois en sus.

Taxes et remboursements

La GST (Goods and Services Tax) est une taxe fixe de 15% applicable à tous les produits et services. Les tarifs mentionnés dans ce guide incluent la GST. Aucune détaxe ne s'applique au départ de Nouvelle-Zélande.

Assurance

- Il est conseillé de souscrire une police d'assurance qui vous couvrira en cas d'annulation de votre voyage, de vol, de perte de vos affaires, de maladie ou encore d'accident. Vérifiez notamment que les "sports à risques" – saut à l'élastique, rafting, ski, plongée ou même randonnée – ne sont pas exclus de votre contrat.
- La législation du pays ne permet pas d'engager des poursuites au titre du préjudice physique (sauf pour l'obtention de dommages et intérêts exemplaires). En revanche, l'Accident Compensation Corporation (www.acc.co.nz) gère un fonds de compensation garantissant une assurance accidents corporels à toutes les personnes résidant ou voyageant en Nouvelle-Zélande, quels que soient les torts. Cela ne vous affranchit pas toutefois d'une assurance voyage complète car elle ne couvre pas la perte de revenu, le traitement chez vous ou une maladie en cours.
- Privilégiez une assurance indemnisant directement médecins et hôpitaux. Pour une demande de remboursement à votre retour, conservez les documents. Vérifiez enfin que votre police couvre les frais d'ambulance et d'évacuation d'urgence par voie aérienne.

Cartes

Les bureaux locaux de l'**Automobile Association** (AA; ☎0800 500 444; www.aatravel.co.nz) de Nouvelle-Zélande éditent d'excellentes cartes des villes, régions, îles, routes, etc. L'AA produit aussi le *New Zealand Road*

Atlas détaillé. Autrement, des atlas routiers Hema, KiwiMaps et Wises sont disponibles dans les offices du tourisme et les librairies.

Land Information New Zealand (www.linz.govt.nz) publie plusieurs séries complètes de cartes (rues, parcs nationaux, forêts, randonnée...). Pour les cartes topographiques, adressez-vous à une grande librairie, au bureau du DOC ou à l'office du tourisme le plus proche.

Les sites AA Maps (www.maps.aa.co.nz) et Wises (www.wises.co.nz) permettent de localiser avec précision des adresses en Nouvelle-Zélande.

Cartes de réduction

Valable dans le monde entier, la **Carte d'étudiant internationale Isic** (www.isic.fr) offre aux jeunes collégiens, lycéens et étudiants des réductions sur l'hébergement, les transports et les entrées sur les sites. Il existe aussi une carte jeune internationale (IYTC) réservée aux 12-26 ans non scolarisés, aux avantages équivalents. Elles valent 13 € chacune (dont 1 € de frais d'envoi). Sinon adressez-vous à une agence de voyages pour étudiants telle que **STA Travel** (www.statravel.fr).

Pour 35 $, la **New Zealand Card** (www.newzealandcard.com) offre des réductions sur un ensemble d'hébergements, de circuits, d'activités et de sites touristiques.

Les voyageurs de plus de 60 ans ont souvent accès à des tarifs réduits (papier d'identité ou carte senior à présenter).

Climat

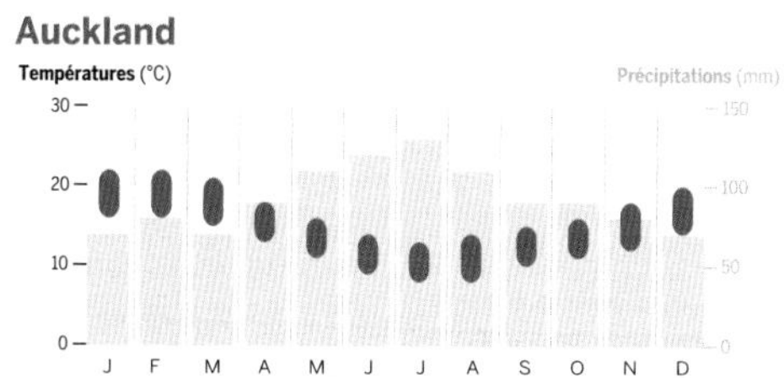

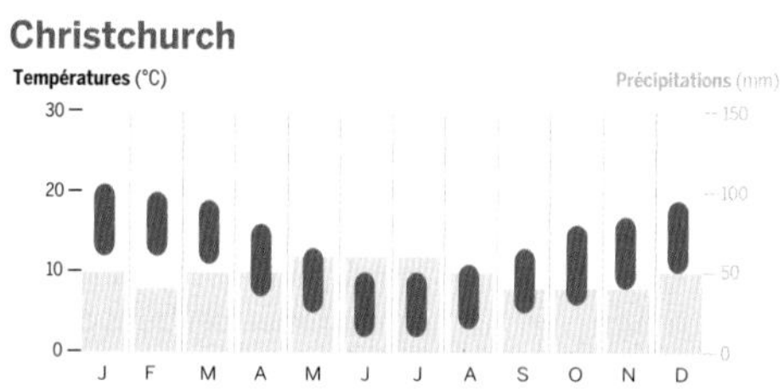

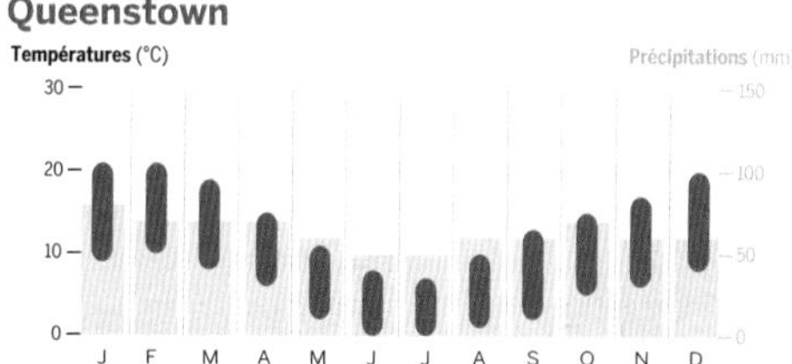

Douane

Pour savoir ce qu'il est permis ou interdit d'importer en Nouvelle-Zélande, consultez le site du Service des douanes néo-zélandaises (www.customs.govt.nz).

Voici les limites fixées par personne :

- 1125 ml d'alcool ou de spiritueux
- 4,5 l de vin ou de bière
- 50 cigares ou 50 g de tabac
- une valeur maximale de 700 $ pour les produits soumis à des droits de douane.

Mieux vaut déclarer les médicaments peu ordinaires. Le matériel de randonnée et de camping (chaussures, tentes, etc.) fait l'objet d'un contrôle et doit parfois avoir été nettoyé. La déclaration s'impose aussi pour les produits d'origine végétale ou animale (objets en bois inclus !) et toute forme de nourriture.

Armes (blanches ou de poing) sont interdites ou nécessitent un permis et un test de sécurité. Ne prenez pas ces réglementations à la légère car les contrevenants encourent des amendes très élevées.

Électricité

Les branchements électriques (230 V/50 Hz) utilisent des prises à trois plots (les mêmes qu'en Australie).

230-240 V/50 Hz

Formalités et visas

Les formulaires de demande de visa sont disponibles auprès des représentations diplomatiques néo-zélandaises, des agences de voyages ou par **Immigration New Zealand** (☎09-914 4100, 0508 558 855 ; www.immigration.govt.nz) qui possède plus d'une douzaine de bureaux à l'étranger.

Avant le départ, il est impératif de contacter les ambassades et les consulats pour s'assurer que les modalités d'entrée sur le territoire n'ont pas changé.

Nous vous conseillons de photocopier ou de scanner tous vos documents importants (pages d'introduction de votre passeport, cartes bancaires, numéros de chèques de voyage, police d'assurance, billets de train/avion/bus, permis de conduire, etc.). Vous remplacerez ainsi plus aisément ces documents en cas de perte ou de vol.

Visa touristique

Pour les ressortissants français, belges, suisses et canadiens, un passeport en cours de validité et valable au moins 3 mois après la date d'entrée suffit pour un séjour de moins de 3 mois, accompagné d'un billet retour et de la preuve de fonds suffisants pour financer le séjour (1 000 $NZ/mois ou 400 $NZ/mois si vous êtes déjà hébergé).

Les ressortissants de 59 autres pays n'ont pas besoin de visa pour un séjour inférieur à 3 mois, aux conditions décrites ci-dessus.

Ceux des pays sans accords de ce type avec la Nouvelle-Zélande doivent être munis d'un visa. Valable jusqu'à 9 mois sur une période de 18 mois, ce dernier coûte entre 170 et 220 $ suivant l'endroit où on le demande. Plus de détails sur www.immigration.govt.nz.

Visa de travail

Il est illégal de travailler en Nouvelle-Zélande avec un visa de tourisme, hormis pour les Australiens. Si vous comptez chercher du travail en Nouvelle-Zélande ou avez déjà une promesse d'embauche, vous devez obtenir un visa de travail qui se transformera en permis de travail, valable 3 ans une fois sur place. Vous pouvez solliciter un permis de travail après votre arrivée, mais sa validité sera rétroactive. Pour les ressortissants français, un visa de travail coûte 180 à 240 € en fonction du type de visa.

Visa "vacances-travail"

Les ressortissants français, belges et canadiens âgés de 18 à 30 ans peuvent faire la demande d'un visa "vacances-travail" (*Working Holiday Visa* ; 90 €) afin de séjourner en Nouvelle-Zélande tout en subvenant à leurs besoins. Une autorisation de travail de 12 mois est délivrée par le service de l'immigration à l'arrivée dans le pays.

Bien que non rémunéré, le "wwoofing" est considéré en Nouvelle-Zélande comme un travail. Il est donc impératif de disposer d'un visa de travail, du type "visa vacances-travail".

Handicapés

L'accessibilité aux lieux d'hébergement est assez bonne en Nouvelle-Zélande. Un nombre significatif d'auberges de jeunesse, hôtels, motels et B&B possèdent des chambres destinées aux voyageurs à mobilité réduite. Bien des sites touristiques sont accessibles et mettent souvent un fauteuil roulant à disposition. Dans la plupart des grandes villes, il existe des tour-opérateurs pourvus de véhicules adaptés, des bus à plancher surbaissé et des taxis aménagés. Les grands loueurs de voitures (Avis, Hertz...) proposent sans supplément (mais sur réservation) un véhicule à commandes manuelles. Air New Zealand est également bien équipée pour accueillir les passagers en fauteuil roulant.

Activités

Le Department of Conservation entretient de nombreux sentiers praticables en fauteuil roulant (*"easy access short walks"*), notamment le Cape Reinga Lighthouse Walk et le Milford Foreshore Walk.

Si vous préférez les sports d'hiver, consultez le www.disabledsnowsports.org.nz.

Sites Internet

Blind Foundation (www.blindfoundation.org.nz)

Mobility Parking (www.mobilityparking.org.nz). Infos sur les "Mobility Parking Permits" (permis de stationnement sur les places réservées) et possibilité d'y souscrire en ligne.

National Foundation for the Deaf (www.nfd.org.nz)

Weka (www.weka.net.nz). Bons renseignements généralistes, y compris sur les transports et les voyages.

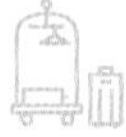

Hébergement

Réservez bien à l'avance si vous voyagez en haute saison, c'est-à-dire durant les vacances d'été de Noël à fin janvier, à Pâques mais aussi en hiver dans les villes de ski comme Queenstown et Wanaka.

Parcs de vacances Un bon choix pour ceux qui campent ou se déplacent en camping-car. Nombreuses, les options vont des emplacements de tente sans électricité aux bungalows familiaux avec salle de bains.

Auberges de jeunesse À côté des établissements à l'ambiance festive et arrosée pour jeunes routards, il existe des adresses plus chics et familiales destinées aux *"flashpackers"*.

Hôtels La Nouvelle-Zélande décline toute une gamme d'hôtels, des pubs villageois aux chaînes internationales pratiquant des prix en rapport.

Motels Des petits motels corrects de catégorie moyenne se tiennent à la périphérie de la plupart des villes.

Les tarifs sont généralement entre 20% et 25% plus chers à Auckland, Wellington et Christchurch. Si l'on peut trouver des doubles économiques à 120 $, comptez 120-250 $ dans la catégorie moyenne et plus 250 $ dans la catégorie supérieure.

B&B

Les B&B de standing très divers, du bungalow au manoir, fleurissent au cœur des villes, dans les localités rurales et sur les portions de côte isolées.

Le petit-déjeuner peut-être "continental" (céréales, toasts et thé ou café), "continental copieux" (avec en plus yaourt, fruit, pain maison ou muffins) ou composé de plats substantiels (œufs, bacon, saucisses...). Certains B&B préparent aussi à manger le soir et proposent des formules dîner, lit et petit-déjeuner (DB&B).

Une double revient habituellement entre 120 et 200 $, mais peut parfois dépasser les 300 $. Dans les grandes villes, les B&B disposent souvent de places de parking.

Campings et parcs de vacances

Campeurs et conducteurs de camping-cars plébiscitent les parcs de vacances (*"holiday parks"*) très populaires du pays. Ces derniers comportent des emplacements avec/sans électricité, des dortoirs bon marché, des bungalows et des logements indépendants (souvent appelés motels ou *tourist flats*). S'y ajoutent souvent des cuisines communes bien équipées, ainsi que des coins repas, jeux et TV. Dans les grands centres urbains, ces parcs se situent généralement assez loin en périphérie. Dans les villes moins importantes, ils peuvent être très centraux ou à proximité de lacs, plages, rivières et forêts.

L'emplacement coûte en moyenne 15-20 $/nuit pour un adulte, moitié prix pour un enfant. Avec un branchement électrique, comptez quelques dollars de plus. La double dans un bungalow/logement indépendant s'élève entre 70 et 120 $. Sauf mention contraire, les tarifs de ce guide valent pour 2 personnes.

Pratique

- **DVD** Les DVD néo-zélandais sont encodés pour la zone 4, qui comprend le Mexique, l'Amérique du Sud, l'Amérique centrale, l'Australie, le Pacifique et les Caraïbes.
- **Presse** Parmi les journaux en anglais, citons le *New Zealand Herald* d'Auckland, le *Dominion Post* de Wellington et le *Press* de Christchurch. Consultez les sites www.nzherald.co.nz et www.stuff.co.nz.
- **Radio** Radio New Zealand (www.radionz.co.nz) diffuse des informations ainsi que de la musique classique et du jazz. Radio Hauraki (www.hauraki.co.nz) passe du rock.
- **Télévision** Il existe plusieurs chaînes publiques : TV One, TV2, Maori TV et Te Reo (entièrement en maori). S'y ajoute le bouquet de chaînes payantes de Sky TV (www.skytv.co.nz). La chaîne en langue française TV5 Monde est accessible sur Internet *via* www.tv5.org.
- **Poids et mesures** La Nouvelle-Zélande utilise le système métrique pour les poids et les mesures.

Maisons de vacances

Les Kiwis appellent *"bach"* (diminutif de *bachelor*, célibataire, car ils étaient à l'origine utilisés comme abris de chasse ou de pêche par des hommes seuls), ou "crib" dans l'Otago et le Southland, un type de maison de vacances sommaire qu'on peut louer en zone rurale et sur la côte, souvent dans des endroits isolés. Attendez-vous à payer 80-150 $ la nuit, ce qui reste raisonnable pour un logement entier. Si vous montez en gamme, comptez plutôt 150-400 $.

Quelques sites sérieux :

- www.bookabach.co.nz
- www.holidayhouses.co.nz
- www.nzapartments.co.nz

Pubs, hôtels et motels

Les vieux pubs parsemant le pays constituent la forme d'hébergement la moins chère du marché. Certains ne manquent pas de cachet, d'autres sont délabrés et peu fréquentables, en particulier pour les femmes seules. Dans les pubs les plus modestes, une chambre simple/double vous reviendra à 30/60 $ (avec salle de bains partagée), mais comptez plutôt 50/80 $ en moyenne.

Au contraire, les chaînes internationales cinq étoiles, les complexes hôteliers et les hôtels de charme font payer au prix fort leur confort, leurs services haut de gamme et/ou leur caractère historique.

Les villes regorgent enfin de motels et de *motor lodges* quelconques qui facturent 80-160 $ la double. Ils se dressent le plus souvent en bord de route, à la périphérie urbaine. Relativement modernes (la décoration respire habituellement les années 2000), les services proposés sont, de l'un à l'autre, sensiblement les mêmes : bouilloire pour le thé et le café, réfrigérateur et télé. Prix fluctuant selon le standing.

Séjour à la ferme

Les gîtes ruraux permettent de découvrir la Nouvelle-Zélande agricole, les hôtes étant encouragés à participer aux tâches quotidiennes dans les vergers, les fermes laitières et les élevages de moutons ou de bovins. Vous débourserez entre 80 et 140 $. Certaines exploitations possèdent des cottages séparés où l'on peut préparer à manger soi-même. D'autres offrent un hébergement collectif à bas prix de type *backpacker*.

Farm Helpers in NZ (www.fhinz.co.nz). Sa brochure (25 $) répertorie quelque 350 fermes néo-zélandaises qui assurent le logement en échange de 4 à 6 heures de travail par jour.

Rural Holidays NZ (www.ruralholidays.co.nz). Liste de gîtes ruraux et de chambres chez l'habitant à travers tout le pays.

Services de réservation

Les offices du tourisme locaux renseignent au sujet de l'hébergement, parfois sous forme de brochures détaillant équipements et tarifs. Beaucoup se chargent aussi des réservations.

Lonely Planet (www.lonelyplanet.com/new-zealand/hotels). Tous les lieux où loger en Nouvelle-Zélande, des auberges de jeunesse aux hôtels.

Automobile Association (www.aa.co.nz). Système de réservation en ligne, particulièrement valable pour les motels, les B&B et les parcs de vacances.

Bed & Breakfast New Zealand (www.bed-and-breakfast.co.nz). B&B et logements indépendants.

Book a Bach (www.bookabach.co.nz). Appartements et maisons de vacances.

Holiday Houses (www.holidayhouses.co.nz). Maisons de vacances dans tout le pays.

Jasons (www.jasons.com). Vieille institution proposant quantité d'options à réserver en ligne.

New Zealand Apartments (www.nzapartments.co.nz). Appartements à louer haut de gamme de toute taille.

New Zealand Bed & Breakfast (www.bnb.co.nz). B&B.

Rural Holidays NZ (www.ruralholidays.co.nz). Gîtes ruraux et logements chez l'habitant partout en Nouvelle-Zélande.

Heure locale

La Nouvelle-Zélande a 12 heures d'avance sur l'heure GMT/UTC. Les îles Chatham ont 45 minutes d'avance sur les îles principales de la Nouvelle-Zélande. Quand il est 12h à Paris, il est 23h à Wellington.

Elle adopte l'heure d'été et avance les pendules d'une heure du dernier dimanche de septembre au premier dimanche d'avril.

Heures d'ouverture

Les horaires variant selon la saison et la région (Dunedin, par exemple, est calme en hiver), considérez ceux qui suivent à titre général. La majorité des sites touristiques ferment le jour de Noël et le vendredi de Pâques.

Banques 9h30-16h30 lun-ven, et 9h-12h sam pour certaines agences en ville.

Boutiques et services 9h-17h30 lun-ven, 9h-12h30 ou 17h sam.

Cafés 7h-16h

Poste 8h30-17h lun-ven et 9h30-13h sam pour les bureaux importants.

Pubs et bars 12h-tard.

Restaurants 12h-14h30 et 18h30-21h

Supermarchés 8h-19h ou 21h (ou plus tard) en ville.

Homosexualité

Le tourisme gay et lesbien n'est pas aussi développé en Nouvelle-Zélande que chez son voisin australien, mais Auckland et Wellington n'en comptent pas moins une importante communauté homosexuelle et on trouve quantité d'associations sur les deux îles. Des lois progressistes protègent les droits de la communauté LGBT : le mariage homosexuel a été légalisé en 2013, dans un pays où la majorité sexuelle a été fixée pour tous à 16 ans. En règle générale, les Néo-Zélandais se montrent assez tolérants envers les homosexuels, mais l'homophobie n'est pas inexistante. Dans les zones rurales, souvent plus conservatrices, les démonstrations d'affection en public peuvent déranger.

Fêtes et festivals

Auckland Pride Festival (www.aucklandpridefestival.org.nz). Plus de deux semaines de festivités arc-en-ciel en février.

Big Gay Out (www.loveyourcondom.co.nz). Concerts et autres événements gratuits à Auckland en février.

Gay Ski Week (www.gayskiweekqt.com). Festival des sports d'hiver à Queenstown en août-septembre.

Out Takes (www.outtakes.org.nz). Festival du film gay et lesbien à Auckland et Wellington en mai-juin.

Sites Internet

Parmi les nombreux sites consacrés aux voyageurs homosexuels en Nouvelle-Zélande, Gay Tourism New Zealand (www.gaytourismnewzealand.com), qui comporte de nombreux liens vers d'autres sites, est une bonne base de départ. Quelques autres adresses :

- www.gaynz.com
- www.gaynz.net.nz
- www.lesbian.net.nz
- www.gaystay.co.nz

Pour connaître l'actualité gay en Nouvelle-Zélande, consultez les magazines nationaux comme *Express* (www.gayexpress.co.nz), un mensuel.

Internet (accès)

On accède à Internet partout en Nouvelle-Zélande, sauf dans les endroits les plus reculés. Nous indiquons par des pictogrammes la disponibilité du Wi-Fi ou d'ordinateurs connectés.

Wi-Fi et fournisseurs d'accès Internet

Wi-fi Des hébergements aux *beer gardens* des pubs, le Wi-Fi est très répandu, mais il faut habituellement être client de l'établissement pour pouvoir l'utiliser avec un code d'accès. Il arrive que ce service soit payant.

Hotspots Le principal opérateur du pays, Telecom New Zealand (spark.co.nz), a des bornes d'accès sur tout le territoire, accessibles *via* une carte prépayée. Vous pourrez aussi utiliser votre carte bancaire depuis la page d'accueil de n'importe quel point d'accès. Bornes répertoriées sur Internet.

Équipement et FAI Si vous êtes équipé d'une tablette ou d'un ordinateur portable, il existe des modems USB prépayés ("dongle") avec cartes SIM locales. Telecom et Vodafone (www.vodafone.co.nz) vendent cet accessoire environ 100 $.

Si vous voulez vous connecter via un fournisseur d'accès Internet local, voici deux options :

Clearnet (☎0508 888 800 ; www.clearnet.co.nz). Affilié à Vodafone.

Earthlight (☎03-479 0303 ; www.earthlight.co.nz)

Slingshot (☎0800 892 000 ; www.slingshot.co.nz)

Jours fériés

Nouvel An 1er et 2 janvier

Waitangi Day 6 février

Pâques Vendredi saint et lundi de Pâques en mars/avril

Anzac Day 25 avril

Queen's Birthday Anniversaire de la reine, 1er lundi de juin

Labour Day Fête du Travail, 4e lundi d'octobre

Noël 25 décembre

Boxing Day 26 décembre

Chaque province a aussi son jour de fête. Lorsque celui-ci tombe entre un vendredi et un dimanche, c'est le lundi suivant qui est férié. Si c'est entre un mardi et un jeudi, le jour férié sera le lundi précédent :

Southland 17 janvier

Wellington 22 janvier

Auckland 29 janvier

Northland 29 janvier

Nelson 1er février

Otago 23 mars

Taranaki 31 mars

South Canterbury 25 septembre

Hawke's Bay 1er novembre

Marlborough 1er novembre

Îles Chatham 30 novembre

Westland 1er décembre

Canterbury 16 décembre

Vacances scolaires

Les vacances de Noël, de mi-décembre à fin janvier, coïncident avec celles des vacances d'été : les transports et les hébergements sont alors vite complets et les sites touristiques plus fréquentés. Trois périodes de congés plus courtes ponctuent aussi l'année scolaire : la deuxième quinzaine d'avril et de septembre ainsi que la première quinzaine de juillet. Dates exactes sur le site du ministère de l'Éducation (www.education.govt.nz).

Offices du tourisme

Site officiel du tourisme national, Tourism New Zealand (www.newzealand.com) est l'endroit idéal pour se renseigner avant de partir. Affichant fièrement le populaire slogan 100% Pure New Zealand, ce site dispose d'informations dans plusieurs langues, notamment en français.

En Nouvelle-Zélande

Presque toutes les villes et localités disposent d'un centre d'information touristique. Les plus importants d'entre eux sont réunis au sein d'un remarquable réseau (www.newzealand.com/int/visitor-information-centre), comptant 80 offices du tourisme affiliés à Tourism New Zealand. Les i-SITE sont dotés d'un personnel compétent et regorgent de dépliants, de plans et d'informations sur les activités et curiosités locales. Le personnel peut aider à réserver activités, transport et hébergement.

Sachez toutefois que certaines antennes font uniquement la promotion des hébergements et tour-opérateurs qui adhèrent moyennant finance aux associations de tourisme locales, et que le personnel n'est parfois pas censé recommander un prestataire plutôt qu'un autre. Situées dans les parcs nationaux, les principaux centres régionaux et les grandes villes, les antennes du DOC (www.doc.govt.nz) accompagnent le visiteur dans ses choix et réservations. Elles accueillent généralement aussi des expositions sur le folklore, la flore, la faune et la biodiversité locales.

Problèmes juridiques

Si le cannabis est largement toléré, il demeure illégal. Quiconque est pris en possession de cette drogue ou d'une autre s'expose à de lourdes sanctions.

Conduire en état d'ébriété est une infraction grave et reste un problème important en Nouvelle-Zélande. Le taux d'alcoolémie autorisé est de 0,05/0% pour les conducteurs de plus/moins de 20 ans.

Si vous êtes arrêté, vous avez le droit d'exiger la présence d'un avocat avant d'être interrogé.

Santé

Exempte de maladies de type paludisme ou typhoïde, la Nouvelle-Zélande est l'un des pays présentant le moins de risques sanitaires pour les voyageurs. Serpents venimeux et autres animaux dangereux y sont également inexistants, ce qui facilite largement les activités en plein air, dont la pratique se révèle moins risquée qu'en Australie.

Avant de partir

Assurance santé

Les soins médicaux dispensés en Nouvelle-Zélande s'avèrent d'excellente qualité et d'un prix raisonnable, mais les frais peuvent vite s'additionner et un rapatriement être onéreux.

Si votre assurance ne couvre pas les dépenses de santé à l'étranger, mieux vaut en souscrire une spécifique. Renseignez-vous pour savoir si elle paye directement les prestataires ou vous rembourse plus tard.

Médicaments

Apportez les médicaments dans leur emballage d'origine, clairement étiqueté. Une lettre de votre médecin, datée et signée, indiquant votre pathologie et la prescription est recommandée (faites préciser le nom générique des produits et, le cas échéant, les seringues et aiguilles nécessaires).

Vaccins

Aucun vaccin n'est obligatoire pour entrer en Nouvelle-Zélande. L'Organisation mondiale de la santé recommande néanmoins à tous les voyageurs, quelle que soit leur destination, certains vaccins (DTP, rougeole, oreillons, rubéole, varicelle et hépatite B). Demandez à votre médecin de les inscrire sur un Certificat international de vaccination (ou "livret jaune").

En Nouvelle-Zélande

Affections liées à l'environnement

Si la Nouvelle-Zélande n'abrite guère d'animaux dangereux, l'hypothermie et la noyade constituent de vrais risques.

Hypothermie

L'hypothermie représente une menace, toute l'année en altitude et surtout l'hiver ailleurs. Les chaînes de montagnes et/ou les vents forts peuvent en être la cause, même à des températures modérées. Elle se manifeste d'abord par une difficulté à accomplir des gestes précis (boutonner un vêtement, par exemple), des frissons, des problèmes d'élocution et une perte d'équilibre.

Pour éviter la déperdition de chaleur, changez les habits mouillés pour des secs, ajoutez des vêtements imperméables et coupe-vent, et consommez de l'eau et des féculents. L'arrêt des frissons indique un cas sévère nécessitant une évacuation d'urgence en plus des mesures précédentes.

Noyade

La Nouvelle-Zélande possède des plages de surf exceptionnelles. La puissance des vagues fluctue en fonction de la pente variable du fond : les courants sous-marins et les contre-courants sont fréquents et provoquent des noyades. Avant de vous mettre à l'eau, consultez les organisations de sauvetage et soyez conscient de vos limites.

Disponibilité et coût des soins médicaux

Les hôpitaux publics prodiguent une assistance médicale de qualité (gratuite pour les résidents). Tous les voyageurs sont couverts en cas d'accidents en Nouvelle-Zélande (accidents de voiture, sports extrêmes ou autres) par l'Accident Compensation Corporation (www.acc.co.nz). Les coûts de traitement d'une maladie contractée pendant votre voyage seront couverts par votre assurance de voyage. Pour plus de détails, consultez www.health.govt.nz.

Healthline est une assistance téléphonique gratuite et accessible 24h/24 (☎0800 611 116) offrant de bons conseils dans tout le pays.

Eau du robinet

La Nouvelle-Zélande applique des normes strictes en matière d'eau potable et celle du robinet est sûre dans tout le pays.

Maladies infectieuses

Outre les maladies sexuellement transmissibles (prenez les précautions d'usage), la giardiase sévit en Nouvelle-Zélande.

Giardiase

Le parasite (giardia) à l'origine de cette maladie est très répandu dans les lacs et rivières de Nouvelle-Zélande, dont nous vous déconseillons de boire l'eau sans la filtrer, la faire bouillir ou la traiter à l'aide de comprimés d'iode. La giardiase se traduit par des diarrhées intermittentes, un gonflement abdominal et des gaz. Un traitement efficace – tinidazole ou métronidazole – existe.

Médicaments

Les pharmacies privées délivrent un certain nombre de médicaments sans ordonnance : antidouleurs, antihistaminiques, produits dermatologiques et crèmes solaires. D'autres, dont les antibiotiques et la pilule contraceptive, nécessitent la prescription d'un généraliste. Si vous suivez un traitement régulier, prévoyez la quantité ad hoc et faites-vous indiquer les noms génériques car les marques diffèrent d'un pays à l'autre.

Sécurité

La Nouvelle-Zélande n'est pas plus dangereuse que d'autres pays développés, mais des actes de violence s'y produisent néanmoins. Soyez prudent dans les rues et les endroits reculés après la nuit tombée.

- Les voyageurs éviteront de laisser dans leur voiture des objets de valeur, quel que soit le lieu de stationnement.
- Ne sous-estimez pas les dangers du climat, surtout en haute montagne (risque d'hypothermie).
- Creux et courants peuvent emporter les nageurs au large : tenez compte des mises en garde sur place.
- Les touristes le nez sur la carte, les camping-cars dans les virages et les moutons qui traversent sans crier gare rendent souvent les routes périlleuses.
- La piqûre de la mouche des sables peut gratter pendant des mois. Sur le littoral, badigeonnez-vous de répulsif, même si vous n'y restez que peu de temps.

Téléphone

Principaux opérateurs :

2 Degrees (www.2degreesmobile.co.nz). Téléphonie mobile.

Skinny Mobile (www.skinny.co.nz). Téléphonie mobile.

Spark New Zealand (www.spark.co.nz). La grande compagnie nationale, également impliquée dans le réseau mobile.

Vodafone (www.vodafone.co.nz). Téléphonie mobile.

Appels internationaux

Les cabines téléphoniques permettent d'appeler l'étranger mais le coût et les indicatifs varient en fonction du réseau qui les gère.

Pour appeler l'étranger depuis la Nouvelle-Zélande, composez le ☎00, puis l'indicatif du pays (33 pour la France, 32 pour la Belgique, 41 pour la Suisse et 1 pour le Canada) et de la région (sans le zéro initial). Pour Paris, on composera ainsi le ☎00-33-1, suivi du numéro du correspondant.

Pour appeler la Nouvelle-Zélande depuis l'étranger, on composera le ☎64, suivi par le code régional sans le zéro initial.

Appels locaux

Depuis un poste fixe, les appels locaux sont gratuits. Depuis une cabine téléphonique, l'appel est facturé 1 $ pour le premier quart d'heure, puis 0,20 $ par minute. Attention les cabines à pièces sont rares et leur fente souvent bouchée : préférez celles à carte. Appels vers les portables plus coûteux.

Appels longue distance et indicatifs régionaux

Pour les appels longue distance en Nouvelle-Zélande (depuis tout téléphone public), il faut composer un indicatif régional à 2 chiffres. Hormis un appel dans la même ville, cet indicatif est indispensable pour tout appel dans la région.

Cartes téléphoniques

Auberges de jeunesse, bureaux de poste et marchands de journaux proposent une grande variété de cartes téléphoniques à prix fixe (en général 5/10/20/50 $). D'un téléphone public ou privé, il suffit de composer un numéro d'accès gratuit puis le numéro PIN mentionné sur la carte. Le tarif varie d'un opérateur à l'autre.

Renseignements et numéros gratuits

Les numéros débutant par 0900 correspondent en principe à des serveurs vocaux d'information. Facturés 1 $/mn ou plus (davantage depuis un portable), ils ne fonctionnent pas à partir d'une cabine, ni parfois à partir d'une carte de téléphone prépayée.

Les numéros verts commencent par ☎0800

ou ☎0508 et sont gratuits dans tout le pays, quoique pas toujours accessibles depuis certaines régions ou un portable. De l'étranger, il est impossible d'appeler les numéros débutant par ☎0508, ☎0800 ou ☎0900.

Téléphones portables

Les numéros de mobiles néo-zélandais commencent par ☎021, 022 ou 027. La couverture est bonne en ville et presque partout sur l'île du Nord, mais peut être inégale loin des agglomérations sur l'île du Sud.

Si vous voulez utiliser votre téléphone avec une carte SIM locale prépayée, Vodafone (www.vodafone.co.nz) constitue une option pratique. Dans les principales villes, une boutique Vodafone pourra vous fournir une NZ Travel SIM Card et un numéro (à partir de 30 $ environ ; valable 30, 60 ou 90 jours). On recharge son crédit aux kiosques, bureaux de poste et stations-service presque n'importe où.

Sinon, vous pouvez louer un téléphone auprès de Vodafone, qui possède des comptoirs de retrait et de remise dans les aéroports internationaux d'Auckland, Christchurch et Queenstown. Phone Hire New Zealand (www.phonehirenz.com) loue aussi téléphones portables, cartes SIM, modems et GPS.

Toilettes

La Nouvelle-Zélande comporte des W.-C. à l'occidentale. Les toilettes publiques abondent et sont généralement propres, avec des verrous en état de marche et du papier hygiénique en suffisance. Le site www.toiletmap.co.nz indique leur localisation à travers le pays.

Urgences

Le numéro des urgences (ambulance, pompiers, police) est le ☎111.

Voyager en solo

La Nouvelle-Zélande est en principe très sûre pour les voyageuses, mais les précautions d'usage s'imposent. Évitez de marcher tard le soir dans les grandes villes et de faire du stop seule. En ville, ayez toujours de l'argent sur vous pour un taxi. Quoique peu courant ici, le harcèlement sexuel n'est pas inexistant. Reportez-vous au site www.womentravel.co.nz pour en savoir plus.

Transports

Depuis/vers la Nouvelle-Zélande

La Nouvelle-Zélande est éloignée de presque tous les pays du monde et les voyageurs s'y rendent surtout en avion. Vols, voitures de location et circuits peuvent être réservés en ligne sur lonelyplanet.com/bookings.

Entrer en Nouvelle-Zélande

L'arrivée en Nouvelle-Zélande se fait généralement assez simplement, mais vous ne couperez pas aux habituelles formalités douanières. Désormais, l'Advance Passenger Screening procède à la vérification des documents de voyage non plus à l'arrivée en Nouvelle-Zélande, mais avant l'embarquement. Assurez-vous que tous sont en ordre avant l'enregistrement.

Avion

En raison de l'engouement pour le pays et de l'abondance d'activités qu'il propose en toute saison, ses aéroports fourmillent de touristes toute l'année. Si vous voyagez à une période courue (comme Noël), réservez tôt.

La haute saison correspond à l'été (décembre-février) et la basse saison à l'hiver (juin-août), même s'il s'agit toujours d'une période chargée pour les compagnies acheminant les mordus de ski et de poudreuse. Durant la saison intermédiaire (octobre-novembre et mars-avril), les prix baissent un peu.

Aéroports internationaux

Plusieurs aéroports assurent des liaisons internationales, mais celui d'Auckland est le plus fréquenté.

Aéroport international d'Auckland (AKL ; ☎09-275 0789 ; www.aucklandairport.com ; Ray Emery Dr, Mangere)

Aéroport international de Christchurch (CHC ; ☎03-358 5029 ; www.christchurchairport.co.nz ; 30 Durey Rd)

Aéroport international de Dunedin (DUD ; ☎03-486 2879 ; www.dunedinairport.co.nz ; 25 Miller Rd, Momona)

Aéroport de Queenstown (ZQN ; ☎03-450 9031 ; www.queenstownairport.co.nz ; Sir Henry Wrigley Dr, Frankton)

Aéroport de Wellington (WLG ; carte p. 177 ; ☎04-385 5100 ; www.wellingtonairport.co.nz ; Stewart Duff Dr, Rongotai)

Notez que les aéroports de Hamilton, Rotorua et Palmerston North ont la capacité d'accueillir des vols internationaux directs, mais ne le font pas actuellement.

Voyage et changement climatique

Tous les moyens de transport fonctionnant à l'énergie fossile génèrent du CO2 – la principale cause du changement climatique induit par l'homme. L'industrie du voyage est aujourd'hui dépendante des avions. Si ceux-ci ne consomment pas nécessairement plus de carburant par kilomètre et par personne que la plupart des voitures, ils parcourent en revanche des distances bien plus grandes et relâchent quantité de particules et de gaz à effet de serre dans les couches supérieures de l'atmosphère. De nombreux sites Internet utilisent des "compteurs de carbone" permettant aux voyageurs de compenser le niveau des gaz à effet de serre dont ils sont responsables par une contribution financière à des projets respectueux de l'environnement. Lonely Planet "compense" les émissions de tout son personnel et de ses auteurs.

Compagnies desservant la Nouvelle-Zélande

Air New Zealand (www.airnewzealand.co.nz), le transporteur national, couvre l'Europe, l'Amérique du Nord, l'Asie de l'Est, l'Australie et le Pacifique, ainsi qu'un vaste réseau de destinations intérieures.

Virgin Australia (www.virginaustralia.com), **Qantas** (www.qantas.com.au), **Jetstar** (www.jetstar.com) et **Air New Zealand** assurent des vols depuis/vers l'Australie.

Air Canada (www.aircanada.com) et **American Airlines** (www.americanairlines.fr) effectuent des liaisons avec l'Amérique du Nord.

Les Européens ont un peu plus de choix, avec **British Airways** (www.britishairways.com), **Lufthansa** (www.lufthansa.com) et **Virgin Atlantic** (www.virgin-atlantic.com) en compétition, de même que des compagnies faisant escale en Nouvelle-Zélande sur d'autres trajets.

Enfin, il existe de nombreux vols directs au départ de l'Asie (Chine, Japon, Singapour, Malaisie, Thaïlande...) et des îles du Pacifique.

Bateau

Cargo Prendre une couchette à bord d'un bateau de marchandises peut être une façon originale de rallier la Nouvelle-Zélande. Infos sur www.freightercruises.com et www.freighterexpeditions.com.au.

Navire de croisière Si vous souhaitez voyager à un rythme plus lent, nombre de paquebots s'arrêtent en Nouvelle-Zélande dans la partie Pacifique Sud de leurs croisières respectives : essayez P&O Cruises (www.pocruises.com.au).

Bateau de plaisance Il est possible (à défaut d'être simple) de naviguer entre la Nouvelle-

Zélande, l'Australie et les îles du Pacifique sur un bateau de plaisance. Renseignez-vous dans les ports, les marinas, les yacht-clubs et les clubs de voile. La Bay of Islands et Whangarei (tous deux dans le Northland), Auckland et Wellington figurent parmi les ports populaires pour cette activité. Mars et avril sont les meilleurs mois pour les départs vers l'Australie. Depuis les Fidji, octobre-novembre correspond à la haute saison, avant le début des cyclones.

Comment circuler

Avion

Ceux qui sont pressés par le temps pourront profiter d'un réseau étendu, fiable et sûr, reliant les villes de tout le pays.

Compagnies aériennes en Nouvelle-Zélande

Principale compagnie du pays, Air New Zealand couvre la majeure partie du territoire. Elle assure les trajets moins fréquentés via Air New Zealand Link, sous-branche du groupe. Basée en Australie, Jetstar relie les principales agglomérations. Les îles les plus éloignées, comme Great Barrier Island dans le golfe de Hauraki Gulf, Stewart Island et les Chathams, sont desservies par plusieurs petits transporteurs régionaux. Il existe aussi de nombreuses compagnies, non listées ici, effectuant des survols panoramiques ou louant des appareils.

Air Chathams (☎0800 580 127 ; www.airchathams.co.nz). Dessert les Chathams depuis Wellington, Christchurch et Auckland, ainsi que la ligne Auckland-Whakatane.

Air New Zealand (☎0800 737 000 ; www.airnewzealand.co.nz). Plus de 20 destinations domestiques et beaucoup plus vers l'international.

Air2there.com (☎0800 777 000 ; www.air2there.com). Relie de part et d'autre du détroit de Cook des destinations comme Paraparaumu, Wellington, Nelson et Blenheim.

Barrier Air (☎0800 900 600 ; www.barrierair.kiwi). Sillonne le ciel jusqu'à Great Barrier Island, Auckland, Tauranga, Whitianga, Kaitaia et Whangarei.

FlyMySky (☎0800 222 123 ; www.flymysky.co.nz). Assure au moins 3 vols par jour entre Auckland et Great Barrier Island.

Golden Bay Air (☎0800 588 885 ; www.goldenbayair.co.nz). Vols réguliers entre Wellington et Takaka dans Golden Bay. Permet aussi aux randonneurs de la Heaphy Track de rallier Karamea.

Jetstar (☎0800 800 995 ; www.jetstar.com). Relie entre eux les principaux centres touristiques : Auckland, Wellington, Christchurch, Dunedin, Queens-town, Nelson, Napier, New Plymouth et Palmerston North.

Soundsair (☎0800 505 005 ; www.soundsair.com). Fréquents vols quotidiens entre Picton et Wellington. Relie aussi Wellington à Blenheim, Nelson, Westport et Taupo, Blenheim à Paraparaumu et Napier, Nelson à Paraparaumu.

Stewart Island Flights (☎03-218 9129 ; www.stewartislandflights.com). Opère entre Invercargill et Stewart Island.

Sunair (☎0800 786 247 ; www.sunair.co.nz). Vols pour Whitianga depuis Ardmore (près d'Auckland), Great Barrier Island et Tauranga, et nombreuses connexions dans l'île du Nord entre Hamilton, Rotorua, Gisborne et Whakatane.

Forfaits aériens

Star Alliance (www.staralliance.com) propose le **South Pacific Airpass,** restreint au Pacifique Sud, valide pour des trajets précis en Nouvelle-Zélande, ou entre la Nouvelle-Zélande, l'Australie et diverses îles du Pacifique comme les îles Fidji, la Nouvelle-Calédonie, les îles Tonga, Cook et Samoa. Destinés aux non-résidents de ces pays, ces forfaits valables 3 mois ne sont vendus qu'en dehors de la Nouvelle-Zélande et à condition d'acheter un vol international Star Alliance. Un forfait typique Sydney-Christchurch-Wellington-Auckland-Nadi coûtait 1050 $ lors de nos recherches.

Accessible aux passagers canadiens ou américains qui ont voyagé avec Air New Zealand depuis le Canada, les États-Unis, l'Australie ou les îles du Pacifique, le **New Zealand Explorer Pass** (www.airnewzealand.com/explorer-pass) de la compagnie nationale présente un bon rapport qualité/prix. Il couvre 27 destinations en Nouvelle-Zélande, en Australie et dans le Pacifique Sud (notamment Norfolk Island, les îles Tonga, la Nouvelle-Calédonie, les îles Samoa, le Vanuatu, Tahiti, les Fidji, Niué et les îles Cook). Quatre fourchettes tarifaires s'appliquent selon la distance : pour la zone 1 (ex : Auckland-Christchurch), le prix d'entrée est de 99 $US ; pour la zone 2 (ex : Auckland-Queenstown), de 129 $US ; pour la zone 3 (ex : Wellington-Sydney), de 214 $US ; et pour la zone 4 (ex : Tahiti-Auckland), de 295 $US. Vous pouvez acquérir le pass avant votre voyage ou à votre arrivée.

Bateau

Malgré son caractère insulaire, le pays compte peu de liaisons maritimes longue distance. Parmi les exceptions : les liaisons entre Auckland et plusieurs îles du golfe de Hauraki, celles inter-îles via le détroit de Cook entre Wellington et Picton, et le ferry de passagers traversant le détroit de Foveaux entre Bluff et Oban sur Stewart Island.

Si vous en avez les moyens, des paquebots longent les côtes de la Nouvelle-Zélande dans le cadre de croisières dans le Pacifique Sud. P&O Cruises (www.pocruises.com.au) figure parmi les principales compagnies.

Bus

Simples et bien organisés, les services de bus permettent d'atteindre les sites les plus éloignés (tels les points de départ de sentiers de randonnée), mais les trajets peuvent s'avérer chers, longs et fastidieux.

InterCity (www.intercity.co.nz), la principale compagnie, rejoint presque tous les coins des deux îles. **Naked Bus** (www.nakedbus.com) couvre des lignes similaires. Les deux proposent des tarifs à partir de 1 $ (!).

InterCity possède dans l'île du Sud une filiale appelée Newmans Coach Lines (www.intercity.co.nz/newmans-coachlines), qui opère entre Queenstown, Christchurch et les glaciers de la côte ouest.

Classes/Tabac

Pas de classe économique ou affaires à bord des bus. Fumer y est formellement interdit.

Naked Bus (nakedbus.com) a mis en place entre Auckland et Wellington (avec arrêts à Hamilton et Palmerston North) des bus de nuit pourvus de couchettes de 1,80 m (prévoyez des bouchons d'oreilles).

Réservations

Durant l'été, les vacances scolaires et les jours fériés, réservez si possible une ou deux semaines à l'avance sur les lignes fréquentées. Le reste du temps, il suffit de s'y prendre un ou deux jours avant. Les tarifs les plus avantageux s'obtiennent généralement en ligne à quelques semaines du départ.

Forfaits de bus

Si vous parcourez de nombreux kilomètres, les forfaits proposés par InterCity et Naked Bus permettent de réaliser une économie substantielle, mais se cantonnent aux réseaux respectifs de ces compagnies. Généralement valides 12 mois.

Sinon, InterCity accorde une réduction d'environ 10% aux détenteurs des cartes YHA, ISIC, Nomads, BBH et VIP Backpacker.

Forfaits nationaux

Flexipass Grâce à ce pass permettant d'emprunter librement les InterCity, vous pourrez aller n'importe où – même l'Interislander traversant le détroit de Cook est inclus. Le tarif varie en fonction du nombre d'heures de voyage, avec des tranches allant de 15 heures (119 $) à 60 (449 $). Plus long est le pass, moins cher coûte le voyage. Le pass peut être rechargé.

Aotearoa Explorer, Tiki Tour & Island Loop Ces pass InterCity (738-995 $) offrent un service avec montée/descente libres sur des itinéraires fixes reliant des hauts lieux touristiques. Voir www.intercity.co.nz/bus-pass/travelpass.

Naked Passport (nakedbus.com/nz/passport.). Forfait de Naked Bus rechargeable à loisir par tranches de 5 trajets

(151/318/491 $ pour 5/10/20 trajets). Si l'on reste longtemps, le forfait illimité à 597 $ est avantageux.

Forfaits île du Nord

InterCity propose aussi 6 forfaits avec montée/descente libres sur des itinéraires fixes dans l'île du Nord, du court trajet entre Auckland et Paihia (119 $) au voyage d'Auckland à Wellington (384 $) via les principaux sites touristiques. Voir www.intercity.co.nz/bus-pass/travelpass.

Forfaits île du Sud

Sur l'île du Sud, InterCity offre 6 forfaits avec montée/descente libres, du trajet entre Picton et Queenstown le long de la côte ouest (119 $) au tour complet de l'île (509 $). Voir www.intercity.co.nz/bus-pass/travelpass.

Navettes

D'autres compagnies qu'InterCity et Naked Bus raccordent les petites villes entre elles. Les opérateurs ci-après (liste complète sur www.tourism.net.nz/transport/bus-and-coach-services) assurent des services réguliers et/ou des circuits touristiques et locations de bus :

Abel Tasman Travel (www.abeltasmantravel.co.nz). Parcourt les routes entre Nelson, Motueka, Golden Bay et l'Abel Tasman National Park.

Atomic Shuttles (www.atomictravel.co.nz) Couvre l'île du Sud, notamment Christchurch, Dunedin, Invercargill, Picton, Nelson, Greymouth/Hokitika et Queenstown/Wanaka.

Catch-a-Bus South (www.catchabussouth.co.nz). D'Invercargill et Bluff à Dunedin et Queenstown.

Cook Connection (www.cookconnect.co.nz). Circule entre Mt Cook, Twizel et Lake Tekapo.

East West Coaches (www.eastwestcoaches.co.nz). Relie Christchurch à Westport *via* Lewis Pass.

Go Kiwi Shuttles (www.go-kiwi.co.nz) Service quotidien Auckland-Whitianga, dans la péninsule de Coromandel.

Hanmer Connection (www.hanmerconnection.co.nz). Liaisons quotidiennes entre Hanmer Springs et Christchurch.

Manabus (www.manabus.com). Circule chaque jour dans les deux sens entre Auckland et Wellington via Hamilton, Rotorua, Taupo et Palmerston North. Dessert aussi Tauranga, Paihia et Napier. Certaines lignes sont couvertes par Naked Bus.

Tracknet (www.tracknet.net). Conduit l'été aux sentiers de randonnée (Milford, Routeburn, Kepler) entre Queenstown, Te Anau et Invercargill.

Trek Express (www.trekexpress.co.nz). Navette tout-terrain desservant tous les sentiers dans la moitié supérieure de l'île du Sud.

Waitomo Wanderer (www.travelheadfirst.com). Effectue une boucle entre Rotorua ou Taupo jusqu'à Waitomo.

West Coast Shuttle (www.westcoastshuttle.co.nz). Bus quotidien rattachant Greymouth à Christchurch.

Transports en commun

Bus, train et tram

Le réseau de bus des villes principales est assez développé mais, à quelques exceptions près, il se limite à des services en semaine et de jour. Le week-end, les liaisons sont rares, voire inexistantes, hormis des bus de nuit pour les vendredis et samedis soir arrosés. Les bus Link et le City Circuit (gratuit) facilitent les déplacements dans le centre-ville d'Auckland. Le centre-ville de Hamilton se parcourt aussi gratuitement en bus, tout comme il existe à Christchurch une navette gratuite et un tramway d'époque.

Seules Auckland et Wellington bénéficient d'une desserte ferroviaire acceptable, soit respectivement 4 et 5 lignes de trains de banlieue.

Taxi

Pourvus d'un compteur et généralement dignes de confiance, les taxis abondent dans les grandes villes et il existe souvent un service local dans celles de moindre importance.

Train

En Nouvelle-Zélande, il faut prendre le train pour l'attrait du voyage, pas si vous êtes pressé. **KiwiRail Scenic Journeys** (☎0800 872 467, 04-495 0775 ; www.kiwirailscenic.co.nz) gère

4 lignes répertoriées ci-dessous. La réservation s'effectue auprès de KiwiRail Scenic Journeys, des gares principales (ni à Palmerston North ni à Hamilton), d'agences de voyages et des offices de tourisme. Tous les trajets ont lieu de jour (pas de trains-couchettes).

Capital Connection Service de banlieue entre Palmerston North et Wellington en semaine.

Coastal Pacific Relie Christchurch à Picton en suivant la côte est de l'île du Sud.

Northern Explorer Auckland-Wellington : départ vers le sud les lundis, jeudis et samedis, vers le nord les mardis, vendredis et dimanches.

TranzAlpine À travers les Alpes du Sud, entre Christchurch et Greymouth – l'un des itinéraires ferroviaires les plus célèbres du monde.

Forfaits de train

Le Scenic Journey Rail Pass (www.kiwirailscenic.co.nz/scenic-rail-pass) de KiwiRail Scenic Journeys donne un accès illimité à tout le réseau, y compris au ferry Interislander reliant Wellington à Picton. Il existe deux forfaits, à réserver au moins 24 heures à l'avance :

Fixed Pass Voyages limités dans le temps ; forfait 1/2/3 semaines 599/699/799 $ par adulte (un peu moins pour les enfants).

Freedom Pass Valable 1 an, il vous permet de voyager un nombre de jours limité ; forfait 3/7/9 jours 417/903/1290 $.

Vélo

Les cyclotouristes abondent, surtout en été. Le pays est verdoyant et riche en cours d'eau, il n'y a pas trop de monde et les hébergements bon marché (dont les campings) ne manquent pas. Il possède des routes plutôt bien entretenues et un climat adapté. La circulation constitue le danger majeur : les camions vous frôlent en doublant. Vélo et accessoires sont faciles à louer et à acheter dans les grandes villes, et les boutiques d'entretien et de réparation de vélo ne sont pas rares.

Le port d'un casque homologué est obligatoire (les contrevenants encourent une amende) et il importe d'avoir des équipements réfléchissants. Pour les cyclistes utilisant les transports publics, les principales lignes de bus et de train n'acceptent les vélos que s'il reste de la place et facturent jusqu'à 10 $. En revanche, certaines petites compagnies de bus disposent d'un espace prévu et les transportent moyennant supplément.

Si vous venez de l'étranger en avion ou prenez un vol intérieur avec votre vélo, renseignez-vous auprès de la compagnie sur le tarif, le niveau de démontage et l'empaquetage requis.

Plus de détails sur la sécurité et les lois en vigueur sur www.nzta.govt.nz/walking-cycling-and-public-transport/cycling. Consultez aussi le site www.nzcycletrail.com au sujet du New Zealand Cycle Trail (Nga Haerenga), un réseau de 23 itinéraires ("Great Rides") de VTT à travers le pays.

Location

Le prix d'un vélo de route ou d'un VTT s'élève autour de 20 $ de l'heure ou 60 $ par jour. Des locations longue durée peuvent parfois être négociées. Les hébergements proposent souvent des bicyclettes, mais les boutiques spécialisées des grandes villes offrent le meilleur choix.

Voiture

La meilleure façon d'explorer le pays est d'être motorisé. On trouve des locations de voiture et de camping-car à prix intéressant. Si vous séjournez en Nouvelle-Zélande pendant plusieurs mois, il peut être intéressant d'acheter un véhicule.

Association Automobile (AA)

L'**Association Automobile** (AA ; ☎0800 500 444 ; www.aatravel.co.nz) néo-zélandaise prodigue un service de dépannage d'urgence, des cartes routières et un annuaire des hébergements (des parcs de vacances aux motels, en passant par les B&B).

Les membres de clubs automobiles étrangers voyageront avec leur carte de membre : la plupart bénéficient d'accords avec l'AA.

Assurance

Pour éviter de devoir payer des sommes élevées en cas d'accident, souscrivez une police d'assurance complète à votre nom ou, option la plus courante, payez un supplément journalier à l'agence de location permettant de ne régler que 10% de la franchise, à savoir environ 200 à 300 $ plutôt que 1 500 à 2 000 $. Les petites agences appliquent souvent une franchise obligatoire, bloquée sur carte bancaire, de 900 $ environ.

La plupart des polices d'assurance ne couvrent pas le bris de glace (pare-brise compris) ou les dommages aux pneus, ni la conduite sur la plage ou certaines routes en mauvais état non goudronnées (réservées aux 4x4).

Voir le site www.acc.co.nz au sujet de l'Accident Compensation Corporation qui fait office d'assurance au tiers en Nouvelle-Zélande.

Carburant

À moins que vous ne conduisiez un vieux véhicule, vous ferez le plein de "unleaded" (sans plomb) ou de GPL. On trouve de l'essence partout, mais les stations isolées ne vendent pas toujours de GPL; optez pour une voiture à moteur mixte. En dehors de lieux retirés comme Milford Sound et Mt Cook, le prix à la pompe ne varie guère. Il s'élevait à environ 2 $ le litre au moment de la rédaction de ce guide.

Code de la route

- Les Néo-Zélandais roulent à gauche dans des véhicules avec le volant à droite, et la priorité est donnée à droite aux intersections.
- Sur les ponts à une seule voie (qui sont étonnamment nombreux à travers le pays), la flèche rouge pointée vers vous indique que vous devez céder le passage.
- La vitesse est en principe limitée à 100 km/h sur route et à 50 km/h en agglomération. Détecteurs de vitesse et radars sont monnaie courante.
- Faute de ceinture de sécurité, il vous sera dressé une amende, conducteur comme passagers. Les enfants en bas âge doivent disposer d'un siège auto homologué.
- La loi impose le port du permis et réprime durement l'ivresse au volant – fléau majeur, en dépit de vastes campagnes de prévention et de sanctions sévères. Le taux d'alcoolémie ne doit pas dépasser 0,05% pour les plus de 20 ans, et 0% pour les moins de 20 ans.

Dangers de la route

En Nouvelle-Zélande, quelque 30% des accidents impliquent des conducteurs étrangers. Le trafic est plutôt fluide, mais il faut savoir rester patient derrière un camion ou un camping-car. Routes sinueuses, ponts à sens unique et chaussées en graviers incitent à la prudence. Et attention aux moutons !

Pour connaître l'état des routes, appelez le ☎0800 444 449 ou consultez www.nzta.govt.nz/traffic.

Location

Camping-car

En Nouvelle-Zélande, pas de route reculée où l'on ne croise un camping-car d'un blanc étincelant, chargé de voyageurs, de VTT et d'un barbecue portatif.

Toute ville possède son terrain de camping ou son *holiday park* où, moyennant 35 $ la nuit, vous bénéficierez d'un branchement électrique. Le Department of Conservation (DOC ; www.doc.govt.nz) gère aussi plus de 250 campings, dont le prix va de 0 à 15 $ par adulte ; renseignements sur le site Internet.

Des dizaines d'agences louent des vans et camping-cars. Les tarifs varient selon la saison, la taille du véhicule et la durée.

Les petits modèles pour deux sont équipés d'une kitchenette et d'une table pliante transformable en lit. La catégorie dite *superior* compte 2 couchettes, une douche et un W.-C. Ceux pour 4-6 personnes ont la taille et la lenteur d'un camion.

Si en été les grosses agences facturent à partir de 110/150/210 $ par jour sur un mois un camping-car pour 2/4/6 personnes réservé 6 mois à l'avance, en hiver la location peut descendre à 50/70/100 $.

Principaux prestataires :

Apollo (☎09-889 2976, 0800 113 131 ; www.apollocamper.co.nz)

Britz (☎09-255 3910, 0800 081 032 ; www.britz.co.nz) Dispose d'un service "Britz Bikes" (vélo en sus pour 12 $/j)

Maui (☎09-255 3910, 0800 688 558 ; www.maui.co.nz)

Wilderness Motorhomes (☎09-282 3606 ; www.wilderness.co.nz)

Voiture

Les compagnies de location se livrent une concurrence farouche, en particulier dans les grandes villes et à Picton. Une règle d'or : pour voyager loin, optez pour un kilométrage illimité ! Certaines agences ne louent qu'à des conducteurs âgés de 21 ans ou plus.

La plupart des agences de location recommandent de ne pas faire traverser le véhicule de location par le ferry du détroit de Cook. Mieux vaut le laisser au terminal de Wellington ou de Picton et en récupérer un de l'autre côté. Vous économiserez ainsi le prix de la traversée pour la voiture.

Loueurs internationaux

Présentes dans la plupart des villes et aéroports, les agences de location internationales ont l'avantage de pratiquer des locations sans retour (location d'un véhicule à Auckland, remis au loueur à Wellington), moyennant certaines conditions et une surtaxe. Il arrive cependant qu'un opérateur de Christchurch ait besoin de ramener un véhicule à Auckland et propose une formule très avantageuse, voire gratuite (!).

Les principales sociétés proposent soit le kilométrage illimité, soit un forfait journalier d'environ 100 km et facturation en sus au-delà. Dans les grandes villes, comptez au moins 40 $/j pour un ancien modèle compact de marque japonaise et 75 $/j pour un modèle intermédiaire (taxe GST, kilométrage illimité et assurance compris).

Avis (☎09-526 2847, 0800 655 111 ; www.avis.co.nz)

Budget (☎09-529 7784, 0800 283 438 ; www.budget.co.nz)

Europcar (☎0800 800 115 ; www.europcar.co.nz)

Hertz (☎03-358 6789, 0800 654 321 ; www.hertz.co.nz)

Thrifty (☎03-359 2720, 0800 737 070 ; www.thrifty.co.nz)

Loueurs locaux

La multitude d'agences locales affiche presque toujours des tarifs plus bas que les poids lourds du secteur, parfois jusqu'à 50% moins chers. Par contre, leurs véhicules sont souvent plus anciens, les conditions d'assurances moins intéressantes et les dépôts plus loin des aéroports/centres-villes.

Les petits modèles coûtent à partir de 30 $/jour environ, moins sur la durée, ainsi qu'en basse saison et le week-end.

Voici quelques agences indépendantes dotées d'un réseau national :

a2b Car Rentals (☎09-254 4397, 0800 545 000 ; www.a2b-car-rental.co.nz)

Ace Rental Cars (☎09-303 3112, 0800 502 277 ; www.acerentalcars.co.nz)

Apex Rentals (☎03-595 2530, 0800 500 660 ; www.apexrentals.co.nz)

Ezi Car Rental (☎09-254 4397, 0800 545 000 ; www.ezicarrental.co.nz)

Go Rentals (☎09-974 1598, 0800 467 368 ; www.gorentals.co.nz)

Omega Rental Cars (☎09-377 5573, 0800 525 210 ; www.omegarentalcars.com)

Pegasus Rental Cars (☎09-275 3222, 0800 803 580 ; www.rentalcars.co.nz)

Transfercar (☎09-630 7533 ; www.transfercar.co.nz). Spécialisés dans la location de véhicules en aller simple.

Permis de conduire

Les étrangers ont le droit de conduire en Nouvelle-Zélande avec leur permis national. Si celui-ci n'est pas libellé en anglais, il peut être judicieux d'en apporter une traduction certifiée. Autrement, utilisez un permis de conduire international (valable 12 mois), généralement délivré sur place par l'association automobile de votre pays.

Langue

La Nouvelle-Zélande reconnaît trois langues officielles : l'anglais, le maori et la langue des signes néo-zélandaise. Si l'anglais est la plus généralement parlée, le maori fait un retour en force. On peut s'adresser à n'importe qui en anglais, mais il est utile de connaître quelques mots de maori dans certaines circonstances comme la visite d'une *marae*, où l'on ne parle souvent que cette langue. Des rudiments de maori vous aideront également à comprendre les toponymes en maori.

L'anglais néo-zélandais

Comme les habitants des autres pays anglophones du monde, les Néo-Zélandais ont une manière bien à eux de parler l'anglais. Les voyelles refermées sont la caractéristique la plus flagrante de la prononciation néo-zélandaise. "Fish and chips", par exemple, se prononce plutôt "fush and chups". Sur l'Île du Nord, on termine souvent les phrases par "eh!". Dans l'extrême Sud, les "r" roulés sont monnaie courante, vestige du passé écossais de cette région particulièrement flagrant dans le Southland.

Le maori

Les Maoris ont une histoire dont il existe des récits très vivants, sous forme de chants et de psalmodies évoquant de manière saisissante leur migration depuis la Polynésie ainsi que d'autres événements importants. Les premiers missionnaires furent les premiers à retranscrire cette langue orale en utilisant seulement 15 lettres de l'alphabet anglais.

Le maori est étroitement apparenté à d'autres langues polynésiennes comme l'hawaïen, le tahitien et le maori des Îles Cook. En fait, le maori néo-zélandais et l'hawaïen sont assez semblables, bien que plus de 7 000 km séparent Honolulu d'Auckland.

La langue maorie n'a jamais été une langue morte – elle a toujours été utilisée lors des cérémonies maories – mais, avec le temps, elle est devenue de moins en moins familière. Heureusement, elle connaît un regain d'intérêt depuis quelques années, ce qui fait partie intégrante de la renaissance du *Maoritanga* (culture maorie). De nombreux Maoris, qui ont entendu parler cette langue dans la *marae* pendant des années sans jamais l'employer au quotidien, l'étudient et la parlent couramment aujourd'hui. Des écoles enseignent le maori dans tout le pays, il existe des programmes et des bulletins d'information télévisés en maori et beaucoup de noms de lieux en anglais ont été rebaptisés en maori. Certains services gouvernementaux ont même reçu un nom maori : par exemple, le Inland Revenue Department (Service des impôts) s'appelle aussi Te Tari Taake (le dernier mot est *take*, qui signifie "lever", mais le service a préféré souligner le *a* long en le doublant).

Dans de nombreux endroits, les Maoris se sont assemblés pour enseigner leur langue et leur culture à de jeunes enfants, afin qu'ils grandissent en parlant à la fois le maori et l'anglais et se familiarisent avec la tradition maorie. Parler couramment cette langue est un sujet de fierté. Dans certaines *marae*, on ne peut parler que maori.

Prononciation

Le maori est une langue fluide et poétique, étonnamment facile à prononcer dès lors qu'on pense à fractionner les mots (certains sont particulièrement longs) en syllabes distinctes. Chaque syllabe se termine par une voyelle. Il n'y a pas de lettre muette.

En maori, la plupart des consonnes – *h*, *k*, *m*, *n*, *p*, *t* et *w* – se prononcent comme en français. Le *r* maori est une consonne battue (non roulée) qui se fait avec la langue près de l'avant de la bouche. Il se situe entre le *r* roulé et le *l*.

Le *ng*, employé en début comme en fin de mot, se prononce comme un *g* nasalisé. Entraînez-vous en prononçant un *ng*.

Lorsqu'elles sont accolées, les lettres *wh se prononcent* généralement comme un *f* atténué. Cette prononciation s'applique à de nombreux toponymes néo-zélandais comme Whakataneand Whakapapa. Il existe des variantes de prononciation : dans la région de la Whanganui River, par exemple, *wh* se prononce comme dans *watt*.

Il est très important de bien prononcer les voyelles. Les exemples ci-après constituent des indications de base – vous gagnerez à écouter attentivement les personnes parlant bien le maori. Chaque voyelle peut être courte ou longue, les voyelles longues étant souvent surmontées d'un accent plat ou doublées à l'écrit. Nous n'avons pas différencié ici les voyelles courtes des longues.

Voyelles

a	a
e	è
i	i
o	o
u	ou

Combinaisons de voyelles

ae, ai	aï (comme dans *aïe*)
ao, au	ao
ea	ai (comme dans *air*)
ei	ei (comme dans *veille*)
eo	èo
eu	èou
ia	ia (comme dans *liane)*
ie	yè (comme dans *hyène*)
io	io
iu	iou
oa	oa
oe	ow
oi	oi
ou	o-*ou*
ua	*ioua*

Salutations et conversation de base

Les formules de salutation maories sont de plus en plus en vogue : ne vous étonnez pas d'être salués d'un *Kia ora*.

Bienvenue !	*Haere mai!*
Bonjour/ Bonne chance/ Bonne santé	*Kia ora.*
Bonjour (à 1 personne)	*Tena koe.*
Bonjour (à 2 personnes)	*Tena korua.*
Bonjour (à plus de 2 personnes)	*Tena koutou.*
Au revoir (à la personne qui reste)	*E noho ra.*
Au revoir (à la personne qui part)	*Haere ra.*
Comment allez-vous ? (à 1 personne)	*Kei te pehea koe?*
Comment allez-vous ? (à 2 personnes)	*Kei te pehea korua?*
Comment allez-vous ? (à plus de 2 personnes)	*Kei te pehea koutou?*
Très bien, merci./ Ça va.	*Kei te pai.*

Termes géographiques maoris

Les mots maoris suivants font partie de nombreux noms de lieux néo-zélandais, dont ils constituent la description. Par exemple : Waikaremoana est la mer (*moana*) des eaux (*wai*) qui ondulent (*kare*), et Rotorua signifie le deuxième (*rua*) lac (*roto*).

a – de
ana – grotte
ara – voie, chemin ou route
awa – rivière ou vallée
heke – descendre
hiku – bout, queue
hine – fille
ika – poisson
iti – petit
kahurangi – bien précieux ; jade de valeur
kai – nourriture
kainga – village
kaka – perroquet
kare – qui ondule
kati – fermer
koura – langouste
makariri – froid
manga – cours d'eau, affluent
manu – oiseau
maunga – montagne
moana – mer ou lac
moko – tatouage

motu – île
mutu – terminé
nga – les
noa – ordinaire ; pas *tapu*
nui – grand, gros
nuku – distance
o – de, lieu de...
one – plage, sable ou boue
pa – village fortifié
papa – grosse roche d'argilite bleu-gris
pipi – bivalve courant et comestible
pohatu – pierre
poto – court
pouri – triste, sombre, sinistre
puke – colline
puna – source, trou, fontaine
rangi – ciel, paradis
raro – nord
rei – bien précieux
roa – long
roto – lac
rua – trou dans le sol ; deux
runga – au-dessus
tahuna – plage, banc de sable
tane – homme
tangata – peuple
tapu – sacré, interdit, tabou
tata – proche de ; lancer contre ; îles jumelles
tawaha – entrée, ouverture
tawahi – l'autre côté (d'une rivière, d'un lac)
te – le, la
tonga – sud
ure – parties génitales mâles
uru – ouest
waha – cassé
wahine – femme
wai – eau
waingaro – perdu ; eaux qui disparaissent à certaines saisons
waka – canoë
wera – brûlé, chaud ; flottant
wero – défi
whaka... – servir de...
whanau – famille
whanga – port, baie, bras de mer
whare – maison
whenua – terre, pays
whiti – est

GLOSSAIRE

Voici une liste d'abréviations et de termes néo-zélandais, maoris ou argotiques employés dans ce guide, que vous pourriez bien rencontrer en Nouvelle-Zélande.

All Blacks – l'équipe de rugby nationale adulée des Néo-Zélandais.
Anzac – corps d'armée australien et néo-zélandais
Aoraki – nom maori du Mt Cook, signifiant "perceur de nuages"
Aotearoa – nom maori de la Nouvelle-Zélande, le plus souvent traduit par "terre du long nuage blanc"
aroha – amour

bach – maison de vacances (prononcer "batch") ; voir aussi *crib*
bro – abréviation de *brother*, frère ; signifie généralement "pote"
BYO – "apportez le vôtre" (fait généralement référence à l'alcool dans un restaurant ou un café)

choice/chur – fantastique, génial
crib – synonyme de *bach* dans l'Otago et le Southland

DOC – Department of Conservation (ou Te Papa Atawhai), organisme gouvernemental administrant les parcs, sentiers et refuges nationaux

eh? – "hein ?", "pas vrai ?"

farmstay – logement à la ferme
football – rugby (à XIII ou à XV) ; signifie parfois football

Great Walks – ensemble de 9 sentiers de randonnées néo-zélandais très prisés
greenstone – jade, *pounamu*

haka – n'importe quelle danse, mais généralement une danse guerrière
hangi – four où l'on cuit la nourriture dans des paniers, sur des braises au-dessus d'un trou ; festin maori

hapu – sous-tribu ou groupe tribal de petite taille

Hawaiki – terre d'origine des *Maoris*

hei tiki – silhouette anthropomorphe stylisée, portée en pendentif ; également appelée *tiki*

homestay – logement chez l'habitant

hongi – salut maori : les fronts et les nez se touchent, on échange le souffle vital

hui – rassemblement, rencontre

i-SITE – centre d'information

iwi – grand ensemble tribal partageant un même arbre généalogique remontant à la migration originelle depuis *Hawaiki* ; peuple, tribu

jandals – contraction de *Japanese sandals* (sandales japonaises) : tongs, claquettes ; chaussures en caoutchouc

kauri – pin néo-zélandais

kia ora – bonjour

Kiwi – Néo-Zélandais (n.), néo-zélandais (adj.)

kiwi – oiseau brun, nocturne, incapable de voler et muni d'un long bec

Kiwiana – objets spécialement liés à la vie et à la culture néo-zélandaises, surtout passées

kiwifruit – kiwi (fruit)

kumara – patate douce polynésienne, plat maori de base

Kupe – navigateur polynésien venu de *Hawaiki*, auquel on attribue la découverte des îles qui forment la Nouvelle-Zélande actuelle

mana – qualité spirituelle d'une personne ou d'un objet ; autorité ou prestige

Māori – peuple indigène de Nouvelle-Zélande

Māoritanga – relatif aux *Māoris*, par exemple la culture maorie

marae – sol sacré devant la maison commune maorie ; ce mot sert communément à désigner l'ensemble des bâtiments

Maui – figure mythologie maorie (polynésienne)

mauri – principe ou force de vie

moa – grand oiseau incapable de voler (espèce éteinte)

moko – tatouage ; désigne généralement les tatouages faciaux

nga – les ; voir *te*

ngai/ngati – littéralement "le peuple" ou "les descendants de" ; tribu (prononcé "kai" sur l'Île du Sud)

pa – village maori fortifié, généralement situé sur une hauteur

Pakeha – terme maori désignant un blanc ou un Européen

Pasifika – culture des îles du Pacifique

paua – ormeau ; les coquilles d'ormeaux iridescentes sont souvent employées en bijouterie

pavlova – meringue garnie de crème et de kiwis

PI – Pacific Islander : habitant d'une île du Pacifique

poi – boule de lin tissé

pounamu – nom maori du jade

powhiri – accueil traditionnel maori dans une *marae*

rip – à la plage, dangereux courant fort qui éloigne du rivage

Roaring Forties – quarantièmes rugissants : l'océan situé entre les 40ᵉ et 50ᵉ parallèles sud, réputés pour leurs vents violents

silver fern – fougère d'argent ; symbole apposé sur le maillot des *All Blacks* et d'autres sportifs néo-zélandais ; l'équipe nationale de netball s'appelle les Silver Ferns

sweet, sweet as – adjectif passe-partout : super, génial

tapu – force puissance dans la vie maorie, aux nombreuses significations ; dans sa forme la plus simple, signifie sacré, interdit, tabou

te – le, la ; voir aussi *nga*

te reo – littéralement "la langue" ; le maori

tiki – abréviation de *hei tiki*

tiki tour – circuit panoramique

tramp – randonnée dans le bush, randonnée

tuatara – reptile préhistorique datant de l'époque des dinosaures

tui – passereau endémique

wahine – femme

wai – eau

wairua – esprit

Waitangi – abréviation de "traité de Waitangi"

waka – canoë

En coulisses

Crédits

Photo de couverture : Aoraki/Mt Cook National Park (Te Wahipounamu), iSiripong / Shutterstock ©

Données de la carte du climat adaptées de Peel MC, Finlayson BL & McMahon TA (2007) "Updated World Map of the Köppen-Geiger Climate Classification", *Hydrology and Earth System Sciences*, 11, 163344.

À propos de ce guide

Cette 4e édition française du guide *L'Essentiel de la Nouvelle-Zélande* est une traduction-adaptation de la 1re édition du guide *Lonely Planet's Best Of New Zealand* (en anglais) commandée par le bureau de Lonely Planet de Melbourne. Cet ouvrage a été coordonné par Brett Atkinson, assisté dans la rédaction par Sarah Bennett, Peter Dragicevich, Charles Rawlings-Way et Lee Slater.

Traduction Frédérique Hélion-Guerrini, Florence Guillemat-Szarvas et Marie Thureau
Direction éditoriale Didier Férat
Adaptation française Cécile Couet
Responsable prépresse Jean-Noël Doan
Maquette Gudrun Fricke
Cartographie Cartes originales de Diana von Holdt, et cartes adaptées en français par Nicolas Chauveau.
Couverture Adaptée par Laure Wilmot
Merci à Jean-Victor Rebuffet pour son travail de révision, à Bernard Guérin pour sa relecture attentive, à Ludivine Bréhier pour sa préparation du manuscrit, et à Claire Chevanche pour son travail de référencement. Un grand merci à Dominique Bovet, Dominique Spaety et Juliette Stephens pour leur soutien, et à toute l'équipe du bureau de Paris. Enfin, merci à Clare Mercer, Sarah Nicholson et Luan Angel du bureau de Londres, ainsi qu'à Darren O'Connell, Chris Love, Sasha Baskett, Angela Tinson, Jacqui Saunders, Ruth Cosgrave et Glenn van der Knijff du bureau australien.

Vos réactions

Vos commentaires nous sont très précieux et nous permettent d'améliorer constamment nos guides. Notre équipe lit toutes vos lettres avec la plus grande attention. Nous ne pouvons pas répondre individuellement à tous ceux qui nous écrivent, mais vos commentaires sont transmis aux auteurs concernés. Tous les lecteurs qui prennent la peine de nous communiquer des informations sont remerciés dans l'édition suivante, et ceux qui nous fournissent les renseignements les plus utiles se voient offrir un guide.

Pour nous faire part de vos réactions, prendre connaissance de notre catalogue et vous abonner à notre newsletter, consultez notre site Internet : **www.lonelyplanet.fr**

Nous reprenons parfois des extraits de notre courrier pour les publier dans nos produits, guides ou sites web. Si vous ne souhaitez pas que vos commentaires soient repris ou que votre nom apparaisse, merci de nous le préciser. Notre politique en matière de confidentialité est disponible sur notre site Internet.

A–Z

Index

M

Références des cartes en **gras**

N

O

P

R

Comment utiliser ce guide

Ces symboles vous aideront à identifier les différentes rubriques :

- À voir
- Activités
- Cours
- Circuits organisés
- Fêtes et festivals
- Où se restaurer
- Où prendre un verre
- Où sortir
- Achats
- Renseignements et transports

Ces symboles vous donneront des informations essentielles au sein de chaque rubrique :

Adresses écoresponsables

GRATUIT Sites libres d'accès

- Numéro de téléphone
- Horaires d'ouverture
- Parking
- Non-fumeur
- Climatisation
- Accès Internet
- Wi-Fi
- Piscine
- Bus
- Ferry
- Tramway
- Train
- Menu en anglais
- Végétarien
- Familles bienvenues

Choisissez des lieux sur mesure grâce aux symboles suivants :

- Petits prix
- Gastronomie
- Prendre un verre
- Vélo
- Sports
- Art et culture
- Fêtes et festival
- Sites photogéniques
- Paysages
- En famille
- Excursion
- Détour
- Randonnée
- 100% local
- Histoire
- Sortir
- Plages

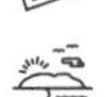

- Café
- Faune et flore
- Scène LGBT
- Hébergement
- Transports
- Activités aquatiques
- Infos pratiques

À voir
- Cave/vignoble
- Château
- Église
- Monument
- Mosquée
- Musée/galerie/édifice historique
- Plage
- Réserve ornithologique
- Ruines
- Synagogue
- Temple bouddhiste
- Temple confucéen
- Temple hindou
- Temple jaïn
- Temple shintoïste
- Temple sikh
- Temple taoïste
- Zoo/réserve animalière
- Autre site

Achats
- Magasin

Activités
- Bodysurfing
- Canoë/kayak
- Cours/circuits organisés
- Plongée/snorkelling
- Randonnée
- Sentô (bain public)
- Ski
- Snorkelling
- Surf
- Piscine/baignade
- Planche à voile
- Autres activités

Où se loger
- Camping
- Hébergement

Où se restaurer
- Restauration

Où prendre un verre
- Bar
- Café

Où sortir
- Salle de spectacle

Renseignements
- Accès Internet
- Ambassade/consulat
- Banque
- Bureau de poste
- Centre téléphonique
- Hôpital/centre médical
- Office du tourisme
- Police
- Toilettes
- Autre adresse pratique

Géographie
- Aire de pique-nique
- Cascade
- Col
- Montagne/volcan
- Oasis
- Parc
- Phare
- Plage
- Point de vue
- Portail
- Refuge/gîte

Transports
- Aéroport
- Bart
- Bus
- Ferry
- Gare/chemin de fer
- Métro/MRT
- Monorail
- Parking
- Piste cyclable
- Poste frontière
- Station-service
- Subway
- T/T-Bane
- Taxi
- Téléphérique/funiculaire
- Tramway
- Tube
- U-Bahn
- Autre moyen de transports

Charles Rawlings-Way

Anglais de naissance, Australien par hasard et fan des All Blacks : sa connaissance initiale d'Aotearoa était assez limitée (des moutons, des montagnes, des moutons dans des montagnes). Le sommet enneigé du Mt Taranaki, Napier dans sa version Art déco, et le charme canaille de Whanganui lui ont permis de comprendre que la Nouvelle-Zélande ne se limitait pas à cela, et il s'est épris de ses paysages fantomatiques, de ses habitants au charme désarmant, et de sa détermination à façonner sa propre destinée politique et indigène.

Autres contributions

Le professeur James Belich *est l'auteur du chapitre Histoire. On doit à ce grand historien de la Nouvelle-Zélande des ouvrages primés comme* The New Zealand Wars, Making Peoples *et* Paradise Reforged.

John Huria *(Ngai Tahu, Muaupoko) a rédigé la rubrique Culture maorie. John a de l'expérience dans l'édition, la recherche et l'écriture, notamment sur la littérature et la culture maories. Ancien responsable éditorial de la maison d'édition maorie Huia, il dirige maintenant Ahi Text Solutions Ltd (www.ahitextsolutions.co.nz), un prestataire de services d'édition et de publication.*

Gareth Shute *a écrit la rubrique Musique et le chapitre Arts et musique. Gareth est l'auteur de quatre ouvrages dont* Hip Hop Music in Aotearoa *et* NZ Rock 1987-2007.

Vaughan Yarwood *a écrit le chapitre Environnement. Basé à Auckland, il a notamment publié* The History Makers: Adventures in New Zealand Biography, The Best of New Zealand: A Collection of Essays on NZ Life and Culture by Prominent Kiwis, *autoédité, et l'ouvrage d'histoire régionale* Between Coasts: From Kaipara to Kawau.

Les guides Lonely Planet

Une vieille voiture déglinguée, quelques dollars en poche et le goût de l'aventure, c'est tout ce dont Tony et Maureen Wheeler eurent besoin pour réaliser, en 1972, le voyage d'une vie : rallier l'Australie par voie terrestre via l'Europe et l'Asie. De retour après un périple harassant de plusieurs mois, et forts de cette expérience formatrice, ils rédigèrent sur un coin de table leur premier guide, *Across Asia on the Cheap*, qui se vendit à 1500 exemplaires en l'espace d'une semaine. Ainsi naquit Lonely Planet, dont les guides sont aujourd'hui traduits en 12 langues.

Nos auteurs

Brett Atkinson

Né à Rotorua et fier d'habiter aujourd'hui Auckland, Brett a exploré pour ce guide la moitié supérieure de l'île du Nord. Les excursions dans le Northland, la péninsule du Coromandel et le Tongariro National Park lui ont rappelé ses vacances en famille au siècle dernier, et la redécouverte de sa ville natale a aussi ravivé d'excellents souvenirs. Brett a collaboré à des guides Lonely Planet couvrant l'Europe, l'Asie et le Pacifique, et visité une cinquantaine de pays en tant que critique gastronomique et écrivain de voyage. Ses derniers voyages figurent sur www.brett-atkinson.net.

Sarah Bennett et Lee Slater

Spécialistes du voyage en Nouvelle-Zélande, Sarah et Lee s'intéressent particulièrement aux activités de plein air, dont la randonnée, le VTT et le camping. Outre 5 éditions du guide *New-Zealand*, ils ont également co-signé pour Lonely Planet *Hiking & Tramping in New Zealand* et *New Zealand's Best Trips*. Plus d'infos sur www.bennettandslater.co.nz.

Peter Dragicevich

Après presque dix années à l'étranger, dans l'édition, Peter est revenu vivre à Auckland, sa ville natale. En tant que directeur de la rédaction du quotidien *Express*, à Auckland, il a passé la majeure partie des années 1990 à écrire sur l'art, les clubs et les bars locaux. Il a collaboré à de nombreux guides sur la Nouvelle-Zélande, qui demeure, après des dizaines de missions pour Lonely Planet, son sujet préféré.

Nos auteurs (suite)

L'Essentiel de la Nouvelle-Zélande
4e édition
Traduit et adapté de l'ouvrage *Best of New Zealand, 1st edition, November 2016*

Réimpression 02, Janvier 2018

En Voyage Éditions | un département

Dépôt légal Février 2017
ISBN 978-2-81616-279-0
Photographes © comme indiqué 2016
Imprimé par IME by ESTIMPRIM, Baume-les-Dames, France